EILEEN GOUDGE

Een spoor van
Gedachten

Uitgeverij Luitingh ~ Sijthoff

Oorspronkelijke titel
Trail of Secrets
Uitgave
Viking Penguin/Penguin Books USA Inc., New York
© 1996 by Eileen Goudge

Vertaling
Annet Mons
Omslagontwerp
Julie Bergen
Omslagdia's
ABC Press/The Image Bank

ISBN 90 245 2560 8   NUGI 342

Voor mijn lieve vriend Andrew,
die de goede strijd strijdt.

DANKBETUIGINGEN

Dit werk is in veel opzichten waarlijk een werk uit liefde geweest. Voornamelijk omdat het mij de gelegenheid bood de boeiende – en zeer uiteenlopende – wereld van beroepsruiters te verkennen... en een van mijn stoutste dromen werkelijkheid te laten worden, namelijk op patrouille mee te rijden met de Mounted Police van New York City. Mijn bijzondere dank gaat uit naar hulpsheriff Cathy Ryan en brigadier Brian Flynn voor die onvergetelijke belevenis. Veel dank ook aan de volgende personen:

Tom Smith van de New York City Mounted Police, een echte politieman en heer, van wie ik veel heb geleerd, niet alleen over de eenheid, maar ook over hedendaagse ridderlijkheid en over onze stille helden in het blauw.

'Scotty', voormalig lid van de eenheid van de New York City Mounted Police, die nu van zijn welverdiende pensioen geniet in een weiland waar hij naar hartelust kan grazen.

Michael Page, voormalig winnaar van de zilveren medaille bij de Olympische Spelen, die zo vriendelijk was mij bruikbare informatie over springconcoursen te verschaffen... en die, nòg vriendelijker, mij een les in springen gaf die ik niet snel zal vergeten.

Lindy Kenyon, voormalig amazone bij uitstek, die zo goed was de scènes over paarden en springconcoursen na te lopen op hun juistheid.

Dokter Lucy Perotta, directeur van de afdeling Neonatologie van het Beth Israel Hospital, omdat ze ondanks al haar drukke bezigheden tijd vrijmaakte om mijn vragen te beantwoorden en omdat ze me toestond een ochtend met haar mee te lopen. Voor iedere zieke baby op deze wereld zou ik net zo'n meelevende en wijze dokter wensen als dokter Perotta.

Dokter Robert Grossmark, voor zijn onschatbare bijdrage... en vooral voor zijn raadgevingen met betrekking tot groepstherapie.

Bill Hudson, van Hudson, Jones, Jaywork, Williams & Liguori, omdat hij de allerbeste buurman is die er bestaat en omdat hij me uitvoerig heeft voorgelicht op het gebied van voogdijkwesties (ten koste van zijn eigen vakantietijd!).

Pamela Dorman, Audrey La Fehr, en Al Zuckerman voor hun nuttige redactionele commentaar.

Dave Nelson, die onvermoeibaar achter de coulissen werkte om alles in orde te maken.

John Delventhal, stalmeester van de Gipsy Trail Club, omdat hij me heeft geleerd dat je het grondig moet aanpakken als je een gedegen ruiter wilt zijn... en omdat hij me heeft onderwezen in de kunst van het kopen van paarden. Ik ben hem vooral dankbaar omdat hij het altijd opneemt voor hen die niet voor zichzelf kunnen spreken.

Gelukkige gezinnen zijn allemaal hetzelfde; ieder ongelukkig gezin is ongelukkig op zijn eigen manier.

LEO TOLSTOJ, *Anna Karenina*

PROLOOG

New York City, 1972

Ellie huiverde in het voortdurend felle schijnsel van de Great White Way, en ze trok de kraag van haar geleende jas strak om zich heen terwijl ze zich van haar werk naar huis haastte. *En er was licht*, dacht ze. Overal licht – het schitterde vanaf neonreclames, weerkaatste tegen de spiegelwanden van nachtclubs, lichtte fel op uit de koplampen van auto's die over Broadway stroomden. Maar het was een koud licht. Zelfs in Euphrates, Minnesota, had ze zich midden in de winter, wanneer de drinkbakken van de koeien stijfbevroren waren en de weilanden één grote liksteen van sneeuw vormden, nooit zó koud gevoeld. In haar goedkope nylon uniform en de te kleine jas van haar zusje, had ze het gevoel dat haar botten knapten als twijgen in een ijzige storm.

Alleen haar borsten, die gezwollen waren van de melk, verspreidden een doffe warmte. Ze voelde hoe ze begonnen te prikken – tijd om te voeden. Ze versnelde haar pas, sloeg de hoek naar Forty-seventh Street om en haar hele lichaam verlangde nu naar haar baby terwijl ze snel verder liep naar de vervallen huurkazerne zonder lift, waar ze een kleine flat deelde met haar zusje.

Had ze genoeg babyvoeding achtergelaten bij Nadine? Haar zusje, bedacht ze met een zucht, zou niet op de gedachte komen eropuit te gaan om meer te kopen. Ellie stelde zich Bethanne voor, met haar lieve poppengezichtje, dat helemaal rood en vertrokken was terwijl ze in Nadine's armen spartelde. Ellie sloeg haar armen om zich heen en deed alsof het Bethanne was die ze vasthield om te troosten. Ze had eigenlijk de hele avond, terwijl ze op een hoge kruk in het muffe hokje van het kaartjesloket van Loew's op de hoek van Broadway en Forty-fifth had gezeten om plaatsbewijzen aan te slaan en wisselgeld door de sleuf te schuiven, dit vreemde gevoel gehad – een hardnekkig voorgevoel van naderend onheil.

Stel dat dat blosje op haar dochters wangen, dat ze eerder van-

11

daag had ontdekt, betekende dat Beth iets onder de leden had? Mazelen of de bof of... of misschien wel pokken. Ellie voelde hoe haar maag ineenkromp; toen bedwong ze zich onmiddellijk. *Tegenwoordig krijgen de mensen geen pokken meer*, zei ze resoluut tegen zichzelf. *Bovendien is ze ingeënt. Dus doe nou maar kalm en wind je niet zo op. Je hebt wel andere dingen aan je hoofd – om te beginnen hoe je in 's hemelsnaam genoeg geld kunt sparen om een eigen huis te hebben.*

Van haar inkomsten als kaartjesverkoopster kon ze, ook al legde ze ieder dubbeltje dat niet voor eten of haar aandeel in de huur was bestemd opzij, misschien nog eens, wie weet, zo ongeveer rond de eeuwwisseling, gordijnen in haar eigen keuken ophangen. Maar de gedachte alleen al aan een huis dat ze kon opknappen, met ruimte voor een tweedehands ledikantje en een degelijk, fatsoenlijk matras (in plaats van de hobbelige slaapbank waarop ze bij Nadine sliep), vrolijkte haar een beetje op. Het leek echt of ze iets van het trottoir omhoogkwam, alsof haar sportschoenen opeens extra veerkracht hadden ontwikkeld.

Ze zou het echt op de een of andere manier laten gebeuren. Een betere baan vinden. Een manier bedenken om naar college te gaan. Misschien zelfs een keer een man vinden (hoewel ze haar troeven niet op díe kaart wilde zetten). Misschien zou het allemaal nog even duren, dat was alles. En het enige waar ze voldoende van had, was tijd. Allemachtig, ze was pas achttien! Hoewel ze zich niet kon herinneren wanneer ze zich voor het laatst ook maar enigszins een tiener had gevoeld.

Toen Ellie onder een straatlantaarn doorliep, ving ze even haar spiegelbeeld op in een etalageruit. Ze zag een lang meisje met een breed gezicht, met de sterke jukbeenderen en het blonde haar van haar Scandinavische voorouders – het soort meisje dat je op een reclamebord langs de spoorlijn Minnesota-Wisconsin zou ver- wachten, gekleed in dirndl-jurk met pofmouwen, die de reizigers welkom heette en hen eraan herinnerde hun veiligheidsriemen voor alle zekerheid vast te maken.

Ze glimlachte droevig terwijl ze om een berg glasscherven op het trottoir heen liep. God, ze was zó ver van dat beeld van blozend melkmeisje verwijderd, dat het zelfs niet grappig was. Amper een jaar geleden had ze als beste leerling de afscheidsspeech op haar middelbare school moeten houden, en nu liep ze hier en was ze móeder. Hoeveel ze ook van Bethanne mocht houden, soms leek het Ellie gewoon onmogelijk dat zij de moeder van wie dan ook was.

Ze had verwarde herinneringen aan de nacht van de geboorte; de eerste-hulpafdeling met alle kermende, jammerende lichamen, gevolgd door de kraamafdeling met de rij door gordijnen afgeschermde bedden, en het geweld van onderzoekende handen en koude instrumenten. Daarna was er alleen het aanzwellende ritme van de pijn geweest, en ten slotte, heel genadig, haar baby die in een immense golf van opluchting uit haar gleed.

Toen haar piepkleine dochter haar als een wonderbaarlijk geschenk werd overhandigd, gehuld in een wit katoenen dekentje, had Ellie gehuild. Het gevoel dat in haar opsteeg was als de cyclonen die af en toe door Euphrates raasden en de daken van kippenhokken wegrukten en zware vrachtwagens als Tonka-autootjes meters hoog de lucht inwierpen. Haar vreugde was zowel ontzagwekkend als angstaanjagend.

Op dat moment was Ellies toekomst bezegeld, even definitief als bij een inmaakpot die in kokend water werd gezet. Ze was volwassen geworden. Gedane zaken namen geen keer. Jesse ging niet met haar trouwen en mamma en pappa zouden haar niet smeken thuis te komen – niet na alle scènes die mamma had gemaakt, waarbij ze iedere vervloeking uit de bijbel citeerde voordat ze haar letterlijk het goede boek naar het hoofd smeet. Buiten Nadine, die nauwelijks in staat was voor zichzelf te zorgen, laat staan haar van enige hulp te zijn, stond Ellie er alleen voor.

Maar ondanks Ellies pasontdekte zelfredzaamheid voelde ze een steeds sterker wordende angst. Haar baby zes avonden per week bij Nadine achterlaten terwijl zij bij Loew's de avonddienst voor haar rekening nam, was eigenlijk geen leven. Maar welke keus had ze? Ze kon zich van haar salaris geen oppas veroorloven en Nadine zou er in elk geval voor zorgen dat Bethy niets overkwam.

Ben je daar wel zo zeker van? Stel dat ze haar vrienden op bezoek heeft – zal ze Bethy dan zelfs maar horen huilen?

Ellie kreeg een zurige smaak in haar mond terwijl ze zich naar huis repte, en haar hart leek zich bij elke stap samen te trekken. Ze probeerde zich een beeld te vormen van haar vier maanden oude baby die rustig in haar geïmproviseerde mandwieg lag... maar het hielp niet. Ze kon dit afschuwelijke, krampachtige gevoel dat er iets akeligs was gebeurd... of ging gebeuren niet van zich afzetten.

De vorige keer dat ze zich zo had gevoeld, herinnerde Ellie zich, was de dag dat ze Jesse had verteld dat ze zwanger was. Zodra de schok was weggeëbd, had hij bij hoog en bij laag gezworen dat hij haar liefhad, dat God wist dat hij haar meer liefhad dan iets of iemand ter wereld... maar wat moest hij doen, moest hij zijn plannen om naar West Point te gaan soms opgeven om zijn hele leven in Euphrates te blijven? Zodra hij was afgestudeerd zouden ze gaan trouwen, had hij beloofd. Over vier jaar zou hij tot officier worden benoemd en dan konden ze overal wonen – misschien zelfs in Duitsland. Ze konden door heel Europa reizen. Hun kind zou verscheidene talen leren spreken. Ze zou zien dat op deze manier alles beter uitpakte.

Ellie had de glimp van wanhoop in zijn ogen gezien en ergens in de mist van haar grote verlangen had zich een ijzige druppel woede gevormd. Ze had gedacht: als Pasen en Pinksteren op één dag vallen.

De werkelijkheid was dat Jesse haar in meer dan één opzicht achter zich had gelaten zodra de achterlichten van zijn Corvette over de helling verdwenen, waar Aikens Road een afslag had naar de snelweg. Hij had slechts één van haar brieven beantwoord en de enige keer dat hij belde was vlak nadat ze met Bethy uit het ziekenhuis thuis was gekomen, toen hij haar geen excuses had aangeboden, alleen maar de vage belofte van geld dat nog steeds moest komen.

Jesse kan de pot op, dacht ze met plotselinge heftigheid. Ze konden allemaal de pot op – al die schijnheilige kwezels in Euphrates die haar de rug hadden toegekeerd, en daarmee bedoelde ze ook mamma en pappa. Een jaar geleden, toen ze in Bloomington op het toneel van de vrijmetselaarsloge was gestapt om de eerste prijs in de Bernice T.-dichtwedstrijd, die door heel Minnesota werd gehouden, in ontvangst te nemen, had ze niemand nodig gehad om haar te vertellen wie of wat ze was. En ze had het nu ook niet nodig.

Ellie werd zich bewust van een zwaargebouwde man met een gleufhoed tot diep over zijn voorhoofd, die over het bijna verlaten trottoir naar haar toeliep. Hij vertraagde zijn pas en bleef bijna staan, terwijl hij haar onderzoekend aankeek. Ellie schoot vlug langs hem heen, met bonzend hart. Deze buurt, even ten westen van Times Square, dacht ze somber, was geen plek voor een vrouw om 's avonds om elf uur op een doordeweekse dag alleen over straat te gaan. Ze huiverde en trok haar jas nog strakker om zich heen.

Je kunt altijd nog naar de bijstand gaan, zei een stem in haar hoofd. Een stem die zo kalm en rationeel was, dat ze moeite had ertegenin te gaan.

Het geld zou niet veel minder zijn dan wat ze nu verdiende. En het zou maar voor een poosje zijn, tot ze een betere baan had gevonden met genoeg geld om zowel het kinderdagverblijf voor Bethanne te betalen als de avondcursussen van City College die ze had aangestreept in de beduimelde brochure die ze overal met zich meedroeg, opgevouwen in haar tasje, als een talisman.

Opeens kwam het gezicht van haar moeder haar voor de geest – mamma's scherpe blik met halfdichtgeknepen ogen wanneer ze toevallig hun buurvrouw, mevrouw Iverson, zag, bezig de vuilnisemmer buiten te zetten of een van haar piekharige kinderen naar school te sturen. De manier waarop mamma's blauwe ogen over de kromgebogen vrouw in haar verschoten duster gleden, als een mes dat koude restjes van een bord schraapte.

'Geen geld hebben is één ding,' snoof ze dan, 'maar de dag dat je mij in de rij ziet staan om m'n hand bij de regering op te houden, mag je van mij een pistool tegen m'n hoofd zetten en de trekker overhalen.'

Naar de bijstand gaan zou nog vernederender zijn dan van Jesses vader geld aannemen, dacht Ellie. Ze kromp ineen toen ze zich herinnerde hoe kolonel Overby aanbood een cheque voor haar uit te schrijven, hoe de woorden uit zijn smalle, strakke mond omlaag waren gevallen als spijkers op de glimmend geboende hardhouten vloer van zijn studeerkamer. Ze was ervan overtuigd dat ze ter plekke zou sterven van schaamte. Ze had al haar krachten nodig gehad om zich te beheersen en hem recht in de ogen te kijken. Ze had alleen maar om geld gevraagd voor de busrit naar New York en zo'n duizend dollar als overbrugging tot de baby er was. Terwijl ze toekeek hoe hij de cheque schreef, met snelle, woeste halen van zijn pen en een misprijzende blik, die verried hoe gering hij over haar dacht – niet zozeer omdat ze zwanger was alswel omdat ze te trots en te onnozel was om om meer te vragen – had ze zich zó misselijk voelen worden dat ze dacht dat ze haar ontbijt pardoes op zijn fraai bewerkte notenhouten bureau zou deponeren.

Nee, de bijstand, daar kwam niets van in. Ze wilde haar hand niet meer hoeven ophouden. Het enige dat nog erger zou zijn, was afhankelijk te zijn van vriendjes, zoals Nadine.

Vriendjes? Geef het nou maar eerlijk toe, je zusje is een hoer.

Nou, Nadine was er in elk geval in geslaagd zich niet in elkaar te laten timmeren, bracht Ellie zich snel in herinnering. Bovendien had haar zusje haar in huis genomen toen niemand anders dat wilde, dus welk recht had zij om haar te oordelen? De pot verwijt de ketel dat hij zwart ziet.

Toch wist Ellie diep in haar hart dat ze helemaal niet op haar zusje leek. Had pappa niet altijd gezegd dat ze van elkaar verschillen als dag en nacht? Toen ze opgroeide, had Ellie ieder vrij moment in de openbare bibliotheek van Euphrates doorgebracht met haar neus in een boek. Nadine was daarentegen meestal in de plaatselijke Ben Franklin op Main Street te vinden, waar ze lipsticks uitprobeerde en een keuze moest maken tussen verschillende kleuren nagellak met namen als Coral Sunrise en Mocha Madness.

Maar op de dag dat Nadine in de bus naar New York stapte, had zelfs een dikke laag vloeibare make-up van Coty niet het blauwe oog kunnen verhullen dat pappa haar had gegeven nadat hij haar bij de beek had aangetroffen met haar spijkerbroek uit, terwijl

Clay Pillsbury haar bereed als een bronstige stier. Dat was vier jaar geleden geweest en het enige vertoon van berouw bij Nadine was dat ze het nu niet voor niets deed.

Zo was het niet met Jesse, zei Ellie tegen zichzelf. Maar maakte dat haar beter dan Nadine... of alleen maar een heel stuk onnozeler?

Ze liep langs een armoedige winkelpui met 'Madame Zofia's' in verbleekte letters boven de ruw geschilderde contouren van een hand, toen ze een zwarte Town Cat zag die iets verderop langs de stoeprand stationair stond te draaien. Toen ze het nummerbord herkende, voelde ze een koude vinger langs haar ruggengraat gaan. *Monk*, dacht ze.

De vreemd bezadigde, bijna dominee-achtige zwarte man verscheen één keer per week; hij bleef zelden meer dan een paar uur, waarna hij altijd wegging met een enveloppe vol bankbiljetten – zijn aandeel van Nadine's verdiensten.

De man bezorgde haar kippenvel. Het was niet alleen wat hij deed dat hem tot minder dan slijk bestempelde – het was de manier waarop hij naar haar keek, met die zwarte, halfdichte ogen van hem die alles in zich opnamen en niets verrieden. Ogen die zeiden: *Ik weet nog niet waar jij goed voor bent, maar wanneer ik daar achter ben, zal ik naar je toe komen om mijn aandeel op te eisen.*

Ellie bleef even op een afstand staan en slaakte een diepe zucht toen ze de auto weg zag rijden. Nu hoefde ze tenminste niet met hem te praten. Dat viel dan nog mee.

Toch bonsde haar hart hevig toen ze de kapotte stenen stoep van hun flatgebouw opholde en met haar sleutel de voordeur opende en naar binnen stapte, in een hal vol graffiti. Ze ging de trap op naar de vijfde verdieping, waarbij ze ervoor zorgde dat ze niet met haar tenen in de omkrullende rubberstrips bleef hangen, en ze was zich maar vaag bewust van de geluiden die achter stevig afgesloten deuren vandaan dreven: gesmoorde stemmen, het gemompel van televisietoestellen, het gepiep van een stoelpoot op linoleum.

De deur naar Nadine's flat stond op een kier, alsof Monk in grote haast was vertrokken.

'Nadine?' riep Ellie, en haar stem klonk een octaaf hoger dan anders.

Ze overzag de trieste woonkamer met de luie stoel met kunstleren bekleding, die met watervast plakband was gerepareerd, de slaapbank die haar een hardnekkige pijn in haar rug had bezorgd. In één hoek had Ellie een gordijn opgehangen dat ze van een geplooid beddenlaken had gemaakt. Niet veel soeps als kinderkamer, maar het moest zo blijven tot ze haar eigen huis had.

Ellie trok het gordijn opzij om naar de baby te kijken, toen ze werd afgeleid door de aanblik van Nadine, die in de deuropening van haar slaapkamer stond met haar ene hand voorzichtig tegen de rechterkant van haar kaak. Ze zag er vreselijk uit, met één oog dat helemaal dicht zat. Ze staarde Ellie aan met de glazige, strakke blik van iemand die in shocktoestand verkeert. Nadine's hand zakte zwaar omlaag en Ellie slaakte een gesmoorde kreet toen ze de gezwollen, paarsblauwe bobbel zag die de onderste helft van het knappe, smalle gezicht van haar zusje ontsierde.

'Die rotzak,' vloekte Ellie, die witheet werd. 'Dit heeft híj je zeker aangedaan, hè?'

Ze begon naar haar zusje toe te lopen, maar Nadine deinsde achteruit en greep de voorkant van haar vlammend gekleurde kimono beet, alsof die haar overeind moest houden, en ze maakte een laag, jammerend geluid, diep in haar keel.

'Kon 'm niet tsegenhouden. Probeerde dats wel, maar hij wou niet sluisteren…' De verminkte stem die tussen Nadine's opgezwollen lippen door kwam, deed Ellie denken aan zomers van vroeger, toen ze op ijslolly's liepen te sabbelen tot hun tong bevroren was.

Ze voelde zich nu bevroren terwijl ze naar haar zus staarde, in een poging deze wirwar van woorden te begrijpen. *Sloeg me toen ik probeerde haar van 'm af te pakken… zei dat hij haar ook wat zou doen als ik niet ophield… Ellie… ik zweer je… ik zweer dat 't niet mijn schuld was…*'

Het besef drong tot haar door met dezelfde snelle wreedheid als de vuist die het gezicht van haar zusje had verminkt: *Bethanne… er is iets met mijn baby gebeurd.*

Ellie sprong met een woeste kreun naar voren en greep Nadine bij de schouders. Haar duimen groeven zich in de sleutelbeenderen van haar zusje, alsof ze die wilde breken, maar het kon haar niets schelen als ze haar pijn deed. Het enige waar ze zich om bekommerde was haar baby.

'Wat probeer je me te vertellen? Wàt?' gilde Ellie.

Nadine's goede oog rolde als dat van een dier dat in de val zit. 'De baby,' piepte ze.

Ellies hart leek even stil te staan en ze deed een wankele stap achteruit. De kamer werd grijs en wazig om haar heen en ze werd overvallen door een vreemd licht gevoel in haar hoofd. In een reflex bracht ze haar knokkels naar haar mond en beet daar hard op, zodat ze bloed proefde. De pijn bracht haar met een schok weer bij bewustzijn.

Met een lage kreet schoot ze naar het geïmproviseerde gordijn en rukte er zó hard aan dat het losscheurde van het stuk draad waarmee het aan weerskanten aan de muur was vastgemaakt. Het

17

gordijn viel met een zucht omlaag en onthulde de rieten mand op de vloer, de mand die ze met flanel had gevoerd en had afgezet met kant van een oude onderjurk van Nadine.

De mand was leeg.

Ellie staarde vol ongeloof. Het was alsof ze in een draaimolen was gestapt, zoals de kamer langzaam om haar heen draaide. Ze voelde hoe ze opzij zakte, en ze zette zich schrap met haar hand tegen de muur om haar evenwicht niet te verliezen. Dit kon niet waar zijn, zei ze tegen zichzelf. Dit kon niet…

'*Waar is ze?*' gilde ze vol ontzetting.

Ze draaide zich net op tijd om om Nadine langzaam langs de deurpost omlaag te zien glijden, alsof ze in een lift zat. Nadine belandde met een plof op haar achterwerk, met haar benen voor zich uit gestrekt, als een weggeworpen pop.

'Monk,' hijgde Nadine. 'Hij sjei dat die kerel… een adfokaats die baby's zoekt foor mensen die zelf geen kinderen kunnen krijgen… Hij sjei dat baby's met blauwe ogen het meeste opbrachten.'

Ze begon te huilen.

'Waar is ze? *Waar is hij met haar naartoe gegaan?*' Ellie was zó radeloos dat ze niet besefte dat ze met beide vuisten geheven boven haar zusje stond, tot Nadine ineenkromp en zo ver mogelijk achteruit schoof.

'Weet ik niet,' piepte Nadine.

'Wat bedoel je? Je weet toch wel waar hij woont?'

Nadine schudde haar hoofd. 'Hij wilde daar niet met mij naartoe gaan… zei dat ik daar problemen mee kon krijgen.'

Haar kimono was opengevallen, zodat haar borsten zichtbaar heen en weer schommelden. Maar Nadine nam niet de moeite zichzelf te bedekken. Ze was inderdaad een pop. Een onnozele, nutteloze pop.

Ellie wendde zich af van haar zusje. De politie. Ze zou de politie bellen. Die zou haar helpen. Die zou Bethy voor haar opsporen.

Maar het vooruitzicht te moeten opbellen en daarna proberen dit alles aan een onbekende, mogelijk achterdochtige stem uit te moeten leggen, schrikte haar hevig af, zelfs terwijl ze als in een reflex naar de telefoon naast de bank greep.

Een golf van ontzetting bracht haar weer tot zichzelf – ontzetting vermengd met woede dat dat monster zelfs maar dàcht dat hij haar kind zomaar mee kon nemen. Ze wierp haar hoofd achterover en slaakte een jammerkreet die door merg en been ging. Toen dook ze naar de deur, waarbij ze een stoel opzijschoof en een staande lamp omverschopte, die als dronken heen en weer zwaaide voor hij op het vloerkleed viel.

Enkele minuten later holde Ellie, met ijskoude wangen vol tranen waarvan ze niet wist dat ze ze vergoot, over Broadway op zoek naar... ze wist niet wat. Hulp. Redding. Iets. Iemand.

Ze was zich vaag bewust van de mouwen van jassen die langs haar heen streken, van een geroezemoes van stemmen en verkeersgeluiden, van neonlicht dat haar van alle kanten bestookte.

Ze voelde iets warms en kleverigs dat de voorkant van haar blouse doorweekte.

Bloed, dacht ze, op een vreemd afstandelijke manier. *Zo voelt het om door je hart te worden geschoten.*

Maar het was alleen maar haar melk die begon te stromen.

Ergens in al deze krankzinnigheid huilde een baby. Een baby die misschien honger had. Een baby van wie ze bad dat het de hare was.

1

Northfield, Connecticut, 1980

Er waren tijden dat ze het kon vergeten. Momenten. Uren. Soms kon er een hele dag voorbijgaan en besefte Kate wanneer ze haar tanden poetste of in bed stapte dat het niet één keer in haar gedachten was gekomen – het vreselijke geheim dat even diep in haar binnenste verankerd zat als de stalen pinnen in haar verbrijzelde linkerdijbeen; een geheim dat vergezeld ging van een schaamte die, net als de pijn in haar been en heup, onzichtbaar wegebde en weer toenam.

Vandaag was het een van die dagen.

Terwijl ze bij de buitenbak van de manege van Stony Creek Farm naar de achtjarige Skyler stond te kijken, zoals ze daar schrijlings op haar voskleurige pony over een reeks balken en oxers en staande hindernissen sprong, voelde Kate Sutton zich niet alleen trots, maar ja... gezegend.

Mijn dochter, dacht ze. *Van mij*.

Ze wist nog hoe Skyler, twee jaar oud, voor het eerst in het zadel had gezeten, toen haar voetjes nog maar nauwelijks bij de stijgbeugels konden, terwijl die toch op de hoogste stand zaten. Vanaf die dag was ze er niet meer van af te branden. Alsof Skyler – *Wie kon daar nog aan twijfelen? Kijk maar naar haar!* – hier altijd voor was voorbestemd. Om*haar* kind te zijn en op te groeien op Orchard Hill, met zijn eeuwenoude stenen stal, zijn hectaren groene velden om over te galopperen en zijn buxushagen om overheen te springen.

En wat een geluk dat Stony Creek – een van de beste maneges in het land – op maar een paar kilometer van hun huis lag, aan de noordzijde van het weiland waar Willoughby Road een afslag had naar het dorp. Omdat Skyler hier iedere zomer bijna wóónde, net als de rest van het jaar in de weekends, was Duncan MacKinny voor Skyler bijna een tweede vader geworden – zoals hij dat vroeger

21

ook voor Kate was geweest. Hoewel je dat niet zou denken als je hem nu bevelen tegen haar hoorde schreeuwen. 'Laat los! Schouders naar achteren! Je hàngt verdomme aan z'n hals!'

De voormalige Olympische kampioen, een lange, broodmagere man met een grote bos grijzend rood haar boven op een lichaam dat steeds statiger was geworden, stond kaarsrecht, als een vlaggenmast, in het midden van de bak.

Skyler, met een van concentratie vertrokken gezicht, schoof een beetje opzij en kortte haar linkerteugel in, zodat Cricket in een diagonaal de rijbaan overstak. Met zijn stokmaat van ruim honderdveertig centimeter had iemand van twee keer Skylers lengte haar handen al vol gehad aan de levendige pony – het dier had een agressieve gang en was moeilijk te houden. Skyler hield hem echter perfect in de hand. Ze zat kaarsrecht, met haar smalle rug iets gebogen terwijl ze de pony leidde met hand- en beenbewegingen die zó subtiel waren, dat ze een minder geoefend oog dan dat van Kate zouden zijn ontgaan.

Het beeld dat Skyler opleverde, met haar laarzen en rijbroek, met haar haar onder haar cap, bracht een glimlach van herkenning teweeg. Thuis, tussen haar verzameling verbleekte linten en trofeeën, had Kate foto's van zichzelf op haar eerste pony, waarbij ze er bijna net zo uitzag als Skyler nu – lange benen en zo slank als een den, het hoofd hoog met haar blik op een verre horizon gericht, alsof ze ervan uitging dat haar daar iets geweldigs wachtte.

Wanneer Kate tegenwoordig in de spiegel keek, tuurde ze niet ongerust naar rimpeltjes of grijze haren, zoals iedere andere vrouw van zesendertig dat misschien zou doen, maar zag ze slechts het onopvallende bruin van haar haar, terwijl dat van haar dochter de lichtgouden kleur had van een kind uit een sprookje van Grimm, en haar eigen grijsgroene ogen in een alledaags gezicht dat geen enkele overeenkomst vertoonde met dat van Skyler.

Ik dacht dat ik wist wat de toekomst voor me in petto had, maar ik had geen idee…

'Hij zat er bij die laatste sprong te dicht onder.' Skylers heldere, schrille stem accentueerde de augustushitte die als een omgekeerde kom over de rijbaan was neergedaald. 'Het was net of hij te snel wou.'

'Probeer het nog eens. Breng hem in arbeidsdraf,' beval Duncan met een maestro-achtige zwaai van zijn lange arm, waarbij hij het stof dat roerloos in de lucht hing, even stil als de schaduw van de beukenboom waaronder Kate stond, in beweging bracht. 'Kalm aan maar. Doe het netjes en overwogen. Je hangt aan het bit – geef 'm eens wat ruimte.'

'Ik neem die daar.' Skyler wees naar een oxer met ongelijke balken aan het eind van de bak – drie horizontale balken in toenemende hoogte op nog geen vijftien centimeter afstand van elkaar.

Kate hield haar adem in toen ze de hoogste balk op tussen de één meter twintig en één meter vijftig schatte.

'Over m'n lijk.' Duncans gezicht, dat nu net als de rest van hem lang en smal was, en dat verweerd was tot de kleur van een oude singelstoot, werd rood van woede.

'Ik kan het best.' Er was niets uitdagends in Skylers houding. Ze constateerde het gewoon, als feit. 'Ik heb alle andere hindernissen al genomen. Hij is echt niet veel hoger dan de triple.'

'Jij gaat pas over iets hogers dan mijn knie heen springen wanneer ik dat zeg,' bulderde hij.

Skyler lachte, zodat Kate een rilling over haar ruggengraat voelde. Kate kende die lach – het was geen onbeschaamde lach, zoals Skylers leraressen op school beweerden. Het was gewoon Skylers manier van doen wanneer ze door een goedbedoelende maar kennelijk misleide volwassene werd tegengehouden om te tonen dat zij het beter wist.

Maar er bestond te vaak een leemte tussen wat Skyler dacht dat ze aankon en wat ze ècht kon. Er flitste een beeld door Kate's hoofd: Skyler die in het hartje van Manhattan tijdens het spitsuur de straat over holde om een gewonde duif te redden. Ze was toen zes jaar oud geweest en ze was tussen auto's en taxi's door gedoken zonder acht te slaan op haar moeders kreten, toen Kate achter haar aan schoot.

Nu waren het Duncans kreten die Skyler negeerde toen ze Cricket wendde om recht op de hindernis af te gaan. Hoofd omhoog, met een goed oog voor de gang van de pony, waarbij ze hem de juiste hulpen gaf – ze was zo verrekte góed, dat het niet eerlijk leek haar tegen te houden. Zelfs terwijl Kate zelf probeerde te schreeuwen: 'Niet doen!', was ze zich bewust van een vertrouwde tinteling die door haar heen ging, een overblijfsel van de toevoer van adrenaline die ze altijd kreeg wanneer ze een hindernis naderde.

Maar naast die bekende opwinding schoot er een ijskoude steek van ontzetting door haar heen. Ze greep het hek zó stevig vast dat ze de ruwe splinters ervan in haar handpalm voelde dringen.

Kate ademde een diepe teug in van de lucht die naar mest en gemalen eikenschors rook. Vorige maand, bij het toernooi van de Pony Club, had Skyler in de groep tot twaalf jaar een hek van bijna diezelfde hoogte genomen. En ze was er niet alleen overheen gekomen, maar ze had ook een rood lint toegevoegd aan het blauwe dat ze in de steeplechase had gewonnen.

Desalniettemin gleed Kate's oog onwillekeurig naar de stok die

23

tegen het hek stond geleund. Hij was van glad mahonie gemaakt en hij was stevig en weinig pretentieus. Hij vestigde geen aandacht op haar fysieke beperkingen; hij diende eerder als verwijzing naar het zware ongeluk dat via een bizarre kronkel van het lot had geresulteerd in hun adoptie van Skyler. Een soort talisman. Maar geen enkele talisman kon haar nu beschermen, dacht ze, terwijl ze hulpeloos toekeek in verbijsterd ontzag toen haar dochter haar pony naar de oxer dreef. Kate zag, met het hart in de keel, hoe Skyler zich iets vooroverboog, met één hand de manen beetgreep en de teugels boven de neklijn van de pony in één hand nam. Haar hakken waren omlaag en haar kleine achterwerk kwam net genoeg omhoog om een kindervuist tussen het zadel en het leren zitvlak van haar rijbroek te kunnen steken.

Maar die verdraaide pony concentreerde zich niet goed. Vlak voor de sprong ging hij plotseling sneller... kreeg te veel haast... om vervolgens op enkele centimeters afstand van de eerste balk af te remmen en daarna scherp naar links te gaan.

Vol afschuw zag Kate hoe haar achtjarige dochter uit het zadel werd geslingerd en met een misselijkmakende klap ondersteboven op een zijsteun terechtkwam.

Gedurende één lang, vreselijk moment bewoog Skyler zich niet. Toen rolde ze zich met een snelle beweging, die eerder een krampachtige reflex was, tot een zittende positie. Kate zag dat haar cap was afgegaan. Kennelijk was de stormband geknapt door de kracht van de botsing.

Kate's verlamde hart gaf een moeizame klop. 'Niet bewegen!' gilde ze.

Maar Skyler was alweer overeind gekrabbeld en ze wankelde onzeker. Ze deed nog twee stappen voor ze in elkaar zakte, waarbij haar slanke gestalte met spookachtige gratie ineen zeeg, als een jurk die van een hanger gleed.

Kate prutste met de grendel en was toen het hek door. Ze negeerde de pijn die als vuur door haar linkerbeen schoot, ze holde... sneller dan ze voor mogelijk had gehouden, terwijl haar schaduw over de gemalen boomschors schokte. Sneller zelfs dan Duncan, die ze nu vanuit haar ooghoek haar richting uit zag rennen.

Tegen de tijd dat ze de kleine gestalte, die bewusteloos in het midden van de bak lag, had bereikt, stonden Kate's been en heup in brand. Het zou al een marteling hebben betekend om zelfs maar in een stoel te gaan zitten, maar ze liet zich nu zonder aarzeling op handen en knieën vallen.

Skyler, die op haar rug lag, zag er op de een of andere manier vreemd vlak uit... en ze was zo bleek, haar mond was een grauwe vingerafdruk in een gezicht dat de kleur van gebleekte botten had.

Vlak onder haar haargrens verscheen een lelijke, rode knobbel ter grootte van een wild appeltje. Kate was te verpletterd om zelfs maar iets te roepen, en ze schoof achteruit op haar hielen, met een hand tegen haar borst.

Alstublieft... O lieve God, laat alles goed met haar zijn... alstublieft...

Ze was zich vaag bewust van Duncan die naast haar neerviel terwijl ze Skylers haar streelde waar dit uit haar staart was losgeraakt. Ze streek donszachte sliertjes van Skylers slapen weg. 'Sky. Luister naar me, lieverd. Alles komt weer goed met je. Hoor je me? Alles komt echt weer helemaal goed.'

Ze richtte haar blik op het stille gezicht van haar dochter, dwong Skylers mond even te trekken tot de glimlach die haar altijd verried wanneer ze deed alsof ze sliep.

'Laat mij even kijken.'

Op Duncans kortafgebeten bevel richtte Kate haar blik op de magere gestalte naast haar. Ze zag hoe hij bedreven met zijn hand over de slappe arm die uit de mouw van Skylers blauw-met-gele T-shirt van Stony Creek Farm gleed. Zijn zilverblauwe ogen stonden hard in het gekreukelde leer van zijn gezicht.

'Niets gebroken.' Zijn knarsende stem met de Schotse cadans verried helemaal niets van de paniek die hij beslist ook moest voelen.

Op dezelfde manier als ze hem vaak met zijn hand over het been van een paard had zien strijken, om te tasten naar een gezwollen knie of vetlok, of een verhitte hoef die tot kreupelheid kon leiden, tastte Duncan nu vederlicht Skylers ribben en benen af. Kate werd iets kalmer door de voorzichtige gebaren van de knoestige bruine hand van de instructeur, en haar hartslag ging weer iets langzamer.

'Het komt weer goed met haar. Echt waar!' Kate hoorde in haar eigen stem een wanhopige behoefte zichzelf te overtuigen.

Maar er waren geen geruststellingen voorhanden, en dat wist ze.

In plaats daarvan voelde Kate Duncans kalme blik op zich gericht. 'Ze is een flinke meid,' zei hij met norse vriendelijkheid. 'Net als haar moeder. Ze komt er wel weer overheen.'

Het was die belofte waaraan Kate zich vastklampte toen de ambulance loeiend over Hickory Lane stoof, onder de slaperige schaduw van grote eikenbomen, langs schilderachtige landschappen met paarden en koeien die in zonovergoten weilanden graasden.

God, neem haar niet van me weg, bad ze zelfs terwijl ze de kronkelige weg verwenste die hier en daar onverhard was en in al zijn rustieke charme door haar grootvader en Will was bewaard toen zij hun aangrenzende landhuizen hadden gebouwd.

Terwijl ze neerkeek op de bleke, roerloze gestalte van haar dochter die op de brancard was vastgegespt, kwam alles weer bij haar boven – acht jaar geleden, de morgen dat Kate onschuldig de Stop & Shop binnen was gegaan om wat melk te kopen... en ze daar was weggegaan met een hoeveelheid verdriet die voldoende was voor een heel leven. Toen ze op weg was naar de uitgang en ze naar de stapel kranten onder het mededelingenbord had gekeken, was haar oog getrokken door een angstaanjagende kop: DOE MIJN BABY ALSTUBLIEFT GEEN PIJN!

Toen Kate steels het verhaal had gelezen over een wanhopige jonge moeder wier dochtertje de vorige week was ontvoerd, was Kate zó duizelig geworden dat een van de caissières, Louise Myers, erop had gestaan haar naar de personeelskamer te brengen. Maar zelfs terwijl ze daar zat, met een kompres van papieren handdoekjes die in koud water waren geweekt tegen haar voorhoofd gedrukt, had Kate haar hoofd voelen draaien toen ze weigerde te accepteren wat haar hart wist: de baby die Will en zij enkele dagen geleden mee naar huis hadden genomen – het blonde, blauwogige engeltje van wie ze op slag hartstochtelijk veel waren gaan houden – behoorde hun in werkelijkheid niet toe. Hun advocaat beweerde dat ze verlaten was aangetroffen in een huurkazerne in Lower East Side, zonder geboortepapieren of wat dan ook om haar te identificeren; maar in werkelijkheid was ze het kind van een vrouw die haar heel graag terug wilde hebben.

Een nadere blik op de korrelige foto van moeder en kind, waarvan het artikel vergezeld ging, had Kate's achterdocht slechts bevestigd.

O, hoe gemakkelijk hadden Will en zij zich laten misleiden! Ze waren te verbijsterd geweest over hun grote geluk om verder te kijken dan de schattige baby die in een roze dekentje was gewikkeld. Verdere vragen hadden misschien geleid tot antwoorden die ze niet wilden horen. En waarom hadden ze trouwens aan hun advocaat moeten twijfelen? Grady Singleton was geen obscure Hell's Kitchen-sjoemelaar; hij had kantoren in Wall Street en hij was ten zeerste aanbevolen door Kate's vader. En het document dat hij hun had getoond, leek juridisch in orde te zijn – een bevel dat door een rechter was ondertekend.

Kate had verrukt naar het roze bundeltje in haar armen gekeken en ze had alleen maar tegen zichzelf gezegd: *Ze is altijd al voor ons bestemd geweest*. Vier jaar daarvoor, toen ze van haar paard was gevallen toen ze bij de Hampton Classic over een hek wilde springen, had ze niet alleen haar been verbrijzeld. Ze had ook de baby die ze verwachtte verloren. Na de operatie, toen haar was verteld dat ze nooit meer een kind zou kunnen krijgen, was Kate terechtgekomen in een depressie die zó diep was, dat er hele dagen voorbijgingen waarin ze niet uit bed wilde komen. Ze had toen niet gedacht dat ze zich ooit zo gezegend zou kunnen voelen. Ze noemden haar Skyler, naar Kate's grootmoeder, Lucinda Skyler Dawson.

Een scherpe bocht deed Kate's schouder met een pijnlijke dreun tegen de zijkant van de ambulance slaan. Ze ging rechtop zitten en keek uit het raam. Ze waren door het dorp gereden, met de schilderachtige winkels en eethuisjes in Victoriaanse stijl, en ze naderden nu de zuidzijde van de stad, waar het parkachtige terrein van het Northfield Community Hospital als een oase opdoemde. Bij de ingang voor spoedgevallen kwam de ambulance met een schok tot stilstand. Daarna waren er handen, veel handen, die de lucht om haar heen in beweging brachten, de brancard lieten zakken, en deze toen optilden en duwden. Er waren handen onder Kate's elleboog om haar te steunen, terwijl Skylers roerloze gestalte door een met tl-buizen verlichte gang werd weggevoerd.

Toen Kate haar dochter uit het gezicht zag verdwijnen, bleef ze even abrupt staan als een vogel die tegen een ruit klapte.

Ze leunde zwaar op haar stok om de felle pijn die in haar heup was opgevlamd iets te verlichten en ze moest zich dwingen om zich te bewegen, waarbij ze voortploeterde door iets dat als kniediep water aanvoelde terwijl ze zich een weg baande langs het groepje patiënten dat bij de receptie stond. Achter de balie was een forse vrouw in een lichtblauw jasschort bezig een oudere man te helpen met een formulier waar hij een eeuwigheid voor nodig leek te hebben om het in te vullen. Kate kon wel gillen.

Gelukkig werd haar dit bespaard door het verschijnen van een tweede receptioniste, een jonge vrouw met krullend haar en met een voortand waaraan een hoekje ontbrak. Zodra Kate haar achternaam had genoemd, waarbij ze vermoeid knikte in antwoord op de opgetrokken wenkbrauwen en antwoordde ja, díe Sutton, werd ze snel door de hal meegenomen. Toen ze jonger was, had het Kate hevig geërgerd, die onderdanigheid van de dorpsbewoners. Maar ze was er nu aan gewend, en op dit moment was ze Wills grootvader, Leland Sutton, heel dankbaar dat hij het stadje naast een bedrag van driehonderd miljoen dollar het land waarop het ziekenhuis was gebouwd had geschonken.

Maar geen enkele familie-achtergrond kon Kate beschermen tegen de paniek die met iedere moeizame stap steeg terwijl ze naar de wachtruimte bij de afdeling radiologie liep. Ze hinkte langs gezellige zitjes en liet zich op de plastic kuipstoel van een telefooncel zakken alsof het een reddingsboot was.

Will. Ze moest Will op de een of andere manier zien te bereiken.

Kate worstelde om zich de gecompliceerde codes voor Engeland

27

te herinneren voordat ze het opgaf en de telefoniste belde aan wie ze het nummer van het Londense kantoor van Sutton, Jamesway & Falk gaf.

Er werd niet opgenomen. Toen ze zich de vijf uur tijdsverschil herinnerde, belde ze het Savoy, maar Will was ook niet in zijn hotel. Kate hing op en had het liefst haar hoofd op haar armen gelegd om te huilen.

Als er nou maar iemand was die haar vertelde wat er aan de hand was. Het was slecht, wist ze. Maar hóe slecht? De angst welde weer in haar op. *Ik word gestraft. Ik heb gezwegen, zelfs toen ik wist dat ze gestolen was. Nu wordt ze mij ontnomen.*

Kate had geen idee hoe lang ze daar had gezeten, in haar met gemalen schors bespikkelde kakibroek en haar rood-met-wit geblokte overhemd, met haar handen over de gewelfde handgreep van haar stok gevouwen. Het had minuten of uren kunnen zijn. Toen de rossige dokter in de witte laboratoriumjas voor haar verscheen, knipperde ze verbaasd met haar ogen, alsof ze tijdens een dutje was gesnapt.

Skylers letsel, werd Kate op ernstige toon verteld, had geresulteerd in een epiduraal hematoom. Ze moest onmiddellijk worden geopereerd om de druk op haar hersenen te verlichten.

Terwijl ze samen met haar dochter in een Life Flight-helikopter werd weggevoerd, voelde Kate zich alsof ze door een cycloon was opgetild. Het had een mythisch land met heksen en monsters kunnen zijn waar ze naartoe werden vervoerd, in plaats van Langdon Pediatric, het kinderziekenhuis op East Eighty-fourth Street in Manhattan.

Dokter Westerhall, de neurochirurg, stond hen op te wachten bij hun komst. Hij was een kleine, gezette man met kortgeknipt grijs haar en hij deed Kate denken aan een generaal die kordaat door een gang van het Pentagon stapte. Zijn stevige, droge handdruk werkte als een injectie van een sterk kalmerend middel. Ze voelde zich zó gesust door de zelfverzekerdheid in zijn stem, dat ze moeite had tot zich door te laten dringen wat hij zei over de technische risico's die dit soort operaties met zich meebrachten. Ze knikte slechts, terwijl ze voortdurend dacht: *Het kan me niet schelen hoe je 't doet, maar red haar, alsjeblieft, red haar.*

Twee uur later zat Kate op de bank in de wachtruimte bij het kantoortje van de verpleegsters op afdeling 11 west uit een kartonnen bekertje koffie uit de automaat te drinken, hoewel ze die helemaal niet lustte, maar het was gewoon om iets te doen te hebben.

Ze had geprobeerd Miranda te bellen, maar ze had in plaats daarvan dat verrekte antwoordapparaat gekregen. Toen herinnerde ze zich de veiling in Greenwich waar Miranda van plan was op een

Hunzinger-stoel te bieden, die ze in *Arts and Antiques Weekly* had zien staan. Ze moest nu daarheen op weg zijn, in gloeiende haast omdat ze tot het laatste moment had gewacht op Kate, die had beloofd bijtijds terug te zijn om de winkel van haar over te nemen.

Kate overwoog even om haar moeder te bellen, maar het leek of ze daar de energie niet voor kon opbrengen. Haar moeder zou dit alleen maar moeilijker voor haar maken, ze zou willen weten wat er werd gedaan en door wie, en was deze dokter Westerhall iemand die zij kenden? Met andere woorden: was hij een van de elite van Park Avenue-specialisten die haar kring van vriendinnen frequenteerde?

Kate had het niet kunnen verdragen. Ze had alleen maar kracht voor Skyler.

'U bent òf een masochist òf u hebt een maag van gietijzer.'

Kate keek op in een stel felblauwe ogen in het knappe gezicht van een blonde jonge vrouw in een lichtgroene jurk. Ze kwam haar vaag bekend voor met haar opvallende jukbeenderen en haar wat vierkante kaaklijn. Werkte ze hier? Ze droeg geen doktersjas of insigne, maar haar opgewekte toon en de warmte van haar glimlach onderscheidde haar onmiddellijk van de rijen bezorgde ouders die Kate als geestverschijningen voorbij had zien komen.

Kate zette haar koffiebekertje met een vermoeide zucht op de lage tafel voor zich. 'Ik zat er niet echt van te drinken,' zei ze.

'Kan ik iets anders voor u halen? Misschien iets fris?'

Kate vermoedde dat ze iets van nieuws te horen ging krijgen... en ze bad dat het geen slecht nieuws zou zijn. Waarom zou deze vrouw anders zo bezorgd bij haar blijven?

'Nee, dank u,' zei ze.

'Ik ben Ellie Nightingale... afdeling psychiatrie. U bent toch mevrouw Sutton, is het niet?' De jonge vrouw stak haar hand uit, die resoluut en bekwaam aanvoelde toen Kate die drukte. 'Dokter Westerhall dacht dat u misschien behoefte had aan iemand om mee te praten.'

Kate verstijfde. Wist de chirurg iets dat hij haar niet had verteld... iets dat kon maken dat ze in zou storten?

Maar haar gezonde verstand kreeg de overhand. Als het zùlk slecht nieuws was, zou dokter Westerhall het persoonlijk hebben meegedeeld.

'Ik maak me geen zorgen over mezelf... het gaat om mijn dochter,' zei Kate, niet in staat de scherpe toon uit haar stem weg te laten.

'Ik zou ook ongerust zijn.'

De reactie van Ellie Nightingale was weliswaar niet bemoedigend, maar was zo verfrissend eerlijk, dat Kate zich een klein beetje ontspande. 'U klinkt niet als een zielenknijper,' zei ze met een glimlachje. Bij nadere inspectie leek Ellie ook niet oud genoeg om er een te zijn. Ze was hoogstens zes- of zevenentwintig. Ellie glimlachte zonnig. 'Ik loop hier mee voor een afstudeervak.

Als ik ooit echt als een zielenknijper ga klinken, beloof ik dat ik nog eens over mijn carrière zal nadenken – en dan neem ik iets anders waarin ik in elk geval níet pompeus kan klinken.' Ze ging in de stoel tegenover Kate zitten en streek haar haar, dat tot op haar schouders hing en de volle kleur van gepolijst eikenhout had, naar achteren. Aan haar oren bungelden oorhangers. 'Hebt u behoefte aan een beetje gezelschap?'

'Niet echt,' antwoordde Kate, om vervolgens even te schrikken van haar gebrek aan manieren.

Ellie moest haar blik hebben opgevangen, want ze glimlachte en zei luchtig: 'Maakt u zich maar geen zorgen, ik ben niet beledigd.'

'Het was niet mijn bedoeling om grof te zijn.'

'Dat bent u ook niet. U bent een moeder, dat is alles. U moet wel dodelijk ongerust zijn.'

Kate keek haar aan alsof ze haar voor de eerste keer zag. Het was een hele verrassing, zo'n openhartig iemand aan te treffen in een ziekenhuis, waar iedereen óf neerbuigend deed óf over je hoofd heen praatte.

'Met uw dochter komt alles weer príma in orde,' verklaarde Ellie. En toen voegde ze er iets milder aan toe: 'Maar zou het u misschien iets helpen wanneer u wist dat ik geloof dat dokter Westerhall absoluut de beste arts is die er bestaat?' Ze klonk heel oprecht. 'Hij heeft vorige week nog dezelfde operatie uitgevoerd op een van de baby's van mijn man, en het jochie mag morgen naar huis.'

Kate keek haar niet-begrijpend aan.

'Paul is inwonend arts op de neonatale intensive care,' legde Ellie uit.

'Juist ja.'

Ze zag Ellie naar haar stok kijken. In tegenstelling tot de meeste mensen, die eerder snel de andere kant uit keken dan haar met hun nieuwsgierigheid in verlegenheid te brengen, keek de jonge vrouw er openlijk naar.

'Hoe is het gebeurd?' vroeg ze.

Heel even dacht Kate dat ze Skyler bedoelde; toen besefte ze dat Ellie háár letsel bedoelde. 'Een ongeluk bij het paardrijden,' zei ze. Toen ze zag dat Ellie vol belangstelling bleef en dat ze het niet alleen maar vroeg om beleefd te zijn, ging Kate verder. 'Ik deed mee aan de Hampton Classic – het zou voorlopig mijn laatste concours zijn. Ik was vier maanden zwanger, weet u.' Ze haalde diep adem. 'Het had geregend en het terrein was modderig. Mijn paard gleed uit en schoof dwars door een hindernis. Daarna herinner ik me niet veel meer... ze hebben me verteld dat hij boven op me terechtkwam. Verbrijzelde bijna alle botten in m'n been.'

'Het is een wonder dat u de baby niet hebt verloren.'

Kate deed haar mond open om dit misverstand te corrigeren, om te zeggen dat Skyler niet de baby was die zij had verwacht, maar ze besefte toen dat ze al veel meer had gezegd dan deze volslagen onbekende hoefde te weten.

In plaats daarvan knikte ze slechts.

Er was iets in haar achterhoofd dat haar bezighield – iets dat ze niet helemaal kon benoemen. Ze kon het gevoel niet van zich afschudden dat ze deze vrouw kènde, en niet van hier. Van een andere keer...

'Hebt u zelf kinderen?' vroeg Kate om beleefd te zijn, hoewel haar dit totaal niet interesseerde.

Er leek een schaduw over Ellies knappe gezicht met de hoge jukbeenderen te glijden. 'Gehad... een dochtertje.' Ze weidde niet uit. Ze schraapte haar keel, ging rechtop zitten en zei opgewekt: 'Paul en ik zijn van plan een gezin te stichten zodra hij zijn klinische opleidingsperiode achter de rug heeft en ik klaar ben met mijn studie – maar dat zal nog wel even duren.'

Opeens drong het tot Kate door. In gedachten zag ze het krantenknipsel, nu een vergeeld relikwie dat ze thuis in een weinig gebruikt boek in haar bibliotheek had weggestopt.

Ellie. Die jonge moeder had ook Ellie geheten. De achternaam was anders... maar toen was ze niet getrouwd geweest.

Ik heb een dochtertje gehad...

Lieve God... kon het echt waar zijn?

Nee, natuurlijk niet, zei Kate tegen zichzelf. Zulke toevalligheden gebeurden alleen in films en in romannetjes. Ze moest toegeven dat er enige gelijkenis bestond. Maar de krantenfoto was korrelig geweest en er waren sindsdien acht jaren verstreken. Het meisje wier verdriet zo levendig in die opname was gevangen, zou er nu misschien heel anders uitzien.

En toch...

Kate dacht aan haar stille gebeden van al die jaren, haar smeekbeden aan God om vergeving voor wat ze had gedaan, de vreselijke zonde die ze had begaan door Skyler bij haar ware moeder vandaan te houden. Hoe ze graag had willen weten wat er van dat jonge meisje was geworden.

Terwijl Kate naar Ellie Nightingale staarde, voelde ze hoe haar hoofdhuid vreemd begon te prikken. Ze drukte een hand tegen haar keel, waar haar ader wild klopte.

Hou op, beval ze zichzelf. Je bent overspannen, dat is alles. Je haalt je dingen in je hoofd. Alleen al in deze stad moeten er honderden vrouwen van in de twintig zijn die Ellie heten.

Maar Kate moest tegelijkertijd aan dat afgezaagde spookverhaal denken dat in haar middelbare-schooltijd altijd bij logeerpartijen werd verteld: een meisje dat op een donkere avond alleen thuis is, hoort vreemde geluiden en ze holt door het huis om alle ramen en deuren op slot te doen... om vervolgens te beseffen dat de ontvluchte krankzinnige in het huis is.

Had ze zichzelf voor de gek gehouden door te denken dat ze zich kon verstoppen voor iets waaraan niet viel te ontkomen?

Kate werd gegrepen door een plotselinge, morbide behoefte om het te weten en ze flapte eruit: 'Vindt u het erg als ik vraag wat er met uw dochtertje is gebeurd?'

Ze hield haar adem in, zodat deze trilde als iets kleins en weerloos dat onder een opgevouwen vleugel was gestopt.

Ellie gaf niet meteen antwoord. Ze sloeg haar benen over elkaar en haalde ze toen weer van elkaar af. Ten slotte vouwde ze haar armen over haar borst en ze antwoordde zacht: 'Ze werd ontvoerd.'

Kate voelde hoe haar hart stilstond. 'Wat afschúwelijk.' Ze fluisterde bijna onhoorbaar. 'Dat moet vreselijk voor u zijn geweest.'

'Het was als het einde van de wereld.' Ellie wierp haar een blik zo vol verdriet toe, dat Kate wanhopig weg wilde hollen, als van een vuur dat ze zelf had aangestoken en dat onbedwingbaar was opgevlamd.

Ellie haalde een hand over haar gezicht, alsof ze een masker rechtzette dat scheef was gezakt. Terwijl Kate volmaakt stil bleef zitten, met een hart dat bijna dreigde te bezwijken, kwam de jonge vrouw in de groene jurk, die hoogstwaarschijnlijk de moeder van haar dochter was, met een berouwvolle blik overeind.

'Ik moet nu echt gaan,' verontschuldigde ze zich. 'Maar als u me ergens voor nodig hebt, ben ik de rest van de dag in de buurt. U kunt me laten oproepen.'

Kate voelde een vreemde, etherische kalmte die ze in een hoekje van haar geest herkende als het mogelijke begin van een aanval van hysterie. Ze had al haar restjes wilskracht nodig om min of meer normaal te blijven doen.

'Dank u. Misschien doe ik dat wel,' loog ze.

Zelfs terwijl ze daar zat, verpletterd door berouw over waar ze deze vrouw van had beroofd, dacht Kate: *Als ze nu probeerde Skyler terug te krijgen, zou ik haar op iedere manier tegenhouden*. Want ze had geplukt van de boom der kennis en ze kon zichzelf niet langer wijsmaken dat Skylers echte moeder ergens hier ver vandaan veilig zat weggestopt. Ze zou haar dochter moeten beschermen tegen deze glimlachende blonde vrouw die — *o, hoe kon me dat eerst toch zijn ontgaan?* – zoveel op Skyler leek. Zelfs terwijl een deel van haar het liefst voor Ellie op haar knieën was gezonken om haar om vergiffenis te smeken. Kate wilde dat ze wegging – om voorgoed uit hun leven te verdwijnen.

Ze kromp ineen toen Ellie onschuldig zei: 'Als ik niets van u hoor, kom ik morgen nog even langs om te zien hoe het met uw dochter gaat. Ze zal dan vast alweer uit de recovery zijn.'

Voor Kate kon protesteren, was ze verdwenen. Toen ze haar om de hoek zag verdwijnen, lang en hoog op haar benen, zoals Skyler ook eens zou zijn, zakte Kate in elkaar. Ze voelde zich leeggelopen en vlak, even levenloos als een met krijt getekend silhouet op een tapijt.

Was Will maar hier, dacht ze.

Ja, en wat zou dat helpen? zeurde een chagrijnige stem.

Haar gedachten gingen terug naar die dag lang geleden, toen ze Will had geconfronteerd met haar vermoedens ten aanzien van Skylers echte moeder. Haar uiterst principiële man – de man die ooit een etensgast de deur had gewezen wegens het vertellen van een grove racistische grap – was dermate overstuur geweest bij de gedachte, de gedàchte alleen al, dat Skyler van iemand anders was, dat hij Kate zonder één woord te zeggen de rug toekeerde en de deur uitliep. Hij was de volgende morgen teruggekeerd, ongeschoren, gehavend, en hij had haar aangekeken met roodomrande ogen die haar leken te beschuldigen van een misdaad waarvan ze zich niet kon herinneren dat ze die had begaan. 'We zullen hier nooit meer over praten,' had hij gezegd met een stem die zó dodelijk rustig was, dat ze haar bloed in ijs had voelen veranderen.

En ze hadden er inderdaad nooit meer over gesproken. Will had het druk met zijn bedrijf; onder zijn gewiekste leiding had het makelaarskantoor dat zijn vader had opgericht in de afgelopen tien jaar drie keer zoveel winst gemaakt. Hij was in de meeste opzichten ook een goede echtgenoot... ook al voelde ze zich vaag gefrustreerd door zijn onwil om iets te bespreken dat haar bezighield en waarvoor hij niet à la minute een concrete oplossing had.

Zodat zij in haar eentje de eeuwige last van hun onuitsprekelijke misdaad moest dragen en in haar eentje moest verwerken.

En nu was het aan haar om het lot te keren, dat zich door de gesloten deur van haar stilzwijgen naar binnen had weten te dringen en dat bedreigde wat haar het kostbaarst was.

Ergens rond acht uur die avond verscheen dokter Westerhall, als een vermoeide engel in verkreukelde operatiekleding, om Kate uit haar vagevuur te verlossen. Skyler had de operatie goed doorstaan, vertelde hij haar, en het zag ernaar uit dat ze volledig zou herstellen.

Kate huilde van uitputting en opluchting toen ze opnieuw probeerde Will in Londen te bereiken. Bijna nog voordat ze hem alles over Skyler had verteld, was hij al op weg om het eerstvolgende vliegtuig naar huis te nemen.

Hij arriveerde de volgende morgen vroeg en zodra hij Skylers kamer op de achtste verdieping binnenstapte, in het met tapijten en antieke meubels ingerichte Thompson-paviljoen, voelde Kate hoe haar lichaam slap werd van opluchting. Ze had de afgelopen nacht doorgebracht op een veldbed naast haar dochter en al haar botten en spieren deden pijn. Maar nu ze het bezorgde gezicht van haar man zag, kon ze het opeens niet langer in haar eentje verwerken. 'O!' riep ze. 'O Will, wat ben ik blij dat je er bent!' Ze omhelsde hem, zonder zich iets aan te trekken van de sterke geur van een ongewassen man die de afgelopen acht uur in een nerveuze paniek had verkeerd.

Wills ogen waren bloeddoorlopen en zijn pak zag er net zo verkreukeld uit als haar eigen kleren. Maar wat was ze blij hem te zien! Zijn lieve gezicht met de sterke gelaatstrekken en het vage litteken boven zijn ene wenkbrauw, waar hij op negenjarige leeftijd per ongeluk was geraakt door een tuinhark die werd gehanteerd door zijn eigenwijze buurmeisje van zeven – hetzelfde meisje met wie hij later zou trouwen.

'Allemachtig, en dan te bedenken dat ik in die verdraaide club cognac zat te drinken met lord Dinges en dat ik alleen maar kon denken aan hoe ik hem bij dat City Island-project kon betrekken...' Hij zweeg, en gleed met een hand over zijn gezicht.

Het City Island Riverview-project, wist Kate, was een van de grootste die Wills kantoor ooit bij de hand had gehad – een project waar vele miljoenen dollars mee gemoeid waren en dat het slopen en herbouwen van een groot deel van het havengebied zou inhouden. Op financieel gebied was het kantoor er zwaar bij betrokken, tè zwaar – en nu leek het of de Britse investeringsmaatschappij waarop ze hadden gerekend zich terug wilde trekken. Het moest wel een heel vreemde indruk op de Britten hebben gemaakt dat Will halverwege de onderhandelingen was weggerend! Pas nu Skyler buiten levensgevaar was, had Kate gelegenheid om zich af te vragen wat het voor het bedrijf – en voor hen – zou betekenen als deze transactie mislukte.

Ze hielp hem uit zijn jasje en zei rustig: 'Er was niets dat jij had kunnen doen. En het belangrijkste is trouwens dat ze er weer bovenop komt.' Kate kon zichzelf er niet toe brengen de woorden uit te spreken die dokter Westerhall had gebruikt, frasen als 'geen blijvend letsel' en 'niets dat wijst op eventuele motorische handicaps'.

Alleen al de gedachte aan letsel of handicaps was onvoorstelbaar.

Will keek bezorgd naar hun dochter, die in het bed lag te slapen met een infuus aan haar arm en haar hoofd in een tulband van verbandgaas; ze zag eruit als de kleinste maharadja van de wereld. 'Is ze al bijgekomen?' vroeg hij op gedempte toon.

'Een paar uur geleden, maar ze was nog heel suf,' zei Kate tegen hem. 'Ik heb haar alleen maar even in m'n armen gehouden en daarna is ze meteen weer in slaap gevallen.'

Will liet zich in de stoel naast Skylers bed vallen. Heel voorzichtig streelde hij haar voorhoofd – het gedeelte dat niet in verband zat – voor hij zich naar voren boog om zijn wang op haar kleine zongebruinde hand te leggen. Er stonden tranen in zijn ogen.

Kate wachtte even voor ze naast hem kwam staan en haar hand op zijn schouder legde. 'Weet je nog die eerste keer dat ik haar op een paard heb gezet?' herinnerde ze zich hardop. 'Ze kan niet meer dan twee jaar zijn geweest. De uitdrukking op haar gezicht... alsof het in juli Kerstmis werd. Ze gilde toen ik probeerde haar er weer af te halen. Ze had wel uren in het zadel willen blijven zitten om gewoon aan de longe de bak rond te worden geleid.'

Hij keek naar haar omhoog en knipperde hevig met zijn ogen. 'Kate,' zei hij met brekende stem.

Haar vingers verkrampten, grepen een pluk van zijn overhemd vast. 'Ik weet het, ik weet het. Maar alles is nu goed met haar.'

Ze overwoog even Will over Ellie te vertellen, maar ze verwierp deze gedachte weer even snel. Hij zou haar alleen maar beschuldigen van het zich verbeelden van dingen, en zelfs als hij haar geloofde, wat had het dan voor zin als ze zich allebei ongerust maakten? Nee, het was veel beter om Will te laten doen waarin hij het beste was – in concrete situaties de leiding nemen, de juiste vragen stellen en gedegen antwoorden krijgen.

Toen ze de plotseling vastberaden uitdrukking op zijn gezicht zag toen hij opstond, wist ze dat dit precies was wat hij van plan was te doen. 'Ik zou graag even met die dokter Westerhall willen spreken,' zei hij op zijn meest bevelende toon. 'Ik heb op weg van het vliegveld naar hier met de eerste neuroloog van het Boston Children's Hospital gebeld. Misschien moeten we hem hierheen laten vliegen voor een consult.' Hij begon naar de deur te lopen.

'Ik weet niet of dat nou echt...' begon Kate.

Will maakte een afwerend gebaar. 'Hoor eens, Kate, ik weet zeker dat dokter Westerhall heel competent is, maar het kan geen kwaad om ook om een second opinion te vragen.' Hij sprak heel rustig, met een zelfvertrouwen dat was ontstaan uit vele jaren weten wat hij wilde, en er meestal in slagen dat te krijgen ook.

Kon hij in andere dingen ook maar zo goed en zo sterk zijn,

wenste ze onwillekeurig. In dingen die meer met genezen dan met regelen te maken hadden.

Zodra Will de kamer uit was, strekte ze zich uit op het veldbed, met de bedoeling haar ogen te sluiten tot hij terugkwam. Ze was doodmoe. Vermoeider dan ze zich kon herinneren ooit na haar vier operaties te zijn geweest, toen ze niet voor mogelijk had gehouden dat er genoeg botten in haar been en heup waren voor alle stalen pinnen die nodig waren om ze op hun plaats te houden. Terwijl ze in slaap begon te vallen, dacht ze: *Maar ik heb het overleefd... en Skyler zal het ook overleven.*

Kate schrok op van een bekend geluid – de stem die vanaf het eerste begin, toen het niet meer dan een kreet was geweest, haar altijd uit haar diepste slaap had kunnen halen.

'...Acht,' hoorde ze Skylers hoge stemmetje piepen. 'Mijn verjaardag is een week voor die van Mickey. Dat is m'n beste vriendin.' De woorden waren omfloerst, alsof ze nog steeds half sliep.

Kate schoot overeind, onmiddellijk volledig bij bewustzijn door de aanblik van haar dochter die keurig rechtop zat tegen een stapel kussens... en van de slanke blonde vrouw die naast haar op het bed zat.

Kate zag hoe Skyler een behoedzaam slokje water nam uit het bekertje dat Ellie Nightingale haar dochter tegen de lippen hield. *Ik droom dit*, dacht ze. Maar geen enkele droom had haar ooit zo aangegrepen dat ze er een steek in haar hart en een prop in haar keel door had gevoeld.

Skyler zag dat ze ging zitten en wierp haar een flauwe glimlach toe. 'Mammie.' Ze was heel bleek, met donkere kringen onder haar ogen, en haar stem was niet meer dan hees gefluister.

'O liefje.' Kate schoot met een gesmoorde kreet naar voren en nam Skyler zo voorzichtig mogelijk in haar armen.

'Ik heb pijn, mammie. Ik heb overal pijn.' Skyler beefde in haar armen en klonk alsof ze hevig probeerde niet te huilen.

'Stil maar liefje,' suste Kate, die zelf bijna in tranen was. 'Alles komt goed met je, dat beloof ik. Alles komt goed met je. Je bent gevallen en je hebt je pijn gedaan, maar je zult binnen de kortste keren weer beter zijn.'

'Dat weet ik. Dat heeft zij ook gezegd.' Skyler glimlachte naar Ellie en liet zich toen weer in de kussens zakken.

Kate probeerde niet te staren, maar ze kon het niet helpen. Ze leken zo vreselijk veel op elkaar. God, zàg die vrouw dat dan niet? Hoe kon het haar ontgaan?

'Ze begon net wakker te worden toen ik langskwam,' zei Ellie tegen Kate. 'Ik wilde u niet storen.'

'Het was heel aardig van u om aan ons te denken,' bedankte

Kate haar, terwijl ze in gedachten haar moeder zegende voor de manier waarop die haar had geleerd zelfs haar sterkste gevoelens onder controle te houden – een talent dat haar even automatisch afging als ademhalen.

'Met alle genoegen.' Ellie zette het plastic bekertje op de tafel naast het bed. Toen ze over Skylers hoofd naar Kate keek, was haar glimlach bijna droevig. 'Ze is echt een heel bijzonder meisje. U boft dat u haar hebt.'

Kate's hart zonk even heel diep. 'Ja, dat weet ik.' Ze zag dat Skyler probeerde iets te zeggen en ze boog zich naar haar toe.

'Mammie, is met Cricket ook alles goed?'

'Met hem is alles echt prima.' Ze had geen flauw idee of het wel of niet goed ging met de pony; ze had er geen moment aan gedacht. Skyler liet voldaan haar ogen dichtzakken. 'Mammie…?' mompelde ze, zonder de zin af te maken.

'Ik ben hier,' zei Kate gesmoord. 'Pappa is er ook. Hij komt zo.'

Ellie stond op en streek haar rok glad – ze droeg vandaag een licht goudkleurig topje en een blauwe rok die perfect bij haar ogen paste. Het licht weerkaatste op een gouden oorring toen ze haar hoofd omlaag deed om een verdwaalde pluk haar achter haar oor te schuiven.

Skyler mompelde iets… iets dat klonk als 'Ga niet weg,' en gedurende één verpletterend moment wist Kate niet of ze háár of Ellie bedoelde.

'Ik ben blij dat alles zo goed is gegaan,' zei Ellie tegen Kate terwijl ze naar de deur liep.

Kate pakte de stevige hand die Ellie haar bood en ze stond zichzelf de gevaarlijke luxe van Ellies openhartige, innemende blik toe. Ze voelde hoe de cirkel kleiner werd, zich als een strop om haar dichttrok. Ze waren verenigd door iets vreselijk onherroepelijks, net zoals ze vanaf het eerste begin had gevreesd dat ooit het geval zou zijn.

Terwijl iedere cel in haar lichaam schreeuwde dat ze met rust wilde worden gelaten, dat ze Ellie nooit meer wilde zien, merkte ze desondanks op, met een stem die laag was van nauwelijks bedwongen hartstocht: 'Ze is heel kostbaar voor haar vader en mij. Ik zou sterven als ik haar ooit zou moeten verliezen.'

'Nee, dat is niet waar,' zei Ellie met de simpele overtuiging van iemand die het maar al te goed wist. 'Maar ik ben blij dat u dat niet hoeft te ontdekken.'

Kate schonk haar een grimmige glimlach en haatte zichzelf heviger dan ze ooit enig menselijk wezen had gehaat, toen ze het mes dat alleen zij kon zien diep in Ellies hart begroef.

'Niet als ik 't kan helpen,' zei ze.

2

Op Skylers zeventiende verjaardag gebeurden er twee dingen. Het eerste was dat ze haar maagdelijkheid verloor in het botenhuis van het zomerhuis van haar ouders op Cape Cod, door toedoen van Prescott Fairchild, een tweedejaars student van Yale en de zoon van oude familievrienden. Ze huilde een beetje en bloedde veel... maar alles bij elkaar, besloot ze, was het een heel aardige ervaring geweest, in aanmerking genomen dat ze niet verliefd was op Prescott.

Het tweede, dat hier totaal niets mee te maken had (of dat dacht ze tenminste), was dat ze niet langer wensen uitsprak bij het uitblazen van kaarsjes, maar dat ze zich één ding heel stellig voornam: ze zou de hele waarheid over haar moeder te weten zien te komen.

In de loop der jaren was Skyler verteerd geweest door een verlangen alles over haar echte moeder te weten te komen. Ze had gefantaseerd over een vreemde vrouw die bij de voordeur verscheen om huilend te vertellen dat het allemaal een afschuwelijke vergissing was geweest; ze had Skyler alleen maar heel even alleen gelaten om vlug een boodschap te doen. Het verhaal dat Skyler bedacht was dat haar moeder op weg naar huis was geraakt door een hardrijdende taxi en dat ze maanden in coma had gelegen, om toen ze weer bij bewustzijn kwam te ontdekken, dat haar dochtertje voorgoed was verdwenen.

Andere keren zag Skyler zichzelf de vrouw opsporen... om vervolgens een koude douche te krijgen. Haar moeder zou haar met dode ogen aankijken en zeggen dat ze niets van haar wilde weten, dit nóóit had gewild.

Hoe dan ook, Skyler móest weten wat er lag achter het verhaal dat haar voorzichtig en liefdevol was verteld toen ze zes was: dat ze verlaten was aangetroffen in een huurkazerne en dat haar moeder geen enkel adres had achtergelaten.

Toen ze klein was, hadden haar angsten de vorm aangenomen van nachtmerries, waaruit ze huilend en spartelend, verward in de lakens, was wakker geworden. Nachtmerries over in de steek gelaten worden... door een donkere straat dolen en om haar moeder roepen... achtervolgd worden door duistere gestalten. Ze was de nachtmerries ontgroeid, maar ze waren vervangen door iets nog veel ergers: het afschuwelijke vermoeden dat haar ouders iets voor haar geheim hielden, iets dat te erg was voor woorden.

Skyler had het in mams ogen gezien – iets dieps en heimelijks, vol pijn. Ze had het eveneens gevoeld in de manier waarop pappa het altijd te druk had om te praten wanneer het onderwerp van haar adoptie ter sprake werd gebracht.

Maar hoe erg het ook mocht zijn, het kon nooit zo erg zijn als in onzekerheid te worden gehouden.

De gedachte kwam in haar op terwijl ze op de betonnen vloer van de stal van Stony Creek neerhurkte om een elastische reisbandage om het linkerbeen van haar paard te winden. De zon was nog niet opgekomen en hoewel het weer zacht was, huiverde ze. Het was precies één week na haar verjaardag. En over exact drie uur zou ze meedoen in de springafdeling voor junioren van de Ballyhew Charity Horse Show in Salem, dat op een halfuur rijden van Northfield lag. Maar dat was het niet dat haar zo nerveus maakte. Wat Skyler een steen in haar maag bezorgde, was de vraag hoe ze haar moeder moest benaderen.

Ze had het uitgesteld tot na het concours; nu haar zenuwen toch al strakgespannen waren, wilde Skyler geen scène riskeren die hen beiden nog meer van streek zou maken. Bovendien had ze al deze jaren gewacht. Wat betekende één dag dan nog?

Toch bewogen haar handen vreemd moeizaam en haar maag was als een natte lap die werd uitgewrongen. Ze moest steeds weer denken aan het Grote Gesprek dat ze vanavond met haar moeder wilde hebben.

Wat er met Prescott was gebeurd, moest ze nu tegenover zichzelf toegeven, had dat alles waarschijnlijk tot een uitbarsting gebracht. Toen ze na afloop onder hem had gelegen, in de koelte van het botenhuis, waar ze omhoog had liggen kijken naar de weerspiegelingen van het water tegen het puntdak, had ze een vreemd soort verbondenheid met haar echte moeder gevoeld. Was het voor haar de eerste keer ook zo geweest? Was ze een tiener geweest, wier enige fout was dat ze zwanger was geworden?

Skyler maakte het windsel vlak onder het gewricht vast en gaf haar paard een klap op de flank. Op dit vroege tijdstip was de stal bijna volledig verlaten, buiten Duncan en een van de stalknechten die ze op de hooizolder hoorde fluiten. Er viel wat schemerig licht naar binnen door de kieren in de schuurdeur, waar sommige planken niet helemaal aansloten, en het smoezelige raam boven de voederbak lichtte gelig op. Ergens rinkelde een emmer. Aan het eind van de dubbele rij boxen hoorde ze het gestamp van hoeven en het gevloek van Mickey – het paard van haar vriendin was berucht om zijn weerspannige hoofd wanneer ze zijn halster om wilde doen. Skyler liep in een langzame cirkel rond haar eigen paard, dat met dwarsbanden aan de zijwanden van de poetsruimte was vastgemaakt. Chancellor, met keurig gevlochten manen en een glimmend geborstelde kastanjebruine vacht, wierp haar een verwijtende blik toe toen ze zich uitstrekte om zijn hoofdstel recht te schuiven. Hij wist wat al dit gedoe betekende en er was niets waar hij een grotere hekel aan had dan gevangenzitten in een paardentrailer om kilometers ver over een kronkelige landweg naar een concours te worden gereden. Hij schraapte verontwaardigd met zijn hoef over de betonnen vloer en hij schudde met zijn hoofd, zodat de dwarskettingen rinkelden.

'Hoor eens, het heeft geen enkele zin je zo op te winden... je gaat toch, en daarmee uit,' mopperde ze goedmoedig op hem. 'Bovendien ben jij niet de enige die nerveus is. Dacht je soms dat ik het niet in m'n broek doe van angst?'

De Ballyhew Charity Horse Show was een springconcours in de klasse A en het was het prestigieuste concours waarin ze ooit was uitgekomen. Mickey en zij moesten het opnemen tegen de beste springruiters uit de omgeving. Ze konden zich geen enkele fout veroorloven.

'De trailers staan voor. Ben je zo'n beetje klaar?'

Mickey leidde haar appaloosa door de donkere gang tussen de dubbele rij boxen naar buiten. In haar rijbroek en spijkerhemd met opgerolde mouwen, met een onaangestoken sigaret schuin in haar mondhoek, leek ze ouder dan zeventien.

'Chance heeft zo zijn twijfels,' zei Skyler tegen haar vriendin, terwijl ze zag hoe hij zijn oren achterover legde toen ze een reisdeken over zijn rug wierp.

'Zou ik ook hebben als ik hem was,' zei Mickey uitdagend met een hese lach, terwijl ze haar sigaret aanstak met haar smoezelige Bic-aansteker. 'Carousel gaat 'm ervan langs geven, en dat weet hij.' Haar donkere haar zat in een verwarde bos en haar ogen, die de intens zwarte kleur van pruimen hadden, namen Skyler vol vrolijkheid op.

'O ja? Wie werd er dan wel eerste in het concours van Twin Lakes?'

'Dat was alleen maar omdat Carousel een hoefijzer verloor.'

'Volgens mij heeft-ie toen nog meer verloren.' Skyler lachte toen

40

ze terugdacht aan de manier waarop de appaloosa woest was gaan bokken en Mickey in een haag had geworpen. Maar Mickey's grijns, die verre van schaapachtig was, flitste uitdagend. 'Jíj bent degene die het in d'r broek doet van de zenuwen, geef dat nou maar toe. Je weet dat ik jou in het stof zal laten bijten.' Sinds hun tijd in de ponyclub hadden ze zo tegen elkaar gedaan, maar als iemand anders het had gewaagd op die manier tegen hen te spreken, had hij of zij twee meisjes tegenover zich gehad om zich tegen te verweren, in plaats van één. Mickey en zij waren praktisch samen bij Stony Creek opgegroeid en Skyler hield van haar zoals ze van een zusje zou hebben gehouden.

'Blijf praten – misschien overtuig je jezelf nog eens,' riep Skyler achterom toen ze de brede, dubbele deuren opendeed en haar paard het erf op leidde.

Er stonden twee pick-ups met Kingston-trailers erachter statio- nair te draaien op het parkeerterrein vlak achter het voorplein met grind. De chauffeurs van de auto's stonden tegen het hek geleund en rookten sigaretten en dronken koffie uit bekers van piepschuim. Skyler bleef even staan om de frisse lucht van pasgemaaid gras in te ademen, en ze keek naar de bomenrij langs de horizon, waar- achter de zon juist opkwam. Het gouden licht fonkelde op de dauw- druppels in het weiland en schonk de verweerde schuren een gloed als van beboterde toost. In de instructiebak, waar een jongen in korte broek en mouwloos T-shirt bezig was de gemalen schors te sproeien, had de fijne nevel van druppeltjes een volmaakte regen- boog als uit een sprookjesboek doen ontstaan.

Skyler onderging een moment van volmaakte vredigheid voor de gedachte aan haar echte moeder zich weer opdrong, als een blaar die haar hiel schrijnde.

'Ik vraag me af of ze nog in leven is.'

Ze had niet beseft dat ze hardop had gesproken tot Mickey haar een schuine blik door een wolk sigarettenrook toewierp. 'Wie?'

'Mijn natuurlijke moeder.' Skylers toon werd hard. 'Degene die mij zo'n kostbare lieveling vond dat ze besloot mij achter te laten als cadeautje voor de huisbaas.'

'Waarom moet je nú opeens aan haar denken?'

'Ik weet het niet.' Skyler zweeg en ze voelde opnieuw die vreem- de, krampende pijn in haar maag. 'Ik vraag me af wat ze zou denken als ze me nu kon zien. Ik bedoel, zou ze trots op me zijn? Zou ze zelfs maar om me géven?'

Mickey wierp haar een lange, onderzoekende blik toe terwijl ze aan haar sigaret trok en een luie rookpluim omhoog stuurde in het koele blauw van de lucht die tegen de middag verzengend heet zou zijn. Dit was niet de eerste keer dat Skyler haar vriendin deelgenoot

had gemaakt van haar diepste gedachten over haar echte moeder...
en het zou ook niet de laatste keer zijn. Mickey begreep dat er geen
antwoorden bestonden op vragen die geen logica bevatten.
'Het zou heel wat slechter kunnen. Jij hebt er tenminste twee van
de drie,' zei ze met een optimistisch schouderophalen. 'Mijn eigen
ouders van vlees en bloed laten zich helemaal niets aan mij gelegen
liggen, maar jij hebt een pa en een moe die denken dat jij op water
kunt lopen.'
Skyler streelde peinzend de korte, zijdezachte vacht van Chancellors hals.

De bittere waarheid was dat met iedere sprong die ze nam, elk
lint dat ze won, ze niet alleen werd voortgedreven door de wens
om te winnen – maar dat het vooral haar moeder was. Alsof Skyler
op de een of andere manier iets kon doen om haar – de vrouw die
haar had gevoed, haar luiers had verschoond, haar in slaap had
gewiegd... en toen zomaar was weggelopen – te bewijzen dat ze
wèl iets waard was.

Terwijl Mickey en zij hun paarden naar de wachtende trailers
brachten, voelde Skyler hoe Chancellor zich terug begon te trekken.

'Hou nou op, Chance,' snauwde Skyler terwijl ze hem aan zijn
teugel meetrok.

Maar tegen de tijd dat ze de aluminium loopplank bij het ach-
terportier van de eerste trailer hadden bereikt, hield Chancellor in.
Hij bleef haar daar aan staan kijken tot Skyler met een zucht diep
in haar zak viste en een stuk wortel te voorschijn haalde. Ze hield
hem dat voor de neus, maar gaf het pas toen hij zich over de loopplank de trailer in had laten leiden.

Ze dacht op dat moment aan mam – zou zij zich gemakkelijk
laten overhalen te onthullen wat ze al die jaren zo goed verborgen
had gehouden? Terwijl Skyler met Mickey op de achterbank van
Duncans stoffige Wagoneer klom, bad ze inwendig dat ze erin zou
slagen haar moeder aan het praten te krijgen.

Terwijl ze op weg naar Route 22 door de hoofdstraat van het
dorp reden, met de winkels met witte houten betimmeringen en de
straten met Victoriaans aandoende straatlantaarns, zwaaide ze
naar Miranda die voor het voormalige koetshuis stond, dat mams
winkel was, om de vlijtige liesjes in de smeedijzeren bak water te
geven. Miranda, die zo slank was als een fotomodel en die er als
altijd uitzag als een advertentie in een modetijdschrift, zwaaide
terug. Ze nam 's zomers en in het najaar altijd de honneurs waar
wanneer Kate Skylers springconcoursen volgde om haar aan te
moedigen.

Kate was vanmorgen vooruit gegaan om een goede plaats op de

tribune te bemachtigen. Skyler glimlachte in zichzelf; ze kon zich geen dag herinneren dat haar moeder niet voor haar klaar had gestaan. Zoals die keer dat mam bijna alle bloemen uit haar kostbare tuin had geplunderd voor de praalwagen van Skylers kaboutergroep voor de parade van 11 november. En na Skylers operatie, toen ze meer dan een week op bed had gelegen, had mam haar uren en uren zitten voorlezen en haar geholpen een plakboek te maken van paardenplaatjes uit tijdschriften. Mickey had gelijk, ze bofte inderdaad geweldig. En niet alleen omdat ze zulke geweldige ouders had. Omdat ze hier was opgegroeid, was ze in alle opzichten bevoorrecht geweest, zonder te worden verwend.

Northfield, dat zo'n achttien kilometer ten noordwesten van Greenwich lag, met zijn grote huizen en garages voor vier auto's, was het soort plaats waar heel bescheiden over geld werd gedaan. Geen van de ouders van de meisjes met wie Skyler naar school was gegaan, reed in chique Europese auto's of gaf veel om beroemde merken. Ze haalden hun neus op voor de quasi-Engelse country stijl die op dat moment de grote mode was, en ze bleven liever thuis dan met een voorraad koffers vol monogrammen door Europa te trekken. Ze zetten ketchupflessen pardoes op mooie antieke eettafels neer en liepen met modderige rijlaarzen over tweehonderd jaar oude Turkse tapijten. Geen enkele bank was verboden terrein voor de honden die veel in schuren en weilanden ronddalfden. En het gesprek aan tafel ging niet over wie meer geld had dan een ander, maar over een drie jaar oud veulen dat heel veelbelovend leek, of over wie in Gladstone de beker had gewonnen en of Lake Placid dit jaar wel of niet zou verregenen.

Wat naar Skylers mening haar eigen moeder anders maakte, was niet alleen dat ze met een stok liep, maar dat ze altijd pijn had gehad. Dit was te zien aan de rimpeltjes rond haar ogen en mond en het schitterde achter iedere glimlach, als de punt van een heel scherp mes. Mam klaagde nooit, of sprak er zelfs nooit over... maar aan de andere kant was ze heel goed in het bewaren van geheimen.

Maar welk geheim zou ze over haar echte moeder bewaren? Wat voor vreselijks kon verantwoordelijk zijn voor de donkere blik achter in haar ogen, iedere keer dat het onderwerp ter sprake kwam? Terwijl Skyler uit het raampje van de auto naar het voorbijglijdende landschap keek, hoopte ze van ganser harte dat ze goed deed aan het openen van deze speciale doos van Pandora.

Het springconcours in Ballyhew, dat elk jaar in augustus werd gehouden, was beroemd om het onder de aandacht brengen van

43

nieuw talent. En tegen de middag had zowel Skyler als Mickey voldoende in de voorrondes gepresteerd om zich te plaatsen voor de barrage van de junior-amateurs.

Toen Skyler haar paard van het voorterrein reed, was ze minder zenuwachtig dan ze had verwacht te zullen zijn. Ze overzag de stampvolle tribunes, in de hoop Kate te ontwaren. Maar er waren veel te veel mensen en Chancellor deed wat schichtig, zodat ze moeilijk naar één punt kon blijven kijken.

Ze bracht hem in draf naar het parcours met de knap ontworpen hindernissen en bleef rustig in het zadel zitten, waarbij ze Chance halt liet houden vlak bij de bedrijvigheid van het binnenhek – een stuk of wat stalknechten die bezig waren singels aan te trekken of bitten te controleren, trainers die op de valreep nog een advies wilden geven, ruiters die nerveuze paarden voltes lieten lopen. Er hing een vieze, bruine stofwolk die werd opgeworpen door trappelende hoeven en stampende laarzen, en de hitte was nu al ondraaglijk, ook al was het nog geen twaalf uur. In de verte blonken de smetteloze gebouwen en de golvende groene weiden van Ballyhew Farm als een verleidelijk fata morgana.

Skyler boog zich voorover om Chancellors hals te strelen. Hij was gespannen... maar dat was zij ook. Er klopte een ader in haar slaap en ze kneep haar ogen even stijf dicht in een poging een opkomende hoofdpijn af te wenden. Inwendig jutte ze Chancellor op. *Let goed op, Chance, dit is de grote kans. We móeten winnen... dus geen weigeringen, hè?*

Ze was vorig jaar met hem uitgekomen en had toen linten gehaald in A-concoursen en een vierde plaats in de Maclay-jachtspringklasse bij de Northeast Regional. Maar met zes jaar was hij nog steeds jong, en hij had een neiging tot schrikachtig gedrag. En hij was ook klein. Met een stokmaat van één meter drieënvijftig was hij niet meer dan een uit de kluiten gewassen pony.

Maar het punt was dat Chancellor kon springen. Allemachtig, wat kon hij springen.

Skyler glimlachte toen ze terugdacht aan die dag van twee jaar geleden, toen hij net op Orchard Hill was gearriveerd. De in Nederland gefokte ruin, die het cadeau voor haar vijftiende verjaardag was geweest, had de deur van zijn box ingetrapt, was het erf opgeschoten en was toen over een haag van één meter tachtig gesprongen.

Maar springen op het veld of in de manegebak was iets heel anders dan tijdens een wedstrijd, wist ze. En de concoursen waarin ze tot nu toe waren uitgekomen, waren kinderspel geweest vergeleken bij dit hier.

In de voorrondes had Chancellor slechts drie strafpunten gekregen voor een weigering bij de drievoudige hindernis, wat haar plaatste onder de negen ruiters uit een veld van zevenendertig, die zich voor de barrage hadden gekwalificeerd. Als ze dit wonnen – o, alsjeblieft – dan zou ze genoeg punten hebben om in september naar de finales in South Hadley te gaan.

'Nummer achttien, Lucky Penny, bereden door Amanda Harris...'

Het geschal uit de luidspreker deed Chancellor nerveus opzijspringen. Skyler nam de teugels wat in en hield hem strak verzameld. Het was niet nodig de volgorde op het mededelingenbord te lezen. Ze hadden een uur geleden de loting opgehangen en zij had de tweede plaats getrokken.

'Wij zijn hierna aan de beurt,' fluisterde ze.

Onder haar met fluweel bedekte cap had Skyler het gevoel alsof ze in brand stond. Dat stomme ongeluk op haar achtste had op de een of andere manier haar bedrading wat beschadigd; bij te veel opwinding dreigde er iets door te branden.

Het werd allemaal nog erger als je onder de snikhete augustuszon moest verschijnen in een rijkostuum dat voor de mistige koelte van Engeland was ontworpen: rijbroek met zwarte laarzen, een strakzittend marineblauw gabardinen jasje over een helderwitte blouse met een choker met monogram, waarop ze een kleine diamanten broche in de vorm van een hoefijzer had gespeld.

Ze haalde diep adem en keek even naar Duncan, die voor het mededelingenbord stond. Hij tuurde met blauwe ogen die hij bijna volledig had dichtgeknepen naar het wedstrijddiagram en hij haalde een knoestige hand door de massa grijs haar die haar deed denken aan rook die uit een schoorsteen opsteeg. Alsof hij die lijst niet al uit zijn hoofd kende... alsof hij het parcours niet al met haar had gelopen, waarbij hij het aantal stappen voor iedere sprong had geteld, de balken in hun houders had gevoeld, was geknield om de ondergrond te voelen.

Hij ving haar blik op en stapte naar haar toe om de neusriem nog iets bij te stellen. Terwijl Skyler naar hem keek, voelde ze even iets van irritatie, voor ze zichzelf eraan herinnerde dat ze zonder Duncans gedegen lessen en oog voor detail hier waarschijnlijk niet was geweest.

'Hij had in de barrage moeite met de laatste triple,' zei Duncan tegen haar. 'Hij zal bij die oxer op negen-B naar de hoek trekken. Houd hem goed in het midden als je kunt.' Zijn felle blauwe ogen keken haar even aan; toen, alsof hij tevreden was met wat hij zag, gaf hij haar een kort knikje.

'Ik zal mijn best doen,' zei Skyler.

Het was trouwens niet de triple die haar zorgen baarde. Haar

45

oog was op de zeven gericht, een muur met een plasje ervoor – een rechthoek van glinsterend blauw, vier meter lang en zestig centimeter breed. Een fluitje van een cent, als je paard niet toevallig doodsbang was voor water. Als veulen was Chancellor een keer bijna verdronken in een koeienvijver. Sindsdien was hij doodsbenauwd voor alles wat leek, rook, voelde of klonk als water, tenzij hij het uit een emmer kon drinken. Ze had hem vorig jaar de hele zomer geoefend door hem steeds weer de beek onder de stal over te laten steken, tot het stroompje in juni was gestegen en de stenen van de bedding onder water stonden. Toch kon ze er nooit zeker van zijn…

In de openingsklasse was de waterbak de enige hindernis geweest waarvoor Chancellor had geweigerd. Dezelfde hindernis die Lucky Penny nu met gemak nam.

De vos had tot dusver slechts twee strafpunten, voor een achterhand die een balk van de triple had afgestoten. Een goede springer, maar geen snelle. Toen hij de laatste sprong had genomen en door de uitgang naar buiten reed, flitste zijn tijd op het elektronische scorebord op: 40,789 seconden.

'Nummer achtendertig,' schalde de luidspreker toen Lucky Penny schuddend met zijn hoofd de baan uit huppelde. 'Skyler Sutton op Chancellor…'

Skyler was zich bewust van ieder oog op de tribunes en in de box van de jury, alsof er een schijnwerper op haar was gericht. Tweeduizend toeschouwers die haar aankeken, die wachtten tot ze een diepe indruk op hen zou maken.

Ik móet winnen, dacht ze. Niet alleen omdat dit zou bewijzen dat ze goed was… maar ook omdat het een goed voorteken zou zijn. Als ze vandaag met de eerste prijs naar huis ging, zei Skyler bij zichzelf, dan zou niets wat ze over haar echte moeder te weten kwam zo heel vreselijk zijn.

Duncan liep nog een laatste keer om Chancellor heen en controleerde hem van neusband tot achterste zadelboog voor hij Skyler toeknikte. Hij wierp haar een van zijn zeldzame glimlachjes toe en zei nors: 'Bedenk wel dat er hard moet worden gewerkt om geluk te hebben. Je hebt hard gewerkt. Zorg nu dat je geluk hebt.'

Niet alleen geluk hebben, dacht ze, maar ook snel zijn. Ik moet sneller zijn dan iedereen.

Bij het geloei van de claxon stoof Chancellor als een raket door het hek. De eerste sprong, een hek van negentig centimeter hoog, nam hij even gemakkelijk als een kind dat touwtje sprong. Kruissprong; een dubbele oxer; het kastanjebruine paard zoefde er royaal overheen.

Je kùnt het, Chance… goed zo. Nog eentje… en nog een…

Hij nam nummer vijf ook, een hek dat door Grand Union Market was gesponsord en dat was uitgevoerd in de stijl van een groentenkraam. Zijn hoeven hadden nauwelijks de grond geraakt of ze dreef hem voorwaarts, naar de volgende hindernis, een muur met twee balken erbovenop. Toen hij eroverheen ging, tikte hij de bovenste balk met zijn voorbeen aan, en de balk rammelde in zijn houders. Gedurende een onderdeel van een seconde voelde ze een flits van paniek. Maar de balk bleef liggen. Ja!

Toen hij onder een te schuine hoek bij het volgende hek kwam, zwenkte Chance naar rechts, en toen hij neerkwam moest ze hem terugtrekken, hem weer in het juiste tempo brengen. Nog meer kostbare tijd verspild. Skyler voelde dit net zo erg als ze de zon voelde die haar blouse aan haar rug had vastgeplakt: elk deel van een seconde was als bloed dat uit een doorgesneden ader wegliep.

Ze richtte haar ogen op de volgende sprong – nummer zeven. Oké, daar gaan we, veiligheidsriemen vast...

Maar toen ze het hek met de waterbak naderden, voelde Skyler hoe de golvende cadans van Chancellors hoeven korter werd, haperde. *Hij weet het... hij houdt in. O God.* Het water kwam in zicht en ze dacht: *Zet 'm op, Chance, je kùnt het. Zet 'm op.*

Met gebruikmaking van alle dij- en kuitspieren waarvan ze niet had geweten dat ze ze bezat, greep Skyler hem uit alle macht beet, boog zich over zijn hals, dreef Chancellor voorwaarts met een wil die bijna fysiek was – iets dat hij even duidelijk moest hebben gevoeld als de gelaarsde benen die in zijn flanken drukten, want hij meerderde direct weer vaart. Toen rondde hij zijn rug, veerde omhoog en over de blinkende rechthoek van water, met zijn voorbenen onder zich gestopt, om hen beiden veilig over de hindernis heen te helpen. Zelfs de drievoudige combinatie waarvoor Duncan haar had gewaarschuwd – een trap gevolgd door twee ongelijke oxers – konden Chancellor niet afschrikken. Hij zeilde eroverheen en galoppeerde door de lichtstraal van de finish alsof hij door de oceaangolf van applaus werd meegevoerd.

Een foutloos parcours!

Op het scorebord zag Skyler vanuit haar ooghoek rode cijfers opvlammen: 32,845 seconden. Als niemand sneller een foutloos parcours reed, zou zij de eerste zijn.

'Dat is een echte hartenbreker!' riep een van de staljongens bij de uitgang, de gezette Russ Constantini. 'Dat wordt een hele toer om die te kloppen.'

Skyler, die nog high was van alle adrenaline, bad dat hij gelijk had... dat niemand haar tijd zou verbeteren.

Allison Brentner, op haar witte volbloed hengst Silver Spurs, kwam daarna op 34,032 binnen, met zes strafpunten. Drie weigeringen diskwalificeerde Good and Plenty, die door Nate London werd bereden, in de vierde rit. Een snelle Merry Maker werd ontsierd door zestien strafpunten, zodat zijn ruiter-eigenares, Anna MacAllister, in tranen was toen ze afsteeg.

Terwijl Duncan en Craig Losy, zijn eerste stalknecht, Chancellor naar de stallen brachten, bleef Skyler bij het hek staan. Mickey was de volgende en Skyler wilde dit niet missen.

Maar er was iets niet in orde – de zwarte ruin die de rijbaan binnendraafde was niet Carousel, en de stijve jongeman die erop zat was beslist niet Mickey. Skyler tuurde ongerust naar de paarden en ruiters die in de oefenbak bezig waren zich los te rijden. Waar was Mickey in godsnaam gebleven?

Na een korte zoektocht over de parkeerplaats en het terrein, trof ze haar vriendin aan in een van de tenten die als geïmproviseerde stal fungeerden. Maar Mickey was niet alleen; de dierenarts was bij haar. Dokter Corliss, een zwaargebouwde vrouw met een rossige vlecht ter lengte van de staart van een palomino, zat voor Carousel neergehurkt om zijn rechter vetlok voorzichtig te betasten.

'Het lijkt het meest op spat,' zei ze.

Mickey staarde de dierenarts met een bleek gezicht aan alsof ze zelf zojuist na een zware val weer overeind was gekrabbeld. Carousels been zou na verloop van tijd weer genezen, wist Skyler, maar een ernstig geval van spat zou hem maandenlang uit de roulatie houden.

Skyler legde haar hand kalmerend op de flank van de appaloosa en ze stelde de vraag waarvan Mickey te verpletterd was om hem te uiten: 'Hoe erg is het?' Ze hoefde niet te vragen hoe het was gebeurd; deze ontsteking van het spronggewricht kwam maar al te vaak voor bij paarden die vier of vijf uur per dag voor een concours werden getraind.

'Ik zou hem de rest van het seizoen maar niet uit laten komen.' Dokter Corliss kwam moeizaam overeind, met hoorbaar gekraak van haar gewrichten. Onder de tent met open zijkanten was het warm en benauwd en het gedempte geroezemoes van de menigte buiten dreef naar hen toe.

'Zou branden misschien helpen?' Skyler had de afgelopen zomers een baantje gehad in de Northfield Veterinary Clinic, waardoor ze over enige ervaring op dit gebied beschikte.

'Zou kunnen helpen – maar wat hij vooral nodig heeft, is een dosis ouderwetse rust.' Het gebruinde gezicht van de dierenarts plooide zich in een netwerk van rimpeltjes. 'Sorry. Ik wou dat ik een wondermiddel voor je had.'

Skyler drukte haar wang tegen Carousels hals, die geurde naar de babyolie die Mickey gebruikte om zijn appelgrauwe vacht te laten glanzen. 'Hoor je dat, jongen? Dat wordt de Club Med voor jou,' mompelde ze, misselijk van teleurstelling voor haar vriendin, maar wetend dat Mickey haar niet dankbaar zou zijn voor enig vertoon van medeleven dat haar in tranen kon doen uitbarsten. De ruin snoof en draaide zijn hoofd naar achteren om haar een aanhankelijke por te geven. Dokter Corliss glimlachte en zei: 'Je bent goed met ze... ik heb jou met je eigen paard gezien. Sommige jongelui...' De glimlach verdween van haar gezicht. 'Nou, misschien zou je nog niet zo ver kunnen gaan dat je het mishandeling noemt, maar ze zouden net zo goed een rondje met de auto van hun vader kunnen rijden, als je ziet hoeveel zij om hun paard geven.'

'Ik wil na college diergeneeskunde gaan studeren,' vertelde Skyler haar. Haar vader had erop aangedrongen dat ze eerst naar Princeton zou gaan, met het argument dat een studie alfawetenschappen haar een bredere opleiding zou geven.

'Als je niet eerst een doodsmak maakt.' Dokter Corliss pakte haar tas met instrumenten op. 'Jullie zijn allemaal stapelgek, weet je. Om de haverklap vallen en dan toch weer erop klimmen.'

Skyler bedacht berouwvol dat zij dat maar al te goed wist. Er kwam een vaag beeld bij haar boven, van een witte ziekenhuiskamer met zusters die in en uit liepen.

Ze keek naar Mickey, die wat Skyler haar Verboden Toeganguitdrukking noemde, vertoonde – haar gezicht was volledig gesloten, haar donkere ogen onthulden niets van wat er omging onder die massa zwarte krullen.

Mickey zou niet huilen, wist ze. Ze zou een sigaret roken op een manier alsof ze er iemands schuur mee plat wilde branden, en ze zou lopen vloeken als een stalknecht tot ze haar narigheid enigszins had verwerkt.

'Hij liep kreupel toen ik hem warm liet stappen,' vertelde Mickey haar verslagen. 'Ik heb met Evan Saunders mogen ruilen zodat ik naar zijn benen kon laten kijken.'

Ze stond voorovergebogen in het oude rijjasje dat te strak over haar borsten zat, zelfs nadat het was uitgelegd, en ze hield haar rechter elleboog in haar linkerhand terwijl ze op haar duim beet. Mickey had in de voorrondes twee keer een foutloos parcours gereden en ze zou hoge ogen gooien in de barrage. Nu was haar hele zomer geruïneerd. En dit was haar laatste zestien voordat ze achttien werden en niet langer in de jeugdafdeling konden uitkomen.

'Verdomme,' vloekte Skyler.

'Vertel mij wat,' kreunde Mickey. 'Nu zal ik m'n vader moeten vertellen waarom hij een halfjaar pension moet betalen voor een paard waarop niet kan worden gereden. Hij doet het toch al in z'n broek van de alimentatie die mamma's advocaat van hem eist.'

Skyler keek Mickey niet aan. Ze wist hoeveel dit voor haar vriendin had betekend – niet alleen om het winnen van een lintje, maar ook om die klootzak van een vader van haar te laten zien dat ze goed genoeg kon rijden om zich te kwalificeren voor de betaalde divisie… Als ze daar won, zou het prijzengeld hem de mond snoeren over het fortuin dat zij hem kostte.

Ze kreeg opeens een inval, maar ze wachtte even voor ze sprak, omdat ze alle consequenties goed onder ogen wilde zien. Het zou weleens danig in haar eigen nadeel kunnen zijn. Maar waar had je anders goede vriendinnen voor? Zou Mickey voor haar niet hetzelfde hebben gedaan?

'Je zou met Chance kunnen rijden,' opperde Skyler voorzichtig.

Mickey wierp haar een verschrikte blik toe. Even flakkerde er hoop in haar ogen op, om onmiddellijk weer te doven. 'Grapje.'

'Hou nou even op en luister goed, wil je? Je hebt eerder met 'm gereden; je kent 'm. Het enige waarvoor je moet uitkijken, is die hindernis met die plas.'

Mickey's handen balden zich tot vuisten aan haar zijden. 'En jij kent mij ook,' zei ze met een stem om glas mee te snijden. 'Ik spring om te winnen. En daar ga ik voor.'

Skyler keek haar al even uitdagend aan. 'Bewijs dat dan maar.'

Er ging een lang moment voorbij, waarin Skyler de mogelijkheid dat Mickey de eerste prijs zou winnen terdege onder ogen zag. Zij begeerde die prijs net zo hevig als Mickey. Het verschil was dat zij het niet nódig had om te winnen, in elk geval niet om financiële redenen. Zij had al alles – een flink fonds op haar naam, een huisje dat ze van haar oma had geërfd, een paard dat net zoveel waard was als een aardig huis in een goede buurt.

Alles, behalve een verleden.

Vanaf het terrein galmde het geluid van de luidspreker. 'Nummer tweeëndertig, Black Knight, bereden door Melody Watson…'

Black Knight, die als negende was geplaatst, zou als laatste springen wanneer Mickey daar niet binnen een kwartier verscheen. En dat was net genoeg tijd om Chancellor weer op te zadelen.

Ze zag hoe Mickey's expressieve gezicht een korte tweestrijd vertoonde. Toen haalde haar vriendin diep adem en zei: 'Oké, je zit eraan vast.'

Het was wel heel ongebruikelijk. Maar voorzover Skyler wist, stond nergens in het wedstrijdreglement vermeld dat een ruiter niet halverwege de wedstrijd van paard kon veranderen, zelfs niet op het laatste moment. Bij de tent van de jury werden er wat wenkbrauwen opgetrokken, maar toen Skyler zag hoe Mickey met

Chancellor naar binnen reed, trok ze eerder haar eigen gezonde verstand in twijfel. Haar tijd op Chancellor was nog steeds ongeslagen en Mickey was de enige andere springruiter in de juniorafdeling die haar regelmatig haar lintjes kostte.

Ik lijk wel gek, kreunde Skyler inwendig. Ze dacht aan haar moeder, die daar ergens op de tribune zat, en ze kon zich slechts een vage voorstelling maken van wat zij moest denken.

Skyler herinnerde zichzelf er nogmaals aan dat Mickey voor haar precies hetzelfde zou hebben gedaan. Toch voelde ze zich onwillekeurig even superieur toen Chancellors achterhand de bovenste balk op de eerste hindernis raakte, terwijl zíj daar met hem zo mooi overheen was gegaan. Mickey was in haar gebruikelijke eropafvorm. Ze sprong als geen ander, met haar kin bijna op de hals van de ruin, ellebogen naar buiten, haar achterwerk net genoeg omhoog om door het radarscherm van een luchtverkeerstoren te worden waargenomen. Gelukkig voor haar pleitte bij deze sport hoe je eruitzag als je sprong niet voor of tegen je. Het enige dat van belang was, was dat je eroverheen kwam.

En Mickey vloog.

Grote genade, moest je haar zien! Chancellor was al halverwege het parcours en hij nam de hindernis met de waterbak zonder de minste aarzeling. Bij de Grand Union-hindernis, toen het leek of hij er dwars doorheen zou gaan, bracht Mickey zijn hoofd snel omhoog en hees hem er zo ongeveer overheen. De laatste drievoudige combinatie kostte haar bijna opnieuw een afgeworpen balk, maar toen ze over het derde onderdeel zweefde en door de tijdswaarneming kwam, flitste het resultaat van haar foutloze parcours op het scorebord op als de ondeugende grijns die nu Mickey's gezicht verlichtte: 32,805.

Nog geen tiende seconde sneller dan Skylers tijd.

Skyler wist niet of ze moest juichen of huilen.

Een paar minuten later, toen ze tussen Mickey en Chancellor, met lint, stond, dacht ze opeens aan die keer toen Mickey en zij op hun dertiende over de wc in haar badkamer gebogen hadden gestaan om hevig over te geven na een orgie met appelwijn en chocoladekoekjes.

'Dat zal je leren om nog eens zo aardig te zijn,' mompelde Mickey binnensmonds terwijl de fototoestellen klikten en de camcorders zoemden. Er stonden tranen in haar ogen toen ze naar Skyler grijnsde.

Skyler viste een zakdoek uit haar jasje en gaf die aan Mickey. 'Je hebt een natte neus.'

'Bedankt,' gromde Mickey en ze veegde heimelijk langs haar ogen.

'Je hoeft me helemaal niet te bedanken. Ik wilde er alleen maar zeker van zijn dat jij ook aan de districtskampioenschappen kan meedoen, zodat ik jou dan een pak slaag kan geven.'

Hoewel ze geen spijt had van haar onzelfzuchtige daad, was Skyler er niet helemaal zeker van dat ze blij was dat Mickey had gewonnen. Ze had het nóg mooier gevonden wanneer zíj degene was geweest die het blauwe lint omhoog had gehouden naar de camera's die hun kant uit waren gericht, moest Skyler toegeven. Maar de tweede plaats betekende niet het einde van de wereld.

De enige krachtmeting die ze niet van plan was te verliezen, was het gesprek dat ze die avond met haar moeder wilde hebben.

En daarvoor, dacht ze grimmig, zou geen blauw lint worden uitgereikt... alleen maar meer verdriet. Want Skyler had het gevoel dat in dit geval de waarheid pijnlijker zou zijn dan de leugens.

Die avond kon Skyler bij het eten bijna geen hap door haar keel krijgen.

In de grote eetkamer met het hoge plafond van Orchard Hill, die Kate minder formeel had gemaakt met gesjabloneerde patronen op de muren en een grenenhouten kabinetkast gevuld met Mexicaans aardewerk, voelde Skyler zich zó gespannen dat ze zich niet kon voorstellen dat haar ouders haar stemming niet hadden opgemerkt. Maar te oordelen naar de manier waarop pappa uitweidde over zijn laatste project – een voormalig politiebureau in SoHo, dat hij tot luxe appartementen verbouwde – en uit de stralende blik van belangstelling in mams ogen, concludeerde Skyler zuur dat zij kennelijk toch niet het middelpunt van hun heelal was.

Pappa was heel gespannen; dat maakte ze uit de toon van zijn stem op. Er hing veel af van dit SoHo-project, wist ze, en er was al veel misgegaan: een staking die door de vakbond was uitgeroepen, een aannemer die de prijs opdreef, en nu scheen er een probleem te zijn met het bestemmingsplan. Skyler had haar ouders de laatste tijd samen vaak op gedempte toon over geld horen praten. Ze had begrepen dat het bedrijf in de rode cijfers zat, maar had pappa niet altijd gezegd dat bij onroerend goed onzekerheid 'de aard van het beestje' was? Ze kon zich niet voorstellen dat er echt iets vreselijks zou gebeuren.

Skyler luisterde niet naar hun gesprek – in plaats daarvan repeteerde ze in gedachten wat ze later tegen haar moeder zou zeggen.

Ze had besloten dat het geen zin zou hebben om te proberen haar vader tot openheid te dwingen. Met hem kon je geen persoonlijke dingen bespreken... dingen waarover je piekerde of waar je bang voor was. Hij hield onvoorwaardelijk van haar, daar had ze

52

nooit aan getwijfeld, maar wanneer Skyler iemand in vertrouwen wilde nemen, was dat altijd haar moeder geweest.

Ze viel hen abrupt in de rede: 'Hebben jullie het van Torey Whitaker gehoord?'

'Ze gaat trouwen, voorzover ik weet,' antwoordde Kate en ze keek kalm op van haar bord met koude gepocheerde zalm en saffraanrijst.

'Dat is niet alles – ze is in verwachting.' Skyler zag hoe haar ouders een verbaasde blik wisselden. 'Ik kwam haar zusje vandaag bij het concours tegen. Diana vertelde me dat haar moeder zich uitslooft om die trouwerij zo snel mogelijk voor elkaar te hebben.'

'Als ik hen was, zou ik daar niet te snel mee zijn.' Haar vader bette zijn mond met zijn gesteven servet. 'Die jongeman van haar lijkt me een beetje tè voldaan bij de gedachte aan een rijke schoonfamilie.'

'Ik kwam Marian Whitaker laatst bij de Stop & Shop tegen,' zei Kate peinzend. 'Ze heeft me verteld dat ze een huis voor de kinderen zouden kopen als trouwcadeau... maar o lieve help, een báby!' Ze schudde haar hoofd en er gleed even een glimlach om haar lippen. Op ironische toon voegde ze eraan toe: 'Ik heb geen idee waarom Marian dat niet heeft genoemd.'

'Het doet er niet meer toe als ze eenmaal getrouwd zijn,' zei Skyler.

'Hangt ervan af aan wie je dat vraagt.' Haar vader grinnikte. 'Ik wed dat de oude Dickinson er een hartaanval van heeft gehad.'

Skyler kon er maar niet over uit hoe pappa ieder jaar knapper scheen te worden. Haar vriendinnen zeiden altijd dat hij net een filmster was, hoewel hij spottend deed wanneer ze hem dat vertelde. 'Nog even, en je laat me in een wassenbeeldenmuseum zetten,' grapte hij vaak. Maar met zijn vierkante gelaatstrekken en zijn dikke haar dat dezelfde kleur had als de tinnen bekers die op de schoorsteenmantel achter zijn rug stonden, leek hij eerder gedistingeerd dan oud. Niet dat vijftig zo oud was, moest ze zichzelf haastig in herinnering brengen.

'Sky, je hebt nauwelijks iets gegeten!' Mam wierp een veelbetekenende blik op Skylers bord waarop het meeste eten nog onaangeroerd lag. 'Voel je je wel goed?'

'Alleen maar een beetje moe, denk ik,' zei Skyler en ze sloeg haar ogen neer. 'Dat concours was echt heel vermoeiend.'

In de auto op weg naar huis had mam voornamelijk commentaar gehad op dingen als de moeilijkheidsgraad van het parcours, welke ruiters door de jury waren bevoordeeld en waarom, en de kennissen van vroeger die ze was tegengekomen. Maar nu keek ze naar Skyler en zei: 'Weet je, ik was vandaag ècht trots op je.'

'Ik had beter gekund,' ontkende Skyler. 'Ik was een beetje traag bij die eerste hindernis.'
'Ik bedoelde wat je voor Mickey hebt gedaan,' zei Kate zacht. Skyler voelde hoe ze bloosde en ze mompelde: 'Zo geweldig was 't nou ook weer niet.'

Pappa volgde hun gesprek niet, zoals gewoonlijk; hij zat naar buiten te kijken naar iets dat zijn aandacht had getrokken. Hij fronste afwezig en merkte op: 'Die verdraaide mollen maken een puinhoop van het gazon. Kate, ik dacht dat jij tegen de tuinman had gezegd dat hij meer klemmen moest zetten.'

'Ik zal nog eens met hem spreken,' zei ze op effen toon. In een kennelijke poging om van onderwerp te veranderen, keek ze Skyler aan en vroeg opgewekt: 'Zie je Pres vanavond nog?'

Mam had geen idee dat Prescott en zij tegenwoordig met elkaar naar bed gingen – dat kon Skyler aan de toon van haar stem horen.

'Hij zei dat hij langs zou komen,' antwoordde ze onverschillig. 'Een vriend van hem heeft ons voor een feest uitgenodigd, maar ik weet niet zeker of ik daar puf in heb.'

Ze wist op dit moment ook niet zeker of ze wel puf in de confrontatie met haar moeder had. Ze was niet alleen maar een beetje moe. Ze voelde zich alsof ze moest overgeven.

Was het wel eerlijk om met zo'n schokkende vraag te komen? Om haar twijfels en beschuldigingen rond te strooien in de rust die haar omringde?

Skyler had haar thuis altijd als bijna magisch beschouwd, als het soort land waarheen mensen in sprookjesboeken ontsnapten. Ze hield van Orchard Hill, met zijn hectaren open velden en de stenen stal die bezoekers de eerste keer vaak voor het eigenlijke huis aanzagen, tot ze het enorme, oude, koloniale huis een kleine kilometer verderop langs de kronkelige weg zagen staan. Binnen waren geen grote kamers, alleen maar een heleboel gezellige kleine kamers, waar mollige banken en stoelen met geborduurde kussens en gehaakte kleden gastvrij wenkten.

Overal waar Skyler keek, zag ze bewijzen van Kate's behendige, liefdevolle aanraking – een boeket gladiolen dat in de spiegel boven de schoorsteenmantel werd weerkaatst, een mooie tafelklok die op het buffet stond te slaan, de verzameling antieke koektrommels op een plank in de porseleinkast.

Skyler was opeens banger voor wat ze misschien zou verliezen dan voor wat ze kon winnen.

Er bonsde iets tegen Skylers been en ze bukte zich om een zijdezacht oor te krabben dat snel werd gevolgd door een koude, zwarte neus die onder het gesteven tafelkleed vandaan keek. Belinda was een geweldige bedelaar. Het was echt weerzinwekkend zo verwend

54

als dat beest was, dacht Skyler, terwijl ze een stuk brood afscheurde en dit aan de labrador gaf.

Op dat moment verscheen Vera om de tafel af te ruimen – ze had al haar tachtig kilo in een gebloemd schort geperst en haar ronde bruine ogen vertoonden een misprijzende blik toen ze naar Skylers onaangeroerde bord keek voor ze het weghaalde.

'Ik denk dat ik me voor alle zekerheid toch maar even ga verkleden,' zei Skyler en ze excuseerde zich. Ze had niet echt zin om uit te gaan... maar al naargelang van het verloop van het gesprek met haar moeder had ze na afloop misschien ook niet veel zin om thuis te blijven.

Boven in haar slaapkamer glipte Skyler uit haar korte broek en T-shirt en pakte een paarse blouse en een spijkerbroek die op de knieën wit was versleten. Terwijl Belinda vanaf haar troon van kussens op het bankje aan het voeteneind van het bed meekeek, bestudeerde ze zichzelf in de spiegel van de ladenkast.

Maar hoe Skyler de ovalen spiegel ook verstelde, het beeld dat ze zag bleef in wezen hetzelfde – haar gezicht met de vierkante kaaklijn en de brede jukbeenderen, haar spits toelopende lichaam met heupen die zo smal waren dat ze er bijna jongensachtig uitzag. En dan haar haar! Dat was zó dik dat de uiteinden gewoon niet plat wilden blijven liggen, hoeveel gel ze ook gebruikte.

Ze vroeg zich af, zoals zo vaak, of ze haar uiterlijk van haar moeder had geërfd – en als dit zo was, zou ze die vrouw dan herkennen wanneer ze haar op straat tegenkwam?

Er klonk een discreet klopje op de deur, gevolgd door Kate die in de deuropening verscheen en aankondigde: 'Je vader en ik rijden straks naar Greenwich om naar de bioscoop te gaan. Als Pres en jij zin hebben om mee te gaan, zijn jullie welkom. We gaan pas over een uur weg.'

Skyler keek naar Kate's weerkaatsing in de spiegel, en ze voelde even een golf van liefde voor de moeder die, in hartsaangelegenheden, haar nooit iets had onthouden. 'Nee, dank je... ik denk dat we wat vrienden zullen uitnodigen om er een wild feest van te maken en alle flessen wijn uit de kelder zullen aanbreken,' zei ze met een stalen gezicht.

'Zolang er niemand iets op de tapijten morst,' zei Kate goedmoedig. 'O, en de Montrachet uit '72? Bewaar daar nog iets van voor pappa. Hij zegt dat 't zijn laatste kist is.'

'Je bent onmogelijk,' lachte Skyler en ze keek Kate aan.

'Dat heb ik al vaker gehoord.'

Kate liep door de kamer en liet zich zakken op het bankje naast Belinda, die nijdig gromde naar deze binnendringster en weigerde opzij te schuiven. Ze had vanavond haar stok haast niet nodig, had

Skyler opgemerkt. Mam had een van haar betere dagen – wat betekende dat ze in de stemming zou zijn om te praten. Skylers maag maakte een langzame radslag. Ze richtte haar blik op de openhartige grijsgroene ogen van Kate, in het enigszins sproetige gezicht dat nooit ouder leek te worden. 'Mam...' begon Skyler zacht en ze liep naar haar toe. 'Je zou het niet voor me verborgen houden hè, als er iets ècht belangrijks was dat ik moest weten?'

Kate glimlachte en hield haar hoofd scheef. 'Wat is de reden dat je me zo'n vraag stelt? Heb ik ooit iets voor je achtergehouden?'

'Niet dat ik weet.'

'Nou... zie je nou wel?' Kate streelde Belinda's oor, dat als een zijdezachte zwarte want over één knie lag.

'Je zou 't me vertellen, zelfs als je dacht dat het mij verdrietig zou maken?'

Kate keek haar nu nieuwsgierig aan en er gleed een lichtroze blos over haar wangen. Haar antwoord kwam deze keer langzamer en leek veel doordachter. 'Dat zou afhangen van de situatie, denk ik.' Ze zweeg en vroeg toen vriendelijk: 'Sky... wat heeft dit allemaal te betekenen? Wat wil je weten?'

Skyler worstelde even met zichzelf, ze wist niet zeker of ze wel verder wilde gaan. *De duivel heeft het vragen uitgevonden*, dacht ze even en ze onderdrukte een hulpeloos gegiechel. Maar de stroom van hoop en vrees, die ze zo lang had bedwongen, brak nu door.

'Vertel me eens over m'n moeder.'

Ze zag hoe alle kleur uit Kate's gezicht wegtrok en haar ogen stonden groot in haar bleke, hartvormige gezicht. Skyler voelde even een paniekerige opwelling om haar woorden razendsnel terug te nemen, maar het was al te laat.

Kate's stem was, toen ze sprak, echter kalm en geduldig, zelfs een beetje verbaasd. 'Lieve help, wat valt er nog te vertellen?'

'Ja, ik weet dat je me hebt verteld dat ik in de steek was gelaten... maar wat ik niet weet is waaròm.' Tot haar ontzetting besefte Skyler dat ze op het punt stond in tranen uit te barsten. 'Hoe zou een moeder zomaar bij haar baby weg kunnen lopen zonder zelfs maar een briefje achter te laten? Hoe zou zo iemand gewoon... gewoon in lucht kunnen opgaan?'

Kate zei op vreemde, vlakke toon: 'Het valt af en toe moeilijk te begrijpen wat mensen doen.' Haar ogen leken in die van Skyler te branden. 'Lieverd, wat heeft dit alles zo plotseling teweeggebracht? Is het iets dat iemand tegen je heeft gezegd?'

'Niemand heeft iets gezegd. Dat hóefde helemaal niemand te doen. Vanaf het moment dat je het mij hebt verteld – wat was ik, zes? – heb ik er steeds aan moeten denken.' Er rolde een traan over haar wang.

'Sky... ik weet zeker dat ze haar redenen moet hebben gehad.'

'Ze heeft me zomaar in de stéék gelaten!'

'Ik betwijfel het of een van ons in staat is zich een voorstelling te maken van de omstandigheden die een moeder ertoe zouden brengen zoiets te doen.'

Maar wat Skyler zich niet kon voorstellen was het soort omstandigheden, hoe wanhopig ook, dat zou hebben gemaakt dat Kate haar zou opgeven.

Met een snik liet ze zich voor haar moeder op haar knieën vallen en begroef haar gezicht in de warme schoot die haar nooit had geweigerd. Ondanks de golf van liefde en dankbaarheid die door haar heen ging, was Skyler er zekerder van dan ooit dat Kate iets voor haar verborgen hield.

'Maar... vertel het me... alsjeblíeft. Ik zal het je niet kwalijk nemen dat je iets voor mij verborgen hebt gehouden, dat beloof ik. Wat het ook mag zijn, ik zal het weten te verwerken. Niets kan zo erg zijn als het niet weten.'

Kate boog zich naar voren en nam Skyler in een heftige omhelzing. Skyler voelde hoe ze trilde, heel flauw slechts, als een instrument dat nog even zoemde vlak nadat erop was gespeeld.

Toen ze zich ten slotte losmaakte, was het met een vermoeide, gekwelde glimlach. Voorzichtig, bijna overdreven, legde ze de kussens weer netjes achter zich neer en zakte terug.

'Lieverd, waarom ben je niet eerder naar me toe gekomen? Ik had geen idee! Natuurlijk neem ik het je niet kwalijk dat je je dit afvroeg. Er is zoveel dat we niet weten...'

Toen Skyler naar Kate's onschuldige, open gezicht keek, ontstond er iets van twijfel in haar binnenste. O God, stel dat er verder ècht niets meer te vertellen viel?

'En de politie dan, heeft die niet naar haar gezocht?' Ze hadden dit punt al vaker besproken, vele malen in de afgelopen jaren, maar de wanhoop die in Skyler opwelde was ongekend.

'Natuurlijk is er een onderzoek geweest,' vertelde Kate haar, zonder enig blijk van ongeduld omdat ze dit alles voor de zoveelste keer moest vertellen. 'We hebben gehoord dat de politie de buren heeft ondervraagd, maar er was niemand die iets wist. Het schijnt dat de flat zelfs niet op naam van je moeder stond. Ze woonde bij een vriendin, of een zus – ik weet het niet precies – en toen zij – je moeder – wegging... is haar vriendin ook verdwenen.'

'En was er dan geen briefje of zo? Heeft ze helemaal níets achtergelaten?' Skyler was zich ervan bewust dat haar stem steeg, op het randje van schelheid balanceerde.

'Helaas niets dat op te sporen viel.' Kate sloeg haar handen in haar schoot ineen en in haar grijsgroene ogen verschenen tranen. 'Als je wilt dat ik beken dat ik heb gehoopt en gebeden dat je moeder nooit zou worden gevonden – oké. Er is geen dag voorbijgegaan dat ik die vrouw niet in mijn gebeden heb bedankt omdat ze niet terug was gekomen. Ik weet hoe vreselijk dat moet klinken... maar weet je, ik hield zoveel van je. Ik kan me gewoon niet voorstellen dat ik jou ooit terug zou moeten geven. Dàt is de waarheid, lieverd, de enige waarheid die ertoe doet.'

Skyler geloofde echter dat Kate haar slechts dat vertelde wat zo dicht bij de waarheid was als ze maar wilde komen. De weg hield daar op. Als er meer was, dan zou ze het niet van Kate horen. De teleurstelling sloeg wild door haar heen, met tegelijkertijd een vreemd soort opluchting. Misschien waren er echt dingen die een mens maar beter niet kon weten, hoe graag je ook dacht dat je het wilde weten. Misschien...

Skyler barstte in tranen uit.

En toen haar moeders armen om haar heen werden geslagen, deze keer heel teder, om haar tegen zich aan te drukken en haar een beetje heen en weer te wiegen, verdween Skylers verdriet enigszins naar de achtergrond en werd de leegte in haar binnenste opgevuld door de liefde die ze uit Kate naar zich toe voelde stromen.

Voor dit moment tenminste.

Want in haar hart besefte ze dat ze nooit helemaal vrij zou zijn van haar verlangen het verhaal te kennen, dat nu alleen haar echte moeder haar kon vertellen.

Eens, dacht ze. *Eens zal ik je weten te vinden... of zul jij mij vinden. Eens zal ik het weten*.

3

New York, 1994

Ellie Nightingale zat in de vergaderkamer van het crisiscentrum voor homoseksuelen op West Twentieth, waar elke dinsdagavond van zes tot half negen haar aids-groep bijeenkwam. Het was een paar minuten voor zes en nog niet alle leden waren gearriveerd. Ze nestelde zich in haar stoel en keek om zich heen – naar de koffiekan op het wankele tafeltje in de hoek, waar Roy Pariti zonder veel succes probeerde het bekertje van piepschuim in zijn bevende hand stil te houden toen hij het vulde; naar de banken en stoelen die in een grove cirkel waren gezet, waar enkele vroegkomers zacht met elkaar zaten te praten. Achter haar siste de verwarmingsradiator zacht, hoewel de kamer zonder verwarming warm genoeg zou zijn geweest – heel ongebruikelijk voor eind oktober. Op de muur links van haar had iemand een poster geplakt van de aids-manifestatie, met een foto van twee handen die in broederschap ineen waren geslagen.

Ellie had de groep vier jaar geleden opgericht, niet lang nadat ze haar eigen praktijk was begonnen. Na vijf drukke jaren in Bellevue, en twee in St. Vincent's, waar ze halve dagen had gewerkt terwijl ze haar eigen praktijk opbouwde, bleek dit precies te zijn wat ze nodig had. Ergens halverwege haar propvolle schema's – waarin dertig privé-patiënten voorkwamen, naast de groep voor echtparen op donderdagavond – dreigde ze het overzicht kwijt te raken op waar het allemaal om ging. Maar hier, in deze kamer, had ze elke dinsdagavond het gevoel dat alles wat ze wist en geloofde op een intens vitale manier samenkwam. Er was iets heel bijzonders aan deze groep stervende mannen, die allen soldaten waren in een oorlog waarin geen winnende partij was. Een oorlog waarin ze zo hard en met zoveel waardigheid en opgewektheid streden als ze maar konden opbrengen.

Aan het eind van de jaren tachtig, tijdens haar postdoctorale werk in het Bellevue, had ze de frontlinies uit de eerste hand meegemaakt. Op de verpleegafdeling had ze dingen gezien die haar ernstig hadden geschokt en tot een nieuw inzicht hadden gebracht: mannen met aids die een langzame en pijnlijke dood stierven zonder één enkele vriend of bloedverwant die ooit op bezoek kwam; mannen die door andere patiënten werden gemeden uit angst te worden besmet, en die door het ziekenhuispersoneel op een armlengte afstand werden gehouden. Haar artikel over het onderwerp 'Sterven op de maan: een studie naar de ethische omstandigheden aangaande de behandeling van aids-patiënten' had een lichte controverse binnen de geneeskundige wereld teweeggebracht toen het in de *American Psychologist* was gepubliceerd. Velen waren woedend over de parallellen die ze had getrokken met de leprakolonies van de negentiende eeuw; anderen werden echter aangespoord tot een meer meelevende benadering.

Maar uit al het tumult was deze groep ontstaan. Ze waren begonnen met twaalf mannen, en hoewel de meesten van de oorspronkelijke leden inmiddels waren overleden, waren ze op dit moment met zijn tienen. De gezichten veranderden van jaar tot jaar, maar de rauwe emoties die elke week werden uitgestort, werden nooit minder. De nieuwe leden bespeurden het onmiddellijk, bijna zodra ze naar binnen liepen: dit was een veilige plek, een plek waar niemand hen zou bekritiseren of oordelen. Hier ontleenden de stervenden troost aan het leren hoe ze het best konden leven.

Terwijl Ellie deze avond de kamer overzag, telde ze de aanwezigen. Slechts eentje ontbrak. Toen herinnerde ze het zich weer – Evan Milner was op maandag in het ziekenhuis opgenomen. Ze nam zich voor later die week in Beth Israel langs te gaan om te zien hoe het met hem was.

Maar Ellie probeerde zich tegelijkertijd een heel andere ziekenhuisscène voor te stellen, een waarbij leven was betrokken, nieuw leven, en geen dood.

'Het kan iedere dag zijn,' had Christa's verloskundige gezegd. Een baby. Na alle jaren van doodlopende wegen en teleurstellingen zou het eindelijk gaan gebeuren. Ellie voelde een golf van vreugde die even opsteeg, als een vlieger in de wind... om daarna weer omlaag te dwarrelen.

Kon ze zich maar ontspannen en ophouden met piekeren! Christa was heel anders dan de anderen, vertelde ze zichzelf. Deze afgelopen maanden hadden ze elkaar bijna elke dag via de telefoon gesproken en de praatzieke, levendige tiener had absoluut geen enkel teken gegeven dat ze zich had bedacht. Maar tot de baby er echt wàs, kon ze er op geen enkele manier zeker van zijn...

Ellie riep zichzelf tot de orde. *Beheers je*, beval ze. Een geliefd gezegde van Georgina, haar vriendin en voormalige chef in St. Vincent's, kwam opeens in Ellies hoofd boven: 'Betaal geen rente op narigheid die je niet eens hebt geleend.' Goede raad, dacht ze. Was er in haar leven niet al genoeg narigheid zonder naar de bank te gaan om meer? Ze keek naar het verzamelde groepje en ze glimlachte op een naar ze hoopte geruststellende manier. Deze mannen hadden hun eigen plagen van Egypte te verwerken, zei ze tegen zichzelf. Daar hoefden ze haar sprinkhanen echt niet ook nog eens bij te hebben.

Nicky Fraid, die een rode baret schuin op zijn bijna kale hoofd had gezet, was de eerste die iets zei. Hij keek om zich heen, constateerde de afwezigheid van Evan Milner en merkte op droge toon op: 'En toen waren het er nog maar negen.'

'Negen kleine seropositieve negertjes... en reken maar dat ze die versie niet op de kleuterschool zingen.' Adam Burchard lachte kort en stak een kaak naar voren die zó gladgeschoren was dat hij glom, terwijl hij de knoop van zijn conservatief gestreepte das probeerde los te maken.

Er klonk even wat gelach, gevolgd door een stilte die slechts werd verbroken door een hartverscheurende hoestbui. Peter Miskowski, voormalig hartchirurg, wiens ingevallen borst Ellie deed denken aan archieffoto's van de bevrijding van Bergen-Belsen, zat bijna dubbelgevouwen met een vuist tegen zijn mond, alsof die hem ervan moest weerhouden op de vloer te tuimelen. De anderen keken hem meelevend aan, maar niemand klopte hem even op de rug of sloeg zelfs maar een arm om zijn schokkende schouders. Uiteindelijk hield het hoesten op.

Toen sprak een hese stem vanaf de andere kant van de kamer. 'Ik droomde vannacht dat ik weer op het toneel stond. Om te dansen. Het was een première en alle plaatsen in het theater waren uitverkocht... maar toen ik de zaal inkeek, was daar niemand. Alleen maar rijen lege stoelen. Ik wist niet of ik me opgelucht moest voelen dat nu niemand het zou zien als ik er niets van terecht bracht... of enthousiast zou zijn over een stomme sukkel die voor de grootste practical joke van de wereld was gevallen.'

Ellie keek vol genegenheid naar de roodharige man van in de dertig naast haar. Zelfs voor hij ziek werd, dacht ze, zouden slechts weinigen Jimmy Dolan voor een balletdanser hebben gehouden. De grappenmaker, zoon van een Ierse politieman uit Canarsie, zag er eerder uit als een vechtlustig jochie uit de buurt, een van het soort dat je bij een basketbalveld zag rondhangen om een spelletje mee te kunnen spelen. Maar hij bezat zowel stijl als lef. Enkele jaren geleden hadden Paul en zij hem in het Joyce Theater gezien, en de herinnering die haar nog voor de geest stond, was die van

61

een kleine Jimmy Dolan die zich met ontblote tanden over het toneel stortte, waarbij zijn bleke, gespierde lichaam onder de lampen schitterde als een vuuropaal. 'Wat gebeurde er toen?' Daniel Blaylock vertoonde een nerveuze glimlach.

Dan, in de veertig, zwaargebouwd, met de instelling van een hardwerkende kerel die na zijn werk graag een paar biertjes achteroversloeg, was de minst symptomatische van de hele groep, en ook degene die het bangste was om echt ziek te worden. 'Niets. Ik werd wakker.' Jimmy glimlachte, maar Ellie kon vanaf haar plaats zijn bezorgde uitdrukking zien en de kringen in de holten onder zijn ogen. 'Het is elke morgen hetzelfde. Ik doe m'n ogen open – en dan overvalt het me weer. Binnen tien seconden wéét ik het...' Hij deed zijn ogen even dicht en zijn kaak verkrampte.

'Wat weet je dan?' vroeg Ellie zacht.

Hij deed zijn ogen open en glimlachte... een langzame, bijna gelukzalige glimlach die zijn innemende, verwoeste gezicht verlichtte. Ondanks de beroepsmatige afstand die ze meestal wist te bewaren, voelde Ellie zich ellendig.

'Dat ik stervende ben,' antwoordde Jimmy op vlakke toon.

Roy Pariti hield zijn bekertje met twee handen vast toen hij het naar zijn lippen bracht. 'Wat ik me afvraag, is wat wij hier in 's hemelsnaam zitten te dóen,' zei hij en zijn boze stem schoot uit. 'We blazen stoom af, luchten ons hart... maar wat heeft 't voor zin? Wat krijgen we ervoor? Een artikeltje in de overlijdensberichten, als we geluk hebben.'

Aller ogen werden nu gericht op Roy, een voormalige activist en Stonewall-veteraan wiens rode bandana, die als een bloederig verband om zijn grijze hoofd met paardenstaart was gewikkeld, maakte dat hij eruitzag als een overlevende uit de oudste oorlog van de wereld. Maar het was Jimmy's blik – die rustig en kalm was, en zo intens dat hij alle aandacht kreeg – die iedereen een paar centimeter op hun stoel naar voren deed schuiven.

'Het is net als dansen,' zei Jimmy met een rustige stem die bij zijn uitdrukking paste. 'Je doet het omdat je het niet laten kunt, en het doet vaak pijn ja, maar je blijft doorgaan, je blijft je kont in beweging houden, omdat er anders geen reden is om zelfs maar te bestáán.' Uit zijn felblauwe ogen straalde een soort aanvaarding, die Ellie zowel met bewondering als met afgunst vervulde.

Ze bedacht hoe zij na al die jaren nog steeds het vreselijke dat haar was overkomen niet kon aanvaarden.

Het beeld van de zwangere Christa drong zich opnieuw aan haar op en Ellie sprak inwendig een kort en vurig gebed uit: *God, het spijt me dat ik het zo stel, maar u bent het gewoon aan me verplicht. Niemand verdient dit meer dan ik. Niemand.*

Recht tegenover haar begon Brian Rice zacht achter zijn handen te huilen. De stille Brian, met zijn terugwijkende kin, zijn bril met hoornen montuur en zijn conservatieve pakken die hem vaak het mikpunt maakten van goedmoedig geplaag. In de twee maanden dat hij bij de groep was geweest, had hij nauwelijks iets gezegd buiten een enkele opmerking die van inzicht getuigde. Ellie keek hem nu opmerkzaam aan, vol medeleven.

'Het is Larry,' snikte Brian in zijn handen. 'Hij heeft me gisteravond verlaten. Kon er niet meer tegen, zei hij. Ik kan 't hem niet kwalijk nemen. Ik weet ook niet of ik met zo iemand zou kunnen leven als er een uitweg was.'

Ellie zag de verbeten trek op enkele gezichten. Ze luisterden allemaal aandachtig toen Brian aarzelend beschreef hoe Larry en hij elkaar hadden ontmoet en verliefd waren geworden. Hoe Larry hem had bijgestaan toen hij seropositief bleek te zijn, zonder ooit ook maar iets van een beschuldiging te uiten over hoe hij de ziekte had opgelopen. En hoe Larry hem nu in de steek liet voor iemand anders... voor iemand die jong en knap en gezónd was.

Iedereen bleek een overeenkomstig verhaal van verraad of bedrog te hebben... iedereen, behalve Jimmy, die al die tijd bleef zwijgen.

De groep wist alles over zijn vriend... zijn hetero vriend, die hem had bijgestaan sinds de tijd dat ze als jochies samen in Brooklyn waren opgegroeid, en die aan het eind ook aan Jimmy's zijde zou zijn. Hun hoefde niet meer te worden verteld dat welk verraad Jimmy ook had moeten ondergaan, Tony er altijd zou zijn.

Nicky, die onlangs bij zijn ouders was ingetrokken nadat het was uitgeraakt met zijn geliefde, was de eerste die Tony's naam noemde. Hij betastte het aids-lint dat hij op zijn spijkerjasje had gespeld en hij keek Jimmy aan met een harde blik in zijn ogen. 'Jouw vriend – die smeris – krijgt díe er nooit eens genoeg van?' vroeg hij twistziek. 'Om jou steeds naar de dokter te slepen, boodschappen voor je te doen, bij je langs te gaan om te zien of alles goed met je is?'

Jimmy haalde zijn schouders op en zijn blik was een wonderlijke mengeling van tederheid en ergernis. 'Tony? Die doet alsof er helemaal niets is veranderd. Alsof dit allemaal' – hij stak een arm uit – 'gewoon iets is dat uiteindelijk over zal gaan. Hij zegt steeds maar dingen als "Jimmy, als jij beter bent, gaan we die kampeertocht maken waar we het altijd over hebben gehad, alleen jij en ik en de muggen."' Hij zuchtte. 'Het is weleens moeilijk, weet je, om bij hem overeind te blijven, om te doen alsof een paar muggenbeten mijn ergste probleem zouden zijn.'

'Wat denk je dat er zou gebeuren als je hem vertelde wat je ons vertelt?' vroeg Erik Sandstrom. De enige excentriciteit van de lange, welbespraakte professor uit Fordham was, voorzover Ellie kon zien, zijn schijnbaar eindeloze verzameling polshorloges. Deze week was het een vliegeniershorloge met een vliegtuigje dat aan de grote wijzer was bevestigd. Er gleed een flauwe glimlach om Jimmy's lippen. 'Bij Tony alle kaarten op tafel leggen? Hoor eens, je hebt het hier over een smeris die iedere dag van zijn leven door de straat loopt en zich daar niet door op z'n kop laat zitten. Allejezus, die man is een sméris! En niet zomaar een smeris, hij zit bij de bereden politie. Als kind had ik van die speelgoedsoldaatjes te paard. Het was net... echt. En zo leeft hij. Moet je zo'n kerel dan nog in z'n hoofd timmeren dat zijn beste vriend stervende is?' Er stonden tranen in Jimmy's ogen.

Ellie dacht aan de man die, in de acht maanden dat Jimmy bij de groep zat, geen enkele dinsdag had overgeslagen. Tony was er altijd, hij zat bij de receptie te wachten als de groep naar buiten kwam, en zijn Ford Explorer stond buiten op straat geparkeerd.

'Weet je zeker dat het Tony is die je beschermt?' vroeg ze. Jimmy zweeg.

'Er zit een zeker risico in,' ging Ellie verder, 'wanneer je erop rekent dat iemand om wie je geeft zal reageren op een manier dat jij je niet in de steek gelaten zult voelen.'

'Laat mij jullie dan iets over Tony vertellen.' Jimmy boog zich naar voren en heel even zag ze duidelijk de danser die hij was geweest – lenig, sportief, bijna blinkend in zijn hartstocht. 'Toen ik seropositief bleek te zijn, weet je wat mijn ouwe heer toen zei? Hij vertelde me dat het mijn eigen schuld was, dat ik het mezelf op de hals had gehaald door de manier waarop ik leef. Hij spuwde het me nog net niet in mijn gezicht.' De groep had het allemaal al eerder gehoord, maar ze bleven rustig zitten en lieten hem uitpraten. 'Maar Tony kwam in het ziekenhuis iedere dag bij me op bezoek, íedere dag verdomme, terwijl mijn eigen familie me zelfs geen klein boeketje bloemen wilde sturen. VGF? Weet je wat dat betekent? *Vieze Gore Flikker.*' Hij viel uitgeput achterover en zijn borst zwoegde. 'Jezus, waarom doe ik daar nog zo opgefokt over? Ik heb precies gekregen wat ik van hen had verwacht. Niets. Mijn oude buurt? Ze zijn daar allemaal hetzelfde. In Canarsie hebben ze het nog altijd over flikkers en poten.'

De mannen zwegen, verloren in hun eigen bittere herinneringen.

'Het probleem met Tony is...' Jimmy spreidde zijn handen in een hulpeloos gebaar. 'De mensen zien ons samen en ze denken...' Hij slikte moeizaam en zijn adamsappel ging zichtbaar op en neer in de blanke steel van zijn hals. 'Tony vindt 't echter geen punt. Hij verblikt of verbloost er niet van. Hij laat ze denken wat ze willen, ook al zal het 'm weleens dwarszitten.'

'Gave kerel is dat, zeg.' Armando Ruiz, de enige Portoricaan in de groep, vertoonde een brede grijns die niet helemaal bij zijn verfijnde gelaatstrekken paste. Hij sprak ongetwijfeld voor hen allemaal toen hij uitriep: 'Shit man, we zouden allemáál wel een paar van zulke vrienden kunnen gebruiken.' 'Jawel.' Jimmy's vertrouwde glimlach was weer terug. 'Maar toch maak ik me er zorgen over hoe het met hem zal gaan als ik er niet meer ben.'

Er flitste een beeld door Ellies hoofd van een roze babydekentje dat verkreukeld onder in een rieten mand lag. Het was altijd hetzelfde beeld, niet meer, alleen maar dat dekentje, dat daar lag als de fundering van een dieper verhaal dat niet werd verteld. Soms klauwde ze in haar dromen wanhopig naar het dekentje, op zoek naar haar baby, wanhopig zoekend tegen beter weten in. Maar het dekentje werd alleen maar groter, de vouwen slokten haar op als een verstikkende doolhof waaruit geen ontsnappen mogelijk was. Ze werd altijd met natte ogen uit die droom wakker en met een verstikte kreet in haar keel.

Ellie zette het beeld van zich af. Wanneer de baby er eenmaal was, Christa's baby, zouden de nachtmerries wel ophouden. En het verdriet over haar verlies zou minder worden, ook al zou het nooit helemaal verdwijnen.

'Ik denk dat ik geluk heb,' ging Jimmy verder. 'Ik bedoel, nou ja, ik ken kerels die hun hele leven niet hebben begrepen waar het nou eigenlijk om ging.'

De discussie verschoof zich toen naar hoe het was om in de steek te worden gelaten, of hoe het voelde om iemand in de steek te laten. Ze hadden het over eerlijkheid, en hoever je moest gaan met openhartig over je dood te praten met vrienden en familie. En het nut van soms te doen alsof, voor te wenden dat alles in orde was.

Ellie besloot de bijeenkomst zoals altijd met de kring rond te gaan en iedere man een korte knuffel te geven. Ze wist dat veel van haar collega's dit op zijn zachtst gezegd onorthodox zouden vinden, of wellicht ronduit niet-professioneel, maar zij had ontdekt dat er vaak meer therapeutische waarde school in de menselijke aanraking dan in woorden die ze had kunnen uitspreken. Bovendien kon het haar geen donder schelen wat iemand buiten deze kamer van haar methodes vond.

Bij het weggaan kwam Jimmy naar Ellie toe. Ze praatten over een nieuw dansgezelschap waar Jimmy bijzonder enthousiast over was en waarvan hij dacht dat ze het leuk zou vinden om te zien. Hij beloofde te zullen proberen voor de première plaatsen voor Paul en haar te bemachtigen.

Tony stond zoals gebruikelijk bij de receptie te wachten. Hij stond op van de bank en liet het tijdschrift waarin hij had zitten bladeren vallen. Met zijn bruine kakibroek en zijn overhemd met open hals was hij onmiskenbaar iemand die in Brooklyn was geboren en getogen. De grote, donkere Tony Salvatore had op geen enkele manier voor een familielid van de roodharige Jimmy kunnen worden gehouden, maar de arm die hij om de schouders van zijn vriend sloeg, gaf blijk van een genegenheid die even gemakkelijk en vertrouwd was als die van een broer.

Stille wateren, dacht Ellie. Waar Jimmy met zijn koortsachtige energie alle richtingen uit scheen te tollen, was Tony zo rustig en kalm als een paal waaraan een skiff werd afgemeerd. Alles aan hem was solide, stevig, resoluut. De manier waarop zijn spieren in zijn armen bewogen als een strakopgewonden mechaniek, zelfs de manier waarop zijn golvende zwarte haar rond zijn fraaigevormde hoofd viel. Zijn gelaatstrekken waren sterk; ze vertoonden een soort waakzaamheid die eerder geruststellend dan afstandelijk was. Hij mat zich geen airs aan, vroeg niet om een gunst. Dat hoefde hij niet.

'Hé Dolan, je kunt 't geloven of niet, maar d'r kwam net een groentje die mij een bon wilde geven voor dubbel parkeren.' Tony maakte met zijn vrije hand een abrupt amme-zolengebaar. 'Dus ik vertel 'm dat ik ook een smeris ben, Troep B, Mounted Police, en weet je wat-ie zegt? Hij zegt: "Die kennen we al langer dan vandaag." Dus ik zeg tegen hem, terwijl hij zijn boekje pakt: "Jawel, en de dochter van de commissaris is gek op paarden, ze komt altijd met wortels langs, en ze kent ze allemaal."'

Jimmy schoot in de lach. 'En heeft hij je toen geen bon gegeven?'

'Dat niet alleen, maar hij houdt ook een oogje op de auto tot ik met jou terugkom.'

'Je bent onbetaalbaar, man!'

'Dat zal best, als je ziet hoeveel geld Paula iedere keer weer van me wil hebben. Is het niet de bedoeling dat ex-vrouwen ophoepelen als je hun eenmaal alles hebt gegeven wat je bezit?' Tony rolde met zijn ogen, maar de opgewekte glimlach was niet van zijn gezicht geweken.

'Het is een geluk dat jullie geen kinderen samen hebben gehad... dan had je daar ook nog eens voor moeten betalen,' plaagde Jimmy.

Tony's blik werd donker, maar slechts voor even. Toen haalde hij op typisch Brooklynse wijze zijn schouders op en zei: 'Jawel, dat zal wel.'

Ellie voelde een plotselinge kilte. Een geluk geen kinderen te hebben? God. Ze kon zich niet voorstellen dat ze er ooit zo over zou denken.

Ze voelde opeens het gewicht van dit alles op haar drukken... de jaren van vruchtbaarheidsonderzoeken en chirurgische ingrepen, gevolgd door nog meer jaren van adoptiebureaus, vergeefse pogingen en teleurstellingen. Ze probeerde zichzelf ervan te overtuigen dat het deze keer anders zou aflopen.

Ellie richtte haar aandacht weer op Jimmy en glimlachte. 'Je moest maar gauw gaan, anders krijgt je vriend problemen op het bureau. Tot volgende week dinsdag.'

'Als ik er dan nog ben,' zei Jimmy met een grijns.

'Wat? Maak jij geintjes over zulke dingen? Wat ben jij verdomme voor griezel?' hoorde ze Tony goedmoedig op zijn vriend mopperen toen ze naar buiten liepen. 'Die medicijnen die jij neemt hebben je hersens zeker vervormd. Wat jij nodig hebt makker, is wat frisse lucht. Wanneer we die kampeertocht maken...' De woorden werden gesmoord doordat de voordeur achter hen dichtviel.

Ellie volgde hen een paar minuten later naar buiten en ze besloot te gaan lopen in plaats van een taxi aan te houden. Haar praktijk was maar acht straten verderop en een beetje lichaamsbeweging zou haar goed doen, misschien zelfs iets van haar rusteloosheid verdrijven. Maar zelfs al had Ellie die avond geen andere afspraken – alleen maar wat papierwerk – toch haastte ze zich over Ladies' Mile, waar ze meestal rustig slenterde. Ze hield van dit stukje van Sixth Avenue, dat honderd jaar geleden voor de high society het neusje van de zalm was geweest om te gaan winkelen, en waar de exclusieve warenhuizen in de afgelopen jaren tot chique winkeltjes waren verbouwd, maar vanavond had ze weinig oog voor de etalages.

Ellie dacht aan het antwoordapparaat op het bureau van haar kantoor. In gedachten zag ze het rode lampje al knipperen ten teken dat er een boodschap was. Kon er een boodschap van Christa bij zijn? De tiener had beloofd te zullen bellen zodra ze weeën kreeg...

Een scherpe steek in haar zij deed Ellie even stilstaan en ze staarde nietsziend naar de kunstzinnige uitstalling in de etalage van Bed, Bath and Beyond, tot ze weer op adem was gekomen en de pijn was weggetrokken. Hoe vaak had ze haar zinnen op een baby gezet, om elke keer weer teleur te worden gesteld? Deze keer moest ze verstandig zijn, niet opgewonden raken voor ze er absoluut zeker van was dat de adoptie door zou gaan.

Paul heeft gelijk, dacht ze. We hebben dit al te vaak meegemaakt om ons willens en wetens nog meer verdriet op de hals te halen.

Maar Paul wist niet hoe het was als je eigen kind van je werd weggerukt. Hij kon zich in de verste verte niet voorstellen hoe het was wanneer er een stuk uit je hart werd gesneden, en de rest levenslang bleef bloeden. Hoe kon ze er niet naar verlangen die lege plaats in haar binnenste op te vullen?

67

Toen stroomden de herinneringen weer op haar toe, als donkere olie op nog donkerder wateren. Weken. Het had weken geduurd voor ze een spoor van Monk had weten te vinden – een spoor dat op niets uitliep in een lege flat, een huisbaas die van niets wist, geen adres om de post door te sturen. Toen de politie niemand anders had om te ondervragen, werd alle verdenking op haar gericht. Had ze echt alles verteld wat ze zich over die avond herinnerde? Was ze onder invloed geweest van alcohol of drugs? Was het mogelijk dat ze haar baby iets had aangedaan, vervolgens in paniek was geraakt en had geprobeerd alles te verbergen door te beweren dat Bethanne was ontvoerd?

Er werd een baby in een afvalcontainer gevonden, gewikkeld in een krant en in vergaande staat van ontbinding.

Zelfs nu, meer dan twintig jaar later, begon Ellie onbedwingbaar te rillen toen ze zich die vreselijke weg door de keldergangen van het lijkenhuis herinnerde, waar ze lang genoeg naar het kleine grijze lijkje had gekeken om te zien dat het Bethanne niet was voor ze prompt in een afvalbak had overgegeven.

En daarna, nog geen maand later, had ze als in een slechte grap of in een herhaalde nachtmerrie opnieuw door die ijskoude gangen moeten gaan, deze keer om het betreffende lijk positief te identificeren.

Nadine, dood aan een overdosis.

Haar laatste en enige getuige. De enige persoon die haar had kunnen helpen… die Monk voor haar had kunnen identificeren.

Ze had die keer niet overgegeven, hoewel ze later had gewenst dat ze dat wel had gedaan. In plaats daarvan had ze iets gedaan dat haar haar hele leven zou blijven achtervolgen, nog meer zelfs dan de aanblik van Nadine's witte, stille gezicht dat door het teruggeslagen plastic werd ontbloot.

Ellie had haar in het gezicht geslagen.

Zelfs nu, al die jaren later, kon ze de koude aanraking van haar zusjes dode huid tegen haar hand voelen, een huid die eruit had gezien als marmer, maar die had meegegeven met een afschuwelijke, rubberachtige klets die voor eeuwig in haar hoofd zou galmen – net als hij in die grimmige, betegelde ruimte en op de geschokte gezichten om haar heen had weerkaatst.

Ik haatte je, Nadine. Ik haatte je omdat je zwak was en de gemakkelijkste uitweg koos. Ik kon zelf iedere morgen nauwelijks mijn bed uit kruipen om de kranten onder ogen te zien die de ontvoering bedrog noemden, en de zieke telefoontjes te horen waarin ik werd beschuldigd van het vermoorden van mijn baby. Lieve Jezus, dacht je soms dat ik niet ook had willen sterven?

Maar ze was niet gestorven. Ze had het overleefd… met moeite.

Ellie glimlachte flauwtjes toen ze zich haar kale, glazige baas bij Loews herinnerde – die zo toepasselijk meneer Friend heette en die medelijden met haar had gekregen en haar tot avondmanager had benoemd. Maar hoe ze erin was geslaagd zowel haar baan te houden als haar volle studieprogramma af te werken, zou ze nooit weten. Slapeloosheid was het geweest, dacht ze. Ze had niet kunnen slapen omdat ze steeds aan Bethanne had moeten denken. Die jaren waren de jaren waaraan ze nauwelijks enige herinnering had, behalve in een soort waas, het soort waas dat om vier uur 's nachts over je komt wanneer je vanaf twee uur hebt zitten studeren.

Terwijl ze op deze aangenaam warme oktoberavond snel over Sixth Avenue liep, meer dan twintig jaar later, begon Ellie steeds bozer te worden op haar man, omdat hij niet bereid was nòg een poging te wagen. Ze had wel tegen hem willen schreeuwen, ook al was hij er niet om haar te horen. O, ze hadden het uitvoerig besproken. Ze hadden erover gekibbeld, geruzied en gehuild. Maar Paul was vastbesloten. Dit was de laatste keer, had hij gezegd. Hij had er genoeg van. Als het deze keer niet lukte, dacht hij niet dat hij een volgende poging nog eens op kon brengen.

O, maar deze keer gaat het wèl lukken, argumenteerde ze hartstochtelijk in haar hoofd. *Begrijp je het dan niet, Paul? We gaan eindelijk krijgen wat we altijd hebben gewild. Een gezin vormen.*

Ellie was buiten adem tegen de tijd dat ze aankwam bij het smalle jaren dertig-gebouw op de hoek van Twelfth Street en Sixth Avenue, waarin ze een kleine tweekamerflat had gehuurd die ze tot praktijkruimte had verbouwd. Ze ging met de piepende oude lift naar de derde verdieping en stapte naar binnen. Ze liet haar handtas op de bank vallen en liep door de kamer naar haar bureau, een oud cilinderbureau dat een schitterend contrast vormde met haar Eames-stoel en de prenten van Klee. Ze drukte op de knop van haar antwoordapparaat.

De eerste twee boodschappen waren van patiënten die een afspraak wilden verzetten. Daarna een van Paul, die haar vertelde dat hij pas laat thuis zou komen omdat hij een operatie had – iets over een spoedgeval dat vanuit Roslyn met een helikopter was vervoerd. Het laatste telefoontje was van Christa.

'Ellie, ik ben het.' Christa klonk alsof ze huilde. 'Er was geen tijd meer om je te bellen voordat de baby kwam, het gebeurde allemaal heel snel. Ellie, je moet hierheen komen…'

Ellie was de deur uit voordat het apparaat na Christa's laatste snik was uitgesprongen. Er was iets aan de hand. Er was iets vreselijks gebeurd. Alleen al het geluid van Christa's stem, die aarzelend, bang en smekend was, vervulde Ellie met bange voorgevoelens. Terwijl ze over de brandtrap naar beneden holde, voelde ze de paniek in haar borst gloeien. God... O God... Het gebeurt allemaal opnieuw.

St. Vincent's Hospital lag slechts één straat verderop, maar haar lichaam schroeide, haar longen stonden in brand tegen de tijd dat ze de ingang voor spoedgevallen had bereikt.

Christa's kamer – de privé-kamer die Ellie van tevoren had besteld – lag op de vierde verdieping. Toen Ellie naar binnen stormde, buiten adem, was ze ervan onder de indruk hoe vrolijk alles eruitzag. Een boeket gele chrysanten in een vaas op het nachtkastje. Een ballon met 'Hoera, een jongen!' aan het voeteneind van het bed vastgemaakt. Toen zag ze Christa – en de norse jongeman die in de stoel naast haar bed zat.

Christa zat rechtop in bed met haar armen over haar borst gevouwen. Haar gezicht was opgezet en vlekkerig van het huilen en toen ze Ellie zag, glimlachte ze beverig.

'Ellie.' Ze kreeg tranen in haar ogen. 'Je zou hem moeten zien. Hij is zó mooi! Kun je 't geloven? Hij weegt zeven pond en drie ons!' Ze schoof moeizaam een eindje opzij, waarbij ze even een pijnlijk gezicht trok. 'Ik had je eerder willen bellen, maar toen m'n vliezen waren gebroken, was er geen tijd meer voor.'

'Het geeft niet,' verzekerde Ellie haar. 'Het belangrijkste is dat alles goed met je is en dat alles goed is met de baby.'

Een jongen! O, wat zou Paul daarvan opkijken! Haar koortsachtige geest was dol van vreugde, ondanks de dreiging die ze in de sombere blik van de jongen bespeurde.

'Er is nog één ding...'

Christa's donkerbruine ogen in een gezicht dat net zo zacht en rond was als de cakejes die Ellie had geprobeerd haar tijdens haar zwangerschap niet steeds te laten eten, leken Ellie smekend aan te kijken. Ze draaide een pluk vaal haar om haar wijsvinger, een nerveus gebaar van haar. De roze nagellak op haar nagels was behoorlijk afgebladderd, zag Ellie, en ze droeg de gebruikelijke verzameling zilveren ringen, één aan iedere vinger.

'Wat Christa probeert te zeggen, is dat we gaan trouwen, zij en ik.' Het vriendje – Vic heette hij – kwam overeind. Hij nam een brutale houding aan, zijn pukkelige kin in de lucht, de kaalgetrapte neus van een laars op de rand van de stoel waarop hij had gezeten.

Ellie keek hem voor het eerst echt aan, en het beviel haar niets wat ze zag. Hij had ongeveer dezelfde leeftijd als Christa, net zestien, maar er school iets veel ouders in zijn samengeknepen ogen en in de trek op zijn grauwe gezicht. Er was iets dat haar deed denken aan een schutter die zich schrap zet voor een duel.

Ellie wachtte, zonder iets te zeggen, in het besef dat argumenteren of ongevraagd advies geven hem alleen maar de ruzie bood die

hij zocht. In plaats daarvan keek ze weer naar Christa en zei vriendelijk: 'Je zult vast veel belangrijke beslissingen over je toekomst nemen… als je weer op de been bent.' Ze glimlachte. 'Je hebt tenslotte zojuist een baby gekregen.'
Christa beet op haar onderlip en knikte. Maar Ellie wist niet of ze het ermee eens was dat ze belangrijke beslissingen nog even moest uitstellen, of dat ze bevestigde dat ze inderdaad een baby had gekregen.
'Niet een baby. Onze baby. We houden hem.'
Ellie hoorde de nauwelijks bedwongen woede in Vics stem, en ze had de grootste moeite haar ogen op Christa gericht te houden. 'Wat wil jij?' vroeg ze aan het jonge meisje dat vaker dan Ellie kon tellen met haar benen omhoog in Ellies zitkamer had gezeten en modetijdschriften had verslonden en haar neus had opgetrokken wanneer Ellie haar een glas melk had gebracht in plaats van de cola die ze had gevraagd.
Christa keek omlaag en begon hulpeloos te plukken aan de deken die haar benen bedekte. 'Ik weet het niet,' zei ze met bijna onverstaanbare stem.
'Hoe bedoel je, ik weet 't niet?' explodeerde Vic. 'We hebben 't toch zeker allemaal al uitgedacht. We gaan bij mijn moeder inwonen tot we een eigen huis kunnen krijgen. Shit, wat heeft 't voor zin dat ik m'n school afmaak… ik kan die baan bij m'n zwager krijgen, bij z'n Sunoco-station.' Vic begon langs het bed heen en weer te ijsberen, waarbij hij herhaaldelijk zijn grove vingers door zijn lange, vaalblonde haar haalde.
Ellie richtte haar kalmste blik op hem en zei rustig: 'Als dit is wat Christa wil, dan weet ik zeker dat ze dat heel goed zelf kan vertellen.'
Vic boog zich voorover, zodat zijn hoofd vlak bij dat van Christa was. 'Hoor eens, ik wil niet dat je denkt dat dit iets is dat ik móet doen,' zei hij op zachte, overredende toon. 'Als je me niet wilt, dan hoef je dat maar te zeggen, dan ben ik meteen weg.' Hij zweeg even en keek Christa treurig aan. 'Dus… wil je met me trouwen of niet?'
Christa's hoofd bleef gebogen en er viel een traan op haar pols. 'Ik denk van wel,' mompelde ze.
Ellie stond als aan de grond genageld, en haar hart zwol en bonsde tegen haar ribben. Opeens leek ieder detail in de kamer op de een of andere manier te worden vergroot, als door een reusachtige microscoop – een vage gele vlek op het kussen achter Christa's rug, het geïrriteerde plekje op haar pols waar ze afwezig aan het plastic identificatie-armbandje zat te friemelen, een kan water die Donald Trump, op de voorpagina van het tijdschrift dat eronder lag, een bobbelige natte halo had bezorgd.
Ellie kon wel gillen, Christa bij de schouders pakken en haar

door elkaar rammelen omdat ze zo slap deed. Waar was Vic tijdens haar zwangerschap al die tijd geweest? Toen ze voor haar controles naar de dokter was gegaan, wie had haar toen daarheen gereden? Die keer dat Christa midden in de nacht wakker werd met stekende pijn, wie had ze toen gebeld?

Ellie had elke gram zelfbeheersing nodig om kalm te blijven. Ze keek zo scherp naar Christa, dat de kracht van haar blik de tiener ten slotte zo ver bracht dat ze haar hoofd hief om Ellie aan te kijken.

'Is dit echt wat je wilt, Christa?' vroeg ze.

'Ik denk 't wel,' antwoordde het meisje dof.

'Ik wil alleen maar dat je absoluut zeker bent, dat je weet wat je begint. Je bent pas zestien, Christa. Doe in godsnaam niets overhaasts!' Ellie hield zich in, ze besefte dat ze klonk als iemand die meer dan alleen Christa's belang voor ogen had.

O, het was niet eerlijk! Ze gaf echt heel veel om Christa. Maar waar ze het meest om gaf, was de baby... en haar eigen belang in dit alles. Wie kon haar dat kwalijk nemen?

Christa staarde haar aan met opgezette ogen en ze luisterde lusteloos. 'Dat weet ik,' zei ze. 'Maar het punt is dat Vic en ik... we zijn nu een beetje een gezin.' Ze sprak met een zachte, verontschuldigende stem. 'Het spijt me, Ellie. Echt, het spijt me. Ik had nooit verwacht dat het zo zou lopen.'

Ellie voelde zich duizelig. Dit gebeurde haar niet. Dit kon niet waar zijn. Dit grauwe, pafferige meisje beroofde haar van de baby die ze al als van haarzelf was gaan beschouwen. De baby voor wie ze thuis een wieg klaar had staan, in een kinderkamer met lichtblauwe muren en wolken die op het plafond waren geschilderd.

'Neem niet nu meteen een besluit,' drong Ellie aan, niet langer in staat zich te bedwingen. 'Christa, je hebt net een baby gekregen! Je bent emotioneel, en dat is heel begrijpelijk. Maar een baby... dat is een grote verantwoordelijkheid. Dat weet ik. Ik... ik heb zelf een dochtertje gehad toen ik niet veel ouder was dan jij.' Ellie was zich bewust van de tranen die over haar wangen stroomden, maar ze nam niet de moeite ze weg te vegen.

'Wat is er met haar gebeurd?' Christa's ogen waren groot in haar grauwe gezicht. Ellie had haar niet eerder over Bethanne verteld; ze had Christa niet lastig willen vallen met dat alles.

'Ze is me ontnomen.' Zodra Ellie deze woorden had uitgesproken, besefte ze dat ze iets verkeerds had gezegd. Ze zag hoe Christa's hoofd verbaasd omhoogging en dat ze toen naar Vic keek, met wie ze een blik van paniek wisselde.

Ze denken dat het op de een of andere manier mijn schuld was... dat ik geen goede moeder was. O God, waarom heb ik iets gezegd?

Op dat moment stapte opgewekt een forse, grijsharige verpleegster naar binnen met een plexiglazen wieg waarin een baby in een wit dekentje lag ingepakt. Ellie ving een glimp op van een rood, rimpelig gezichtje met een pluk donker haar erop. Haar hart kantelde opzij, als een overvol glas dat een warme vloeistof door haar borst goot. Toen zag ze Christa haar gezicht afwenden, alsof ze nog niet aan een confrontatie toe was, en haar blik werd afstandelijk en pruilerig. Ellie voelde even haar hoop opflakkeren. Misschien was het nog niet te laat...

'Kijk eens aan! De hele familie wacht je al op,' kwetterde de verpleegster tegen het slapende kind. Ze reed het wiegje om het bed heen en parkeerde het naast Christa, met een aangeboren vrolijke glimlach. 'Wil jij je zoon vasthouden, of zullen we oma eerst aan de beurt laten?'

De vrouw had kennelijk meer dan genoeg tienermoedertjes gezien die werden vergezeld van een moeder die nog jong genoeg was om zelf een baby te kunnen krijgen, maar toch moest Ellie haar adem inhouden om het niet uit te gillen: je hebt het helemaal mis... hij is van mij!

Er hing spanning in de lucht. Ze staarde naar Christa die bleef zwijgen, met afgewende blik, haar handen wringend in haar schoot.

Toen gebeurde het onverwachte.

Het harde, jonge gezicht van Vic smolt tot een uitdrukking van onbeholpen tederheid en hij stapte naar voren om de baby voorzichtig uit het wiegje te tillen. Hij hield het witte bundeltje in de holte van zijn magere arm en staarde vol verbazing omlaag, met een glimlach om zijn lippen.

Toen Christa hen samen zag, barstte ze in tranen uit.

Vic streek met de vingers van zijn vrije hand over haar trillende rode gezicht. 'Verdomme, Christa, zie je 't dan niet? We kunnen hem toch zeker niet zomaar afgeven aan de een of andere vreemde, alsof... alsof hij verdomme een postpakketje is?' Zijn stem sloeg even over, alsof hij een puber was die de baard in de keel kreeg.

Bij wijze van antwoord begon Christa nog harder te snikken.

De baby deed zijn ogen open en begon nu ook te huilen, met korte, gesmoorde uithalen.

'Denk je dat hij honger heeft?' vroeg Vic met een frons van onzekerheid.

Christa, die de nerveuze blik had van een kind in een winkel dat achter de rug van de winkelier een speelgoedje uit wil proberen, stond hem toe de baby in haar armen te leggen.

'Ik weet niet wat ik moet doen,' jammerde ze. Haar ogen schoten heen en weer tussen Vic en Ellie, die aan het voeteneind van het bed stond en nauwelijks in staat was adem te halen, laat staan zich te bewegen.

Vic grijnsde en wees naar de voorkant van haar nachthemd. 'Je hebt daar toch zeker wat hij wil?'

Christa beet op haar lip en deze keer bleef haar blik resoluut op Ellie gericht. In het zachte, ronde gezicht van de tiener lag een wanhopige smeekbede die grensde aan opstandigheid.

Ze wil dat ik haar mijn zegen geef, besefte Ellie met een misselijkmakende schok. Maar ze wilde het niet... ze kòn het niet.

Ellie deed haar mond open om te protesteren, om te gillen dat zij meer recht had op deze baby dan een van hen. Wat voor thuis zou hij bij Christa hebben? Ze zou hem schade berokkenen, haar eigen kansen op een fatsoenlijke toekomst ruïneren. Om nog maar te zwijgen van wat dit voor Ellie en Paul zou betekenen.

Ik weet niet of ik dit kan overleven. Die gedachte klonk even duidelijk in haar hoofd alsof ze hem hardop had uitgesproken.

Ellie moest, als een dier dat in de lichtbundel van naderende koplampen gevangenzat, hulpeloos toezien hoe Christa haar nachthemd openmaakte en de huilende baby naar haar borst bracht. Het meisje keek vol ontzag op hem neer, terwijl ze één afgebladderde roze nagel tegen zijn wang legde toen hij snuffelde en zocht. Vic boog zich over hen beiden heen, over moeder en zoon, en zijn gezicht was volledig veranderd.

Ellie had onzichtbaar kunnen zijn.

Ze zag zichzelf, als in een droom, wonderbaarlijk elastisch worden en haar armen steeds verder uitstrekken om de baby op te pakken. Haar borsten prikten van de melk die reeds lang was opgedroogd, als de fantoompijn waar ze mensen met geamputeerde ledematen wel over had horen vertellen. Ze kon hem zelfs vóelen, met het gewicht van zijn achterwerk in de holte van haar hand, de kleine zwaaiende armen en benen, de donkere pluk haar die zijdezacht tegen haar handpalm was, als de vacht van een jong poesje, terwijl ze er met haar hand over streek.

Er welde een grote jammerkreet in haar op, iets waarover ze niet meer controle leek te hebben dan over een trein die op haar afstormde. Een kreet die was opgebouwd in al die jaren van zoeken en van verlangen, die opnieuw in een verlies waren geculmineerd.

Ellie deed iets waarvan ze zich in geen miljoen jaar had voorgesteld dat ze het ooit zou doen.

Ze holde weg.

Terwijl de jammerkreet losbrak in haar handen die ze voor haar mond had geslagen, holde ze weg alsof haar leven ervan afhing, en ze keek recht voor zich uit maar zag niet waar ze liep, terwijl de witte jassen, brancards, rolstoelen, in een waas langs haar heen flitsten.

En al die tijd kwelde haar één enkele gedachte: *Hoe moet ik dit aan Paul vertellen? Hoe zullen we dit weten te verwerken?*

De zomer dat Ellie en Paul elkaar ontmoetten, had ze eindelijk voldoende studiepunten behaald om af te kunnen studeren. Het was het jaar 1979, en zoals ieder jaar sinds haar tragedie had ze dit herdacht met een andere verjaardag dan die van haarzelf: Bethanne zou bijna zeven zijn geweest. Ze was zelf vijfentwintig geweest, maar ze voelde zich negentig, zoals ze overdag als receptioniste op een advocatenkantoor werkte en 's avonds colleges volgde. Haar leven was een prikklok geworden waarin ze niet veel meer deed dan heen en weer hollen. Geen mannen, geen ander sociaal leven dan af en toe een broodje eten of een kop koffie drinken met een van de meisjes van haar werk.

Paul had dat alles veranderd.

Het was begonnen met Alice Lawson, wier bureau haaks op dat van Ellie stond, en die haar had uitgenodigd voor een 4 juli-feest in het huis van haar ouders in Forest Hills. Ellie had aanvankelijk bedankt, met het excuus dat ze te veel te studeren had. Maar Alice had haar ten slotte weten over te halen. Pas toen Ellie bij het huis arriveerde, met een schaal aardappelsalade onhandig in haar arm geklemd, had ze de reden van Alices aandringen beseft.

'Kom mee… er is iemand van wie ik wil dat jij hem ontmoet.' Alice greep Ellie bij de arm, met ogen die schitterden van onderdrukte pret.

De achtertuin was vol mensen die in groepjes bij elkaar stonden met een glas in de hand of op picknicktafels en stoelen zaten die over het gazon en het terras verspreid stonden. Tegen de hoge schutting stond een tafel volgeladen met schalen eten die met plastic hoezen waren afgedekt. De verrukkelijke geur van pruttelend vlees hing in de zwoele lucht.

Paul Nightingale, een oude schoolvriend van Alice, stond met een groepje mannen bij de barbecue. Hij leunde tegen de zijkant van het huis met één afgetrapte schoen op de rand van de bloembak voor hem, en een grote hand losjes om het bierflesje dat op zijn knie stond. Ellies eerste indruk van hem, toen Alice hen aan elkaar voorstelde, was er een van een slungelige, vriendelijk uitziende man met rossig haar en wat onregelmatige gelaatstrekken. Bij een tweede blik merkte ze zijn bril op, met het metalen montuur dat hem het uiterlijk verleende van een gematigde Berkeley-radicaal – en ze ontdekte later dat hij daar inderdaad had gestudeerd.

Na een moeizaam gesprek van een paar minuten stak Paul zijn hand in de koeler naast zich en bood haar een drijfnat biertje aan.

'Jij geniet hier niet erg van, geloof ik?' merkte hij minzaam op. 'Met een hoop mensen die je niet kent.'

'Nee,' bekende Ellie.

Hij glimlachte en ze zag nu dat de kleine vouw onder zijn rechter mondhoek, waarvan ze eerst had gedacht dat het een kuiltje was, een litteken bleek te zijn. 'Om je de waarheid te zeggen, ik ook niet.' Hij boog zich dichter naar haar toe en zei op vertrouwelijke toon: 'Alice heeft me hierheen gesleept om dezelfde reden als waarom ze jou hierheen heeft gesleept.'

Ellie had gevoeld hoe haar gezicht rood werd, alsof ze te lang in de warme zon had gestaan. Ze wist niet wat ze moest zeggen, dus zei ze het eerste dat haar in gedachten kwam: 'Ik doe dit soort dingen anders nooit.'

Paul hield zijn hoofd scheef en zijn glimlach werd breed. 'Wat? Barbecues... of je laten koppelen?'

'Geen van beide,' zei ze zonder zich er iets van aan te trekken dat ze grof klonk.

Maar in tegenstelling tot de andere mannen die het twijfelachtige genoegen hadden gesmaakt zich door haar af te laten poeieren, scheen Paul heel geïntrigeerd te zijn. Hij stond haar glimlachend aan te kijken alsof ze een wegwijzer was in een vreemde taal die hij probeerde te ontcijferen. Ten slotte goot hij zijn bier in één lange slok naar binnen en richtte zijn glimlachende blik weer op haar brandende gezicht.

'Wat zou jij nu liever doen?' vroeg hij.

Ellie was zo van haar stuk gebracht door wat van zijn kant oprechte belangstelling voor haar leek te zijn, dat ze even geen antwoord wist te bedenken. Ten slotte glimlachte ze aarzelend. 'Ik heb altijd al het vuurwerk op Coney Island willen zien op 4 juli.'

Zonder enige aarzeling antwoordde Paul: 'Doen we.'

Hij bevrijdde haar van haar halfvolle glas bier en zette dit naast het zijne op het gras naast de koeler.

Ellie was te verbaasd om weerstand te bieden toen hij haar door de menigte mee naar buiten troonde en naar Alice knipoogde.

Tijdens de lange rit over de subway naar Coney Island, hoorde Ellie dat Paul tweedejaars inwonend arts was in het Langdon Pediatric Hospital in de West Eighties. Hij had zijn studie ook zelf met werken betaald. Hij had zich door Berkeley en daarna Cornell Medical School heen geworsteld door middel van studiebeurzen, part-time-baantjes en liters koffie. Net als zij had hij nauwelijks tijd om een tijdschrift door te bladeren, laat staan afspraakjes te maken. Ze lachte toen hij haar vertelde dat de vorige keer dat hij met een vrouw naar de film was gegaan, hij halverwege in slaap

76

was gevallen en na afloop wakker was geworden om te ontdekken dat ze zonder hem was vertrokken.

Ze hadden andere dingen gemeen. Paul was dol op jazz; ieder moment dat hij uit zijn krankzinnig volle agenda vrij kon maken, zou ze hem waarschijnlijk in de Village Vanguard kunnen vinden, vertelde hij. Ellie vertelde hem hoe ze zich had gevoeld toen ze voor het eerst naar Billie Holiday had geluisterd, op haar veertiende... alsof ze een schat had opgegraven. Haar ouders keurden dat soort muziek natuurlijk helemaal niet goed, dus moest ze het heel zacht draaien op de grammofoon, in de kamer die ze met Nadine deelde.

Ellie bekende Paul zomaar iets dat ze nog nooit aan iemand anders had verteld – hoe ze soms alle lichten uitdeed terwijl de muziek speelde, en een sigaret in een asbak liet branden om zich voor te stellen dat ze in een rokerige nachtclub was.

Paul lachte zó hard dat ze dacht dat hij haar uitlachte... tot hij haar hand greep en erin kneep.

Tegen de tijd dat ze Coney Island bereikten, had ze het gevoel alsof ze hem al eeuwen kende. Maar pas nadat ze zomaar flauw was gevallen op het plankier, werd ze echt verliefd op hem.

Ze liepen nog op adem te komen na een rit in de achtbaan, en terwijl ze over de drukke boulevard naar het worstkraampje bij de ringwerptent liepen, zag Ellie vanuit haar ooghoek een vrouw die gillend voorbij holde. 'Betsy, waar ben je? Betsy! Betsy! O God, heeft iemand mijn dochtertje gezien?'

De vrouw, herinnerde ze zich met kristalheldere duidelijkheid, was gekleed in een roze korte broek die een stel kwabberige dijen onthulde, die door de zon nog rozer waren verbrand. Haar gebleekt-blonde haar stond in wilde kroeskrulletjes rond haar witte gezicht. Ze hield één hand tegen haar borst gedrukt, alsof ze was gestoken. In de andere hield ze een paar rubberen strandslippers van een kind.

Ellie werd plotseling overvallen door een zwerm herinneringen die wervelend omhoogschoten als zwarte kraaien rond een telefoonpaal. Ze herinnerde zich hoe de wereld korrelig en wazig werd, als de oude sepia foto's die ze geadverteerd had gezien op een reclamebord dat ze onderweg waren gepasseerd – KOSTUUMS ZONDER EXTRA KOSTEN! Toen gingen alle lichten op Coney Island, zelfs het vuurwerk, in één keer uit.

Terwijl ze langzaam weer bij bewustzijn kwam, merkte ze dat ze op haar rug op het warme, splinterige plankier lag waar ze knipperend met haar ogen omhoog keek naar een kring van nieuwsgierige gezichten. Ze begon in paniek te raken; toen kwam een van de gezichten verder naar voren. Het was een bekend gezicht, een góed gezicht. Paul. Hij stuurde de anderen weg, terwijl hij haar op de een of andere manier tegen hun starende ogen wist af te schermen. Ellie bleef daar naar de hakken van zijn Weejuns liggen kijken – die, constateerde ze versuft, schuin waren afgesleten – en ze voelde zich heel dankbaar jegens hem.

Pas toen hij haar overeind had geholpen en naar een bank vlakbij had gebracht, begon ze zich vreselijk te generen. Ze boog haar hoofd tussen haar knieën, zoals hij haar instrueerde, eerder om haar gloeiende wangen te verbergen dan haar duizeligheid te verjagen. Zelfs Pauls lichte aanraking in haar nek deed niets om haar vreselijke gevoel van voor gek te staan te verjagen.

'Heb je behoefte om erover te praten?' vroeg hij zacht, alsof hij haar gedachten kon lezen.

Ellie schudde haar hoofd, zodat de uiteinden van haar haar over haar knieën zwiepten. Ze sloeg haar handen voor haar gezicht en begon, om haar vernedering nog erger te maken, te huilen. Paul deed gelukkig geen pogingen om haar te troosten. Hij bleef gewoon zitten, rustig en trouw aan haar zijde, terwijl zijn vingertoppen in haar nek rustten.

Ten slotte was ze in staat naar hem op te kijken, om zijn ongetwijfeld verbaasde en vragende blik te zien. Maar in plaats daarvan zag ze welgemeende bezorgdheid, en een treurige, enigszins begrijpende gloed in zijn grijze ogen. Paul, besefte ze, moest zelf ook verdriet hebben meegemaakt. En dat was de reden dat ze zich in staat voelde hem het afschuwelijke geheim dat een gat in haar hart brandde, toe te vertrouwen.

Toen vertelde ze hem over Bethanne... en hoe het allemaal haar schuld was. Ze had haar baby nooit onder de hoede van Nadine moeten achterlaten. Als zij niet te trots was geweest om naar de bijstand te gaan, was haar dochtertje nu nog bij haar geweest.

De zelfverwijten die ze zo lang voor zich had gehouden, barstten nu naar buiten, als het vuurwerk dat met veel misbaar boven het stille water ontplofte. En al die tijd probeerde Paul niet één keer tegen haar in te gaan, haar schuldgevoelens te verminderen met geruststellingen. Hij hield alleen maar haar hand vast, waarbij hij slechts af en toe zijn vingers om de hare verstrakte. Toen ze ophield, pakte hij haar hand en kuste teder haar palm, in een gebaar dat ze alleen maar als hoffelijk kon hebben omschreven.

'Ik wist dat je sterk was, maar ik wist niet waarom,' zei hij. 'Nu weet ik het wel. Het komt door dat gewicht dat jij op je schouders hebt meegedragen.' Hij keek haar aan met een kalme en peinzende blik. 'Misschien ben je nu sterk genoeg om het te laten gaan.'

Ellie keek hem aan, juist op het moment dat een uitbarsting van het vuurwerk rode slierten licht op de glazen van zijn bril weerspiegelde. Hij begreep het... op een manier die maakte dat ze niet hoefde uit te leggen wat ze had doorgemaakt.

In plaats van haar gezicht af te wenden, deed ze iets dat ze tot op dat moment niet had gedacht ooit te zullen doen. Ze pakte zijn hand en drukte die tegen haar wang, in een gebaar vol vertrouwen.

Ellie kon zich niet herinneren hoe lang ze daar op die bank hadden gezeten, met de handen in elkaar geslagen, verzonken in hun gedachten. Veel later kwam ze te weten dat Paul een jonger broertje aan leukemie had verloren. En hij had besloten zich in neonatologie te specialiseren, gedeeltelijk omdat hij zoveel mogelijk gezinnen het verdriet wilde besparen dat hij had meegemaakt.

Wat Ellie het duidelijkst van die zomernacht was bijgebleven, was één enkele ontdekking: het hart dat ze dood had gewaand, bleek toch leven in zich te hebben. Zoals ze daar te midden van luidruchtige feestgangers was gestrand, had ze zich nog nooit zo dicht aan iemand verwant gevoeld als aan Paul. Er lag verbazing in haar ontdekking, alsof ze een tak van een reeds lang afgestorven plant had gebroken en in het hart toch iets groens had gezien. Er was ook verdriet... het verdriet van wakker worden na een lange, onrustige sluimering, in de wereld van de levenden, waar ze ongetwijfeld opnieuw verdriet zou beleven.

Maar ze had zich bovenal opgelucht gevoeld.

Ze zou haar last niet langer alleen hoeven te dragen. Ze had het toen even sterk gevoeld alsof het al was besloten. Paul en zij zouden geliefden zijn. Nog belangrijker, ze zouden vrienden zijn.

En God wist dat wat ze in deze wereld het hardste nodig had, na haar lange, eenzame trek door de wildernis, een vriend was.

Ellie lag geheel gekleed op bed, met de beddensprei om zich heen geslagen, als een oude vrouw in een sprookje, toen ze Pauls sleutel in de voordeur hoorde, in hun benedenappartement op West Twenty-second Street. Het was na middernacht, maar ze had haar ogen niet één keer dichtgedaan, nog geen minuut. Ze kwam huiverend overeind.

Paul verscheen in de deuropening, een slungelig silhouet dat leek te aarzelen voor hij door de kamer liep en zich op het bed liet zakken. Hij nam haar in zijn armen en drukte haar stevig tegen zich aan. Hij zei niets; toen ze het verhaal uitstortte, maakte hij alleen een diep geluid in zijn keel, een geluid dat een kreun had kunnen zijn, of misschien een onderdrukte snik. Toen ze zichzelf ten slotte losmaakte, zag ze dat zijn ogen nat waren. Voorzichtig zette ze zijn bril af en legde die op het nachtkastje.

We hebben in elk geval elkaar nog, zei ze bij zichzelf. Een zin die zo afgezaagd was, dat hij op een merklap kon zijn geborduurd, maar wel heel waar. Waarom ontleende ze er dan nu geen troost aan? Waarom vervulde die sombere blik in zijn grijze ogen haar nu van een angst die ijzingwekkender was dan alles wat ze tot dusver had meegemaakt?

Ze keek wanhopig om zich heen, alsof ze door zich aan het vertrouwde vast te klampen haar angst kon verjagen. Deze kamer, met het bed in ouderwetse Spaanse stijl, en met de eenvoudige ladenkast, de vrolijke kleuren – haar Picasso-posters, de antieke speelgoeddraaimolen op de naaitafel in de hoek, een handgeblazen Lundberg-vaas in diep kobaltblauw met een verzameling sterretjes op het oppervlak.

Toen ze haar blik weer naar Paul liet terugkeren, viel het haar op hoe moe hij eruitzag; niet alleen door slaapgebrek, zoals in de jaren van zijn klinische opleidingsperiode, maar heel diep, wezenlijk uitgeput. Zijn smalle gezicht met de chronisch geamuseerde glimlach was ontdaan van alle humor. En verbeeldde ze het zich, of zat er meer zilver dan bruin in het golvende haar dat over de kraag van zijn verkreukelde overhemd viel?

Deze keer was het Ellie die moest troosten, toen ze haar armen om hem heen sloeg. 'Ik wou dat ik een antwoord had,' fluisterde ze hees in de welving van zijn nek. 'Maar ik heb alleen maar vragen. Waaròm? Waarom wíj?'

'Het schijnt dat hoe meer je iets wilt, hoe minder waarschijnlijk het is dat je het krijgt.' Pauls stem klonk cynisch en hard.

'Je laat het klinken alsof het geen zin heeft om verder te gaan.' Ze voelde hoe de tranen weer opwelden.

Hij streelde haar rug. 'Natuurlijk wel. Ik houd van je. Jezus, Ellie, ik houd zoveel van je, dat ik soms…' Zijn stem stokte. Hij haalde diep adem en zei: 'Ik mis het, dat is alles. Hoe het vroeger was, voordat we in al deze krankzinnigheid verstrikt raakten. Al die weekends dat we op het platteland naar antiek gingen zoeken – weet je nog die herberg in Vermont, waar we door het bed zijn gezakt en we zo hard moesten lachen dat we niet meer overeind konden komen? Maar het gaat me nog niet eens om weekends… ik zou nu al blij zijn met een avondje uit. Wanneer was het de laatste keer dat we een reeks nummers bij de Vanguard of de Blue Note hebben uitgezeten zonder dat jij naar huis moest bellen om je antwoordapparaat af te luisteren? Wanneer was het de laatste keer dat we verdomme naar een film zijn geweest?'

Ellie kon het hem niet kwalijk nemen dat hij zich gefrustreerd voelde. Wie wel? Na alles wat zij hadden doorstaan: een hindernisparcours zonder eind. Er was geen medische oorzaak voor haar onvruchtbaarheid, hadden de dokters geconcludeerd, wat alleen maar had gemaakt dat Paul en zij zich langer aan hun hoop hadden vastgeklampt dan ze waarschijnlijk hadden moeten doen. Toen toonde een nieuw type echo's de cysten in de baarmoeder die bij andere onderzoeken niet waren ontdekt. Paul was bij haar toen ze naar de operatiekamer werd gereden, en hij was de eerste die ze zag toen ze uit de narcose bijkwam. Ze hadden drie maanden gewacht voordat ze het weer probeerden, zoals hun was opgedragen. Daarna... niets. Tegen de tijd dat ze aarzelend over adoptie begonnen te praten, waren er acht jaren verstreken.

Hun eerste serieuze gegadigde, een verlegen, sproetig meisje uit Kentucky dat Susie heette, sprak enkele keren met hen via de telefoon voor ze naar haar toe vlogen. Ellie herinnerde zich hoe nerveus ze was geweest, maar de ontmoeting was goed verlopen, of dat dacht ze in elk geval. Een week later vertelde hun advocaat hun dat Susie een ander echtpaar had gekozen – brave kerkgangers die in een landelijk huis in een buitenwijk woonden met een achtertuin die groot genoeg was voor een schommel.

Susie was de eerste van veel teleurstellingen geweest. Intussen waren er weken, maanden, jaren voorbijgegaan met het plaatsen van advertenties, waarbij ze door allerlei nerveuze tieners vluchtig werden bekeken, maar meestal domweg hadden moeten afwachten. Dat was het ergst van alles. En het niet weten of waar je op wachtte ooit zou komen.

Toen was anderhalf jaar geleden Denise als een geschenk uit de hemel hun leven binnengerold. Denise was zes maanden zwanger en ze was een enthousiaste tweedejaars studente met een gezond verstand en een heldere kijk op wat het beste zou zijn voor de baby voor wie ze zich te jong voelde om hem in haar eentje groot te brengen. Ellie en Paul konden vanaf het eerste moment goed met haar overweg. In haar zevende maand had Denise zelfs aan Ellie gevraagd of ze haar wilde helpen met haar ontspanningsoefeningen voor bij de bevalling... en Ellie was zó enthousiast geweest, dat ze diezelfde dag halsoverkop een wieg en een commode voor de kinderkamer had besteld.

Toen was, twee weken voor de uitgerekende datum, Denises moeder – met wie Denise in bittere onenigheid had geleefd – opeens ten tonele verschenen. De moeder had er bij Denise op aangedrongen de baby te houden, waarbij ze zelfs had aangeboden om met de kinderopvang te helpen zodat Denise haar studie kon afmaken. Het meisje had aanvankelijk voet bij stuk gehouden, gezegd dat het besluit was genomen en dat ze niet terug wilde krabbelen. Toen werd de dominee erbij gehaald, evenals allerlei overredende ooms, tantes, nichten en neven. Uiteindelijk zwichtte Denise.

Ellie was te verpletterd geweest om zelfs maar te kunnen huilen. Het duurde een goed half jaar voor ze zich weer sterk genoeg voelde

81

om het nog eens te proberen. Acht weken daarna hadden ze Christa gevonden.

'Paul, zo zal het echt niet altijd zijn,' zei ze nu tegen hem in het schemerduister van hun kamer.

'Hoe weet je dat?' Het was geen uitdaging, maar een simpele vraag. 'Waar staat geschreven dat pijn en verdriet zaken zijn die je eerst moet doorstaan voordat je krijgt wat je verdient? De meeste van mijn patiënten zijn nog niet eens volledig gevormd, en toch moeten zij meer lijden dan de meesten van ons in hun hele leven te verdragen krijgen. Zelfs met alles wat de techniek hun te bieden heeft, halen velen van hen het niet.' Hij zweeg en slikte moeizaam. 'De baby die we vanavond hebben geopereerd – eentje van zesentwintig weken – zal waarschijnlijk de dag van morgen niet halen.'

'Maar een heleboel anderen halen het wèl.'

'Voor welke prijs? Als ik dit kleine stukje mens op de operatietafel zie liggen, vraag ik me onwillekeurig af of er geen prijs is die echt te hoog is. Dan kom ik thuis om te ontdekken dat deze gezonde baby, deze baby op wie we al onze hoop hadden gevestigd, al onze dromen – we wisten zelfs op welke school we hem zouden inschrijven – alleen maar de zoveelste illusie is geweest.'

Hij liet zich met een diepe zucht tegen de spijlen van het hoofdeind zakken en pakte haar hand, spreidde haar vingers over zijn knie, waar het denim van zijn spijkerbroek tot lichter blauw was gesleten. Hij gleed met zijn duim over haar knokkels, drukte deze zacht in de zachte holten.

Ellie huiverde, ze voelde zich erg koud... Koud op een manier waar geen enkele hoeveelheid warmte en dekens ooit tegen opgewassen kon zijn. 'O Paul...'

Hij nam haar opnieuw in zijn armen en wiegde haar terwijl ze huilde. Zoals de geur van versgebakken brood altijd warme gevoelens aan thuis opriep, zelfs al was haar thuis niet zo warm geweest, zo maakte de geur van Paul – muskusachtig, oude-corduroyachtig, een vage zeepgeur – dat ze zich onmiddellijk, onvoorwaardelijk bemind voelde.

Ze herinnerde zich de eerste keer dat ze de liefde hadden bedreven, precies één maand na haar plotselinge onthulling op het plankier bij Coney Island; ze had zich na afloop aan hem vastgeklampt en had gehuild, terwijl haar laatste weerstand was weggesmolten. Zich openstellen voor Paul, opnieuw kwetsbaar worden, was geweest als het omdraaien van een sleutel, het ontsluiten van de kamer waarin haar emoties in een koelruimte hadden gelegen.

Met haar gezicht tegen Pauls hals fluisterde ze nu zacht: 'Hij woog zeven pond en drie ons.'

Zijn enige reactie was dat hij haar nog steviger tegen zich aan drukte.

Ze haalde zo diep adem als ze kon, nu hij haar bijna verpletterde, en ze zei: 'Paul, ik wil het blijven proberen. Ik wil niet dat het zó afloopt... niet dat wij het opgeven.'

Zijn armen verslapten zonder dat hij haar losliet. 'Ellie, ik geloof niet dat dit het juiste moment is om...'

'Ja, toch wel,' zei ze tegen hem met meer resoluutheid dan ze in uren had kunnen opbrengen. 'Want anders weet ik niet hoe ik het kan verdragen.'

'Gek is dat,' zei hij en hij maakte zich los. 'Ik zat net hetzelfde te denken, maar dan andersom. Als ik vond dat we hier nog mee door moesten gaan, weet ik niet of ik me nu nog zo goed zou kunnen houden.'

'O Paul, hoe kun je dat zeggen?'

'Ik kan er niets aan doen hoe ik me voel, Ellie.'

'Maar hoe dacht je dan dat ìk me voelde?' riep ze. 'Verdomme, Paul, we hebben het over iets dat effect zal hebben op de rest van ons leven!'

'Ellie, ik ben moe,' zei hij rustig. Hij keek haar even aan met zijn naakte, bloeddoorlopen ogen voor hij zijn bril weer van het nacht-kastje pakte. Alsof hij, door die op te zetten, op de een of andere manier een barrière tussen hen plaatste. 'Het komt niet alleen door vandaag. Het komt niet alleen doordat Christa van gedachten is veranderd. Ik ben gewoon... moe. Uitgeput. Er zit geen benzine meer in de tank.'

'Wat zeg je?' Ze hadden deze discussie eerder gevoerd, maar nu was het niet langer over wat er zou kùnnen gebeuren. Ze hadden een keerpunt bereikt en ze stonden voor een cruciale beslissing.

'Ik zeg dat als jij wilt blijven doorgaan met je pogingen tot adop-tie, je dat alleen zult moeten doen.' Het deed hem pijn om dit te zeggen, dat kon ze zien.

Ze staarde naar hem, naar het gezicht dat ze in het donker had kunnen identificeren – alleen al door de aanraking – aan de kleine rimpeltjes rond zijn ogen, die er een jaar geleden nog niet waren geweest, de trek van zijn mooie, scheve mond die tegenwoordig veel minder glimlachte. Het ging niet alleen om hen beiden; het ging er ook om dat Paul de leiding had over de neonatale intensive care-afdeling van Langdon – de kleine baby's die zelfs door zijn meest heroïsche inspanningen niet te redden waren, dat hij God moest spelen op een plek waar het een worsteling was om je men-selijkheid te bewaren. Het was niet dat Paul het zich niet aantrok. Hij trok het zich te véél aan.

Ellie zag dit alles in, en terwijl haar hart pijn deed om hem, terwijl ze duidelijk zijn kant van de zaak zag, leek dit alles er niet toe te doen. Ze had midden op een weg kunnen staan waar een zware vrachtwagen recht op haar af kwam, en als weghollen had betekend dat ze alle hoop op ooit een kind te zullen hebben daarmee moest opgeven, had ze het risico genomen dat de chauffeur haar op tijd zou ontdekken.

Het was zelfs alsof ze geen keus had. Zelfs een ijzeren wil – iets waarvan ze vaak werd beschuldigd die te bezitten – had niet kunnen voorkomen dat ze die nachtmerrie steeds weer opnieuw beleefde, en iedere baby die ze op straat of in de supermarkt zag, overstelpte haar met een ondraaglijk verlangen. Bethanne was inmiddels al volwassen geworden, zei ze dan tegen zichzelf. Ze probeerde zich haar dochter als jongedame voor te stellen, maar dat lukte niet. Voor Ellie was Bethanne – en dat zou ze altijd blijven – het prikken in haar ogen wanneer ze de zoete geur van babypoeder opving, of het vrolijke gekraai van een peuter hoorde, of een moeder zag die de hand van haar kind stevig vastpakte wanneer ze de straat overstak.

'Ik heb vannacht over haar gedroomd,' zei ze zacht. 'Ik heb haar zelfs gezien, Bethanne. Hèm ook. Ik zag mezelf achter hem aan hollen, maar toen ik dichtbij was, was hij weer een blok voor me uit. Toen raakte ik hem in de menigte kwijt.' Er kwamen tranen in haar ogen, maar ze knipperde ze weg. 'Ik heb je dit nooit verteld, maar soms, na die droom, voel ik m'n melk weer stromen.'

Hij streelde haar hand. 'Ellie.' Alleen maar haar naam, zacht als een liefkozing, maar veel droeviger, met al het verdriet van de wereld.

'Ik kan er niet mee stoppen,' zei ze tegen hem. 'Zelfs al zou ik dat willen. Ik moet het blijven proberen.'

'Je kunt Bethanne niet vervangen,' zei hij tegen haar.

'Dit gaat niet langer alleen om Bethanne,' zei ze ongeduldig. 'Paul, ik ben veertig. Ik heb niet veel tijd meer. Als ik nu ophoud…'

'Ben ik u niet meer waard dan tien zonen?' Zijn mond vertoonde even een afspiegeling van zijn oude, ironische glimlach.

'Eén Samuel één vers acht.' Omdat ze in Euphrates was opgegroeid, was de bijbel er altijd bij haar ingestampt, maar ze had nooit gedacht dat het lot van de arme, kinderloze Hanna nog eens het hare zou worden.

'Ik vind dit vreselijk,' zei hij met opeengeklemde kaken. 'Ik voel me alsof ik je vraag te kiezen, en ik weet dat het niet eerlijk is. Maar ik kan er niets aan doen, Ellie. Ik vraag me af of ik bij dit alles nog kom kijken – of ik niet gewoon een handige achtergrond ben voor dit drama van jou.'

Ze voelde hoe haar bloed ijskoud werd.

'Dat kùn je niet geloven,' antwoordde ze zacht. 'God, ik begrijp zelfs niet hoe je het kunt zèggen.'

'Wanneer was de laatste keer dat we de liefde hebben bedreven?' vroeg hij verhit. 'Met Christa hebben we de afgelopen maand zó in spanning gezeten, waren we zó bang dat ze van gedachten zou veranderen als we niet voortdurend bereikbaar waren, dat we nauwelijks ons huis durfden te verlaten voor iets anders dan naar ons werk te gaan. Ellie, we kunnen zelfs samen geen gesprek voeren zonder dat ik het gevoel heb dat jij met een half oor naar de telefoon zit te luisteren.'

Ellie voelde een golf van berouw... en ook van angst. Stel dat Paul zijn dreigement uitvoerde? Hoe zou het zijn om iedere morgen wakker te worden in een leeg bed... snel naar huis te gaan om hem te vertellen over een succes bij een patiënt, en hem daar niet aan te treffen... in de eenzaamheid van de nacht naar zijn aanraking te moeten verlangen?

Ik heb je nodig, Paul, wilde ze tegen hem zeggen. *Op honderdenéén manieren ben jij er voor mij... om me te troosten wanneer ik in de put zit, zelfs als jij niets anders kunt doen dan me een schouderklopje geven om me op te vrolijken... me raad te geven wanneer ik in twijfel verkeer, maar alleen als ik erom vraag... zelfs om kleine dingen te doen, zoals mij 's ochtends koffie te brengen en eraan te denken dat je je sokken binnenstebuiten keert wanneer het mijn dag is om de was te doen.*

Er bestond geen enkele twijfel over de intensiteit van haar band met Paul. Maar Ellie begreep nu ook hoe het voor sommige patiënten van haar moest zijn, voor hen die in de greep waren van een onuitsprekelijke obsessie. Werd ze net als een van hen, begon ze de greep op het leven te verliezen, zich van haar naaste omgeving te vervreemden?

Helemaal niet, adviseerde een kalme stem. *Wat jij wilt, is het natuurlijkste dat er bestaat. Dat wat bijna iedere vrouw wil.*

'Ik kan niet beloven dat het anders zal zijn,' zei ze tegen hem. 'Ik kan alleen maar zeggen dat het niet altijd zo zal gaan. Er zal een keer een eind aan komen.'

'Wanneer? Wannéér?' Al het verdriet dat ze voelde werd weerspiegeld in zijn ogen, en in de bijna pijnlijke druk van de vingers die in haar schouders groeven.

Het leek opeens allemaal heel duidelijk. Wanneer je al het andere wegliet, was het even simpel en puur als de tekening van een kind. *Heel elementair, mijn beste Watson*, dacht ze terwijl er een glimlach om haar lippen gleed. Waarom kon Paul het niet zien? Hoe perfect het allemaal zou zijn als ze gewoon nog even langer volhielden?

'Wanneer ik een baby heb,' zei ze.

4

Er waren geen ramen om vanaf de gang naar de baby's op de neonatale intensive care-afdeling te kijken.

Terwijl dokter Paul Nightingale, hoofd van de afdeling, door de zwaaideuren naar binnen liep, zegende hij in gedachten – en niet voor de eerste keer – de begrijpende ziel die deze afdeling één verdieping hoger had geplaatst dan de gewone baby-afdeling. Op dit moment had de afdeling de zorg voor vijftien te vroeg geboren baby's, die ieder een hele batterij apparatuur, technologie en medische expertise behoefden. Het leven van deze patiëntjes hing aan een zijden draad en de zorg voor hen woog zwaar bij de artsen en verpleegsters die hierbij betrokken waren. Voor de ouders was het allemaal nog zwaarder. Maar als ze op bezoek kwamen, werd hun in elk geval de ramen beneden bespaard met hun uitzicht op gezonde, voldragen baby's.

Paul liep naar de roestvrijstalen wasbakken rechts van de ingang. Het bord op de muur boven de automaat met ontsmettende zeep luidde: 'Alvorens uw baby te bezoeken, dient u alle sieraden te verwijderen en de handen tot aan de ellebogen gedurende twee minuten grondig te wassen.' Terwijl hij zich stond te wassen, ving hij over zijn schouder een glimp op van een van de moeders, Serena Blankenship, die bij couveuse nummer drie stond. Net als de zusters op deze afdeling zou zij geen juwelen af hebben hoeven doen; geen juwelen dragen was na drie weken routine voor haar geworden.

'Slechte nacht,' mompelde Martha Healey, en ze gebaarde met haar hoofd in de richting van Serena.

Martha stond bij het groepje bureaus aan de andere kant van de dikke rode streep die de vloer in twee secties verdeelde – niet-steriel en redelijk steriel. Iedereen die zich niet eerst grondig had gewassen mocht niet over die streep, die Martha en de andere verpleegsters even streng bewaakten als een grensovergang.

'Theo's bilirubine is gestegen,' voegde Martha er somber aan toe. 'Hij ziet er niet goed uit.'

'Is ze de hele nacht hier geweest?' vroeg Paul met een veelbetekenende blik in de richting van Serena.

Martha knikte. Ze was heel klein, bijna kinderlijk, met haar elfjesachtige korte, rossige haar, en ze leek eerder een padvindster die koekjes voor het goede doel verkocht; maar naar Pauls mening was ze de beste verpleegster van de afdeling. Ze had een hartstochtelijke toewijding jegens 'haar baby's' en ze was een verschrikking voor slordige assistenten. Voor junkie-moeders kon Martha nog minder begrip opbrengen. Ze begroette hen bij de ingang met vuur in haar groene ogen en een stem die door geen antivries tot smelten zou zijn te brengen, bereid om met gevaar voor eigen leven te zorgen dat de beperkende maatregelen die op de couveuse van hun baby waren aangeplakt, werden nageleefd.

'Ik heb geprobeerd haar over te halen om zich even wat rust te gunnen,' vertelde Martha hem. 'Of op zijn minst even in de vergaderkamer te gaan liggen. Maar ze wilde hier niet weg.'

Paul baande zich een weg door een wirwar van couveuses op tafels met wielen, elk vergezeld van een bijna angstaanjagende hoeveelheid computergestuurde instrumenten – monitoren voor de hartslag en de bloeddruk, beademingsapparatuur. Hij knikte naar de verpleegsters in felroze kleding die aantekeningen in dossiers maakten, medicijnen en voeding toedienden, luiers verschoonden en die wogen om de hoeveelheid geproduceerde urine te meten. Bij de couveuse van Theo Blankenship bleef hij staan om de gegevens van de zuurstoftoevoer op het computerscherm te bekijken. Vijftig procent – twee meer dan gisteren. Verdomme. Het was het oude dilemma. De onrijpe longetjes van Theo waren door de beademing beschadigd en dat zou alleen maar erger worden bij meer toevoer van zuurstof, maar als hij niet meer zuurstof kreeg, kon hij niet ademhalen.

'Het is slechter met hem, hè?' Het gesis van de beademingsapparatuur werd door een zachte stem onderbroken.

Paul keek in een paar bezorgde ogen in dezelfde kleur lichtblauw als van zijn verwassen ziekenhuiskleding. Toch was er niets dat ook maar enigszins op onstabiel gedrag wees. Allemachtig, die vrouw kon in de drie weken dat Theo er was, bij elkaar niet meer dan twaalf uur hebben geslapen, en ze was bovendien herstellende van een keizersnede. En dan ook nog eens geen man om haar te steunen. Ze had volledig in de vernieling moeten liggen.

Dat gold in elk geval voor hemzelf. Deze afgelopen weken, sinds het debacle met Christa, hadden Ellie en hij geprobeerd gewoon hun gang te gaan, te doen alsof er niets aan de hand was, er niet over te praten, gewoon omdat er niets meer te zeggen viel. Maar Paul had het gevoel dat als hij te diep inademde, hij zou ontdekken dat er geen zuurstof meer in de atmosfeer over was. Het was een beetje als de deur afgrendelen tegen een cycloon. Te weinig en te laat. Waar moet je naartoe wanneer er geen ruimte meer is voor een compromis? Wat doe je wanneer je zoveel van je vrouw houdt dat je zo ongeveer alles voor haar zou willen doen – alles, behalve het doodvonnis van je eigen huwelijk tekenen?

Kon hij Ellie maar op de een of andere manier overhalen ermee te stoppen. Haar in zekere zin te redden. In Pauls gedachten ontstond een onwaarschijnlijk beeld van zijn vrouw die gevangenzat in een toren, waarbij hij in prins Valiant-uitmonstering ertegenop klom om haar met gevaar voor eigen lijf en leden te bevrijden. Zijn mond krulde zich tot een vreugdeloze glimlach. Iemand als Ellie liet zich niet zo gauw redden. Ze zou hem vanaf de borstwering uitlachen.

Maar de gedachte bleef hem bij – het was een overblijfsel uit zijn studentendagen als vredesactivist, toen ze op de campus betogingen hadden gehouden en oproepkaarten hadden verbrand, een tijd waarin hij met alle hartstocht van zijn studentenhart had geloofd dat de oorlog in Vietnam kon worden beëindigd als ze allemaal maar hard genoeg schreeuwden – dat deze zaak, deze obsèssie van zijn vrouw, de draak van zijn waanzinnige sprookje was. Als hij die kon verslaan, zou Ellie bevrijd zijn uit de betovering.

Hij werd zich ervan bewust dat Serena hem aanstaarde, en beleefd op zijn antwoord wachtte. Hij keek haar onderzoekend aan en zag haar voor de eerste keer niet als moeder maar als vrouw. Ze was knap, maar op een manier die hem niet opviel. Met haar gelijkmatige gelaatstrekken en vriendelijke ronde kin had ze een van de duizend vrouwen kunnen zijn die hem in de loop der jaren glimlachend over een balie of een toonbank hadden aangekeken, om hem te helpen een formulier in te vullen, een cheque te verzilveren, of een verzekering af te sluiten. Haar honingkleurige pagekapsel zag eruit alsof ze het elke avond braaf honderd slagen borstelde. Ze droeg een eenvoudige beige jurk met schoenen met lage hakken, en haar enige sieraden waren de kleine gouden knoppen in haar oren. Hij kon zich voorstellen hoe ze exact dezelfde outfit zou dragen om een ouderavond bij te wonen of de klas van haar zoon te begeleiden op een uitstapje naar het Museum of Modern Art. Maar als Theo het niet haalde, zouden er geen ouderavonden of schoolreisjes zijn.

Paul bekeek Theo's kaart: IMV 60; bloeddruk 20/5; bilirubine tot 8; urineproductie bijna 7 cc per uur. Hij bekeek het nietige mensje dat bijna te klein was om als mens te worden beschouwd, en nog minder om de logge naam Theodore Haley Blankenship te dragen. De baby was nog steeds geel, zijn huid had de kleur van slappe groene thee en was opgezet en geïrriteerd rond zijn navel, waar een slangetje zijn navelstreng inging. De aantekening op Theo's kaart, die was achtergelaten door Amy Shapiro, de inwonende arts die afgelopen nacht dienst had gehad, was al evenmin bemoedigend: 'Ziekenhuis dag 14 voor deze 700 gram wegende 26e weeks prematuur met ernstige BPD en 2 episodes van oligurie in de afgelopen 10 tot 12 dagen, nu op beademing met druk 20/5, zuurstof op 50 %.' Paul voelde een steek in zijn binnenste. Meestal slaagde hij erin enige emotionele afstand tot zijn patiënten te bewaren, maar deze baby was anders. Er was iets in die ogen, die hem als kleine blauwe bakens leken aan te trekken. Of misschien was het Serena, die dag in dag uit kwam, zelfs al kon ze niets anders doen dan foto's met de voorkant naar binnen, tegen de plexiglazen zijkant van Theo's couveuse plakken – kiekjes van grootouders, van haar huis in Roslyn met de weelderige bloementuin, en een vriendelijk uitziende golden retriever, en zelfs een van haar ex-man, die voorzover Paul wist niet één keer op bezoek was geweest.

'Het ziet er niet goed uit,' gaf hij toe. Hij keek haar aan en zag haar stille, ongeruste blik. 'Laten we even naar buiten lopen, zodat we kunnen praten.'

Ze liep achter hem aan de gang in, de hal door, naar een vergaderkamer die meestal werd gebruikt als plek waar uitgeputte assistenten en ouders even een uiltje konden knappen. Een misplaatste optimist had de ruimte ooit in paaseierenkleuren ingericht – lichtgele muren, Scandinavische tafel en stoelen, een lage bank met een blauwgroen gestreepte bekleding die vlekken vertoonde van koffie die door bevende handen was gemorst. Op dit moment stond er een ongebruikte couveuse tegen een muur geschoven en in de hoek een metalen dossierkast met een doos met plastic slangen erbovenop.

Paul zag hoe Serena op de bank ging zitten met haar benen keurig bij de enkels over elkaar geslagen. Het enige teken van haar gespannenheid was de kaarsrechte houding van haar rug. Bij het felle schijnsel van de ingebouwde lampen zag hij de blauwe kringen onder haar ogen en hij dacht aan Ellie. Ze zag er tegenwoordig verslagen, bijna beróófd uit. En ja, ze waren in zekere zin ook beroofd. God, dacht ze ook maar voor één moment dat hij die baby niet ook had gewild?

Misschien was dat het wat Theo zo bijzonder maakte. Net zoals Christa's baby voor Paul het breekpunt was geweest, zo was het baby'tje in de kamer naast deze Serena's laatste hoop. Ze had Paul onlangs toevertrouwd dat haar zwangerschap een wonder was geweest – na jaren van onvruchtbaarheid, het gelukkige resultaat van IVF, waarvan Paul uit eigen ervaring wist dat dat op zijn gunstigst maar dertig procent kans op succes had. Hij vroeg zich af of al dat heen en weer hollen naar specialisten, al dat onderzoek, de hormoonbehandelingen, de operatieve ingrepen, daarna het wachten, het eindeloze wachten op de resultaten van de zwangerschapstests die steeds weer negatief waren – of dat alles had bijgedragen aan het vertrek van Serena's echtgenoot.

'Hij ziet er vreselijk uit,' zei ze met een stem die een toon hoger klonk dan anders. 'Wees eerlijk – hoeveel kans heeft hij?'

Paul overwoog zijn benadering heel behoedzaam. Hij wilde heel duidelijk en direct zijn... maar niet grof. 'Theo gaat achteruit,' zei hij voorzichtig tegen haar. 'Zijn longen zijn gewoon nog niet rijp genoeg. Hij is ook verzwakt door de operatie. Zelfs nu de ductus gesloten is, kan zijn hart het niet bijhouden en dat maakt dat zijn nieren het laten afweten.'

Ze verstijfde. 'Hebben we het over DNR?' In de afgelopen weken was Serena bijna even bedreven geraakt in de terminologie als het medische personeel zelf.

Codes waren veel gemakkelijker dan de woorden zelf: *Do Not Resuscitate* – niet reanimeren. De realiteit – erbij staan en alleen maar toezien hoe een doorschijnende huid blauw werd, een klein kloppend borstje stil werd – was nog erger. In dit geval vond hij de gedachte daaraan zelfs heel schokkend.

Paul probeerde geen acht te slaan op de troebele gedachten die hem hadden gekweld vanaf het moment dat Theo hier was binnengebracht – de gedachten dat Theo op dezelfde dag was geboren als Christa's baby. Als een teken uit de hemel. Het ontbrak er nog maar aan dat de stem van Charlton Heston, via een luidspreker, hem beval dit kleine, zieke wezentje te redden in plaats van vader te worden van zijn eigen kind.

Allemachtig, wat begon hij een sentimentele zeurkous te worden.

Toch zei hij snel: 'Ik vind dat op dit moment nog niet aan de orde. Ik wil liever nog een paar dagen afwachten. En daarna misschien overgaan op Protocol Eén. Dat is...'

'Ik weet het,' viel ze hem in de rede. 'Hem wel aan de beademing laten, maar geen CPR, geen medicijnen.' Er verschenen rode vlekken op Serena's bleke wangen. 'U vraagt me erover na te denken, dokter Nightingale. Om u de waarheid te zeggen heb ik de afgelopen drie dagen over niets anders nagedacht. Ik denk niet dat ik zou kunnen slapen als ik dat probeerde.'

'Maar u zou echt wat moeten slapen,' waarschuwde hij. 'Ik kan iets voorschrijven als u dat wilt.'

Serena schudde haar hoofd. 'Nee, ik wil wakker blijven voor het geval dat...' Ze zweeg en het lichte blauw van haar ogen loste op in het geschitter van tranen. Hij kon zien hoe hevig ze worstelde om haar zelfbeheersing te bewaren en hij werd erdoor geroerd. Ten slotte vroeg ze, met verstikte stem: 'Is er nog iets anders dat u voor hem kunt doen, wat dan ook?'

Ze vroeg hem om een sprankje hoop, hoe klein ook. Maar hoop was een pijnstiller waarvan ze op deze afdeling niet veel voorradig hadden. Paul kon niet meer doen dan zich naar voren buigen en haar handen in de zijne nemen, waarbij hij probeerde haar ijskoude vingers aan de zijne te warmen.

'Het enige dat ik u kan zeggen, is dat ik eerder voor verrassingen heb gestaan,' antwoordde hij, heel voorzichtig, om zijn woorden niet meer gewicht mee te geven dan ze waard waren. 'Baby's die door het hele personeel al zijn opgegeven, blijken het soms toch te halen. Het gebeurt niet vaak... maar het gebeurt.'

'Wilt u zeggen dat Theo het op eigen kracht zou kunnen redden?'

'Alles is mogelijk.'

Ze fronste, trok haar handen weg en vouwde ze in haar schoot. 'Waarom zegt u het niet gewoon? Dat Theo het echt niet haalt.'

Serena werd overweldigd door haar verdriet en ze liet zich opzijzakken en begroef haar gezicht in de holte van haar elleboog. Haar schouders schokten en ze snikte zó wanhopig dat Paul ineenkromp. Toen ze ten slotte haar hoofd optilde, had hij de grootste moeite om niet verschrikt terug te deinzen voor het naakte, verwoeste gezicht van haar verdriet.

'Naar mijn beroepsmatige mening,' zei hij zo behoedzaam als hij maar kon, 'is het niet erg waarschijnlijk dat Theo nog zal herstellen.'

'Dan wil ik dat hij DNR wordt verklaard,' zei ze met verstikte stem. 'Ik wil niet dat hij moet lijden. Hij is zo dapper geweest.' Ze slaakte een gesmoorde snik, maar op de een of andere manier wist ze verder te gaan. 'Er is nog één ding dat we voor hem kunnen doen – een eind maken aan zijn lijden. Ik wil dat hij dat krijgt.'

Er kwam Paul een beeld voor de geest: dokter Merriweather, zijn bejaarde, pijprokende hoogleraar fysieke diagnose op Cornell. 'Waar zijn de mensen het bangst voor?' had Merriweather de collegezaal met negentig enthousiaste studenten geneeskunde gevraagd. 'Is het de dood, denken jullie?' Er was een woud van handen opgestoken. Maar de oude deugniet had slechts gegrinnikt en gezegd: 'Jullie moeten nog veel leren, mijn jonge vrienden.'

In de loop van zijn jaren als co-assistent en inwonend arts en specialist was Paul gaan begrijpen wat Merriweather had bedoeld. De dood was niet de boeman, het was het lijden. Wanneer de pijn te veel werd, kon het vooruitzicht van de dood even welkom zijn als een auto die stopt in de berm van een eindeloze stoffige weg en een vriendelijke hand die je aan boord wenkt.

Alle beroepsmatige instincten in Paul drongen er bij hem op aan haar te steunen in wat de moeilijkste beslissing van haar leven moest zijn. Maar er zoemde iets in de hoek van zijn geest – iets dat even klein en mogelijk onbelangrijk was als een vlieg die tegen een vensterruit tikte – dat hem vertelde dat hij het niet moest opgeven. Nu nog niet.

'Ik zou het nog graag één dag willen aanzien,' zei hij tegen haar. 'Als er geen verbetering is, zullen we er morgen weer over praten.' Hij kon zien dat ze aarzelde, dat ze hem tegen beter weten in wilde vertrouwen. Was dat hetzelfde wat hij met Ellie deed? Hopen dat ze tot inkeer zou komen terwijl hij wist dat die kans even groot was als dat Theo het zou halen?

'Goed.' Serena zuchtte en ze veegde haar ogen af met het papieren zakdoekje dat hij haar aanbood.

'In die tussentijd wil ik graag dat u wat rust neemt.' Hij stak een hand op om haar protesten af te weren. 'Al is het maar voor een paar uur. Ik zal een van de zusters u laten wekken als er een verandering mocht zijn.'

Toen Paul wegliep, voelde hij zich meer bekommerd dan in jaren het geval was geweest. Hij had er altijd voor gewaakt zich niet emotioneel in te laten met wat voor zijn patiënten het beste was. Hij was zich altijd bewust van de smalle marge tussen het voeren van een strijd met een redelijke kans op succes, en een zinloos gevecht. Was hij nu alle perspectief kwijtgeraakt? Beging hij de onvergeeflijke zonde zijn beroepsmatige beslissingen te laten beïnvloeden door zijn privé-leven?

Terug op de afdeling scheen Theo, die vanaf de schaapsvacht die een lichaam zonder enig vet moest beschermen, verwijtend naar hem op te kijken. Paul peuterde voorzichtig het verband van de borst en luisterde met een stethoscoop van speelgoedformaat naar het hartje dat hij had helpen te repareren. *Luister goed, kereltje, ik wil een deal met je maken. Laat me zien dat je het kunt. Nog één cc urine, en ik beloof je dat ik je niet op zal geven.*

Paul was bezig met het onderzoek van baby Melendez, die na negenentwintig weken verslaafd aan methadon ter wereld was gekomen, toen hij de ping van een hartalarm hoorde. Hij negeerde het. Er gingen hier voortdurend alarmen af en meestal was het slechts een zaak van een geroutineerde tik tegen de monitor of de baby. Vanuit zijn ooghoek zag hij Martha haastig naar Theo's couveuse lopen. Maar ondanks al haar bedrijvigheid bleef de lijn op zijn hartmonitor vlak. Theo had een hartstilstand.

Allemachtig.
'Reanimeren?' vroeg Martha met een gespannen blik in zijn richting.
Paul schoot naar haar toe en controleerde of de beademing het nog deed. Die deed het. 'Laten we even controleren of de buis er nog in zit.' Hij trok de buis naar buiten en gebruikte een laryngoscoop en stilet om een nieuwe plastic buis in te brengen. Hij schakelde over op handbediende beademing die hem een hogere druk zou geven en hij luisterde naar geluiden die op een ademhaling wezen. Niets. 'Vul een injectiespuit met epinefrine,' beval hij. 'En pak die röntgen eens. Ik wil ook een bloedgasbepaling. Hier, ga jij beademen,' zei hij tegen de zuster die naar hen toe was gekomen, een zwaargebouwde Jamaicaanse met grote, bekwaam uitziende handen.
Voorzichtig maar snel verwijderde Paul verband en pleisters en legde zijn handen rond de lilliputachtige borst met het rafelige rode litteken; zijn vingers pasten er royaal omheen. Hij begon ritmisch met zijn duimen te drukken. Heel voorzichtig. Hij telde de compressies met zijn ogen op de monitor, waar hij de golven van activiteit die hij opwekte kon zien.
He's got the whole world in his hands. Paul hoorde in gedachten de woorden van de spiritual en op dit moment leek het of het volledige heelal inderdaad in zijn handen rustte. Het enige dat telde was dit – het flinterdunne kraakbeen onder zijn vingers, het ritme dat hij binnensmonds telde, de kunstmatig golvende rode streep op de monitor.
Na een paar minuten stopte hij en wachtte vijf seconden. Doe het dan, verdomme, ik kan hier niet eeuwig mee door blijven gaan.
Maar de streep werd weer plat. Het kleine borstje, waarop hij de rode afdrukken van zijn duimen kon zien, bewoog niet meer.
Hij begon weer te drukken, met honderdtwintig compressies per minuut. *Toe dan, toe dan.*
Zijn duimen begonnen pijn te doen en werden daarna gevoelloos. Hij voelde een druppel zweet over zijn slaap lopen. Weer een pauze. Geen activiteit. Shit.
'Wilt u misschien dat ik het overneem, dokter?' vroeg Martha. Haar toon liet doorschemeren dat ze vond dat hij het helemaal moest opgeven.
Hij negeerde de vraag. 'Geef me nog een tiende cc epi,' snauwde hij.
Hij was zich ervan bewust dat Martha en de andere verpleegster een blik wisselden toen Martha de epinefrine in Theo's luchtpijp druppelde, en hij vroeg zich ergens in een hoekje van zijn geest af of hij de uiterste grenzen van het medisch kunnen niet had over-

schreden en nu voor God wilde spelen. Zelfs Jordan Blume, de kinderarts in opleiding, die nu over Pauls schouder gluurde, schudde zijn hoofd en leek te zeggen: 'Genoeg is genoeg. Laat dat kind gaan.'

Paul had het hun niet uit kunnen leggen – zoals Ellie, vermoedde hij, hem evenmin ooit werkelijk haar vurige verlangen om door te gaan met het zoeken naar een baby zou kunnen uitleggen. Dit was domweg iets dat hij móest doen.

Maar als er binnen een minuut geen activiteit werd vertoond, zou hij de behandeling moeten staken. Wat zijn gevoelens ook mochten zijn, Paul kon Theo niet aan zo'n zinloze, lugubere poging blootstellen.

Nú. Hij hield zijn duimen stil. *Klop dan, verdomme, klop dan.* Niets.

Zijn gedachten gingen razendsnel. Had hij iets over het hoofd gezien? Was er iets anders dat hij kon doen? Iets dat misschien de directe aanleiding tot deze hartstilstand was geweest in plaats van alleen maar een algeheel falen van Theo's lichaamsfuncties?

'Het zou een pneumothorax kunnen zijn,' opperde hij hardop.

In een wanhopige laatste krachtsinspanning schreeuwde hij: 'Doe de lampen uit en geef me de transilluminator.' Toen hij het roestvrijstalen apparaat tegen Theo's borst hield, zag hij het, een oplichtende rode plek waar de zuurstof was blijven steken. Hij greep de angiocatheter en bracht de naald in. Binnen enkele seconden was de dodelijke hoeveelheid lucht tussen de wand van de borstkas en de long verdwenen.

Hij was zich er niet van bewust dat hij zijn adem inhield, tot hij zag hoe Theo's hart even schokte en de rode streep op de monitor uit zichzelf pieken begon te vertonen. Toen slaakte hij zo'n diepe zucht dat hij er bijna duizelig van werd.

Martha slaakte een juichkreet, maar ze werd onmiddellijk tot de orde geroepen door het grauwe, sombere gezicht van Jordan Blume. 'We bewijzen hem hier geen dienst mee,' mompelde de jonge assistent. 'Hij gaat toch dood.'

'Misschien,' zei Paul toen hij weer iets kon uitbrengen. 'Laten we Theo een kans geven om dat zelf uit te maken.'

Hij herinnerde zich zijn belofte aan Serena, maar hij vond het nog niet nodig haar wakker te maken. Voor dit moment was de crisis voorbij. Na zijn ronde zou hij met haar praten.

Een uur later trof Paul haar in slaap aan op de bank in de vergaderkamer, met haar ene arm beschermend om een sierkussen heen geslagen, alsof ze in haar dromen haar baby in haar armen hield. Hij kreeg een prop in zijn keel en hij voelde zich er angstaanjagend dicht aan toe zelf in elkaar te zakken. Een vertraagde reactie, dacht hij. Hij had zichzelf niet toegestaan ook maar één keer bedroefd te zijn sinds het huilerige telefoontje van Christa, die was thuisgekomen uit het ziekenhuis en bevestigde dat ze haar baby wilde houden. Misschien was hij bang geweest dat Ellie enig teken van verdriet van zijn kant zou beschouwen als bewijs van het feit dat dit bij hem even diep ging als bij haar.

Serena werd verschrikt wakker zodra hij zijn hand op haar schouder legde. Ze ging rechtop zitten en keek hem zowel verschrikt als beschaamd aan, als een schildwacht die slapend op zijn post werd betrapt. Ze haalde haar vingers door haar haar en zei hees: 'Theo?'

'Hij heeft een crisis gehad,' zei Paul rustig. 'Ongeveer een uur geleden. Er was geen tijd om jou te waarschuwen. Hij had een hartstilstand, maar we zijn erin geslaagd hem te reanimeren. Op dit moment is hij stabiel.'

'O God.' Ze hield een hand boven haar ogen, alsof ze die wilde beschermen tegen een licht dat opeens te fel was geworden. Maar toen ze naar hem opkeek, scheen het licht uit haar binnenste te komen. 'Morgen,' zei ze en ze keek hem aan met haar felle, gekwelde blik. 'Als hij er dan nog net zo of nog slechter aan toe is, wil ik dat het voor hem voorbij is. Ik weiger hem nog langer zo te laten lijden.'

Opeens zag Paul zichzelf als kind van tien. Zoals hij met zijn broertje op het grasveld had geworsteld en toen had gezien hoe de achtjarige Billy op het gazon in elkaar zakte terwijl hij hijgend naar zijn maag greep. 'Billy, jij kleine snoeperd!' had hij geschreeuwd. 'Ik had nog zó gezegd dat je niet de hele doos mocht leegeten!' Maar toen had Paul beseft dat er iets ernstigers aan de hand was dan Billy die misselijk werd van het snoepen van te veel chocoladerozijnen. Toen Paul omlaag had gekeken in het verkrampte, bleke gezicht van zijn broer en hij om hun moeder had geschreeuwd, had hij een schaduw over zich heen voelen glijden, net als die welke over het gras aan zijn voeten voortgleed. Hij had op dat moment het gevoel niet onder woorden kunnen brengen, maar hij herinnerde het zich een jaar later, toen Billy aan leukemie stierf.

Alleen leek het gevoel hem nu toe te fluisteren: *Wacht nog even*.

'Morgen,' beloofde hij.

'Ze heeft er een jaar voor nodig gehad om dit bij elkaar te brengen,' vertelde Georgina hun en ze boog zich zó dicht naar hen toe dat de natte rand van haar glas langs Pauls arm streek. Haar levendige blauwe ogen keken Paul aan vanuit een gezicht met een netwerk van dunne rimpeltjes. 'Ze is heel Europa doorgereisd, heeft met

95

haar Nikon allerlei achterafplaatsjes bezocht. Heb je ooit zoiets gezien?'

Paul niet. En als Ellies vriendin hen niet onder druk had gezet om de fototentoonstelling van haar nichtje te komen bekijken, had hij er ook weinig behoefte aan gehad. Maar de tentoonstelling, op een zolder op Twenty-fifth en Sixth, was op loopafstand van hun appartement, en Ellie had hem uitgelegd dat ze Georgina er een plezier mee zouden doen. Niet dat hij de tentoonstelling niet interessant en vernieuwend vond – alle knappe foto's van etalagepoppen in steeds wisselende vermomming en omgeving. Het probleem was dat Paul zó moe en verslagen was dat hij, als hij tegen een van de balken van de zolder had kunnen leunen, in slaap zou zijn gevallen binnen de tijd dat je een foto kon maken.

Hij keek om zich heen naar de menigte van zestig of meer mensen – van wie hij de meesten niet kende – die heen en weer liep tussen de voetstukken van verschillende hoogte, waarop gestyleerde etalagepoppen stonden opgesteld. Georgina liep te kraaien over hoe geniaal het was geweest om de eigenaar van deze showroom van etalagepoppen over te halen de ruimte aan haar nichtje uit te lenen, zelfs al had dit lang niet chique adres sommige mensen weg doen blijven.

'Ik vind die van Harrods heel leuk,' zei Ellie. 'Die doet me echt aan Londen denken.'

'Inderdaad.' Georgina schoof een pluk haar die uit haar lange, zilveren vlecht was losgeraakt, achter haar oor. 'Weet je dat Alice zo ongeveer een bobby heeft omgekocht om haar midden in het verkeer te laten staan om die opname te maken? Haar man kreeg bijna een hartaanval toen hij het hoorde. Het was hun huwelijksreis, weet je.' Ze grinnikte en nam een slokje uit haar glas.

Georgina droeg een van haar onvermijdelijke kaftans, deze keer van gouden zijde met een batikpatroon dat hem aan prehistorische rotsschilderingen deed denken. Haar oorlellen werden uitgerekt door zware, indiaans uitziende oorbellen, en de oranjegele ketting om haar hals zag eruit alsof hij genoeg woog om haar eronder te laten bezwijken. Maar Paul wist dat schijn kon bedriegen. Vorige zomer nog had Georgina ter ere van haar tachtigste verjaardag een trektocht door de Himalaya gemaakt.

'Dat doet me aan ónze huwelijksreis denken,' herinnerde Ellie zich en ze keek Paul met een droevig glimlachje aan. 'Weet je nog die taxichauffeur op weg naar het Louvre – die een soort race met zijn vriend hield?'

'Ik weet nog goed hoe jij hem in heel slecht Frans vertelde dat hij daarmee op moest houden,' zei Paul.

'Hij had nog geluk dat ik hem dat niet in het Engels vertelde.'

Terwijl Paul naar Ellie keek, vroeg hij zich af of ze enig idee had hoe mooi ze was. In haar strakzittende chocoladekleurige pakje met een zijden blouse in de tint van koffie met melk, had ze er misschien beroepsmatig chic uit kunnen zien, maar haar ware schoonheid schitterde door dit alles heen.

Ondanks alles wat er in deze afgelopen weken tussen hen was gekomen, begeerde hij haar opeens wanhopig. Hij voelde zich als een tiener bij zijn eerste afspraakje, vol wellustig verlangen naar iets dat onbereikbaar was. Begeerde zij hem ook? Ze hadden elkaar al bijna een maand lang niet eens gekust... maar vanavond leek ze weer zichzelf te zijn, ze was ontspannen en zelfs wat flirterig. God, hij had er op dit moment alles voor over gehad om nu thuis met haar in bed te liggen.

'O, dat brengt me iets anders in gedachten,' riep Georgina en ze greep Ellies pols stevig vast. 'Het symposium in Luzern is volgende maand, ga jij dan mee? Zeg alsjeblieft dat je het doet. Ik had het met Henry over je aids-groep. Hij vindt het een geweldig onderwerp.'

Ellie aarzelde. 'Kan ik je dat later in de week laten horen?' zei ze ontwijkend. 'Mijn agenda is op dit moment vreselijk vol, maar ik zal eens zien wat ik kan doen.'

'Dat is een uitvlucht, en dat weet je zelf ook,' zei Georgina en Ellie keek even heel beteuterd, alsof ze op haar nummer was gezet. Ze ontspande zich een beetje toen de oude dame op verwijtende toon zei: 'Hoe lang is het geleden dat een van jullie vrij heeft genomen? Dit zou een perfecte gelegenheid zijn om na afloop weg te glippen naar een of ander afgelegen pension in de Alpen.'

'Ik zou op dit moment zelfs geen nee zeggen tegen een Holiday Inn in Secaucus,' grapte Paul. Maar aan de blik die Ellie hem toewierp, kon hij zien dat ze zich niet voor de gek liet houden.

Hij vertoonde echter een stralende glimlach – en hij geloofde misschien zelf dat het mogelijk was dat ze de resten van hun leven bijeen zochten om verder te gaan – en ze zei: 'Dat klinkt geweldig. Ik zal het ècht proberen, Georgie.'

'Mooi zo. Ga nu maar gauw verder, kijk voor alle beleefdheid even rond en daarna ben je vrij om te gaan,' kwetterde de oude dame. 'Jullie hebben je plicht gedaan door hier te komen, en dat is alles wat mijn nichtje voor haar eerste tentoonstelling kan verwachten – genoeg aanwezigen om van publiek te kunnen spreken.'

'Was het zó duidelijk?' mompelde Paul toen ze zich een weg baanden tussen de lichamen door die zich rond elk tentoongesteld voorwerp verdrongen. 'Ik voel me alsof ik een maand lang zou kunnen slapen, maar ik zou het een vervelend idee vinden als ik rondliep met een gezicht als deze bink hier.' Hij knikte naar de verveeld uitziende mannelijke etalagepop naast zijn elleboog.

Ellie deed een stap achteruit en nam hem op met ogen die de eerste oprechte schittering vertoonden die hij in weken had gezien. 'Je ziet er ouderwets chic uit. Vooral met die knoop die aan je jasje ontbreekt. Heel gedistingeerd.'

'Ik heb geen tijd gehad om 'm eraan te naaien,' zei hij terwijl hij omlaag keek naar het geruite sportjasje met de vertederde blik die hij voor zijn alleroudste kleren bewaarde.

Ze raakte de plek aan waar de knoop ontbrak en ze glimlachte naar hem. 'Wat dacht je ervan als je me in plaats daarvan iets te eten aanbood in het chicste restaurant van de buurt?'

Paul worstelde om zijn begeerte op afstand te houden. Het was net als vroeger, met Ellie die flirtte en hij die daarvoor viel. Zelfs de vermoeide rimpels rond haar mond leken minder te zijn geworden. En ze had met geen woord over adoptie gerept, niet sinds de nacht dat ze erover hadden gekibbeld. Was het mogelijk dat ze er misschien toch wat anders over was gaan denken? Of hield hij zichzelf voor de gek?

Hij pakte haar bij de arm en wierp haar zijn meest sexy Jean-Paul Belmondo-glimlach toe. 'Ik dacht al dat je het nooit zou vragen.' Had ze aangevoeld hoezeer hij haar begeerde… voldoende om het eten over te slaan en haar nu meteen mee naar huis te nemen? Misschien, maar hij wist dat hij het kalm aan moest doen, haar het gevoel moest geven dat ze echt werd verleid.

Bij de Ballroom, twee straten verderop, stopten ze zich vol met tapas en werden dronken van sangria terwijl ze naar een flamenco-gitaar luisterden. Paul vergat hoe moe hij was en hij slaagde er zelfs in niet te veel aan Theo te denken. Hij stond zichzelf toe zich gelukkig te voelen, zelfs terwijl hij wist dat de dag van morgen waarschijnlijk meer zou opleveren dan een kater en de post van vrijdag.

De stemming duurde voort toen ze te voet naar huis gingen, met de armen gezellig om elkaars middel geslagen – tot een plotselinge wolkbreuk hen het laatste stuk op een draf naar hun ouderwetse appartementengebouw deed hollen.

'O verdorie, nu worden mijn nieuwe schoenen helemaal lelijk!' riep Ellie uit, terwijl ze vol ontzetting neerkeek op haar suède pumps.

Paul hoefde geen moment na te denken. Hij ontwaarde de plas op het trottoir, vlak voor hen, en hij nam haar met één zwaai in zijn armen. Ze slaakte een kreet, half van verrukking en half waarschuwend – ze was tenslotte geen breekbaar poppetje – en sloeg toen haar armen om zijn nek en begroef haar gezicht tegen zijn schouder.

Paul verwenste zichzelf weliswaar omdat hij niet meer gebruik had gemaakt van de mogelijkheden die zijn YMCA-lidmaatschap hem bood, maar hij ging toch helemaal op in de overdreven heldhaftigheid van deze daad. Hij wist dat het dwaas was, maar verdraaid, het voelde echt gewèldig. Het was heerlijk om Ellie in zijn armen te hebben, te voelen hoe haar lichaamswarmte door hun natte kleren naar hem uitstraalde. God, zou ze voelen hoe hij haar begeerde?

'Je bent gek, weet je dat wel?' Ze lachte ademloos toen hij haar op hun stoep neerzette. 'Je had wel door je rug kunnen gaan.'

'Nou, dàt zou echt jammer zijn geweest... als je bedenkt wat ik in gedachten heb,' plaagde hij haar ondeugend.

'En wat zou dat wel kunnen zijn?' Er speelde een glimlach om haar lippen.

Zodra ze binnen waren, schopte ze haar schoenen uit en schudde lachend haar hoofd heen en weer, zodat haar natte haar hem met koude druppels bespatte. Toen Paul haar in zijn armen nam en kuste, proefde hij haar lipstick en kruiden... en nog iets anders, een zoete overgave die hem de adem benam.

Hij prutste met de knopen van haar jas en hij voelde zich net als die eerste keer dat hij een meisje op de stoep had gekust – Jean Woollery uit Holy Cross, die zó opgewonden was geweest dat ze de kauwgum die ze in haar mond had gehad, per ongeluk op de rug van het jasje van zijn goede pak had geplakt. Maar nu, bij Ellie, voelde hij zich niet als een schooljongen met een stijve. Tegelijk met de vochtige warmte die hun natte kleren verspreidden, werd hij overweldigd door emoties – hij dacht aan die keer dat ze de liefde hadden bedreven in de krappe wc van een 747 op weg naar Orly; aan hoe hij 's nachts om twee uur de keuken was binnengewankeld en daar Ellie had aangetroffen, poedelnaakt, bezig een perzik te eten, waarbij haar borsten kleverig waren van het sap dat van haar kin droop; aan die keer dat ze vorige winter tijdens een sneeuwstorm hand in hand door het raam van hun woonkamer naar buiten hadden zitten kijken, om te zien hoe de straat beneden in een glazen sneeuwbol veranderde.

Ellie wurmde zich lachend uit haar kleren en wierp die in een drijfnatte hoop op de vloer. Toen hij haar zo aan stond te kijken, naakt op haar parelketting na, met water dat langs haar hals en borsten omlaag droop, begeerde hij haar meer dan ooit. Meer dan hij kenbaar kon maken.

Hij bukte zich om de regendruppel die als een klein juweel aan een tepel hing, op te likken. Ze beefde, en van dichtbij kon hij zien dat ze kippenvel had. Heel zachtjes raakte ze de bovenkant van zijn hoofd aan. *Ja*, scheen de lichte druk van haar vingertoppen te zeggen toen hij cirkels met zijn tong maakte. *Op die manier. Net als vroeger...*

Voordat ze zó verwikkeld waren geraakt in het jagen op windmolens, dat ze uit het zicht hadden verloren wat hen in eerste instantie naar een gezin had doen verlangen. Voor ze de dagen tot halverwege haar cyclus waren gaan tellen. Voor ze een antwoordapparaat hadden dat zelfs met de luidspreker op zijn zachtst afgesteld, haar onder hem deed verstrakken. Voor ze vergaten dit te doen... te spélen.

'Hier?' Ze trok een wenkbrauw op toen hij haar naar het midden van de woonkamer trok, voor de Stickley-bank, waarop nu zijn eigen kleren lagen, haastig over de rugleuning gesmeten.

'Te koud?' vroeg hij en hij kuste eerst het ene ooglid en toen het andere.

'Mmm. Nu niet meer.' Ze sloeg zich om hem heen, alsof ze alle openingen waar de koude lucht doorheen kon komen, wilde afsluiten.

Hij ving hun gebroken weerkaatsing op in het glazen tafelblad van de salontafel terwijl hij haar op het tapijt liet zakken. Zoals ze daar op haar rug lag, met haar natte haar wijd rond haar hoofd uitgespreid, met het licht van de lamp in de hal dat haar gezicht half in de schaduw liet, geloofde Paul bijna, bíjna, dat ze het voor elkaar konden krijgen, dat ze de brokstukken weer konden lijmen.

Hij nam haar eerder dan hij van plan was geweest, niet omdat hij zich niet kon inhouden, maar omdat Ellie, toen hij met zijn mond over haar buik omlaag gleed, zijn hoofd met beide handen vastpakte, hem voorzichtig weer omhoogtrok, toen haar benen spreidde en haar heupen welfde om hem in zich op te nemen. Ze was nu van binnen even nat als van buiten, ontdekte hij met een kleine rilling van genot – ze was glorieus, weelderig klaar voor hem.

Paul bewoog heel langzaam, behoedzaam, omdat hij zich nu echt inhield. God, wat was dit heerlijk. Iets willen, iets heel hevig willen, maar weten dat het binnen zijn bereik lag, weten dat hij haar kon plukken wanneer hij dat maar wilde. Ze had haar benen nu om hem heen geslagen en haar prachtige heupen – ze vond zelf dat ze te breed waren – stootten nu met een gedrevenheid die hem bijna dat laatste zetje gaf.

Het was heel acuut, het was bijna pijnlijk, dat uiteindelijke loslaten. Het greep hem bij de keel toen hij zich koortsachtig aan haar vastklampte, met zijn gezicht in de natte mist van haar haar, terwijl hij haar onder zich voelde zwoegen, haar hese kreet van verlossing met de zijne hoorde samengaan.

100

Na afloop, terwijl ze ineengestrengeld lagen, met zijn knie ongemakkelijk tegen de poot van de koffietafel, kon Paul haar voelen trillen. 'Koud?' fluisterde hij en hij voelde hoe ze haar hoofd schudde. Toen besefte hij, met stijgende ontzetting, dat ze huilde. Hij duwde zichzelf op een elleboog omhoog en keek op haar neer, streelde de plek waar een traan in haar vochtige haar verdween. 'Ellie?'

'Het spijt me.' Haar stem klonk benepen maar heftig, zoals altijd wanneer ze vooral kwaad was op zichzelf. 'Ik had gezworen dat ik dit niet zou doen. God, wat ben ik toch een jankmachine.' Hij verstrakte. *Allemachtig, niet nú.*

In plaats van antwoord te geven, sloeg hij zijn armen om haar heen en drukte haar stevig tegen zich aan.

'Ik kan het niet, Paul. Ik heb het echt geprobeerd. Ik heb er zelfs met Georgina over gesproken. Maar het heeft geen zin.' Ze sprak tegen zijn hals aan, op gesmoorde toon. 'Ik moet er steeds weer aan denken.'

'Ellie, niet doen. Niet nu.'

Hij schoof van haar weg en kwam op zijn knieën overeind. Hij huiverde en ging op zijn hurken zitten terwijl hij haar aankeek, en opeens beviel het hem helemaal niet wat hij zag: de koppige trek rond haar mond, de manier waarop haar ogen hem aankeken, verbijsterd door zijn onvermogen te zien wat zij zo duidelijk zag.

'Paul, ik heb vandaag met Leon gesproken. Hij zei dat hij wat inlichtingen zou inwinnen…'

'Zonder mij zelfs maar te vertéllen dat je met hem hebt gesproken?' Leon was de advocaat die Christa voor hen had gevonden.

Paul stond zó plotseling op dat hij er duizelig van werd. Hij was zich nu op een onplezierige manier van zijn naaktheid bewust, op een manier die maakte dat hij zich opgelaten en kwetsbaar voelde. Hij griste zijn broek van de bank en trok hem aan, haast zonder te merken hoe klam hij nog was. Zijn woede steeg snel.

Hij kon het gevoel niet van zich afschudden dat hij op de een of andere manier was… beetgenomen.

Ellie ging rechtop zitten in kleermakerszit, waardoor ze hem op absurde wijze deed denken aan een overmaats flower-powermeisje op een zomerse love-in. 'Ik vertel het je nú toch?' Haar kalmte maakte hem nog bozer.

'Je vertelt het me, in plaats van het te bespreken? Dàt is dan duidelijk. Wat ik wil is kennelijk geen factor die van belang is.'

'Ik wou dat je het niet op die manier zou willen zien,' zei ze met wanhopige en gekwelde blik.

'Waarom?' wilde hij weten. 'Omdat jij mij hier net zoveel deel

van wilt laten zijn...? Of omdat het allemaal zoveel overzichtelijker zou zijn als ik het er gewoon mee eens was?'
Ze kromp ineen en hij zag iets donkers in haar ogen opflakkeren. 'Was dat een vraag... of gewoon een rotopmerking?' vroeg ze op haar koelste beroepsmatige toon.
'Het spijt me,' zei hij verontschuldigend. 'Het was inderdaad als rotopmerking bedoeld. Maar verdomme, Ellie, snap je het dan niet? Als het over ons als gezin gaat, hoe kun jij dan geen oog hebben voor hoe ik erover denk?'
Gedurende één lang moment bleef ze hem kalm en nadenkend aanstaren, tot ze ten slotte sprak. 'Ik dacht dat jij graag een kind had,' zei ze zacht. 'En niet alleen maar om mij gelukkig te maken.'
'Dat wil ik ook... maar niet zo hevig als jij.' Paul voelde hoe er iets in hem verschoof, een besef dat veel dieper ging dan waarover hij had gesproken. 'Jezus, Ellie, is het echt zo ver met ons gekomen? Hebben we ons klemgezet in een doodlopende straat?'
'Daar ziet het wel naar uit.' Hij kon zien dat ze worstelde om niet te huilen.
'Zeg jij het maar.'
'Je klinkt alsof ik maar beter meteen de deur uit kan gaan.' Hij hoorde de bittere ironie in zijn stem.
'Misschien is dat ook wel zo.' Haar blik was vlak, onbewogen.
'Vráág je me om weg te gaan?'
'Misschien zou dat het beste zijn.'
Hij staarde haar aan, zonder dat haar woorden goed tot hem doordrongen. Het leek niet mogelijk na wat ze zojuist hadden gedaan. Na al die keren dat ze samen de liefde hadden bedreven, en die, als ze aaneengeregen waren, samen een parelsnoer hadden gevormd dat tien keer langer was dan dat om Ellies hals. Hij keek vol ongeloof toen Ellie elegant overeindkwam, met ogen die fonkelden van gekwetste woede.
Hij wierp haar een laatste, doordringende blik toe en zijn ogen waren wazig van iets dat uitputting had kunnen zijn, maar dat waarschijnlijk de tranen waren die hij als de eerste de beste macho had willen bedwingen. Hij dacht aan Serena Blankenship, die een beslissing moest nemen die haar hart zou breken, maar waarvan ze toch vond dat ze die moest nemen. *Niet reanimeren*.
'Als je me nodig hebt, dan zit ik in het ziekenhuis,' vertelde hij haar en hij greep zijn overhemd en jasje en liep naar de deur.

De afdeling neonatologie kende geen dag of nacht. De zon ging daar nooit op of onder en de verpleegsters, beademingstherapeuten en assistenten gingen nooit naar huis, veranderden bij iedere ploeg slechts van gezicht. Toch had Paul de indruk, toen hij de met tl-buizen verlichte ruimte binnenkwam, dat baby's, zelfs wanneer ze zo klein en broos waren als deze mensjes, het verschil kenden. Om drie uur 's nachts leken ze dieper te sluimeren, scheen hun ademhaling op de een of andere manier minder diep te zijn, bleven hun monitors rustig.

Waarschijnlijk een illusie, vertelde hij zichzelf, ongetwijfeld als gevolg van zijn eigen moeizame dutje in de kamer van de assistenten. Toen hij Theo's couveuse naderde, voelde hij hoe zijn maag ineenkromp. Wat zou hij aantreffen? Bilirubine hemelhoog? Zuurstof nog verder gestegen?

Theo was wakker. Zijn helderblauwe ogen, met rimpels die hem de kleinste professor ter wereld deden lijken, keken Paul aan met een opgewekte blik, alsof ze wilden zeggen: *En, wie hebben we hier wel?*

'Hela, kereltje,' mompelde Paul en hij raakte een klein handje aan, dat zich als een zeester om zijn vingertop sloot. Hij voelde een klein beetje hoop in zijn borst opwellen.

Theo's kleur was beter, niet meer zo geel, en Lee Kingsley, de dienstdoende verpleegster, had op zijn kaart een urineproductie gemeld van anderhalve cc per uur – een stuk meer dan gisteren. Bloedgassen iets verbeterd. De resultaten van de echo waren eveneens bemoedigend. Geen bloedingen. Paul staarde naar de getallen en knipperde met zijn ogen, alsof hij moeite had om scherp te zien. Het wilde gewoon niet goed tot hem doordringen wat hij zag. Ongelooflijk. Nog niet helemaal een wonder, maar wel een belangrijke verbetering. Theo's nieren functioneerden. Zijn bilirubine was omlaag. De toevoer van zuurstof was onveranderd.

Theo begon uit zichzelf beter te worden.

Paul voelde zich alsof zijn zuurstofniveau plotseling was gestegen, zodat hij duizelig, bijna uitbundig werd. 'Hou vol, makker... je doet 't prima.'

Theo keek hem aan met die wijze professorachtige blik. *O ja?* leek hij te zeggen. *Nou, jij ziet er anders knap beroerd uit.*

Paul voelde hoe zijn mond zich tot een scheve glimlach vertrok, zelfs terwijl zijn ogen zich met tranen vulden. *Hoe dacht jij dat een kerel eruitzag die zojuist bij zijn vrouw was weggelopen?* De waarheid was dat hij elk beetje weerstand dat hij nog bezat, nodig had om zich ervan te weerhouden Ellie op te bellen en haar te zeggen dat uit elkaar gaan een rampzalige vergissing zou zijn.

Maar iedereen had gedacht dat het een vergissing was om Theo te redden... en zie hem nu eens, nog niet buiten gevaar, maar wel aan de beterende hand.

Er kwam plotseling een herinnering boven bij Paul – zijn moeder die waakte bij het bed van Billy, terwijl ze zat te breien aan een deken die eindeloos voortduurde. Hij kon bijna het getik van haar pennen horen terwijl ze woest instak en omsloeg, alsof haar onophoudelijke activiteiten op de een of andere manier haar zoon in leven konden houden. Uiteindelijk was er niets dat Billy kon redden. Maar de deken, ach, de deken – een mengeling van garens in de rijke kleur van de zonsondergang, een bijna hemels ding dat hij nooit had verwacht van een vrouw die altijd cakes bakte met Betty Crocker-cakemix en die elke zondag met een pothoed op naar de kerk ging. Het was die deken die Paul warm had gehouden in de nachten dat hij koortsig was en zijn eigen beddengoed niet toereikend was om de kilte buiten te sluiten. In gedachten kon hij hem zien liggen over de rugleuning van de bank van zijn ouders in het huis aan het strand in Montauk, waarheen ze waren verhuisd na de pensionering van zijn vader.

Hij zou Ellie niet bellen. Maar hij kon ook niet ophouden te geloven dat hier misschien iets goeds van kon komen.

Ze kon nog altijd van gedachten veranderen.

Of hij kon van gedachten veranderen.

'Dokter Nightingale?' Een zachte, droevige stem maakte dat hij zich met een ruk omdraaide.

Serena Blankenship stond hem in een enigszins verkreukelde katoenen jurk aan te kijken met een versufte starheid. Haar honingkleurige haar was verward van de slaap en ze hield haar handen stijf voor zich in elkaar geslagen, op een manier die hem deed denken aan een aarzelende bruid die haar boeket omklemde.

'Paul,' verbeterde hij vriendelijk. 'Noem me alsjeblieft Paul.' Het leek dwaas om na al deze tijd zo formeel te blijven doen.

'Paul dan.' Haar mond vertoonde even een aarzelende glimlach. 'Heeft... is er nog enige verandering?'

Paul haalde diep adem en waarschuwde zichzelf dat het een grote vergissing zou zijn om haar te optimistisch te laten worden terwijl Theo's prognose nog steeds verre van goed was. Desalniettemin...

'Er is inderdaad sprake van enige verandering,' vertelde hij haar op effen toon. 'Hij vertoont enige verbetering. Ik zou er nog niet te optimistisch over willen doen... Laten we het nog een paar dagen aanzien. Maar op basis van wat ik nu zie, is het heel goed mogelijk dat hij nu op de goede weg is.'

Serena staarde hem gedurende een lang moment aan voor ze in tranen uitbarstte.

Paul deed een stap naar voren en nam haar in zijn troostrijke armen, terwijl hij aan Ellie dacht, en aan hoe hulpeloos hij zich had gevoeld tegenover het woedende verdriet van zijn vrouw. Maar Serena's tranen waren tranen van vreugde. Haar kleine raam van hoop was een heel klein kiertje opengegaan, genoeg om haar een glimp te bieden van een toekomst die ze zich niet had durven voorstellen. Was het zelfzuchtig van Ellie om hetzelfde te willen? Nee, dacht hij berouwvol. Ze had evenveel recht op het moederschap als Serena. Meer zelfs. Als hij haar dat had kunnen geven, had hij het gedaan, net zoals hij er op de een of andere manier in was geslaagd Theo in leven te houden. Maar hij kon het niet. Fysiek, mentaal, emotioneel kon hij het gewoon niet. En o God, wat deed dat pijn.

Terwijl hij Serena in zijn armen hield, onder het valse daglicht van de tl-lampen, tegen de achtergrond van het zachte gepiep van monitoren en het gesis van beademingsapparatuur, vroeg Paul zich even af wie er nu wie troostte.

Vreemd genoeg moest hij opeens denken aan het kind dat zijn vrouw had verloren... het meisje dat een jonge vrouw moest zijn als ze nu nog in leven was. Hij zag haar in gedachten voor zich, een vrouw die heel veel op Ellie leek, toen hij haar voor het eerst had ontmoet. Was ze even vastberaden als Ellie? Even sterk en liefhebbend en hartstochtelijk?

Hij hoopte oprecht dat waar en wie Ellies dochter ook mocht zijn, ze ergens diep in haar hart het besef meedroeg dat haar moeder van haar had gehouden en net zo naar haar verlangde als deze vrouw, die in zijn armen huilde, wilde dat haar zoontje bleef leven.

5

'Kijk! Kijk, de paarden!' Het meisje met de roze korte broek en het Care Bears T-shirt rukte aan Skylers hand en wees naar de hoofdmoot van de optocht die plechtig over Fifth Avenue naderde onder de verzengende juni-zon.

Skyler glimlachte omlaag naar de vijf jaar oude Tricia, en ze werd getroffen door haar opvallende gelijkenis met de jonge Mickey; met haar bos donker krullend haar en enorme blauwe ogen leek Tricia eerder Mickey's dochter dan haar nichtje. Toen ze de ademloze blik van het meisje volgde, zag Skyler de paarden: vier enorme vossen die werden bereden door politiemannen gekleed in uniformover-hemd met korte mouwen en een rijbroek, bewogen zich achter elkaar tussen de blauwe politieversperringen en de rand van de parade. Skyler stond tussen Mickey en Tricia ingeklemd op de hoek van Fifth Avenue en Fiftieth Street en had daar goed zicht op de parade. Er naderde nu een fanfare-orkest van de middelbare school, waar-van de leden in karmozijnrood en geel waren uitgedost. Ze speelden iets waarvan ze vermoedde dat het het Poolse volkslied was, en ze speelden het luid en niet erg goed, maar ze juichte hen toe, samen met de rest van de menigte die op het trottoir stond te kijken.

Toen Mickey haar had uitgenodigd deze zaterdag te helpen haar nichtje en neefje de stad te laten zien, had Skyler voornamelijk ingestemd om Mickey een plezier te doen – ze zou anders haar handen vol hebben gehad aan twee van die kleine kinderen. Als het aan haar had gelegen, had Skyler het liefst de hele dag niets gedaan. Ze moest nog steeds bijkomen van alle feesten en familie-partijtjes die op haar afstuderen van Princeton, twee weken gele-den, waren gevolgd. En overmorgen zou ze met haar gebruikelijke vakantiebaantje in de Northfield Veterinary Clinic beginnen om nog maar te zwijgen van het zware trainen voor de Wilton Classic, het springconcours dat over veertien dagen zou plaatsvinden.

106

Maar de excursie – ze hadden het Empire State Building en het Rockefeller Center al 'gedaan' en ze zouden hierna naar F.A.O. Schwartz gaan – bleek veel leuker uit te pakken dan ze had verwacht. Om te beginnen waren Tricia en Derek twee schattige, snelle aapjes. En verder hield de zorg voor die kinderen haar af van te veel nadenken over Prescott.

Pres – o God, wat moet ik tegen hem zeggen?

Terwijl Skyler een hand boven haar ogen hield tegen de felle zon, zag ze een contingent volksdansers voorbij wervelen in vrolijke kostuums met pofmouwen. Maar ze zag hen niet echt; ze dacht aan de gekwetste blik achter de strakke glimlach van haar vriendje toen hij haar afgelopen zaterdagavond had thuisgebracht. Maar wat had ze gezegd dat zo vreselijk was? Hij had haar wel even mogen waarschuwen! Om haar zomaar, pardoes, ten huwelijk te vragen, wat dacht hij dan? Toen ze eenmaal van de eerste schrik was bekomen (wat eigenlijk niet zo'n schrik had horen te zijn, gezien het feit dat ze de afgelopen vijf jaar min of meer verkering hadden gehad) had Skyler iets gedaan waar ze beroemd om was – ze had gereageerd op wat Mickey jaren geleden haar dodelijke recht-voor-zijn-raap ziekte had genoemd, door eruit te flappen: 'Waarom?'

Skyler merkte dat ze opnieuw ineenkromp toen ze zich voorstelde hoe dat moest hebben geklonken. Ze had zich uiteraard danig uitgesloofd om uit te leggen dat ze het zó niet had bedoeld. Maar ze had gewoon niet verwacht dat ze al zo gauw zou gaan trouwen. Ze kwamen nog maar net van college. In het najaar zou ze diergeneeskunde gaan studeren aan de University of New Hampshire. Hij zou rechten gaan doen. Vanwaar die haast?

Helemaal geen haast, had Prescott haar verzekerd, op zijn rustige, kalme manier. Ze hoefden nog geen trouwdatum vast te stellen, het kon nog jaren duren als zij dat wilde. Maar hij zou zich prettiger voelen bij de gedachte dat ze verloofd waren. Het hoefde allemaal niet anders te zijn dan nu... behalve dat ze een ring zou dragen.

Skyler had beloofd erover na te zullen denken.

Ze zou hem vanavond haar antwoord moeten geven, maar ze had nog steeds geen besluit genomen. Het enige dat ze wist, was dat een week van piekeren haar een draaierig gevoel had bezorgd met een vage hoofdpijn die niet weg wilde gaan.

O, waarom moest Prescott nou zo ingewikkeld doen? Ze hield van hem, daar was geen twijfel over mogelijk. Beter nog, ze hielden van dezelfde dingen – paarden, honden, opera, alles wat met Frankrijk te maken had. Om nog maar te zwijgen van het feit dat hun wederzijdse families zó hecht met elkaar bevriend waren dat het bijna leek of ze familie van elkaar waren. De Fairchilds hielden iedere zomer samen met de Suttons vakantie in Cape Cod, en de Suttons gingen vaak met de Fairchilds naar de opera. Maar er was iets dat Skyler deed aarzelen. Iets dat ze niet kon verklaren, zelfs niet tegenover zichzelf. Diep in haar hart had ze het gevoel dat trouwen met Prescott een beetje hetzelfde was als trouwen, nou ja... met een broer.

Skyler werd zich bewust van een handje dat aan haar hand trok, maar deze keer duurde het even eer ze zich volledig op Tricia's levendige, bruine gezichtje kon concentreren. 'Ik wil paardje aaien! Toe, Skyler, mag ik paardje aaien?' joelde het meisje toen er twee andere agenten in het zicht draafden.

'Niet nu... misschien na de optocht,' antwoordde Skyler.

Naast haar stond Mickey te dringen om een beter uitzicht te hebben. Ze droeg een kortafgeknipte spijkerbroek en een mouwloos topje, en ze had haar handen op de zonverbrande schouders van haar neefje voor haar gelegd. Derek, een enigszins kleinere versie van zijn zusje, droeg een wijde korte broek met een Knickstrui, en hij staarde vol ontzag, met open mond, naar de politie te paard, alsof iets uit zijn meest geliefde stripverhaal werkelijkheid was geworden.

Mickey wierp een geamuseerde blik naar Skyler en zei: 'Vanaf het moment dat hij kon praten, heeft hij het altijd al gehad over dat hij politieagent wilde worden. Mijn harkerige broer, meneer de effectenmakelaar, begint te denken dat hij een probleem heeft. Wacht maar eens tot Derek verklaart dat hij bij de beréden politie wil.'

'Lach nou maar... als ik het niet haal met diergeneeskunde ga ik er misschien zelf wel solliciteren,' grapte Skyler.

Mickey grinnikte diep in haar keel. 'Ik zie 't al voor me: agent Sutton heeft dienst. Je zou er net zo goed passen als kaviaar op een boterham met worst.'

Skyler gaf geen antwoord. Mickey maakte uiteraard alleen maar een grapje... maar soms kon ze wel heel dicht bij de kern van de zaak komen. In dit geval zat ze midden in de roos. Skyler besefte dat ze daar volstrekt misplaatst zou zijn.

Waar wind je je over op? zei een lijzige stem in haar hoofd, een stem met een duidelijk Fairfield-accent. *Jij gaat toch met Prescott trouwen, dat weet je zelf ook... En het meest on-Fairfieldachtige dat jij zult doen, is paarden behandelen voor spat en hoefontsteking.*

Skyler wilde protesteren tegen die stem. Ze had het grootste deel van haar leven nooit getwijfeld aan wat velen als haar geboorterecht beschouwden, maar Princeton had haar daarvan genezen – vier jaar lang samenwonen met meisjes die zich schaamteloos allerlei beroemde namen lieten ontvallen van bekakte eetclubs, van overdreven tradities. Zelfs het stadje Princeton had haar geïrriteerd. Met de chique winkeltjes, dure restaurants en elegante, door bomen beschaduwde huizen, was het gewoon een andere versie van Northfield. Tegen de tijd dat ze afstudeerde, begon Skyler zich ongemakkelijk af te vragen of welvaart je niet in wezen een kaartje bracht voor een themapark waar alles zo perfect was als op een schilderij en waar iedereen tevreden leek – een themapark dat slechts in de meest exclusieve gebieden van het land mocht worden ingesteld, zodat je van stad tot stad kon gaan zonder je ooit niet op je gemak te hoeven voelen.

Dat was niet wat Skyler wilde. Ze had zich de laatste tijd wat rusteloos gevoeld; er woelde iets onder de oppervlakte zonder dat ze precies wist wat het was. En misschien was dat de reden waarom ze niet stond te popelen om zich te verloven. En ook waarom ze een plotselinge opwelling voelde om zich te voegen bij de toeschouwers rechts van haar, die spontaan een dansje waren gaan maken.

'Ik moet plassen,' jammerde Tricia.

'Ik ga wel even met haar mee,' bood Skyler aan. 'Ik weet waar alle damestoiletten bij Saks zijn. Ik ging me daar vroeger altijd verstoppen wanneer mam me meenam om nieuwe kleren te kopen.'

Maar Mickey luisterde niet naar Skyler; ze had het veel te druk met staren naar de bereden politieman die zijn paard voor de afzetting halt liet houden op zo'n vijftien meter van waar zij stonden. Ze floot zachtjes. 'God… moet je die armen daar eens zien. Hij ziet eruit alsof hij bakstenen eet als ontbijt.'

Skyler was eraan gewend dat Mickey zulke opmerkingen maakte, maar ze vond heimelijk dat de belangstelling van haar vriendin voor het andere geslacht een beetje overdreven was. Desondanks werd haar blik in de richting van de betreffende agent getrokken. *O lieve help*, dacht ze. Zijn bouw deed haar denken aan de jonge Marlon Brando in een van haar geliefde oude films, *A Streetcar Named Desire*. Zijn huid was door de zon gebruind tot diep okerkleurig op zijn armen (die, moest ze toegeven, heel indrukwekkend waren). Ze kon van zijn gezicht niet veel zien onder de helm en de zonnebril, maar hij zag er niet uit of hij moeite had om een afspraakje te maken.

Deze indruk, die weliswaar vluchtig was, bleef haar in gedachten bij toen ze zich omdraaide, Mickey's nichtje stevig bij de hand nam en zich een weg door de menigte begon te banen naar de met marmer omlijste ingang van Saks, op nog geen vier meter van de stoeprand.

Skyler had pas een paar stappen gelopen, toen ze toevallig achteromkeek… en iets zag dat Mickey, die naar het spektakel van de optocht keek, niet in de gaten had: de kleine Derek van zeven dook onder de blauwe barricade voor hem door. Hij holde regelrecht naar het politiepaard met de jonge Marlon Brando, die op dat moment bezig was een luidruchtige groep opgeschoten jongelui terug te drijven. De agent kon de watervlugge Derek, die recht op hem afkwam, niet hebben gezien. O God! Derek kon zó onder de voet worden gelopen. Skylers hart klopte in haar keel.

Zonder zich te bedenken gaf Skyler Tricia een duw in Mickey's richting en dook achter het jongetje aan, dat nu op centimeters afstand was van een botbreuk of een schop tegen zijn hoofd. Er liep een vrouw met boodschappentassen voor haar langs. Een enorme man gaf haar een por met zijn elleboog toen hij een sigaret opstak. Skyler trapte met de hak van haar Docksider op iemands tenen, waarna ze met een luide kreet terecht werd gewezen. Zodra ze een opening in de muur van lichamen ontwaarde, dook ze erdoorheen en onder de houten afzetting door.

Iemand anders moest Derek ook hebben gezien, want er gilde opeens een vrouw: 'Kijk uít!'

Skyler zag hoe de politieman zich in zijn zadel omkeerde om te zien wat alle opwinding te betekenen had, waardoor hij het contact met de mond van zijn paard even verbrak. De grote vos sprong schichtig achteruit... en nu, o God, zat Derek ónder hem.

Op dat moment besloot een van de opgeschoten jongens, een slungelige knul die kennelijk niets van paarden wist, dat hij eens voor Arnold Schwarzenegger moest spelen. Hij joelde als een cowboy en zwaaide met zijn armen om te proberen de vos bij het jongetje weg te jagen. *Idioot*. Het paard legde zijn oren plat en schudde met zijn hoofd. De agent hield hem kort aan de teugel en alles zou goed zijn afgelopen als niet een van Schwarzeneggers onnozele vriendjes het nodig had gevonden een blikje frisdrank naar het arme, geschrokken beest te gooien.

Skyler zag hoe het blikje tegen de flank van het paard knalde, met veel geschitter van weerkaatst zonlicht. Ze voelde een fijne nevel van Coca-Cola in haar gezicht spetteren toen ze naar voren schoot om het jongetje, dat nu verstijfd van angst was, onder de dansende achterbenen van het paard weg te trekken.

Derek slaakte een wilde kreet, en de vos steigerde. Op dat moment, toen Skyler omhoogkeek naar de agent, ving ze een glimp op van de zon die langs zijn blauw met witte helm schampte, en de spieren van zijn sterke, donkere onderarmen die zich spanden toen hij zijn gewicht naar voren wierp. Een ogenblik later lag hij op zijn rug op het trottoir.

Skyler zag vol ontzetting hoe zijn paard op hol sloeg, recht op de strakke formatie, met vlaggen zwaaiende, legerveteranen af die nu de straat tussen Forty-ninth en Fiftieth Street in beslag namen. De in uniform geklede mannen verbraken de gelederen en renden alle kanten uit, waarbij een van hen over een putdeksel struikelde en bijna met zijn gezicht op de stoeprand viel. Een andere grijsharige veteraan, die iets vlugger ter been was, ging achter het paard aan, maar raakte al binnen tien seconden buiten adem.

Skyler draaide zich om naar een chique blonde vrouw in een duur uitziende jurk. 'Pas even op hem,' beval ze en ze maakte Dereks armen los van rond haar hals en gaf hem over.

De grote vos was al halverwege de volgende straat, met klapperende beugels en wapperende teugels, toen Skyler haar achtervolging inzette. Gelukkig voor haar werd het paard aan alle kanten ingesloten door mensen, zodat hij niet in volle galop kon gaan en in plaats daarvan in radeloze cirkels ging. Met wildbonzend hart slalomde ze tussen de menigte door.

Tegen de tijd dat ze bij hem in de buurt kon komen, had de vos wat vaart geminderd, een klein beetje maar. Hij hijgde hevig, zag ze, en het schuim zat rond zijn bit. Skyler haalde diep adem en deed een schietgebedje voor ze naar voren schoot en op het nippertje de teugels wist vast te grijpen. Vanuit een instinct van jarenlang paardrijden wist ze een handvol manen vast te grijpen en zich met een hollend hupje in het zadel te slingeren. Ze vond haar zit en schoof omlaag, waarbij ze met veel gesis tussen opeengeklemde kaken uitademde.

'Hela jij… rustig maar, jongen, kalmpjes aan,' suste Skyler. Ze verzamelde de teugels en dreef hem stevig voorwaarts met haar benen. Het paard, dat kennelijk goed was afgericht, vertraagde onmiddellijk tot een draf.

Toen Skyler de menigte voor zich uiteen zag wijken alsof het de Rode Zee voor Mozes was, en ze het gejuich hoorde opstijgen, vroeg ze zich af wat al dat gedoe te betekenen had. God, je zou denken dat ze iets heel bijzonders had gedaan! Er verscheen een blos op haar wangen toen ze de hijgende, dampende vos in een diagonaal over Fifth Avenue voerde naar de gevallen agent, die met een schaapachtige blik naar hen toe hinkte. Zijn glimlach was half grijns, half grimas, en in de donkere glazen van zijn vliegeniersbril werden miniatuurzonnen weerkaatst.

Pas toen ze zich uit het zadel liet glijden met een blote voet die terechtkwam op het plaveisel dat zo heet was als het aambeeld van een smid, besefte ze dat ze op de een of andere manier in alle tumult een schoen was kwijtgeraakt. *Mooi is dat*, dacht ze, toen het paard, dat zijn eigenaar herkende, wegbrak en naar hem toe draafde, zodat ze in haar korte broek en Princeton T-shirt op één been stond te balanceren, waarbij ze zich net zo onnozel voelde als een flamingo die als tuinversiering diende.

'Dat was een geweldige stunt,' erkende de agent, en hij maakte de kinband van zijn helm los. 'Je hebt diepe indruk op me gemaakt en dat wil wel wat zeggen.' Toen hij zag dat ze blootsvoets was, brulde hij met een stem die volgens haar over heel Fifth Avenue hoorbaar moest zijn: 'Heeft iemand de schoen van deze dame gezien?'

Even later schoot een bebaarde man met een geruite bermuda aan naar voren, terwijl hij met haar Docksider zwaaide alsof die een vitaal bewijsstuk bij een misdaad was. De agent glimlachte breed naar haar en wist zich met een knipoog op één knie te laten zakken om de schoen aan haar voet te schuiven, terwijl hij de teugels van het paard stevig vast bleef houden. De menigte joelde en juichte en iemand riep: 'Hé, Assepoester, past-ie?'

'Ik voel me belachelijk,' mompelde ze.

'En ik voel me een enorme sukkel omdat ik eraf ben gegooid, dus dan staan we quitte.' Hij wierp haar een zure blik toe, die meer dan een klein beetje gekwetste mannelijke ijdelheid bevatte. Van dichtbij bekeken schatte ze hem eind twintig, misschien dertig. Maar het harde leven dat hij ongetwijfeld had geleid, om nog maar te zwijgen van de revolver in de holster op zijn heup, deden hem op de een of andere manier ouder lijken.

'Het was niet jouw schuld,' verzekerde ze hem. 'Het had iedereen kunnen overkomen.'

'Dat kun jij gemakkelijk zeggen. Jij bent geen smeris.'

'Nee, maar als ik een dubbeltje had gekregen voor elke keer dat ik eraf ben gegooid, had ik nu regelrecht bij Saks naar binnen kunnen lopen om een paar nieuwe schoenen te kopen.'

Hij bekeek haar met onverholen vrolijkheid. 'Zou je het in plaats daarvan met een biertje willen doen? Ik ben over een paar uur vrij. Dat is toch zeker het minste dat ik voor je kan doen.' Hij klonk heel zeker van zichzelf, zonder hanig over te komen. Dat beviel haar wel.

Toen Skyler zag hoe hij zijn donkere bril en helm afzette, werd ze zich bewust van een vreemd gevoel dat onder uit haar buik omhoog kwam. Van dichtbij bekeken was de gelijkenis met Marlon Brando zelfs nog sterker dan op een afstand. Toch zag ze bij nader inzien dat het niet zozeer de fysieke gelijkenis was als wel de algehele indruk die hij maakte. Hij was het soort man dat een ruwe sexappeal uitstraalde.

Niet, verzekerde ze zichzelf snel, dat dit voor haar van enig belang was. Tenslotte had zij Prescott, die op het gebied van uiterlijk ook lang niet slecht was.

Toch kon ze haar ogen niet afhouden van het gezicht van die man. Zijn bruine ogen – die zó donker waren dat ze bijna zwart leken – keken haar aan met een blik van al even openhartige bewondering. Ze staarde geboeid naar de fijne druppeltjes zweet die tussen zijn dichte, zwarte krullen glommen. Een klein rimpeltje vlak onder zijn ene mondhoek wekte de vage indruk dat hij zich bewust was van wat ze dacht. Er kroop een rilling van opwinding langs haar ruggengraat omhoog en er schoot haar een geliefde uitdrukking van haar grootmoeder te binnen: *Zo brutaal als de beul.* In tegenstelling tot de meeste mensen die ze kende, inclusief Prescott, was er niets melkmuilachtigs aan de sterke Romeinse neus en het scherpe voorhoofd van deze man... niets dat verloren was gegaan of vaag was geworden in vele generaties 'huwelijken van stand'.

'Tony. Brigadier Tony Salvatore.' Hij stak een forse, gebruinde hand uit. Toen ze die schudde en ze zich voorstelde, was Skyler zich intens bewust van de harde laag eelt op de vingers die stevig om de hare werden gesloten. 'Rustig maar. Ik ga je niet slaan of zo. Het is alleen maar... dat ik vind dat ik je iets verschuldigd ben.'

'Je bent me helemaal niets verschuldigd,' ging ze ertegenin. 'Echt niet.'

'Oké. Zullen we het dan maar op het conto zetten van mijn gevoel voor rechtvaardigheid?'

Skyler aarzelde. En op dat moment, toen ze in zijn begrijpende ogen keek, had ze het ongemakkelijke gevoel dat hij iets zag dat achter haar beleefde weigering lag, iets dat wees op een scrupuleuze poging te vermijden dat ze snobistisch leek. *God, hij denkt waarschijnlijk dat ik me te goed voor hem voel.* En pal hierop volgde een gevoel van schaamte dat zo'n gedachte in haar op had kunnen komen. Een beetje nerveus voegde ze er, iets te opgewekt, aan toe: 'Nou, als jou dat een beter gevoel geeft, zie ik niet hoe ik dat zou kunnen afslaan.'

Ik ben geen snob, vertelde ze zichzelf. *Echt niet.* Het was alleen dat ze nooit eerder in de gelegenheid was geweest iemand als Tony Salvatore te ontmoeten.

O nee? Nou, waarom doe je dan zo moeilijk? zei een uitdagende stem in haar hoofd, die verdacht veel op die van Mickey leek.

Prescott bijvoorbeeld, redeneerde ze onwrikbaar.

Desalniettemin stond Skyler naar zijn Engelse rijlaarzen te kijken, die zo te zien voor hem op maat waren gemaakt en die tot een ebbenhouten glans waren gepoetst. Naar de revolver op zijn heup. Zijn insigne dat op zijn overhemd schitterde, vlak onder zijn schouder. Hoe zou het zijn om een afspraakje te hebben met een smeris?

'Ben je rond vier uur vrij?' informeerde hij. 'Er is een bar in de buurt van de stallen, op de hoek van Forty-second en Ninth. Mulligan's. Ken je die?' Toen hij haar zag aarzelen, voegde hij er snel aan toe: 'Hoor eens, als dat te ver bij jou uit de buurt is, dan kan ik wel ergens naar jou toe komen.'

113

Ze werd onmiddellijk getroffen door het onwelkome visioen van Tony in de Red Quail, de bar in Northfield, die zijn best deed door te gaan voor een schilderachtige Engelse pub. 'Mulligan's lijkt me prima,' antwoordde ze resoluut.

'Dan zie ik je daar weer,' zei Tony en hij zwaaide even terwijl hij de teugels van zijn paard greep en zich in het zadel slingerde met de gemakkelijke soepelheid van een man die half zoveel woog. Toen haar blik over de gouden streep gleed die over zijn broekspijp omlaag liep en in zijn laars verdween, voelde ze even iets van elektriciteit door zich heen gaan. *Zeg dat je bij nader inzien niet kunt*, zei haar verstandige inwendige stem. *Zeg dat je zojuist iets te binnen is geschoten dat je moet doen*. Dat zou geen volslagen leugen zijn. Ze zou Prescott tenslotte om acht uur in Le Cirque ontmoeten en ze moest voor die tijd nog veel nadenken.

Het was Mickey die haar ten slotte het excuus verschafte dat ze nodig had. Toen ze verder de stad in liepen, met Derek en Tricia stevig aan de hand, draaide ze zich om naar Skyler en zei: 'Weet je wat echt geweldig zou zijn? Als we die kerel zo ver konden krijgen dat hij dit tweetal de politiestallen wil laten zien, de volgende keer dat ze in de stad zijn. Derek zou het hémels vinden.'

Derek, die kennelijk nog steeds even fris was ondanks het feit dat hij bijna door een paard was vertrapt, keek naar Skyler op met grote ogen vol verwachting. 'De polítiestallen? Echt?' kraaide hij. 'Dat zou gewèldig zijn!'

'Ik zal zien wat ik kan doen,' antwoordde Skyler met een luchthartige autoriteit die in regelrecht contrast stond met het vage, ongemakkelijke gevoel dat zich van haar meester maakte.

Ze dacht: *Wat haal ik me in 's hemelsnaam allemaal op de hals?* Precies twee uur later, toen ze Mickey en de kinderen bij het Grand Central had afgezet, duwde Skyler de zware deur met de koperen stang open van Mulligan's Tavern op de hoek van Forty-second en Ninth Avenue.

'Avontuur in de achterbuurt', door Skyler Sutton. Deze dwaze, onzekere gedachte vatte bij haar post toen ze in de buurt van de ingang bleef staan om haar ogen aan het grauwe schemerduister te laten wennen. Boven de met spiegels behangen bar flakkerde een tv als een onheilspellend oog. Er was een honkbalwedstrijd aan de gang die met gretige belangstelling werd gevolgd door de luidruchtige, overwegend mannelijke gasten die de barkrukken en tafeltjes in de buurt bezetten. De klap van een knuppel werd gevolgd door wild gejuich en door een salvo van vuisten die timmerden tegen marineblauw gelakte oppervlakken, die dof waren van ouderdom.

Als ik hier met Pres was geweest, had hij gevraagd hoe de stand was, om daarna twee bier te bestellen alsof onze aanwezigheid hier absoluut niet misplaatst was. Want Prescott was werkelijk geen snob – ondanks de dure schoenen die hij 's zomers zonder sokken droeg, de goud-met-roestvrijstalen Rolex, de oude MG die zijn ouders hem als afstudeercadeau hadden gegeven. En ze bedacht verslagen dat dit haar des te meer tot gemeen kreng bestempelde, omdat ze zich afvroeg of ze niet recht had op meer dan wat Prescott haar te bieden had.

Er dook een bekend gezicht op uit de rokerige duisternis. Ze zag dat Tony zich had verkleed in een spijkerbroek en een verschoten blauw poloshirt dat zijn gespierde armen en torso duidelijk deed uitkomen. Ze werd opnieuw getroffen door iets van een elektrische schok en ze moest zich goed inprenten dat dit géén afspraakje was – alleen maar een glaasje bij wijze van dank.

'Bier?' bood hij aan. 'Niet dat er veel keus is. De wijn die ze hier serveren, zou voor frisdrank door kunnen gaan.' Hij pakte haar bij de elleboog en loodste haar naar een tafeltje achterin, waar het niet zo lawaaierig was.

'Klinkt goed,' zei ze. 'Dat bier, bedoel ik.'

Tony verdween en kwam even later met twee beslagen flesjes Heineken terug. 'Hoor eens, ik weet eigenlijk niet of ik je al officieel heb bedankt.' Hij liet zich in de stoel tegenover haar vallen. 'Ik ken veel politiemensen te paard die zoiets niet zo gemakkelijk hadden gepresteerd als jij.' Ze zag hoe hij een flinke slok bier nam, waarbij zijn adamsappel op en neer ging in een hals met spieren als koorden. Toen hij zijn kin weer omlaag bracht, keken zijn donkere ogen haar aan in een zwijgende kameraadschap. 'Jij weet echt met paarden om te gaan.' Het was geen vraag, maar de constatering van een feit.

'Ik heb gereden bijna vanaf dat ik kon lopen,' vertelde ze hem.

'Dan woon je zeker in de buurt van een stal.'

'Ik ben in Connecticut opgegroeid,' vertelde ze. 'In Northfield. Dat is even ten noorden van Greenwich. Er is daar een manege niet ver van het huis van mijn ouders, waar ik mijn paard in pension heb.'

'Je eigen paard?' Ze ving even het geknipper van zijn oogleden op, zijn glimlach die iets breder werd, met dat kleine, spottende trekje bij zijn mondhoek. Toen zei hij: 'Ik wou dat ik dat ook van Scotty kon zeggen. Hij is aan mij toegewezen, maar de paarden van de Mounted Police zijn strict voor politiegebruik.'

'Ik heb Chancellor gehad sinds m'n vijftiende,' vertelde ze hem. 'Hij wordt een beetje te oud voor wedstrijden, maar dat weet hij nog niet. Je zou hem over een hindernis moeten zien gaan.'

'Doe jij mee aan springconcoursen?' Hij klonk nu echt vol bewondering.

Ze knikte en zei toen: 'Tot dusver alleen in de zomer. Ik zou er

115

mijn carrière van moeten maken als ik ook in de winterconcoursen meereed.' Ze nam een slokje bier. 'En jij... heb jij altijd gereden?' Hij trok een zuur gezicht. 'Dat zou je niet denken, na wat er vandaag is gebeurd, maar ja, ik heb mijn hele leven paarden in de buurt gehad. Mijn oom heeft een boerderij, waar ik 's zomers als kind naartoe ging. Zolang ik me kan heugen heb ik altijd gewild dat ik eens met paardrijden de kost kon verdienen. En nu zit ik hier. Al acht jaar bij de Mounted Police. Voor die tijd was ik surveillance-agent in het tiende district.'

'Het klinkt alsof je weet wat je wilt.' Skyler besefte opeens dat haar opmerking misschien als aanmoediging had geklonken en ze bloosde onwillekeurig.

'Het gaat lekker.' Er was niets in zijn stem dat in de verste verte maar suggestief had kunnen zijn.

'Verricht je veel arrestaties?' vroeg ze, opeens nieuwsgierig om meer over hem te weten.

'Toen ik bij het tiende zat wel. Tegenwoordig niet zoveel. Om te beginnen zijn de meeste stadsmensen doodsbang voor paarden. Daarom gebruiken we ze om menigten in bedwang te houden – er bestaat geen betere dreiging dan één meter zestig hoog paardenvlees dat op je afkomt. Oudejaarsavond? Dan komen alle vijf de troepen – je hebt het dan over zo'n honderdtwintig agenten – naar Times Square voor de grote gebeurtenis. Ik kan je wel verzekeren dat dat iets is.'

'Dat neem ik aan.' *En als iedere agent er net zo uitzag als jij, hadden jullie waarschijnlijk een joelende menigte vrouwen bij de hand.*

Skyler schoof wat achteruit met een verschrikt glimlachje rond haar lippen bij deze gedachte. Ze had te veel naar Mickey geluisterd, zei ze tegen zichzelf. Dat moest het wel zijn, en anders had al haar gedelibereer over of ze zich wel of niet wilde verloven haar van slag gebracht. Kon ze dan niet eens heel gewoon een fatsoenlijk glas met een man drinken zonder dat ze fantaseerde dat hij zich over de tafel boog om haar te kussen?

Die denkbeeldige kus zond een lichtflits door haar heen, die even echt, even kortstondig was als een zomerse bliksemstraal.

Aan de bar klonk opnieuw luidruchtig gejuich, dat een enigszins zure glimlach op Tony's knappe, levendige gezicht bracht. 'Dit is geen omgeving voor jou,' erkende hij spijtig. 'Ik had beter moeten weten, jou naar iets aardigers moeten brengen. Ik kom hier nu al zoveel jaar, dat ik waarschijnlijk niet meer zie wat voor gribus het eigenlijk is. Heb jij dat ook weleens met iets... dat je ergens zo aan bent gewend dat je 't niet echt meer ziet?'

'Vaker dan me lief is.' De gedachte aan Prescott ging door haar heen, maar ze zette die vlug weer van zich af.

'Nog een biertje?' Tony wees naar het flesje dat op de tafel voor haar stond en waarvan Skyler tot haar verbazing ontdekte dat het leeg was. Ze zag hoe hij naar de bar kuierde, waar iedereen hem scheen te kennen. Enkele mannen begroetten hem met een stevige klap op de schouder, en een forse kerel met kalend hoofd smeet een bankbiljet op de bar toen de biertjes die hij had besteld kwamen, en hij schudde heftig zijn hoofd toen Tony probeerde te weigeren. Ten slotte greep Tony met een goedmoedig schouderophalen de twee flesjes met één hand bij de hals en zei iets dat klonk als: 'Dan is de volgende keer voor mij.'

Toen hij naar hun tafeltje terugliep, zag Skyler dat hij een beetje mank liep. 'Doet het erg pijn?' vroeg ze.

'Niets dat een paar aspirientjes en nog een biertje niet kunnen verhelpen.' Hij grijnsde toen hij de flesjes op de tafel neerzette. Zijn tanden waren heel wit tegen de bruine huid van zijn gezicht, merkte ze een beetje dromerig op.

'Toen ik acht was, is een val van een paard bijna mijn dood geworden,' vertelde ze hem.

Zijn grijns verdween abrupt en hij floot zachtjes. 'Goeiedag zeg.'

'Het was een hindernis die ik nog niet had mogen nemen, maar ik wilde per se bewijzen dat ik eroverheen kon.'

'Waarom verbaast me dat eigenlijk helemaal niet?' Hij wipte zijn stoel achterover en keek haar geamuseerd, met halfgesloten ogen aan, terwijl hij zijn beslagen flesje Heineken op een in spijkerbroek gehulde knie zette, zodat er een vochtige kring ontstond waar ze haar ogen niet van af kon houden.

Met moeite maakte ze haar blik los en keek hem weer aan. 'Ik denk dat je zou kunnen zeggen dat ik niet bang ben om risico's te nemen.'

'Daarin zijn we dan met zijn tweeën.'

Skyler werd wat zenuwachtig door de richting waarin het gesprek dreigde te gaan en ze nam onwillekeurig een zedige houding aan, zoals ze zich die vaag herinnerde van de etiquettelessen op Miss Creighton's School for Girls: rug recht, schouders naar achteren, handen gevouwen in de schoot. Maar ze kon een kleine glimlach niet onderdrukken toen ze een denkbeeldige tekstballon boven haar hoofd tekende met de woorden: *Lieve help, wat zou Prescott wel zeggen als hij me zo zag?*

Tony bespeurde haar aarzeling en zei: 'Als jij vanmiddag geen risico's had genomen, waren er misschien gewonden gevallen.'

Skyler haalde verlegen haar schouders op. 'Ik kan toevallig goed

117

met paarden omgaan, dat is alles. Maar dat is echt niet zo moeilijk als je vaker met rijlaarzen dan met hoge hakken hebt gelopen. Mijn moeder heeft nu een antiekwinkel, maar ze heeft vroeger aan springconcoursen meegedaan – zo ben ik met paarden in aanraking gekomen. Mijn vader is advocaat. Hij zou voor geen goud ook maar in de buurt van een paard willen komen. Hij vindt het krankzinnig dat ik dierenarts wil worden... maar hij heeft me nooit tegengehouden als ik iets echt graag wilde.'

'Verstandige kerel. Weet waarschijnlijk dat hij wordt neergemaaid wanneer hij 't zou proberen.' Tony grinnikte en zette zijn stoel weer op vier poten, met een doffe bons op de versleten vloerplanken.

'Nou, hij weet in elk geval dat hij me niet hoeft te ondersteunen,' grapte ze.

'Ja, wie weet, misschien moet jij hem nog eens ondersteunen,' lachte Tony.

Skyler lachte ook, maar zijn plagende opmerking had haar herinnerd aan een vage onrust die ze maandenlang naar de achtergrond had geduwd. Er was niets specifieks, niets dat ze echt aan kon wijzen... maar ze had haar ouders de laatste tijd vaak zien fluisteren, waarbij ze hun gesprek hadden afgebroken zodra zij binnenkwam. Ze wist dat het kantoor van haar vader grote verliezen had geleden toen in de jaren tachtig de onroerendgoedmarkt was ingestort, en dat er sprake van was dat het bedrijf moest inkrimpen. Maar er was toch zeker geen echte reden tot bezorgdheid?

Ze besefte dat Tony haar nieuwsgierig aankeek. Skyler vreesde dat hij haar gedachten had gevolgd en ze bloosde. 'Mijn vader is het probleem niet,' vertrouwde ze hem toe. 'Mijn moeder. Ze is teleurgesteld dat ik met springen geen carrière wil maken.'

'Klinkt of jij dat misschien ook wilt.'

'Zeker... maar het kan ook een heel klein wereldje zijn. Veel mensen die het hele jaar door aan concoursen deelnemen, doen het omdat ze het leuk vinden en omdat ze het zich kunnen veroorloven... zelfs als ze geen grote prijzen winnen.'

'Klinkt lang niet slecht.'

'O nee. Maar... weet je, het is soms zo... onecht.' Gedeeltelijk als gevolg van het bier dat ze op een lege maag had genuttigd, gedeeltelijk door een vonk van volslagen onverwachte woede jegens Prescott omdat hij zo abrupt de regels halverwege het spel had veranderd, voegde Skyler er verhit aan toe: 'Ik ben niet zoals zíj. Ik weet hoe ik de juiste dingen moet zeggen, hoe ik me in die kringen moet gedragen... maar inwendig ben ik... ben ik anders.'

'Hoe kom je daar zo bij?' vroeg hij op effen toon en hij keek haar nu scherper aan.

'Ik weet het niet. Ik heb altijd gedacht dat het iets te maken had met het feit dat ik ben geadopteerd.' Ze haalde even diep adem tegen de hartkloppingen die ze voelde wanneer ze erover praatte. 'Weet je, ik ben niet direct netjes aan mijn ouders overhandigd, in een aardig, schoon ziekenhuis. Ik werd in de steek gelaten. Ze vermoedden dat ik ongeveer drie maanden oud was.'

'En je eigen moeder... is zij ooit boven water gekomen?'

'Nee. De politie heeft geprobeerd haar te achterhalen... maar ze hebben het ten slotte opgegeven.'

Ze verbaasde zich altijd opnieuw over de doffe pijn die ze voelde iedere keer dat die gevoelige plek werd aangeraakt. Ze vroeg zich af of ze daar zo langzamerhand niet overheen had moeten zijn. Zou het haar de rest van haar leven blijven achtervolgen?

Ze werd zich bewust van Tony's donkere ogen die op haar waren gericht, alsof hij wachtte tot ze verder zou gaan. Maar ze had al te veel gezegd. Skyler keek omlaag naar een spiraal van vage, elkaar overlappende kringen op het tafelblad. Toen hij het gesprek op zichzelf richtte, voelde ze onmiddellijk hoe de spanning in haar lichaam minder werd.

'Ik heb vroeger vaak gewenst dat ik was geadopteerd.' Tony's stem klonk zacht. 'Op die manier had ik me tenminste geen zorgen hoeven te maken dat ik net zo zou worden als m'n ouwe heer.'

'Was die dan zo slecht?'

'M'n pa zat meer in de kroeg dan thuis,' verklaarde Tony somber. 'En ik denk dat we daar in zekere zin blij om mochten zijn, als je bedenkt dat hij meestal met iedereen ruzie maakte als hij er al was.'

'Wat verdrietig.' Ze wist niet wat ze anders moest zeggen.

'Ik ben eroverheen,' zei hij op een toon die het tegendeel deed vermoeden. Maar het schouderophalen dat hij liet volgen was van iemand die zich niet te lang door de harde klappen van het leven in de luren liet leggen. 'Hij stierf toen ik veertien was. Slaagde erin zich tijdens de dienst dood te laten schieten. Had ik al gezegd dat hij politieman was? Dat is het enige goeie dat hij ooit voor ons heeft gedaan, mijn moeder dat pensioen nalaten.'

'Ik vermoed dat niemand ooit krijgt wat hij precies had willen hebben,' zei ze zacht.

'Dat kun je wel zeggen, ja.'

Skyler staarde naar de twee lege flesjes die voor haar stonden. Wanneer had ze dat tweede leeggedronken? Ze kon zich zelfs niet herinneren dat ze het had opgepakt, maar haar hoofd voelde los en draaierig aan, dus het moest wel. Ze nestelde zich wat dieper in haar stoel, die enigszins scheef leek te hangen.

'Heb je broers en zussen?' vroeg ze in een poging hem aan de praat te houden.

'Drie zussen, vier broers... en Jimmy.'

'Wie is Jimmy?'

'Jimmy Dolan, mijn beste kameraad. We zijn samen in dezelfde straat opgegroeid. Zijn sindsdien altijd als broers geweest. Ik denk dat ik altijd al een beetje voor hem heb gezorgd.' In het vage gele schijnsel van het Molson's bord aan de muur verscheen er een intense uitdrukking op zijn gezicht. 'Jimmy, weet je, die is homoseksueel. En in Canarsie kun je net zo goed meteen kreupel zijn, want je weet hoe dan ook zeker dat je daar op krukken zult eindigen.' Tony's ogen werden hard en ze zag een spier in zijn kaak trekken. Skyler dacht aan de levendige meneer Barrisford die de antiekwinkel tegenover die van haar moeder had. De hele stad wist dat hij homofiel was, maar de meeste mensen waren te beleefd om daarover te praten. De onuitgesproken consensus was dat als hij altijd een verse anjer in zijn knoopsgat droeg, en een beetje bekakt sprak, dit meer te maken had met het feit dat hij Engelsman was dan met iets anders.

'Waar is je vriend nu?' vroeg ze.

'Hij ligt met longontsteking in het ziekenhuis.' Een plotseling heftige blik veranderde de minzame man tegenover haar in een vreemdeling van wie ze niet zeker wist of ze hem wilde leren kennen. 'Dolan heeft aids,' legde Tony uit. 'Ik weet niet hoeveel tijd hij nog heeft, maar laat me je dit wel vertellen, als er een plaats in de hemel is voor kerels die door de hel hebben moeten gaan om daar te komen, zal hij een plekje op de eerste rij hebben.'

Skyler legde onwillekeurig haar hand op de keiharde vuist die hij op de tafel voor zich had gebald. 'Het moet voor jou ook heel moeilijk zijn.'

'Ja. Het punt is dat ik hem niet wil laten merken hoe slecht hij ervoor staat. Ik vind dat hij minstens één persoon moet hebben die nog net zo doet als vroeger, bij wie hij niet steeds begrafenismuziek op de achtergrond hoort.' Hij schudde even zijn hoofd, alsof hij zich opeens herinnerde waar hij was. 'Jezus, moet je mij horen. Je kent me niet eens en ik zit hier een beetje in m'n bier te janken.'

'Je zat niet te janken,' verbeterde ze hem. 'Bovendien gaat dat alleen op als je medelijden met jezelf hebt.'

Tony grinnikte. 'Op dat gebied heb ik niets te klagen... tenzij je wilt dat ik over mijn ex-vrouw begin.'

'Ben jij getrouwd geweest?' Om de een of andere reden verbaasde Skyler dat. Ze had hem voor vrijgezel versleten.

'Vier jaar lang.'

'Wat is er gebeurd?' vroeg ze onwillekeurig, ook al wist ze dat het haar niets aanging.

'Paula?' Hij schudde zijn hoofd. 'Het probleem was dat ze nooit

120

heeft begrepen waarom een kerel die rechten heeft gestudeerd, tevreden was met een bestaan als smeris.'

Skyler probeerde haar verbazing te verbergen. *Rechten?* Ze twijfelde er niet aan dat hij daar intelligent genoeg voor was... maar op de een of andere manier kon ze zich hem niet voorstellen als advocaat die met een pak aan en een das om naar kantoor ging. Ze vermoedde echter dat Tony Salvatore ongekende diepten had.

'Wat heeft je doen besluiten geen juridisch werk te willen?'

Hij staarde in de verte. 'Nadat ik me halfdood had gewerkt om mijn studie te halen en tot de balie te worden toegelaten – met 's avonds allerlei baantjes, vier keer per week lessen bij St. John's, ertussenin studeren – drong het tot me door dat ik het allemaal om de uitdaging had gedaan... niet om de beloning die erop zou volgen.' Hij haalde zijn schouders op. 'Ik denk dat ik 't gewoon niet in me had – een huis in Manhasset, een Beamer, een rekening bij Bloomingdale's. Het hele punt was dat Paula dat wel wilde en ze kon het me niet vergeven dat ik haar dat niet kon bieden.'

'Er is niets mis met een bestaan als smeris,' zei Skyler met iets te veel overtuiging.

'Ja... behalve wanneer je te druk over jezelf praat om in de gaten te hebben dat het anderen gaat vervelen.' Hij grijnsde en kwam loom overeind. 'Kom op, laat me je iets te eten aanbieden, of op z'n minst een kop koffie. Er is verderop een eethuisje dat lang niet gek is.'

Ze bekeek hem van top tot teen – de manier waarop de boorden van zijn verschoten spijkerbroek keurig over de rand van zijn cowboylaarzen pasten; de doffe glans van de gesp van zijn broeksriem, met zoveel krasjes erop dat het wel gebrand zilver leek; zijn poloshirt, waarvan het blauw hier en daar donkerder was omdat zijn borst het deed spannen. Skyler besefte tegelijkertijd, in haar halfbedwelmde staat, dat het geen eten was waar zij naar verlangde. En ook geen glas bier of kopje koffie. Wat zij wilde was echt heel eenvoudig. En tegelijkertijd hopeloos, dwaas gecompliceerd.

Ze probeerde de gedachte die in haar opkwam van zich af te zetten door zich in plaats daarvan op Prescott te concentreren. Na het eten waren ze van plan in de stad te blijven, in pappa's pied-à-terre op Central Park West. Ze zouden de liefde bedrijven, zoals ze dat meestal deden, enthousiast, met veel gespartel en gekreun. En gedurende een paar minuten daarna – nooit langer dan dat – zou ze zich vreemd vlak voelen, als een valse noot die op een viool werd gespeeld, voordat ze zichzelf er opnieuw van overtuigde dat Prescott alles was dat ze ooit in een partner zou zoeken.

Maar het was niet goed om aan Prescott te denken. Hij was niet wat ze nu wilde.

121

Wat zij wilde was...

'Heb je zin om in plaats daarvan mee te gaan naar mijn flat?' flapte ze eruit. 'Of eigenlijk is het de flat van mijn vader... maar hij gebruikt die nu niet.' Ze voelde zich opeens gewichtsloos, alsof haar stoel was opgelost en ze in de lucht was blijven hangen.

Tony hield zijn hoofd scheef, met zijn duim over de rand van zijn spijkerbroek geslagen, en hij glimlachte op haar neer, alsof hij niet goed wist hoe hij op haar uitnodiging moest reageren. Skyler besefte verhit hoe ze op Tony moest overkomen. In zijn ogen was ze het eerste het beste rijke meisje dat het met haar tennisleraar deed, of dat met een van de stalknechten door het hooi rolde. God, hoe had ze haar mond open kunnen doen?

Maar Tony, merkte ze dankbaar op, leek haar niet te veroordelen. Hij ging evenmin direct op het aanbod in. 'Ik weet niet of dat een goed idee is,' zei hij langzaam.

'O nee?' Ze hield haar stem luchthartig, ook al voelde ze zich alsof ze werd verteerd.

'Hoor eens, ik zal heel eerlijk tegenover je zijn,' zei Tony met een gelijkmatige openhartigheid die ze dolmakend vond. 'Je bent een knappe, chique vrouw... en ik heb sinds Paula niets met een andere vrouw gedaan. Maar ik wil niet met je rotzooien. Dat zou niet aardig zijn.'

Aardig? Allemachtig, zíj was hier degene die hèm een voorstel had gedaan. Hoe durfde hij haar te behandelen alsof ze zelf niet wist wat goed voor haar was?

'Geef me één goede reden,' daagde ze hem uit. Ze zat er nu te diep in om nog terug te kunnen. Hoe was die uitdrukking van Duncan ook alweer? Wie in 't schip zit, moet varen.

'Goed.' Zijn blik bleef kalm, zijn bijna zwarte ogen leken regelrecht door te dringen tot het hart van het vuur dat haar verteerde. 'Om te beginnen wil ik er een weekend in Atlantic City onder verwedden dat jij een vriendje hebt over wie je me niets hebt verteld.'

Skyler voelde zich alsof ze zwaar op haar nummer werd gezet, hier in deze armzalige bar, door de alleenziende ogen en de rake tong van deze smeris. Ze keek snel omlaag, zodat hij de blik van schaamte in haar ogen niet zou zien.

'Hij heeft hier niets mee te maken,' mompelde ze. 'Hoor eens, laat maar zitten. Vergeet zelfs dat ik 't heb aangeboden.'

Tony zweeg zó lang dat ze dacht dat hij zich even opgelaten voelde als zij. Misschien moest ze maar gewoon weggaan. Nu opstaan en naar buiten lopen...

Ze keek op en zag dat Tony haar aanstaarde met een nieuwe blik – een blik die haar opnam in een schandalig verlangen. Hij deed zijn ogen dicht en schudde zijn hoofd, alsof hij strijd leverde met zichzelf. Toen hij haar weer aankeek, glimlachte hij berouwvol, als om een heimelijk grapje. 'Hoor eens, ik breng je de stad in,' zei hij. 'Het hoeft niets meer te zijn dan dat, oké?'

'Afgesproken.' Skyler kwam overeind op wankele benen. Ze had zich bij Prescott nooit zo gevoeld en het schokte haar.

Zijn auto, een groene Ford Explorer, stond een eindje verderop geparkeerd. Hij maakte ruimte voor haar op de passagiersplaats door deze met een zwaai te ontdoen van oude kranten, koffiebekers, en een wapenstok die eruitzag alsof een hond erop had gekauwd. Gedurende de hele rit naar Sixty-second en Central Park West zei hij geen woord tegen haar. Tegen de tijd dat ze het gebouw van haar vaders flat hadden bereikt, verkeerde Skyler in staat van paniek bij de gedachte dat er elk moment een einde kon komen aan hun flirt. Tegelijkertijd voelde ze zich vreemd opgelucht.

Maar in plaats van haar gewoon af te zetten, verbaasde Tony haar door op een parkeerplaats te stoppen, die op wonderbaarlijke wijze vlak voor het gebouw was verschenen. Toen hij haar in de met marmer betegelde hal volgde, moest ze worstelen om haar blik van hem afgewend te houden. Als ze hem aankeek – als ze ook maar in zijn richting blikte – zou ze ter plekke bezwijmen. Ze gingen zwijgend met de lift naar boven zonder elkaar aan te raken of elkaar zelfs maar aan te kijken, en tegen de tijd dat ze de elfde verdieping hadden bereikt, waren Skylers benen zó slap dat ze er nauwelijks op kon blijven staan.

Pas toen ze aan de diverse sloten op de voordeur van 12-C stond te prutsen, waagde ze het een blik op Tony te werpen… en werd ze getroffen door de volle omvang van wat ze deden. Hij deed niet afstandelijk, zoals ze eerst had gedacht. In zijn diepliggende ogen, die zwart waren als een maansverduistering, in de bijna rigide manier waarop hij rechtop bleef staan, zag ze een man die langer niet met een vrouw naar bed was geweest dan hij zelf voor mogelijk had gehouden. Tony vertoonde de blik van een uitgehongerde man die bang was ook maar één hap te nemen, omdat hij daarna niet meer te houden zou zijn.

Toen Skyler naar binnen stapte, voelde ze een verrukkelijke rilling door zich heen gaan. *Dit is een droom*, dacht ze. *En in dromen kan alles gebeuren.* Ze liet haar tasje en sleutels op het Chinese tafeltje bij de deur vallen en zonder verdere omhaal sloeg ze haar armen om Tony's hals. Ze voelde haar hart in haar keel kloppen en ze raakte buiten adem.

Met een wonderlijk jongensachtige aarzeling sloeg Tony zijn armen om haar middel en bukte zich om haar te kussen.

Daar hield de jongen op en nam de man het over.

Ze voelde direct zijn begeerte… ze voelde hoe hij zich inhield, en ze verlangde nog meer naar hem, zelfs toen zijn tong zich in haar mond binnendrong.

Zo is het met Pres nooit geweest, dacht ze toen hij haar hoofd achterover duwde, met zijn sterke, stevige vingers door haar haar woelde. Bij Tony hoefde ze niet te doen alsof ze verliefd was. Ze hoefde hem zelfs niet áárdig te vinden...

Ze wilde hem alleen maar hèbben.

Hij kreunde, en ze kon voelen hoezeer hij haar begeerde toen hij haar achteruit tegen de muur duwde en zich tegen haar aan drukte. Zijn handen gleden langs haar zijden, betastten haar vormen, zijn duimen drukten zich in haar middel. Ze voelde hoe de knoop op de ceintuur van haar korte broek achter iets bleef haken – waarschijnlijk de gesp van zijn riem – en daarna een ritselend geluid toen hij lossprong en op de parketvloer viel.

Toen waren zijn handen tussen haar benen en zelfs door haar korte broek heen maakte de hitte van zijn hand dat ze zich naakt voelde. God, kon hij voelen hoe nat ze was... hoe wanhopig ze hem begeerde?

Ze werd overmand door schaamte.

Hoe zou Pres zich voelen als hij nu zomaar bij je binnen kwam lopen?

Maar niets kon haar nog schelen buiten de sensaties waarin ze dreigde te verdrinken. Alles waar ze nog aan kon denken, was deze man die haar kuste, en hoe hij over een paar minuten binnen in haar zou zijn. En hoe niet viel te voorspellen wat er daarna zou komen. Bij Tony voelde ze een gevaarlijke onderstroming, een springtij, naar de omvang waarvan ze alleen maar kon gissen.

Met een diepe, beverige zucht maakte Skyler de knoopjes van zijn overhemd los. Er glinsterde haar iets toe – een zilveren penning die rustte in het zachte, zwarte haar dat zijn borst bedekte. Ze gleed met haar vinger over het oppervlak ervan.

'Sint-Michiel,' mompelde hij. 'De beschermheilige van de politiemensen.'

Ze keek toe toen hij de rest van zijn kleren uittrok, verbaasd dat de naaktheid van een man op zichzelf haar al zoveel genoegen kon verschaffen.

Hij was overal bruin, behalve op zijn dijbenen en zijn bovenarmen, waar de mouwen van zijn uniform hem tegen de zon beschermden. Vlak onder zijn rechtertepel liep een rafelig litteken, bijna tot aan zijn navel.

'Kogelwond,' verklaarde hij nuchter. 'Sint-Michiel keek die dag kennelijk even de andere kant uit.'

'Hoe...' begon ze te vragen, maar hij legde haar het zwijgen op door een vinger op haar lippen te leggen.

In plaats daarvan concentreerde ze zich op de dichte vacht haar die zijn borst bedekte. Ook tussen zijn benen... lieve help, ze had nog nooit zoveel haar gezien. Zoveel van àlles.

'Mijn beurt,' zei hij met een vreemd dikke stem toen hij haar begon uit te kleden.

Skyler voelde zich vreemd draaierig worden; het was of er stoom uit een plas opsteeg na een zomerse onweersbui. Ze was te versuft om iets anders te doen dan stil te blijven staan toen hij haar T-shirt over haar hoofd trok en haar broek losritste. Pas toen hij worstelde om haar beha los te maken, gingen haar armen omhoog en legde ze haar vingers over de zijne om hem met de sluiting te helpen.

Te zien aan de manier waarop Tony haar aanstaarde toen ze uit de verkreukelde berg kleren stapte, had Skyler Venus kunnen zijn die uit haar halve schelp stapte. Ze voelde een verlegen lachje in haar keel opborrelen, maar dit werd onmiddellijk gesmoord zodra hij haar borsten in zijn eeltige handen nam. Hij kreunde, en ze voelde een rilling door hem heen gaan. 'Jezus, je bent hartstikke mooi,' fluisterde hij.

Maar het waren niet alleen zijn ruwe duimen die over haar tepels streken, die haar zo opwonden. Het was de aanblik van haar blanke borsten tegen zijn donkere huid, de kleine diamanten van zweet-druppeltjes in het haar dat zijn brede borst bedekte, en de tatoeage – een hart midden in een guirlande van bladeren – die zich over de spieren van zijn bovenarm slingerde. Tony was heel anders dan Prescott, hij was zo heerlijk wild en ongekend dat haar adem stokte, alsof ze zojuist omlaagkeek en tot de ontdekking kwam dat ze op de rand van een steile klif stond.

Hij voelde zelfs anders aan – ruw en hard, waar Prescott glad was, en de spieren in zijn armen waren strak en bultig, als die van een bokser. En zijn geur van vers zweet met een vaag paardenlucht-je, als zadelleer na een zware rit.

Hij zakte even door zijn knieën om haar bij haar billen op te tillen. Toen ze haar benen om hem heen sloeg, voelde ze hoe op-gewonden hij was en ze begon te beven. Toen droeg hij haar de woonkamer in, kieperde haar op de bank in het trapezium van licht dat op het tapijt viel vanuit het grote raam dat uitkeek over Central Park, waar de zon onderging in een sombere gloed. Ze voelde het fijne weefsel van de bekleding in haar rug prikken toen hij zich over haar heen liet zakken en toen omlaag schoof om haar tussen haar benen te kussen.

Skyler kronkelde en spartelde op een manier die ze van zichzelf heel onfatsoenlijk vond... maar ze kon er niets aan doen. Ze kon niets doen tegen de golven van bijna kwellend genot die elke lik van zijn tong bij haar teweegbrachten. Ze kon zich niet bedwingen... o grote genade... kwam ze echt op deze manier klaar? Met een man die ze nauwelijks kende? Het genot van dit alles gleed als warme olie door haar heen.

Maar toen ze na afloop hetzelfde bij hem probeerde te doen, pakte hij haar luchtig bij de schouders en trok haar omhoog, zodat ze hem lag aan te kijken. 'Nee,' zei hij en hij draaide haar op haar rug en schoof schrijlings over haar heen met zijn knieën aan weerskanten, zijn armen langs haar hals. 'Ik wil in je zijn wanneer ik klaarkom.'

'En hoe zit 't dan met wat jij zojuist bij mij deed?' vroeg ze op een luchthartige toon die de trilling in haar stem niet helemaal verdreef.

Hij lachte zacht. 'Dat was slechts een voorafje.' Er viel een brede streep licht over zijn borst, zodat de Sint-Michielspenning, die hypnotiserend aan zijn bijna te dunne zilveren ketting heen en weer zwaaide, fel schitterde.

Opeens schoot haar iets te binnen, zodat ze opschrok uit haar beneveling. 'Hoe weet ik of... of het oké is?' vroeg ze, want dat móest je tegenwoordig natuurlijk vragen.

Maar Tony leek daar niet vreemd van op te kijken. 'Ik meende het toen ik zei dat ik sinds Paula niemand heb gehad,' zei hij met die openhartige blik van hem die veel andere dingen had aanschouwd die een stuk erger waren dan de gêne van een beschermd opgegroeid meisje. 'Maar dat wil niet zeggen dat ik er niet weleens aan gedacht heb het te doen. Maar gezien de toestand van Dolan, leek het me niet iets om stomme dingen mee te doen. Dus heb ik me laten testen. Als je het bewijs wilt zien...'

'Nee.' Als het met bloed op perkamentpapier was geschreven, had ze niet zekerder kunnen zijn van Tony's eerlijkheid. 'Bij mij is het ook oké... wat dat betreft. De medische zorg voor studenten gaat heel ver. Je hoeft je ook geen zorgen te maken dat ik zwanger zou kunnen worden. Ik... eh... heb daar al iets aan gedaan.'

Eerder die dag had ze, met het oog op haar avond met Prescott, haar pessarium ingedaan. Gewoon voor het geval ze uiteindelijk toch ermee instemde zich te verloven en ze zouden besluiten dit te vieren. Maar toen ze opeens besefte hoe dit tegenover Tony moest klinken, voelde ze hoe ze een kleur kreeg.

Tony keek echter alleen maar geamuseerd, alsof ze een klein zusje was dat hem met een maaltijd verraste terwijl hij niet eens had geweten dat ze kon koken. Hij nam haar gezicht losjes in zijn handen en kuste haar intens, terwijl zijn lippen en tong nog naar haar smaakten. Ze voelde wat speeksel op haar kin, ze wist niet van wie het was en het kon haar ook niets schelen. Ze was even opgewonden alsof ze nog niet was klaargekomen; of nog meer, alsof het maar een voorproefje van de hoofdvoorstelling was. Skyler voelde even iets van paniek toen hij bij haar binnenging. Hij was zo... allemachtig, wat was hij gróót.

Niet dat Prescott nou direct klein was geweest... maar dit... ze kon hem helemaal tot in haar binnenste voelen, waarbij iedere stoot haast een stekende pijn veroorzaakte. Maar als het al pijn deed, merkte ze dat nauwelijks. Ze was zó heet, dat als het gebouw in brand had gestaan, ze dit niet zou hebben gevoeld. Ze kwam opnieuw klaar, met een explosie die zó intens was dat haar hoofd tolde van de sterren die een krankzinnige dans achter haar gesloten ogen uitvoerden.

En toen kwam Tony ook klaar – heel luidruchtig – en hij welfde zich achterover met een kreet die de pezen in zijn nek deed uitstaan. Er vielen druppeltjes zweet van zijn voorhoofd op haar gezicht, als kleine, hete kusjes, en ze merkte dat ze opnieuw tot een climax kwam.

'God!' riep ze toen hij uitgeput over haar heen in elkaar zakte.

'Gaat 't bij jou altijd zo?'

'Is het je te hevig?' Hij rolde van haar af en keek haar ongerust aan.

'Nee... o nee. Ik ben alleen niet... nou ja... ik heb nog nooit...,' stamelde ze en ze bedacht dat alles wat ze nu zei waarschijnlijk beter ongezegd kon blijven.

'Ja, ik weet wat je bedoelt.' Hij grijnsde. 'Zoals ik al heb gezegd, het was een tijdje geleden.' Met een tederheid die in scherp contrast stond met wat ze zojuist hadden gedaan, trok hij haar met gebogen arm omhoog, zodat ze in de holte van zijn vochtige hals lag, waar ze een ader voelde kloppen.

En nu? vroeg Skyler zich met een stijgend gevoel van paniek af. Het begon laat te worden en ze had over een paar uur met Prescott afgesproken. Maar ze kon Tony niet zomaar vragen weg te gaan. Voornamelijk omdat ze niet wilde dat hij wegging.

Met een gevoel van ongeloof, vermengd met stijgende ergernis, besefte Skyler dat wat ze werkelijk wilde was dat hij opnieuw de liefde met haar zou bedrijven. Na een minuut of vijf rolde ze opzij, zodat ze half boven op hem lag, met één lang bloot been over hem heen geslagen. Ze voelde zich heel decadent – als een ervaren vrouw in een buitenlandse film. Was dìt wat Mickey haar al die jaren had geprobeerd te beschrijven, sinds de tijd dat ze voor het eerst ongesteld waren geworden en belangstelling voor jongens waren gaan krijgen? Zelfs Mickey, voor wie seks even opwindend was als het hoogtepunt in een grote revue, had geen opwindender liefdesscène mee kunnen maken dan deze.

'Tony...' murmelde Skyler in zijn oor en ze pakte hem met haar rechterhand vast en begon hem te strelen.

Hij kreunde en ze voelde hoe hij weer stijf begon te worden. Hoewel ze zelf was begonnen, schrok Skyler toch een beetje. 'Ik wist niet dat een man zo snel kon herstellen,' merkte ze met een lachje op.

'Je kent me niet,' zei hij en hij grinnikte.

Ze bedreven nog tweemaal de liefde voordat Skyler ten slotte vanuit de diepten van haar erotische beneveling omhoogkwam en zag dat er op de een of andere manier anderhalf uur was verstreken – en dat ze nog maar twintig minuten had voordat ze Prescott zou ontmoeten.

Pres! O God!

Ze begon overeind te komen, maar Tony trok haar zachtjes weer omlaag en begroef zijn gezicht tegen haar hals. Ze klampte zich even aan hem vast, doordrongen van zijn geur en de duizelingwekkende beneveling van hun liefdesdaad, voordat ze voorzichtig opzijschoof. Ze wilde hem vragen om te blijven, niet om weg te gaan, maar als ze niets zei, zou ze te laat komen. En dat zou niet eerlijk zijn tegenover Prescott, die nog nooit iets had gedaan om haar te kwetsen.

Gelukkig redde Tony haar van de gênante situatie hem te vragen te vertrekken. Met een blik op zijn horloge sprong hij overeind en begon zijn spijkerbroek aan te trekken. 'Allemensen, heb je wel gezien hoe laat het is? En ik had Dolan beloofd bij hem langs te komen voordat het bezoekuur was afgelopen. Ik moet m'n luie kont echt in beweging zetten als ik dat nog wil halen!' Hij keek haar even aan terwijl hij zijn riem vastgespte. 'Is het oké als ik je 'n keer bel?'

Skyler ving de onzekere klank in zijn stem op en vroeg zich af of Tony dezelfde aarzeling had als zij ten aanzien van verdere betrokkenheid. Was hij er ook beducht voor om zich zomaar te storten in iets dat hem te machtig kon worden?

Terwijl ze haar telefoonnummer op de achterkant van een envelop, die ze op het tafeltje naast de bank had gevonden, krabbelde, stak een waarschuwende stem in haar hoofd een preek af. *Wat ben jij in 's hemelsnaam van plan? Wat heeft het voor zin hem weer te zien? Zelfs als je besluit niet met Pres te trouwen, zelfs als je zover mocht gaan om volledig met hem te breken, wat stelt dit alles met Tony méér voor dan dat je gewoon eens grondig wordt gepakt?*

Dáár zou ze op zichzelf geen bezwaar tegen hebben. Maar als ze vaak genoeg herhaalden wat er vanmiddag was gebeurd, zouden ze misschien verliefd worden. En wat dan?

Wanneer je hem mee naar huis nam om kennis te maken met je familie, zou je niet zozeer aan zijn graad in de rechten denken. Je

zou zien dat ze naar zijn Sint-Michielspenning keken, en je zou mer-
ken dat zijn accent hun opviel, en als hij toevallig zijn overhemd mocht
uittrekken, de tatoeage op zijn rechterarm.
Skyler werd overweldigd door schuldgevoelens. O, wat was zij
toch een hypocriet wezen! Ze had altijd zo haar neus opgehaald
voor het sociale wereldje van Princeton... maar in feite was dat
niets anders geweest dan dat ze zich superieur voelde aan die snobs.
Ze had gedacht dat ze beter was dan meisjes als Courtney Fields,
die berucht was om haar hatelijke grapjes over de meisjes die op
een beurs studeerden – de manier waarop ze zich kleedden, praatten, aten. En keek haar nu eens. Ze was geen steek beter dan Courtney, want die liet tenminste eerlijk merken hoe ze erover dacht.
Toen Tony vertrok, kuste Skyler hem op de wang met een kuis-
heid die bijna komisch was na alles wat ze zojuist hadden gedaan.
Misschien belde hij haar niet eens op. Misschien zou hij dit alleen
maar als een middagje geweldige seks beschouwen, en daarna gewoon verdergaan. Een deel van haar hoopte dat hij dit zou doen.
Een ander deel verlangde ernaar hem terug te zien.
Hij was bijna de deur uit toen ze riep: 'Tony?'
Hij draaide zich om en in de bundel licht vanuit de hal zag ze
iets in zijn ogen flakkeren, iets donkers en ondoorgrondelijks. Toen
grijnsde hij opnieuw breed – een grijns die bij iemand anders arro-
gant kon hebben geleken, maar die evenzeer bij Tony paste als de
strakke spijkerbroek die laag op zijn heupen zat.
'Rustig maar,' zei hij alsof hij haar gedachten had gelezen. 'Niets
aan de hand hier. We hebben veel plezier gehad... dat is alles. Daar
is op zichzelf niets mis mee.'
Toen de deur achter hem dichtviel, voelde Skyler zich opeens
wonderbaarlijk licht in haar hoofd. Het was of Tony bij het weggaan een onzichtbare lamp had aangestoken. Wat eerder vaag en
schemerig was geweest, was nu duidelijk verlicht. Ze wist nu welk
antwoord ze Prescott moest geven. Ze kon niet met hem trouwen
– nu niet, en later ook niet. Had ze dat niet al enige tijd geweten?
Was een groot deel van de reden dat ze met een volslagen vreemdeling naar bed was gegaan niet dat ze de behoefte had zichzelf te
bewijzen wat haar hart niet toe had willen geven?
Waar ze niet op had gerekend, was Tony zelf. De dingen die ze
zojuist hadden gedaan... de glimp die hij haar had geboden van
de dingen die nog moesten worden ontdekt. En o lieve God, wat
had hij haar in een toestand achtergelaten: ademloos stond ze, met
bonzend hart, te luisteren naar het verre gezoem van de lift die
omlaagging naar de parterre.

129

6

'Central Park surveillancewagen... Overval... Voetganger beroofd op Sixty-fifth Street Transverse... Dader is vanaf Heckscher Playground in noordelijke richting verdwenen... Latijns-Amerikaans uiterlijk, ongeveer één meter vijfenzeventig lang, snor... Gekleed in zwarte broek, groen sweatshirt...'

Brigadier Tony Salvatore was in de zuidwestelijke hoek van Central Park samen met de forse Duff Doherty op surveillance toen het alarm opklonk uit het eindeloze geknetter van de radio aan zijn riem. Hij liet zijn paard stilstaan en bracht de radio naar zijn mond om te antwoorden: 'Gewapend?'

'Dader toonde revolver,' knetterde de stem van de centrale.

'Allejezus,' vloekte Doherty, die naar hem toe kwam gedraafd. Het was midden op de dag, op de warmste zaterdag die ze tot dusver in juli hadden gehad, en de blauwe stof van zijn uniform vertoonde grote, natte kringen onder zijn armen. Zijn brede, sproetige gezicht was vettig van het zweet. 'Die kerels houden ook nergens rekening mee. Had hij niet even kunnen wachten tot ik vrij was?' Na zijn vorige opdracht, in Washington Heights, waar hij had meegewerkt aan het oppakken van illegale straatventers, had hij deze post ingenomen – Central Park South tot Seventy-second Street, vanaf Fifth Avenue tot Central Park West – met een brede glimlach op zijn overjarige *Dennis-the-Menace*-gezicht. Doherty's vrouw kon elke dag bevallen en hij had niet de minste behoefte zijn bloeddruk nog verder omhoog te jagen. En nu dit.

'Er is zeker niemand die hem heeft verteld dat het niet beleefd is om iemand voor donker in elkaar te slaan,' grapte Tony, niet zonder zelf ook een steek in zijn maag te voelen.

Ze hadden juist West Drive bij Sixty-seventh gepasseerd en gingen in oostelijke richting over het pad dat dwars over het noordelijke einde van de Sheep Meadow liep. Ondanks de broeierige hitte voelde Tony dat hij scherp en alert was. Central Park, met zijn oppervlakte van bijna driehonderdvijftig hectare, dat de stad van

Fifty-ninth tot 110th overspande, was als een stedelijk pioniersgebied, een omgeving die altijd weer de cowboy in hem naar boven bracht. Voor elk gemanicuurd gazon waren er plekken wildernis waarin alle soorten moord en doodslag konden plaatsvinden; voor elk geplaveid pad een gevaarlijk rotsachtig uitsteeksel. Om nog maar te zwijgen van de Ramble – vijftien hectaren beboste heuvels – die zowel op vogelaars als op homofielen op zoek naar avontuur een grote aantrekkingskracht uitoefende. Harlem Meer was ook zo'n plaats waar je 's nachts niet ging surveilleren zonder een hand op je holster.

Op dat moment echter, terwijl Tony het open gebied overzag dat Sheep Meadow heette (en waar ooit ook echt schapen hadden gegraasd) kon hij niets bedreigenders ontwaren dan de beginnende verbrandingen die tegen de avond een marteling zouden betekenen voor de bleke stadsbewoners die op strandlakens en picknickdekens lagen te sudderen – voornamelijk jongelui met de koptelefoon van walkmans op hun hoofd of languit op hun buik met een boek in het gras. Hier viel weinig actie te bespeuren, constateerde Tony, met uitzondering van frisbee-werpers en een zwerver die in een afvalbak rommelde. Zijn blik werd getrokken door een jong paartje dat onder een plataan verstrengeld lag, bezig met een activiteit die verboden zou zijn geweest als ze niet volledig gekleed waren geweest. Er flitste even een beeld door zijn geest – een ruitvormige plek zonlicht op de blanke welving van een heup. En hij dacht: *Skyler*. De dingen die ze die dag hadden gedaan... Jezus. Na bijna een maand was de herinnering enigszins verbleekt, maar de kracht ervan bleef, als de nasleep van een droom die je niet van je af kon schudden. Minstens één keer per dag, zelfs op onwaarschijnlijke momenten als nu, ging hij alles in gedachten nog eens na, als het souvenir van een reis die hij zich nauwelijks kon herinneren, waarvan hij alleen maar wist hoe fijn het was geweest.

Ja goed, hij had haar een paar keer opgebeld. Maar hun telefoongesprekken hadden alle overdreven gewoonheid vertoond van twee mensen die hun uiterste best deden niets te zeggen over wat hen het meeste bezighield. En van de vage plannen die ze hadden gemaakt om samen een keer koffie of iets anders te gaan drinken, was om de een of andere reden ook niets terechtgekomen. Een wijziging in zijn agenda; een zomergriepje; een vergeten afspraak die hij zich herinnerde. Toen ze hem vorige week had gebeld met de vraag of hij het neefje en nichtje van een goede vriendin van haar de stallen wilde laten zien, was hij verbaasd geweest. Hij had niet verwacht haar na al die tijd weer te zien.

Morgen was de grote dag. Hij had afgesproken dat Skyler hem met de kinderen van haar vriendin bij de stallen zou ontmoeten

131

wanneer hij om half vier vrij was. Dat was toch niet zoiets bijzonders? Even een uurtje rondleiden, en dan gingen ze weer. Dus waarom brak het zweet hem uit om iets dat niets te maken had met de overvaller die hij zocht? *Weet je wat jou dwarszit, makker? Je wou dat het zomaar een nummertje was geweest, maar om de een of andere reden was 't dat niet. Je wilt haar vergeten, maar dat kun je niet.* Misschien omdat hij verdomd goed besefte dat het voor haar inderdaad zomaar een nummertje was geweest. Veel pret en plezier, dankzij de knul van wie je ouders een stuip zouden krijgen als hij naast ze kwam wonen. En nou ja, hij had daar de pest over in. Hij had verdomd zwaar de pest in – en dat bestempelde hem tot een klootzak, want hij had bij voorbaat geweten hoe de vork in de steel zat en niemand had hem iets anders wijsgemaakt.

Tony zette Skyler uit zijn gedachten, en dat ging moeilijker dan eigenlijk had gemoeten. Hij had nu ècht belangrijker dingen aan zijn hoofd, zei hij tegen zichzelf. Genoeg van al deze persoonlijke leuterkoek.

Vijftig meter voor hem uit, waar het pad op een T-kruising kwam, deelde een bronzen standbeeld van twee adelaars die een ram verslonden, het door de bomen beschaduwde plekje met een verkoper van hot-dogs. Tony hield zijn paard in en overwoog welke richting hij zou nemen. De overvaller had beide kanten uit kunnen gaan. Of hij was hier nog ergens vlak in de buurt.

'Ik ga in de richting van Rumsey Playground,' zei hij tegen Doherty. 'Kijk jij bij het meer. Misschien is hij onder het Terrace gekropen.'

'Dat is goed, brigadier.'

Terwijl Doherty in noordelijke richting naar Bow Bridge reed, wendde Tony zijn paard linksaf, naar het pad dat op de Mall uitkwam en daarna met een bocht achter de Naumberg Bandshell omhoogliep. *Die kerel is inmiddels al hoog en breed op weg naar de Bronx*, dacht hij. Oké, ze kregen af en toe alarm via hun radio, maar meestal was dat niet het soort toestanden waar tv-series van werden gemaakt. Dronkaards en zwervers, een enkele herrieschopper of een zakkenroller.

Niet dat je bij de bereden politie nóóit iets spannends meemaakte. Zoals die overval op een echtpaar op Forty-seventh, een paar maanden geleden. Hij was de eerste geweest die daar verscheen – een juwelierszaak die nog maar enkele minuten daarvoor door een stel gewapende junkies was overvallen. Hij trof de vrouw van de eigenaar liggend op de grond aan, bloedend uit een beenwond. De eigenaar zelf, een chassidische jood, wiens zwarte baard als inktkrabbels had afgestoken tegen zijn papierwitte gezicht, had met doodsbange ogen naar de voordeur gekeken. Een van de junks was weggekomen, maar de andere was te dronken of te high geweest en niet zo snel...

Tony herinnerde zich hoe hij naar buiten was gesneld en toen de dader had gezien, een magere, bleke jongen die zich over het drukke trottoir een weg naar Sixth Avenue baande met een pistool bungelend in zijn hand. Maar toen Tony zich in het zadel wilde slingeren om de achtervolging in te zetten, was zijn linkerlaars op de een of andere manier verstrikt geraakt in zijn stijgbeugel. Juist op dat moment had de jongen zich omgedraaid en terwijl zijn koortsachtige ogen die van Tony kruisten, had hij het pistool geheven. Hij had wat wiebelig gericht, maar Tony had desondanks zijn nekharen overeind voelen komen. Als Scotty dat moment had uitgekozen om op hol te slaan, als hij niet stokstijf was blijven staan...*godsamme*. Hij moest er niet aan denken wat er had kunnen gebeuren. Als hij erop terugkeek, was het een beetje komisch – hij had daar op één been staan hinken, worstelend om zijn evenwicht te bewaren, terwijl hij tegelijkertijd zijn revolver moest grijpen. 'Politie! Laat dat wapen vallen!' had hij gebruld, en gelukkig had de junk gehoorzaamd. Maar pas toen die knul plat op zijn buik op de straat lag, met zijn handen achter zijn hoofd, was Tony in staat geweest zich los te maken en een zucht van opluchting te slaken.

En een menigte in bedwang houden? Alsof het al niet moeilijk genoeg was om een dier van Scotty's formaat strak aan de teugel te houden in een straat die wemelde van de dingen die hem ervandoor konden laten gaan – een paraplu die openklapte, een windvlaag die een stuk krantenpapier deed opwaaien, stoom die uit een rooster opsteeg, de zon die werd weerkaatst door een stuk glas of een verchroomde wieldop. En daarbovenop moest je een lawaaierige, opdringende mensenmassa in bedwang zien te houden. Zelfs wanneer de hele troepenmacht werd ingezet, met alle honderdtwintig agenten, waren er altijd grapjassen die eens lollig wilden doen.

Deze herinnering deed hem denken aan de Poolse optocht van vorige maand... en het beeld dat Skyler had geboden toen ze achter de arme Scotty aanging, lang en slank in haar witte korte broek, met haar lange, snelle benen en haar blonde haar dat achter haar aan wapperde – als een afbeelding van Diana, de godin van de jacht, die hij thuis in een boek over Romeinse mythologie had. Hij had nog nooit zo'n vrouw als Skyler ontmoet, zelfs niet onder de vrouwelijke agenten met wie hij samenwerkte, bij wie het op het gebied van moed aan niets ontbrak. Er was gewoon iets in die sterke combinatie van seksuele aantrekkelijkheid, intelligentie en vakkundigheid, met daarbij een flinke dosis onbesuisdheid, die hem zowel overweldigde als onvoorstelbaar opwond.

Tony's gedachten keerden met een ruk terug naar het heden door een flits van een beweging in zijn uiterste gezichtshoek. Hij ging nog wat meer rechtop zitten en overzag het hek van harmonicagaas dat langs Rumsey Playground liep. Waarschijnlijk een eekhoorn, zei hij bij zichzelf. Central Park was een ware dierentuin, met hele kolonies grijze eekhoorns en zwermen duiven en mussen, om nog maar te zwijgen van honden van alle mogelijke rassen die druk bezig waren hun bazen uit te laten. Daarnaast werden de paden bevolkt door wandelaars, joggers en rolschaatsers met fietsbroeken en kniebeschermers, die zigzaggend tussen iedereen door schoten.

Toen zag Tony hem, op nog geen twintig meter afstand – een tengere man met een zwarte spijkerbroek en een groen sweatshirt met capuchon. Hij holde over de met gras begroeide berm die omhoogliep tussen het hek en het pad waarop Tony reed, en hij hield één hand over de voorkant van zijn broeksriem, waar Tony een bobbel zag die beslist geen gesp was.

Tony pakte zijn mobilofoon. 'Mobilofoon bereden politie… Ik heb de mogelijke dader van Heckscher Playground gesignaleerd, zuidzijde Rumsey, in oostelijke richting naar East Drive.'

'Mogelijke' werd 'Reken maar van yes' toen de dader Tony in het oog kreeg en zonder vaart te minderen onder zijn sweatshirt greep om de revolver uit zijn broeksriem te trekken. *Kólere*.

Tony schoot met zijn hand naar zijn holster en rukte zijn eigen revolver te voorschijn, een Smith & Wesson .38, die veel vaker werd gebruikt op de schietbaan in Rodman's Neck dan tijdens de dienst, en hij voelde een grote dosis adrenaline door zijn lichaam gaan – een strakgespannen, kloppende sensatie die iemand zonder zijn training, om nog maar te zwijgen van zijn liefde voor gevaar, voor paniek zou hebben aangezien.

'Blijf staan!' brulde hij.

De man ging alleen maar nog harder hollen.

Tony zag hoe een moeder met een bleekvertrokken gezicht een angstige blik over haar schouder wierp alvorens haar baby uit de wandelwagen te grissen; hoe een tienermeisje met een afgeknipte spijkerbroek struikelde en zichzelf aan een afvalbak overeind wist te houden.

Parkbanken, smeedijzeren lantaarnpalen, de gestreepte parasol van een kiosk met frisdrank, snelden voorbij als een bewegend decor op een toneel waar Tony, zelfs terwijl hij zijn paard in handgalop dreef, stil leek te staan. Hij popelde om in gestrekte galop te gaan, maar dat zou ook gevaren met zich meebrengen: er waren hier te veel mensen, nu niet, iedereen was even snel ter been als degenen die nu voor hem opzijsprongen.

Door de bomen voor hem uit kon hij van een afstand van een

meter of vijftig een snelle maar goede blik werpen op de man die radeloos achteromkeek: vettig lang haar, hangsnor, schele ogen – de eerste de beste *bandido* uit een cowboyfilm. Behalve dat de revolver in zijn hand niet de een of andere antieke donderbus was. 'Politie! Laat dat wapen vallen!' Op hetzelfde moment gaf Tony Scotty even de sporen. De grote vos versnelde direct. Hij schoot door het groepje bomen, dat schaduw bood aan een aanstellerig beeld van Moeder de Gans. Die goeie, ouwe Scotty, die soms weleens wat schichtig kon doen, liet je nooit in de steek als het er echt om spande. Tony hield geen oog af van de gestalte in de zwarte broek en het groene sweatshirt, die een eind voor hem uit tussen de bomen door snelde. Hij voelde zich bij elke glijdende beweging van zijn onderlijf dieper wegzinken in het zadel, dat als een geliefde, gemakkelijke stoel helemaal naar zijn lichaam was gaan staan. Er streken takken langs zijn gezicht, die een schurend geluid maakten wanneer ze langs zijn helm schraapten. Er steeg een vochtige geur van aarde op toen Scotty's hoeven het gras openhaalden en zoden opwierpen.

Onder de bezwete stof van zijn uniform voelde Tony hoe het litteken op zijn borst begon te gloeien, als de smeulende sintels van een haardvuur.

Maar dieper in zijn botten was Tony ijskoud. De afstand tot de voortvluchtige gestalte werd steeds kleiner, maar de kerel had nog altijd een voorsprong van zo'n meter of dertig. Toen hij de man in de stroom joggers en fietsers, die zich over East Drive voortspoedden, zag verdwijnen, bad hij inwendig: *Jezus, laat me hem niet kwijtraken*.

De griezel bleef abrupt staan en draaide zich met een ruk om, met zijn revolver op Scotty gericht... en voor Tony goed en wel kon richten, werden zijn trommelvliezen belaagd door een oorverdovende knal. De kogel rukte een stuk uit de esdoorn aan Tony's rechterhand, zodat de stukken schors als granaatscherven in het rond vlogen en een golf van ontzetting veroorzaakten onder voorbijgangers die haastig dekking zochten.

Tony's verbijsterde hart liet het even afweten voor het opzwol om zijn hele borst te vullen. Toen vloekte hij binnensmonds: 'Jij stomme klóótzak!'

Scotty stak zijn hoofd in paniek met een ruk omhoog, gleed uit en struikelde bijna, herstelde zich toen en ging er vandoor, in volle vaart over de weg met een hol geklepper van zijn hoefijzers, waarvan Tony, aan de hitte die door zijn benen omhoog trok, zou hebben gezworen dat de vonken eruit sloegen. Aan de andere zijde ging hij in gestrekte galop over het gras, omlaag over een groene helling die met bomen was bezaaid, waardoorheen Tony de schittering van het Conservatory Water kon zien, en de overvaller ging er recht op af.

Er kwamen beschaduwde bankjes in zicht. Op de vijver draaide een regatta van modelzeilboten, die er heel levensecht uitzagen, keurige achtjes over het zilverglanzende oppervlak. Het was bijna schokkend, als een obsceniteit die met lelijke zwarte verf over een schilderij was gekloderd, om de voortvluchtige dit idyllische tafereel te zien verstoren met een vliegende sprong, die het water alle kanten uit deed spatten.

De mensen die slaperig op de banken zaten, gilden het uit en doken achter bomen en snelden naar de beschutting van struiken. In zijn toestand van grote alertheid vielen hem zelfs de kleinste details op. Tony zag hoe een haastig weggeworpen blikje vruchtensap een kleverige paarse kometenstaart op het pad naast hem schilderde. Een jonge vrouw in een geelgestreepte korte broek stond te snikken, terwijl ze probeerde de lijn van haar setter los te maken van de poot van de bank waaraan ze hem had vastgemaakt. Een wilde eend vloog over het pad met een verschrikt vertoon van veren.

Toen ze dichter bij de vijver kwamen, begon Scotty de aarzelende, bijna achterwaartse gang aan te nemen van een paard dat schichtig dreigt te worden. 'Daar komt niets van in,' mompelde Tony.

Bij elke hoefslag klopten de aderen in zijn gezicht en hals terwijl hij zijn paard met zoveel kracht het water indreef dat hij even het gevoel had alsof hij Scotty werkelijk met zijn benen het water in tilde.

De vijver was nog geen meter diep, maar te paard leek het of hij door drijfzand ploegde. Een modelbootje kruiste Tony's pad en werd tot zinken gebracht. Een paar meter verderop gooide de achtervolgde, met zijn sweatshirt nu aan zijn romp geplakt, zijn haar in vettige, natte slierten om zijn hoofd, een vrolijk zeilbootje opzij, zodat het tegen de stenen oever te pletter sloeg.

'Rot op, jij!' schreeuwde de haveloze, drijfnatte man.

Er was slechts een glimp van de revolver, die in de vuist van de kerel was geklemd, voor nodig om Tony's instinct, dat door vele jaren van surveilleren te paard tot het uiterste was geslepen, snel te laten reageren. Hij zette zijn hakken in Scotty's flanken en wierp zijn hele gewicht achterover, waarna hij meer dan vierhonderd kilo druipend, trillend paard als een vloedgolf omhoog voelde komen. Er kwam een fijne nevel van druppels in de lucht te hangen, met rondtollende prisma's van gekleurd licht. De kreten vanaf de oever klonken hem gesmoord in de oren, alsof ze van onder water kwamen. Maar het misselijkmakende gekraak van botten toen Scotty op de ineengedoken hoop voor hem neerkwam, was even scherp en duidelijk als het geluid van droog brandhout dat in tweeën knapt.

In de fractie van een seconde die het hem kostte om diep adem te halen en zijn revolver te trekken, was Tony van zijn paard gesprongen en waadde naar de achtervolgde, die verbazingwekkend genoeg nog bij bewustzijn was, ineengedoken in een krabachtige houding, waarbij hij een arm vasthield die eruitzag als iets dat iemand uit elkaar had gehaald en op de verkeerde manier weer in elkaar had gezet. Het bloed dat uit de wond op zijn voorhoofd druppelde, was als een gruwelijke, felroze roos op het smoezelige water van de vijver. De donkere ogen die vol haat naar Tony omhoog schitterden, schenen naar hem te spugen, net als de mondvol smerig water die hem in zijn hals raakte. Tony keek omlaag en zag de revolver die bijna zijn ingewanden op andere wijze hadden gerangschikt. Hij lag op de modderige bodem te blinken, vlak bij zijn laarzen.

'Het ziet ernaar uit dat je de verkeerde klootzak hebt uitgezocht vandaag,' merkte hij vriendelijk op met een trotse blik in de richting van Scotty, die zichzelf beloonde met eens lekker van het water te drinken.

De man gilde het uit toen Tony hem de handboeien omdeed.

Minuten later, toen Doherty zich weer bij hem voegde met een verhit gezicht en totaal buiten adem, gevolgd door steuntroepen in de vorm van een half dozijn surveillance-agenten en een ambulance, gilde de man nog steeds. In Bellevue zouden ze vast wel goed voor hem zorgen, dacht Tony. En als zijn gebroken arm eenmaal in het gips zat, zouden ze in het huis van bewaring zelfs nog beter op hem passen.

Na Scotty bij de stallen te hebben achtergelaten, bracht Tony de rest van de middag door met wachten in Bellevue tot ze klaar waren met de overvaller, en daarna zou hij hem naar het huis van bewaring brengen en een aanklacht invullen voor de officier van justitie. Tegen de tijd dat hij terug was op zijn kantoor en zich had afgemeld, was het bijna half tien. En hij had nog eens vijf kwartier rijden voor de boeg. Zelfs de gedachte aan alle overuren die hij had gemeld, was niet voldoende om zijn stemming te verbeteren.

Toen hij eindelijk de oprit indraaide van zijn kleine, witte, houten huis in een rustig achterafstraatje in Brewster – zo'n honderddertig kilometer ten noorden van de stad, in het slaperige district Putnam – was hij zó kapot dat het enige dat hij kon doen was een blikje soep opwarmen, de inhoud nuttigen, en daarna in bed kruipen. Toen de wekker hem om vijf uur 's ochtends uit zijn bed joeg, met een mond vol spinnenwebben en ogen die aanvoelden of ze met

137

schuurpapier waren behandeld, had hij kunnen zweren dat hij niet meer dan tien minuten had geslapen. Daarna was hij weer op en onderweg, met een beker koffie die hij bij een cafetaria had gekocht tussen zijn knieën en de bank van zijn Explorer geklemd, in zuidelijke richting over de 684, en meldde zich om half acht present.

Tijdens het rijden was er één enkele gedachte die zich een pad baande door de stoffige laag slaap die zich als een kater aan hem vastklampte: *Skyler... Vandaag zie ik Skyler*.

Het was zondag – een dag waarop beschaafde mensen naar de kerk gingen, uitvoerig de *Times* lazen, golf speelden, hun geliefden opbelden. Tony kon zich niet herinneren wanneer hij voor het laatst een zondag vrij had gehad. Meestal had hij geen bezwaar tegen zo'n vol programma, maar nu de temperatuur tot ver in de dertig graden zou stijgen, was het laatste waar hij aan het eind van deze zondagse tocht behoefte aan had wel de storm van emoties die Skylers bezoek ongetwijfeld bij hem teweeg zou brengen.

Skyler Sutton. Zelfs haar naam klonk duur, verdomme. Geadopteerd of niet, ze droeg de achternaam van mensen wier voorouders een heel eind verder teruggingen dan Ellis Island. *Wat zij per jaar aan kleding uitgeeft, zou mij voor de rest van m'n leven in de schulden steken. En ik moet nog steeds Paula's Visa en Amex afbetalen*. Niet, vermoedde hij, dat juffrouw Skyler Sutton met haar navelstreng was verbonden aan een aandelen- en obligatiefonds dat waarschijnlijk iedere kerel met wie zij zou trouwen voor de rest van zijn leven op rozen zou laten zitten.

Tony weerhield zijn gedachten ervan om verder te gaan in die richting. Wat ging hèm dit alles aan? Hij was echt niet het soort kerel over wie zij serieus zou willen nadenken. En hij kon zijn tijd trouwens wel beter gebruiken dan een beetje rond te lummelen met gedachten over waar hij wel en niet thuishoorde of wilde thuishoren.

Toch deed de gedachte aan hoe ze in zijn armen had aangevoeld een schok van elektriciteit door hem heen gaan. Haar koele, honingachtige schoonheid, die niet zo koel was als hij aan de buitenkant leek; haar stoute-meisjeslach, die zo'n contrast vormde met de rest van haar. Jezus, wat was dat lekker geweest... het heerlijkste dat hij ooit had meegemaakt. Maar waar hadden ze het hier over? Een levenslange verbintenis? Voor haar was het niet meer geweest dan wat rollebollen in het hooi, met de jachtopziener van lady Chatterley. Voor hem de feestelijke tewaterlating, na een lange periode van zelfopgelegde onthouding, van zijn nieuwe leven als gescheiden man.

Klote, dacht hij. En toen zei een vervelend stemmetje in zijn achterhoofd: *Daar had ze je anders aardig bij te pakken, nietwaar? En het probleem is dat je dat nog eens wilt*.

Tony wist zich door louter wilskracht op de een of andere manier door die ochtend en het grootste deel van de middag heen te slaan zonder de agenten die onder zijn bevel stonden te laten merken dat hij iets dringenders aan zijn hoofd had dan naar huis gaan voor een koel glas bier en een gemakkelijke stoel voor de tv. Maar aan het eind van zijn lange, warme dienst – hij had gesurveilleerd op Times Square, een ramp in deze tijd van het jaar – maakte de krachtsinspanning van het de trap opgaan naar het kantoor boven de stallen al dat hij buiten adem raakte, en hij wenste dat hij eraan had gedacht een Advil in zijn mond te stoppen voor de stijve plek in zijn rug, waar hij nog steeds last van had.

Hij keek op zijn horloge – Swiss Army met ingebouwd kompas en een brede leren band. Kwart over drie. Skyler en haar vriendin konden binnen een kwartier hier zijn. Verdorie. Hij kon dit net zo goed gebruiken als hij Paula met al haar eerzuchtige dromen kon gebruiken.

Tegelijkertijd voelde Tony een verraderlijke warmte in zijn kruis. Het leverde hem een erectie op die hij met een denkbeeldige koude douche moest doven voordat hij verder kon gaan door de metalen deur boven aan de trap.

De eerste verdieping was in twee secties verdeeld – de grote zaal langs de straat, die onderdak bood aan het hoofdkwartier van de volledige eenheid bereden politie, alsmede de kantoren van de hulpsheriff en de inspecteur. Achterin was het kantoor voor Troep 13, een ruimte zonder ramen en half zo groot, met aangrenzend de kleedkamers voor mannen en vrouwen, waar Tony op dat moment de twaalf agenten van de zeven-tot-vierploeg rond hoorde stommelen, tegen elkaar hoorde roepen boven het geklater van de douches en het dichtslaan van kleerkasten uit.

Bij het wiel – de balie en de grijze dossierkast die in een minder utilitaire omgeving wellicht de receptie zou worden genoemd – begroette de dienstdoende brigadier Bill Devlin hem met een joviale manier van doen die Tony ineen deed krimpen.

'Hé, Salvatore, ik hoorde dat je gisteren een duik hebt genomen. Heb zo'n idee dat dat een kerel is die zich niet voor jouw volgende zwempartij zal laten uitnodigen.' Devlin was een vadsige kerel die nog twee jaar van zijn pensioen was verwijderd. Hij had meer verhalen in petto dan wie dan ook en hij moest altijd erg om zijn eigen grapjes lachen.

'Ja, nou, die is voorlopig wel door iets anders in beslag genomen,' grapte Tony terug terwijl hij zich uitschreef en naar de kleedkamer liep.

Tijd voor een snelle douche en een schoon stel kleren voordat Skyler arriveerde. Als hij niet van plan was de liefde met haar te bedrijven, hoefde dit nog niet te betekenen dat hij stonk als de eerste de beste landloper.

Tony was, gekleed in een verschoten spijkerbroek en een T-shirt van de bereden politie met het logo 'The Last of the Light Cavalry', in Scotty's box bezig om hem flink met een handdoek af te rossen – afborstelen was iets wat die grote kerel lekkerder vond dan suiker – toen Skyler verscheen.

'Is hier iemand?' hoorde hij haar roepen.

Alleen al het geluid van haar stem ging door hem heen als een slok whisky. Haar aanblik, aan de andere kant van het metalen hek dat de stal van het trottoir scheidde, steeg hem nog meer naar het hoofd. Ze droeg een gebroken-witte katoenen lange broek die rond haar middel door een gerimpelde band werd strak getrokken, en een wijde, dunne blouse, in de kleur van haar ogen, die om haar heen leek te zweven. Haar lichtblonde haar was in een paardenstaart naar achteren gebonden en ze droeg geen sieraden, op een eenvoudig polshorloge met leren bandje na. Onmiddellijk volgend op de golf van wellust die door hem heen ging, werd Tony getroffen door hoe moe ze eruitzag... het soort hologige vermoeidheid dat niet alleen maar het gevolg is van een paar slapeloze nachten. Was ze ziek? Was dat de reden dat ze hem niet eerder had willen zien?

Hij kreeg onmiddellijk spijt dat hij haar zo scherp had geoordeeld. Maar hij werd nog meer gegrepen door een nieuwe tederheid jegens haar, een opwelling haar in zijn armen te nemen om alles wat haar mocht mankeren weer beter te maken.

Kalm aan, man, waarschuwde Tony zichzelf. *Wat haar ook mag mankeren, ze heeft jou niet nodig om het te repareren. Daar heeft ze haar Ivy League-vriendje voor.*

'Ik had de rode loper voor je willen uitrollen, maar het enige tapijt hier in de buurt is dat waar je op staat.' Hij wierp een plagende blik op de verzameling hooi op het trottoir aan haar voeten.

Skyler lachte. 'Maak je geen zorgen... Mickey en ik zijn daar wel aan gewend.'

Tony richtte zijn aandacht op de donkerharige jonge vrouw met zigeunerogen die vlak achter Skyler stond, met aan elke hand een kind. De jongen en het meisje leken te veel op elkaar om geen broer en zus te zijn – ze waren allebei klein en tenger, met een zomerse bruine huid in de kleur van amber. Ze kwamen verlegen achter elkaar binnen toen Tony het hek losmaakte om hen door te laten.

Tony hurkte meteen neer om met de jongen op ooghoogte te komen. 'Je vriendin hier heeft me verteld dat jij later politieagent wilt worden,' zei hij, en hij herhaalde op ontspannen toon wat Skyler hem via de telefoon had toevertrouwd.

De jongen knikte, met grote ogen.

'Goed,' zei Tony, 'het ziet ernaar uit dat ik je dan maar eens moest laten zien wat je te wachten staat.' Hij stak een hand uit en schudde die van de jongen. 'Ik ben Tony. Hoe heet jij?'

'Derek,' zei de jongen met een benepen stemmetje.

'We hebben nog geen Dereks bij onze eenheid, dus ik denk dat we er wel een kunnen gebruiken,' merkte Tony plechtig op en hij werd beloond door het gezicht van het jochie dat begon te stralen als de kerstboom in Rockefeller Center in kersttijd.

Met veel gekraak van kniegewrichten kwam Tony overeind om Skylers knappe, donkerharige vriendin te begroeten en te glimlachen naar het meisje dat verlegen achter haar in spijkerbroek gehulde benen vandaan gluurde. 'Leuke kinderen,' zei hij. 'Pas je vaak op hen?'

'Niet zo vaak als ik wel zou willen. Ze zijn de kinderen van m'n broer, en John en ik kunnen elkaar in veel dingen niet vinden,' vertelde ze hem en ze stak haar hand uit. 'Hallo, ik ben Mickey. We zullen oude bekenden worden, of we dat willen of niet. Geloof me, Derek zal de komende tien jaar alleen maar over jou willen praten. John zal me dit nooit vergeven.' Ze wierp hem een weinig berouwvolle blik toe, die bijna verblindend was tegen de donkere gloed van haar knappe, goedgevormde gezicht.

Tony besteedde de volgende drie kwartier aan het rondleiden van het viertal. De reacties van de kinderen, die van timide nieuwsgierigheid tot luidruchtig enthousiasme uitgroeiden, maakten dat hij het koude biertje in de koelkast thuis vergat. Vooral het meisje raakte een gevoelige snaar bij hem. Toen hij haar optilde om een beter zicht te hebben op Doherty's paard Commissioner – een zwarte ruin met een stokmaat van meer dan één meter zeventig, met een groot litteken over zijn neus, waardoor hij eruitzag als een bendeleider – sloeg ze onbevreesd haar armen om de hals van het paard en legde haar wang tegen de zijne. Tony had durven zweren dat hij de oude Commissioner over de donkere krullenbos van het meisje heen naar hem zag knipogen.

Derek, die druk bezig was handenvol maïs te scheppen en hiermee rond te hollen naar ieder van de vijfentwintig paarden in de stal, deed hem denken aan zijn eigen neefje, de zevenjarige Peter, die er nooit genoeg van kreeg in de achtertuin hoefijzers te werpen met zijn oom Tony. Kinderen. Die waren echt bijzonder. Tony voelde een steek van treurigheid toen hij zich afvroeg hoe zijn leven nu zou zijn geweest als die uitgebleven menstruatie, waarover Paula

141

zo opgewonden had gedaan toen ze pasgetrouwd waren, geen loos alarm was geweest.

Hij keek zorgvuldig niet naar Skyler; hij wilde niet dat ze zijn gedachten zou lezen. Hij wilde dat ze bleef geloven, zoals ze ongetwijfeld deed, dat hij niet meer was dan een grote, ruige smeris met een voorliefde voor knappe vrouwen. Geen van beiden hoefde deze illusie te verstoren door er een dosis realiteit bij te doen – extra's, zoals dat hij meer van het leven verwachtte dan alleen maar een incidentele bedgenoot...

Is dat echt zo? Nou, dan heb je 't deze keer mooi mis, Salvatore.

Toen de emmer maïs leeg was en ieder paard naar behoren was geaaid en bewonderd, nam Tony zijn bezoek mee naar boven. In het kantoor verdrongen ze zich rond de vitrine met aandenkens van de bereden politie, alles vanaf een gipsen borstbeeld van een paard tot foto's van oude regimenten. Er was er zelfs een van Michael Jackson die met een agent van de bereden politie poseerde.

'Schiet je weleens op mensen?' vroeg Derek met een stem vol ontzag.

Tony dacht aan het kleine drama van de vorige dag en antwoordde: 'Als het even kan, liever niet.'

Er was een hele waslijst van dingen die hij als het even kon probeerde te vermijden – zoals zich bedrinken op de avond voor hij al om zeven uur dienst had; op bezoek gaan bij zijn moeder, of haar opbellen als hij in de put zat; en zichzelf toestaan smoorverliefd te worden op een vrouw die hem niet volledig accepteerde zoals hij was, met lompe voeten en al.

Hij wierp een steelse blik op Skyler, die er iets minder betrokken uitzag dan toen ze er net was. Er lag een beetje kleur op haar wangen, en de donkere kringen onder haar ogen waren niet meer zo duidelijk aanwezig. Toen ze met haar rug naar de verlichte vitrine gekeerd stond, kon hij net een vage glimp van haar borsten opvangen door het dunne katoen van haar blouse heen, en hij werd overmand door een begeerte naar haar die bijna kwellend was. Verdomme, waarom moest ze ook zo begerenswaardig zijn? Wat was dat aan haar? Waarom maakte het hem krankzinnig als hij alleen maar met haar in dezelfde ruimte was?

Op dat moment kwam de grote, logge Duff Doherty uit de kleedkamer te voorschijn, helemaal roze en glimmend van zijn douche, met een enigszins schaapachtige uitdrukking op zijn gezicht toen hij naar Tony knikte. Doherty, wist Tony, voelde zich een beetje schuldig omdat hij niet in de buurt was geweest om te helpen met de arrestatie van de vorige dag.

Tony maakte gebruik van deze gelegenheid en greep Doherty bij de arm en nam hem terzijde. Op gedempte toon vroeg hij: 'Hoor eens, zou jij onze jonge vrienden hier de tuigkamer willen laten zien? Ik heb even een paar minuten alleen nodig met deze dame.' Hij gebaarde naar Skyler.

Doherty knipoogde veelbetekenend. 'Zeker.'

Tony nam niet de moeite hem te vertellen dat Skyler niet zijn vriendin was. Laat Doherty maar denken wat hij zelf wil. De getrouwde wouten (dat wil zeggen, degenen die hun vrouw niet bedrogen) leefden zeer met kerels als Tony mee, stelden zich voor dat die elke avond met een andere vrouw uitgingen. Niet, moest hij zichzelf snel in gedachten brengen, dat hij niet aan zijn trekken was gekomen. Hij had aanstaande zaterdag trouwens een afspraakje met een vrouw die hij via een vriend had ontmoet. Jennifer. Ze had haar eigen kledingboetiek en leidde die zelf, en ze was bovendien een geweldig stuk om te zien.

Het probleem was, dat nu hij naar Skyler keek, hij zich niet kon herinneren of Jennifers ogen bruin of blauw waren, of haar haar kort was of tot op haar schouders hing... en of ze de bewonderenswaardige gewoonte had af en toe met het puntje van haar tong langs haar lippen te gaan, zoals Skyler dat nu deed.

Toen ze alleen waren, en het kantoor op wonderbaarlijke wijze opeens verlaten was, draaide hij zich om om haar aan te kijken. Toen haar blauwe ogen – waarin een emotie lag die hij niet kon benoemen – de zijne ontmoetten, voelde hij zich alsof een onzichtbare hand door zijn ingewanden roerde. Dit gevoel dat ze bij hem teweegbracht was veel meer dan alleen maar wellust. Het was veel meer dan het eigenlijk zou mogen zijn, gezien het feit dat Skyler en hij volslagen vreemden voor elkaar waren.

'Je was echt geweldig met hen,' zei ze tegen hem. 'Ik kan je niet genoeg bedanken.'

'Het was me een waar genoegen,' zei hij. 'Het zijn leuke kinderen.'

'Je schijnt veel ervaring op dat gebied te hebben.'

'Ik kan je verzekeren dat je dat al vroeg leert wanneer je met zes broertjes en zusjes opgroeit.' Hij zag hoe haar mondhoeken even omhoogkrulden en hij voelde zich buitensporig blij. Maar hij bespeurde tegelijkertijd des te duidelijker dat haar iets dwarszat. Hij stak zijn nek uit door voorzichtig te vragen: 'Skyler... is alles wel goed met jou? Neem me niet kwalijk dat ik 't zeg, maar je ziet er bedonderd uit.'

'Met vleien kom je nergens.' Ze dwong zich tot een glimlach, maar haar gezicht had zich volledig voor hem afgesloten, alsof er een rolluik voor dicht was gedaan.

'Hela, je bent toch niet ziek of zo?' Ziek was het woord niet; ze zag eruit als een levende dode.

'Met mij gaat alles goed, dank je wel.' Beleefd maar afstandelijk, met een tikkeltje ijs.

Er was iets dat tegen al zijn instincten in maakte dat Tony weigerde het daarbij te laten. Allemachtig, wat kon het hem schelen als ze een paar nachten was doorgezakt. Of misschien had ze ruzie met haar vriendje – wat ging hem dat aan? Toch...

Op dat moment kwam er een groep agenten, die van vier tot twaalf dienst hadden, binnen en liep luidkeels over honkbaluitslagen te redeneren terwijl ze naar de kleedkamer liepen.

Tony raakte Skylers arm aan. 'Kom mee... er is iets dat ik was vergeten je te laten zien.'

De smederij was op de benedenverdieping, aan het eind van de oostmuur, achter de rij paardenboxen. Hij was nu verlaten, precies zoals Tony had verwacht; de hoefsmid van de Mounted Police deed de ronde langs alle eenheden en hij werd pas de volgende week terugverwacht. Toen Tony Skyler meetrok in de koele schemering, en bleef staan naast een boomstronk waarop een aambeeld prijkte, als een relikwie uit een vroegere tijd, ving hij de vage brandlucht op van hoeven en van hete ijzers die reeds lang waren afgekoeld. Aan de muur hingen diverse werktuigen en instrumenten; een zwart geblakerd leren schort hing naast de gieterij. Vanuit de tuigkamer aan de andere kant van de schuur klonk het gemompel van stemmen. Doherty was geweldig met kinderen en die twee zouden aan zijn lippen hangen bij alle oorlogsverhalen.

Tony keek Skyler met een ernstig gezicht aan.

'Hoor eens, als er iets aan de hand is, dan kun je me dat wel vertellen. Ik zou graag willen denken' – hij schraapte zijn keel – 'dat we nog steeds vrienden zijn, oké? Ik bedoel, wat er is gebeurd... dat hoeft niet nog eens te gebeuren, als dat het is waar jij je zorgen over maakt.'

Ze bloosde en deed hem denken aan wat hij al wist – dat onder die laag ijs genoeg hitte bestond om iedere man die zich te dichtbij waagde te verzengen.

'Wat het ook mag zijn, het heeft niets met jou te maken,' vertelde ze hem, niet onvriendelijk.

'Zeker,' zei hij kalm. 'En dat geldt voor negenennegentig procent van alles wat er zich in deze stad afspeelt.'

'Ik ben niet je wèrk.' Hij kon zien hoe haar beleefde masker rond de hoeken begon op te krullen. Toen stortte opeens het hele masker in en vulden haar blauwe ogen zich met tranen. 'Het spijt me... het is gewoon... ik heb echt een moeilijke week gehad. Ik weet dat je probeert vriendelijk te zijn, maar er is echt geen reden voor jou om hierbij betrokken te zijn. Je zou alleen maar wensen dat ik je niets had verteld...' Ze zweeg toen Joyce Hubbard, een van de vrouwelijke agenten, haar hoofd om de hoek van de deur stak. 'Hoi brigadier,' begroette ze hem. 'Ik heb gehoord dat je een mooie stunt hebt uigehaald. Goed werk, zeg.' Haar ogen gingen even naar Skyler, en Tony ving even iets van een vraag op achter haar glimlach. Joyce, wist hij, had een zwak voor hem. En hij zou daar eerlijk gezegd niet veel bezwaar tegen hebben gehad, als niet... *Als niet wat? Waar wacht je nog op? Joyce is van je eigen soort en ze heeft meer dan eens duidelijk gemaakt dat ze belangstelling heeft. Wat heb je nog meer nodig, een gedrukte invitatie?* 'Waar ging dat allemaal over?' vroeg Skyler toen Joyce weer weg was.

'Niets bijzonders,' vertelde hij haar. 'Ik heb gisteren een kerel in het park gegrepen. Ik zal het je wel een keer vertellen. Niet nu. Je ziet eruit alsof je wel wat goed nieuws zou kunnen gebruiken. Dat, en een goede vriend.'

'Een goede vríend... o God. Mijn moeder noemde het zo in de tijd dat zij op de middelbare school zat.' Ze liet een ijl, hoog lachje horen, een lachje dat op de rand van hysterie balanceerde. Opeens kreeg Tony het angstige gevoel dat hij haar het vuur niet zo na aan de schenen had moeten leggen. Hij zag hoe Skyler tegen de muur in elkaar zakte, met haar armen over haar buik gevouwen alsof ze een in elkaar geregen lapje stof vasthield, dat elk moment los kon scheuren.

'Skyler, ik kan je niet meer volgen.' Tony schudde zijn hoofd. 'O verdraaid. Het spijt me... vergeet maar dat ik iets heb gezegd.' Skyler haalde diep adem in een poging haar zelfbeheersing te herwinnen.

Toen drong het opeens tot Tony door. *'Mijn goede vriendje is gekomen, dus het ziet ernaar uit dat jij toch geen pappie gaat worden,'* hoorde hij in gedachten zijn ex-vrouw, na dat ene loze alarm van haar, op valse toon aankondigen.

De grond, die hem zo keurig had gehouden, leek zich nu te openen om hem te verslinden. 'Je wilt toch niet zeggen...' Hij liet zijn stem dalen. 'Is het je vriend?'

Ze wendde haar blik af. 'Hoor eens, laat maar zitten, ik moet nu echt gaan. Mickey begint vast te denken dat je me hebt opgesloten of zo.' Ze wierp hem een dunne, vrolijke glimlach toe, die een jurylid van de miss Amerika-verkiezingen voor de gek had kunnen houden, maar hem niet. Hij pakte haar bij de arm toen ze langs hem heen wilde lopen.

'Je hebt op één punt gelijk... dit is niet de juiste plaats,' zei hij tegen haar. 'Kan ik je later nog ergens ontmoeten?'

'Ik ben de rest van de middag met Mickey en de kinderen op stap,' vertelde ze hem.

'En daarna?'

'Daarna ben ik bezet.' Ze aarzelde en voegde er toen aan toe: 'Wat heeft het bovendien voor zin?'

Tony voelde het bloed naar zijn hoofd stijgen. Jezus, wat had het inderdáád voor zin? Ze had hem zojuist de perfecte uitweg geboden. Waarom nam hij die niet gewoon? Maar stel dat híj de vader was? Hij kon haar niet zomaar weg laten gaan. *Wat ben je aan haar verplicht? Het was gewoon een snelle wip, niet meer*.

Het gezicht van zijn vader dook in Tony's geheugen op – de waterige, roodomrande ogen en het netwerk van gesprongen adertjes dat zich over zijn wangen en neus uitspreidde als een kaart van de hel die hij hun allen had bezorgd. Hij herinnerde zich de avond dat hij zijn vader bijna van een barkruk had moeten rukken om hem mee naar huis te krijgen. Hij was toen twaalf geweest. Vanaf dat moment had hij gezworen dat hij nooit als zijn vader zou zijn. Je kon maar beter helemaal geen vader zijn.

En waar deed hij trouwens zo opgefokt over? Misschien was ze wel helemaal niet zwanger. Misschien was ze gewoon een beetje over tijd...

Hoe dan ook kerel, dat is niet jouw pakkie-an.

Misschien niet, dacht Tony, maar het gezicht dat hij iedere morgen in de spiegel van zijn medicijnkastje zag, had hij altijd zonder schaamte onder ogen kunnen komen en dat wilde hij zo houden.

Tony hield zijn blik op Skyler gericht met een intensiteit die in overeenstemming was met de reusachtige vuist die zich om zijn borst klemde, en hij antwoordde kalm: 'Ik ben gisteren bijna doodgeschoten. Dat zou ook geen enkele zin hebben gehad.'

Ze ontmoetten elkaar ongeveer een uur voor zonsondergang in Central Park. Skyler stond hem bij het schilderachtige trapgeveltje van de Dairy op te wachten en ze wandelden daarvandaan naar de draaimolen, waar ze een leeg bankje konden vinden. De omgeving krioelde van de kinderen en moeders en kinderjuffrouwen, wat hem als heel ironisch trof, in het licht van waar zij voor stonden.

'Weet je het zeker?' vroeg Tony toen ze een poosje zwijgend waren blijven zitten.

Skyler kneep haar ogen halfdicht, alsof ze probeerde hem scherp te zien, als iemand die vanuit een donkere kamer in het intense zonlicht komt. 'Ja, dat weet ik zeker,' zei ze op een toon alsof ze wilde zeggen: *Zou ik jou erbij slepen als ik niet zeker was?* 'Ik heb zo'n test gehaald om thuis te doen. Ik heb zelfs drie verschillende gehaald. De winkelbediende bij Duane Reade moet hebben gedacht dat ik er een kliniek op na hield.' Ze lachte even hol voor ze eraan toevoegde: 'Ik voel me zo stom. Ik begrijp echt niet hoe dit heeft kunnen gebeuren.'

'Vertel mij wat,' antwoordde Tony, met een gelijkmatigheid die op geen enkele wijze overeenkwam met het wilde bonzen van zijn hart.

'O, maak je maar geen zorgen, ik zal jou er echt niet mee opzadelen,' snauwde ze, toen ze zijn toon kennelijk voor iets anders aanzag. 'Ik kan het heus wel alleen af.'

Maar ondanks al haar heftige zelfstandigheid leek ze hem op dat moment wonderlijk kwetsbaar. Het drong tot hem door dat de wilde, zelfverzekerde jonge vrouw die op één middag zijn paard had gered en met hem naar bed was gegaan, misschien toch niet de Diana uit de Romeinse mythe was, maar iemand die maar al te menselijk was.

Tony voelde een steek van medeleven… en van nog iets anders. Iets dat hem aan een regel uit een liedje deed denken: 'Het is die oude duivelse maan in je ogen…'

Behalve dat deze duivelse maan niet in zijn ogen zat; hij zat ergens onder zijn navel. Toen hij naar Skyler keek, zoals ze kaarsrecht op de bank zat, met een milde bries die slierten blond haar over haar ene wang blies, haar nerveus wriemelende vingers in haar schoot, bedacht Tony dat hij nog nooit in zijn leven ergens zo hevig naar had verlangd als hij er nu naar verlangde haar in zijn armen te nemen.

'Het gaat er niet om of jij dit alleen afkunt,' zei hij, zijn woorden met zorg kiezend. 'Ik wil alleen weten wat het is waar we hier naar kijken.'

'Ik weet het niet.' Ze leunde achterover tegen de rugleuning van de bank en staarde met nietsziende ogen naar de draaimolen die voor hen rondging, met spiegelpanelen die het koude, harde licht weerkaatsten, en met vrolijk klaterende muziek, die een spookachtig contrast vormde met hun gespannen gesprek. Een straatventer vlakbij, die alles verkocht van popcorn tot Ben & Jerry-ijsjes, had een groep tieners aangetrokken onder wie enkele paartjes die hun armen om elkaars middel hadden geslagen. Tony kon het gevoel niet van zich afschudden dat Skyler en hij, ondanks alles wat ze op de bank in haar vaders flat hadden gedaan, nagenoeg vreemden voor elkaar waren. En nu keek deze knappe vreemdelinge, die hem op de een of andere manier het hoofd op hol had gebracht, hem aan en zei zacht: 'Het is nog steeds niet goed tot me doorgedrongen.

Ik blijf steeds denken dat het op de een of andere manier... gewoon weg zal gaan. Als een nare droom.' 'Mijn zus Trudi zei dat over haar jongste toen ze ontdekte dat ze zwanger was. Met al vier andere kinderen kon ze eentje erbij missen als kiespijn.' Hij wierp haar een scheve glimlach toe. 'Maar zal ik jou eens wat zeggen? Hij bleek de beste van het hele stel te zijn. Hij is net misdienaar geworden in de St. Stephen's... en hij kan ook geweldig goed keet trappen.' 'Wil jij suggereren dat ik het moet houden?' Ze kneep haar ogen naar hem dicht.

Tony voelde zijn nekharen overeind komen. Hij dacht aan de stal vlak bij zijn huis in Brewster, waar ze volbloed Arabieren fokten. Een van de merries was losgebroken en was zwanger gemaakt door een gewone hengst. De eigenaar van de merrie, die zijn hoofd had geschud toen hij Tony het treurige nieuws vertelde, had net zo geklonken als Skyler nu.

'Ik zeg helemaal niets,' verklaarde hij. 'Jezus, wie ben ik? Ben ik opeens een expert op dit gebied? Ik zou zelfs een huwelijk niet tot een goed einde kunnen brengen, laat staan kinderen.'

Hij zag hoe haar ogen de platte schaduw van een fiets nakeken toen die over het pad voor hen langs streek. 'Ik weet wel dat ik op dit moment nog niet wil trouwen,' verklaarde ze zakelijk.

'Denk je net zo over het krijgen van een kind?' vroeg hij zacht.

Er gleed een treurige, lieve glimlach om haar lippen en ze veegde een sliert haar van haar wang. 'Ik moet steeds maar aan die sprookjes denken, waarin een gewoon meisje wordt betoverd – waardoor ze opeens over toverkracht beschikt of zoiets. Het is geweldig... maar tegelijk vreselijk. Want nu heeft ze die enorme verantwoordelijkheid.' Skyler zweeg even. 'Misschien heeft het iets te maken met dat ik ben geadopteerd. Ik heb het gevoel alsof dit uitzonderlijke mij overkomt om redenen die me onbegrijpelijk voorkomen, en ik moet nog steeds bedenken wat ik daarmee aan moet.'

Voor Tony was het eerder persoonlijk dan kosmisch. Dit gesprek – de hele mogelijkheid al dan niet vader te worden – had zo'n schokeffect op hem, dat het even duurde voor hij besefte wat hij voelde: verdriet. Zodra dit tot hem doordrong, ging hij rechtop zitten, totaal verbijsterd. *Deze vrouw, die ik nauwelijks ken, draagt mijn kind, en ze is absoluut niet van plan mij te betrekken bij de plannen die ze ervoor maakt*.

Hij herinnerde zich hoe opgewonden hij was geweest bij het vooruitzicht dat Paula zwanger zou worden... en hoe hij zich had moeten beheersen omdat hij wist dat Paula zijn enthousiasme niet deelde.

148

'Wanneer je dit alles op een rijtje hebt gezet, moet je 't me laten weten.' Hij deed niet veel moeite de woede uit zijn stem te houden. 'Als je dat wilt.' Er vormde zich een rimpel tussen wenkbrauwen die enkele tinten donkerder waren dan haar haar. 'Weet je, het is gek, want ik weet dat abortus de verstandigste oplossing is. Maar als ik erover na begin te denken, raak ik echt van streek. Ik weet niet goed waarom. Ik ben niet godsdienstig of zo. En ik geloof zonder meer dat iedere vrouw absoluut het recht heeft zelf te beslissen. Misschien komt het doordat... ik bedoel, is dat niet de manier waarop mijn echte moeder over mij heeft gedacht? Als een òngemak... als iets dat ze gewoon kwijt moest zien te raken?' Haar frons werd dieper, en er glinsterden tranen in haar ogen.

'Dus jij ziet dit kind wèl ouders krijgen, gedoopt worden en de hele rataplan?' Hij sprak langzaam en behoedzaam.

Ze knipperde met haar ogen en keerde zich naar hem toe om hem aan te kijken. 'Ik weet niet wat het allemaal betekent. Ik ben nu echt heel erg van streek, dus misschien slaat het wel allemaal nergens op. Jij was hier helemaal niet geweest als ik wat beter had nagedacht voordat ik m'n grote mond opendeed.' Ze zag zijn blik en zei: 'Sorry. Het is alleen dat ik geen reden zie om jou met dit alles op te schepen. Ik bedoel, we kennen elkaar nauwelijks.'

'Rustig maar. Ik ga je echt niet ten huwelijk vragen,' zei hij nors. Maar hij dacht tegelijk: Waarom déze vrouw? Waarom geen vrouw die hij wèl had kunnen vragen?

Skyler kwam overeind, en hij zag dat ze een beetje wankel op haar benen stond. Toen hij naast haar ging staan, moest Tony zijn opwelling bedwingen haar vast te houden. In plaats daarvan keek hij haar alleen maar aan.

'Nou,' zei hij, zijn keel schrapend. 'Ik geloof dat ik maar eens moest gaan.' Ze wierp hem een glimlach toe die even moedig als onecht was. 'Hoor eens, als dit iets mocht helpen, ik vind je echt een aardige kerel. Het spijt me dat je in dit alles verwikkeld moest raken.'

Tony pakte haar arm. Hij wist niet wat hem ertoe dreef dit te doen. Instinct, vermoedde hij. Net als het jongetje dat hij nu in de draaimolen kon zien, dat zich vanaf zijn houten paard opzij boog om naar de koperen ring te grijpen die hij op geen enkele manier te pakken zou kunnen krijgen. Tony was niet voorbereid op de schok van haar blote, zonverwarmde huid onder zijn vingers en hoe die schok door hem heen ging, als brand door een huurkazerne in Hell's Kitchen. Hij was evenmin voorbereid op de blik die ze hem toewierp, uitdagend en smekend tegelijk.

'Bel me,' zei hij. Het was geen verzoek.

Ze knikte langzaam, met een ernstige blik.

149

Tony hoorde een gefrustreerd gekrijs en toen hij opkeek, zag hij dat de draaimolen langzamer ging en dat het jongetje huilde omdat hij niet in staat was geweest de ring te grijpen. Toen hij omkeek, zag hij Skyler met vastberaden tred weglopen over het door bomen omzoomde pad dat in de richting van Central Park West slingerde, en haar lichte, blonde haar lichtte op, in en uit de schaduw, als een munt op de bodem van een wensput.

Niets aan haar wees er ook maar enigszins op dat ze op enigerlei wijze voor het grijpen was. Maar haar ongenaakbaarheid maakte alleen maar dat hij haar des te meer begeerde... en niet alleen voor in bed. Langzaam drong het tot Tony door, hoe onwaarschijnlijk het ook mocht lijken, dat hij gevoelens voor haar koesterde die duidelijk op liefde wezen.

Het was heel lang geleden. Zelfs met Paula, toen het in het begin goed tussen hen was geweest, had hij nooit iets gevoeld dat ook maar in de buurt kwam van wat Skyler in hem opriep – bloed dat beurtelings warm en koud werd, een erectie die niet van wijken wilde weten, en een dof gevoel in zijn onderlijf, waarvan hij vreesde dat het slechts het voorspel was van de hoofdattractie die nog moest komen.

Hij was een politieman, gewend aan alle soorten noodgevallen en paniek, maar voor de eerste keer in heel lange tijd voelde Tony zich heel onzeker, mijlenver verwijderd van iets dat op stevige grond onder de voeten leek.

Skyler huiverde en sloeg haar armen om zich heen. Het moest tegen de dertig graden zijn, maar ze voelde zich alsof ze onder een ijzige waterval was gestapt, een waterval die in haar oren bulderde en haar omlaag dreigde te trekken. *God, waarom heb ik het hem verteld?*

Was de baby maar van Prescott geweest.

Maar als Pres de vader was, was jij nu niet zomaar weggelopen, dan zou je trouwplannen gaan maken. Was dat echt beter geweest? Zit je er nu niet al diep genoeg in?

Wat ze ook mocht besluiten, op deze manier zou het in elk geval haar eigen besluit zijn.

En hoe zit het dan met Tony? Hoorde hij hier niet ook een stem in te hebben?

Skyler keek over haar schouder en ze ving even een glimp van hem op, zoals hij haar daar midden op het pad stond na te kijken, met zijn duimen over de zakken van zijn spijkerbroek gehaakt. Met zijn donkere ogen en zijn iets te volle mond, zijn T-shirt dat alle spieren duidelijk liet uitkomen en de afgetrapte neuzen van zijn

150

cowboylaarzen, zag hij er zonder meer uit als iemand voor wie haar moeder haar zou hebben gewaarschuwd.

Er ging een wonderlijke rilling door Skyler heen. Een rilling die niet zozeer te maken had met wat haar moeder wel of niet zou hebben gewild, maar meer met wat Skyler zelf voor Tony voelde. Ze begreep er helemaal niets van. De aantrekkingskracht die hij op haar uitoefende, was onmiskenbaar – een kracht die zó sterk was, dat het bijna buitenaards was, als die van de maan over de getijden. Toen ze daar op die bank hadden gezeten, had ze gedacht dat ze zou sterven van verlangen dat hij haar in zijn armen zou nemen.

De vader van mijn baby. Ze verkende die verbijsterende gedachte op de manier zoals ze een verstandskies, die zich door haar tandvlees naar buiten werkte, zou hebben verkend. Zonder er nu al veel pijn aan te hebben, maar in de wetenschap dat ze er volledig door onderuit zou worden gehaald.

Ze voelde opeens een wonderlijke lichtheid in haar binnenste, alsof haar ingewanden opzij waren geduwd om plaats te maken voor de baby die in haar binnenste groeide. *Baby*.

Er ging een ijskoude golf van paniek door haar heen. Skyler merkte dat ze was overdekt met een dun laagje zweet. Een plotselinge kramp in haar buik deed haar bijna dubbelslaan. Ze bleef staan om steun te zoeken bij een boomstam, waar de scherpe uitsteeksels van de schors in haar handpalm drukten.

Ik hoef nog niets te besluiten, zei ze tegen zichzelf toen ze op het weggetje stapte dat zich langs Tavern naar de Green slingerde. *Ik heb nog een week of twee*. Maar haar hart wilde het angstige gebons niet opgeven.

Ze dacht aan de dwaze horoscopen die in alle sensatiekranten stonden en ze stelde zich voor hoe ze die zat te lezen: 'Sterke krachten die uw macht te boven gaan, maken het noodzakelijk dat u de komende weken de uiterste voorzichtigheid in acht neemt.'

Ze liep naar Central Park West en ze stak over bij het stoplicht. Haar vaders flat was er slechts één blok vandaan en de gedachte aan een koele douche en een schoon stel kleren leek opeens het antwoord op haar problemen – voor dit moment, tenminste.

Pas toen ze met de lift omhoogging, herinnerde ze zich de vorige keer dat ze hier in pappa's huis had gelogeerd: de dag dat ze hier met Tony was geweest.

God. Had ze alles maar van tevoren geweten.

Ze deed haar ogen dicht en leunde tegen de notenhouten betimmering van de lift. En opeens stond zijn beeld haar weer voor de geest. Tony. Zoals hij daar op het pad had gestaan, half in de schaduw, met die donkere, halfgesloten ogen die niets verrieden, een felle streep zonlicht die over een arm viel – de arm met de tatoeage van een hart met slingers van wijnranken. Een politieman, die had gezworen alle brave burgers tegen gevaar te beschermen en die niets kon doen om haar te beschermen tegen de ontzetting die haar nu overmande.

Wat moet ik doen? Het zou onwaarachtig zijn om zelfs maar voor te wenden dat ik zelf een kind kan grootbrengen.

Toen dacht ze aan haar ouders en aan het effect dat dit op hen moest hebben. Wanneer de schok bij het horen dat ze zwanger was, was verwerkt, zouden ze snel aan het idee gewend raken. Vooral pappa. Hij kreeg er nooit genoeg van haar te plagen met hoezeer hij zich erop verheugde grootvader te worden. Mamma zou minder uitgesproken zijn... maar Skyler stelde zich al het stille verlangen in haar ogen voor, dat veel moeilijker te weerstaan zou zijn.

Mamma. O God.

Hoe moet ik haar vertellen dat ik de baby niet zal houden?

Skyler was het liefst gestorven... want dan had ze niet het stille verlangen in haar moeders ogen hoeven te zien, het blijvende verdriet van een leven zonder het huis vol kinderen dat ze zich had gewenst. En het ergste van dit alles was natuurlijk dat mamma, van wie Skyler zeker wist dat ze nog nooit in haar hele leven één enkele ziel met opzet had gekwetst, zou worden gekwetst door iemand die ze meer liefhad en vertrouwde dan wie ook ter wereld.

7

'Kate, wil je dat ik New Orleans bel om te vragen waarom die vracht nog niet is aangekomen?'

Kate, die op haar knieën naast het Eastlake-buffet lag dat ze de vorige dag op de veiling in Rhinebeck had opgepikt, probeerde zich te concentreren op wat Miranda zei. 'Hmm? O dat. Daar is geen haast mee. Het is pas... wat? Een week geleden. Bij zo'n breekbare spiegel zijn ze al een dag bezig met inpakken.'

Ze trok een lade uit het buffet en onderzocht deze op tekenen van recente reparaties, waarbij ze met haar duim over de zwaluwstaartverbindingen gleed. Ten slotte keek ze op naar Miranda, die aan het Edwardiaanse bureau in de andere hoek van de gezellig rommelige winkel zat, bezig het papierwerk te sorteren dat op het leren vloeiblad voor haar lag. Vanaf haar uitkijkpost kon Kate met Miranda babbelen terwijl ze in de kleine achterkamer bezig was met wat ze het liefste deed – het schuren, beitsen en polijsten dat verborgen schatten aan het licht bracht en de meubels deed glanzen.

Miranda, zag ze, keek haar fronsend aan met een mengeling van wanhoop en bezorgdheid. 'Kate! Het is al meer dan een máánd geleden! Je zat eind juni in New Orleans en je hebt daar die diamanten oorbellen voor Skyler gevonden, voor haar afstuderen, weet je nog?'

Lieve, bemoeizieke Miranda, dacht Kate. Ze was eerder een moeder dan een winkelier, hoewel ze op geen van beiden leek – ze was lang en slank (zoals in: 'Je kunt nooit tè rijk zijn of tè slank') en haar glanzende, immer kastanjebruine haar dat in een pagekopje was geknipt, werd stevig op zijn plaats gehouden door een hoofdband die perfect bij haar kleding paste. Vandaag droeg ze een taupekleurige bandplooibroek met een saffraankleurig gebreid topje met een bijpassend vest dat over haar schouders was gedrapeerd.

Kate constateerde eveneens dat Miranda de Victoriaanse speld droeg die ze haar in april voor haar negenenveertigste verjaardag had gegeven en ze was blij te zien dat hij niet in een la was beland.

Hoeveel Miranda ook van antiek mocht houden, toch waren ze het vaak oneens wanneer het op kopen aankwam. Miranda hield van kunstnijverheid en landelijk eiken, terwijl Kate meer voor Victoriaans en Jugendstil voelde. Het resultaat was een winkel die was volgepropt met een chaotisch mengelmoes dat op de een of andere manier werkte, en dat was waarschijnlijk de reden waarom Antiquities zelfs 's winters open kon blijven, lang nadat de toeristen en zomerhuisbewoners van Northfield weer naar de stad terug waren getrokken.

'O... zo lang alweer?' Kate veegde een sliert haar van haar voorhoofd en ging op haar hielen zitten.

'Nee zeg, Kate!' berispte Miranda haar. 'Je bent de hele week al zo – je haalt telefoonnummers door elkaar, maakt facturen zoek, vergeet afspraken. Mevrouw Teasdale heeft gisteren een uur op je zitten wachten en ik weet zeker dat je twee uur tegen haar had gezegd, omdat ik je heb gehoord.' Ze leunde achterover in de met leer beklede Victoriaanse bureaustoel en ze bekeek Kate met een onderzoekende blik die was gescherpt door haar ervaring bij het opvoeden van vier kinderen. 'Het is Skyler, hè? Je zit nog steeds in de put omdat ze het huis is uitgegaan.'

Kate schoof de la voorzichtig terug, hees zich met behulp van haar stok overeind en veegde onzichtbare stofpluisjes van de achterkant van haar rok. 'Nou... ja, in zekere zin,' gaf ze toe en ze stapte moeizaam over de drempel van de werkplaats. 'Het was allemaal zo plotseling. Ik wou dat ze ons eerst had gewaarschuwd.'

'Bedenk wel dat Anne pas achttien was toen ze bij haar vriendje introk,' bracht Miranda haar in herinnering. 'Misschien herinner je je nog hoe ik maandenlang op het randje van hysterie heb verkeerd – het is een periode in m'n leven waarop ik niet graag terugkijk,' voegde ze er droog aan toe. 'Maar weet je, uiteindelijk bleek het toch niet zo vreselijk te zijn. Kijk nu maar naar Anne, met haar drie prachtige kinderen.'

'Als ik dacht dat dit me een kleinkind zou opleveren, was ik misschien niet zo van streek geweest,' grapte Kate – een opmerking die haar later nog lang zou achtervolgen.

Miranda grinnikte. 'Skyler is tweeëntwintig, ze is volwassen. Ze zal zich weten te redden. En het is nou ook weer niet zo dat ze noten en vruchten zal moeten zoeken. Vertelde je me niet dat je moeder haar dat huisje vrij had nagelaten?'

'O ja. Dat is het probleem niet.'

'Wat is het dan wel?'

'Het is alleen...'

Kate zweeg. Hoeveel kon ze Miranda vertellen? Ze waren meer dan dertig jaar goede vriendinnen geweest, maar er waren dingen die je zelfs je beste vrienden niet vertelde. Miranda had gedeeltelijk gelijk; Kate had zich inderdaad deze afgelopen weken verslagen gevoeld, vanaf het moment dat Skyler pardoes had aangekondigd dat ze in het huisje van oma ging wonen. Gipsy Trail was met de auto maar twintig minuten ten oosten van Northfield en Skyler reed bijna elke dag van de dierenkliniek naar Duncan – waar ze voor de komende Hampton Classic trainde – en vandaar weer naar huis. Toch leek ze verder weg dan toen ze naar Princeton was vertrokken. Maar dat was maar een deel van het hele plaatje. Wat Kate veel verontrustender vond dan Skylers abrupte verhuizing, was de reden erachter. Skyler moest de spanning in huis hebben gemerkt... het gevoel van een ramp die op komst was. Hun dochter moest wel hebben opgemerkt dat Will tegenwoordig bijna nooit thuis was en dat wanneer hij er wel was, hij meestal in papierwerk zat begraven of met cliënten aan de telefoon was. Zelfs hun cottage op Cape Cod, waar ze sinds de tijd dat Skyler baby was elk jaar in het weekend van Labor Day naar toe waren gegaan, zou dit jaar afgesloten en leeg blijven.

Wat een verspilling! dacht Kate. Misschien zou ze dit jaar zonder Will gaan. Zien of Skyler een paar dagen weg kon.

Maar vluchten zou niets oplossen, besefte ze. Want was dat niet wat ze al die tijd al had gedaan?

Maandenlang hadden Will en zij zich gedragen of er niets bijzonders aan de hand was. Als Will zich bedrukt voelde om zijn werk, had Kate geredeneerd, kwam dat doordat de onroerendgoedmarkt er slecht voor stond. Dat viel van tijd tot tijd te verwachten. Hij moest alleen een beetje harder werken dan anders om dat te compenseren.

Maar Kate wist dat er meer aan de hand was. En vorige week waren haar vermoedens bevestigd. Will had getelefoneerd met zijn accountant, Tim Bigelow. Hij had op gedempte toon zo'n diep gesprek gevoerd, dat hij niet had gemerkt dat de deur naar zijn kamer op een kier stond. Ze was in de hal blijven staan door iets dat ze had opgevangen – een zinsnede die haar had overvallen als een levensechte straatrover die te voorschijn was gekomen uit iets waarvan ze overtuigd was geweest dat het alleen maar een schaduw op de muur was.

'Jezus Tim, als we op de fles gaan...'

Het was een fragment dat uit zijn verband was gerukt, maar het was genoeg geweest om haar met angst te doorboren.

Dus waarom niet eerlijk doen tegenover Will en zeggen dat je weet dat het bedrijf in moeilijkheden verkeert, grotere moeilijkheden dan hij je ooit heeft verteld? vroeg een stem in haar hoofd. *Hem aanbieden op alle mogelijke manieren te helpen?*

Maar wat kon zij aanbieden, behalve morele steun? Antiquities leverde haar een heel aardig inkomen op, maar eerlijk gezegd was de reden dat ze de winkel had geopend vooral dat die haar een excuus gaf om te doen wat ze het leukst vond: op zoek gaan om antiek te kopen. 'Kate's hobby,' zei Will goedmoedig over de winkel, waarover ze altijd een beetje boos werd. Toch was het belachelijk om te denken dat haar bijdrage aan de gezinsfinanciën hen uit ernstige financiële problemen kon redden.

Zelfs met de maandelijkse cheque die ze uit het beleggingsfonds van haar grootmoeder ontving, was haar totale inkomen alleen toereikend voor de huishoudelijke uitgaven. Het was lang niet genoeg voor het onderhoud van Orchard Hill, hun BMW en Volvo, Skylers paard, hun cottage op Cape Cod. Om nog maar te zwijgen van eersteklas vliegtickets, diners in exclusieve restaurants, Wills maatkostuums en haar passie voor antiek en kunst.

Maar hoe slecht kon het zijn? stelde ze zichzelf gerust. Sutton, Jamesway & Falk zaten al meer dan veertig jaar in onroerend goed en Wills vader was een van de oprichters geweest. De firma had niet alleen alle ups en downs van de markt overleefd, maar was in de loop der jaren dusdanig gegroeid dat ze nu een volledige verdieping in beslag namen van een kantoorgebouw dat eveneens eigendom was van de firma, op de hoek van Park Avenue en Forty-eighth.

Goed, ze waren eigenlijk nooit helemaal bekomen van het miljoenenverlies in de jaren zeventig, toen de City Island-transactie niet was doorgegaan. En meer recent voelden Will en zijn compagnons de terugval na de hausse van de jaren tachtig – appartementengebouwen die halfleeg stonden, kantoorgebouwen midden in de stad die smeekten om huurders, chique winkelcentra waarin weinigen het zich nog konden veroorloven om te winkelen. Een kleiner kantoor had zulke verliezen wellicht niet kunnen overleven... maar Sutton, Jamesway & Falk? Wanneer die ondergingen... nou, dat zou net zoiets zijn als wanneer de episcopale kerk, waar Will en zij altijd naartoe gingen, gesloten zou worden.

Hoe slecht kon het zijn?

Slecht genoeg om haar man terug te brengen tot een schaduw van zijn vroegere ik, gaf ze grimmig toe. Slecht genoeg om hem dagenlang achter elkaar weg te houden, elke avond tot laat te laten werken, en in de stad te blijven om met mogelijke cliënten te dineren. En net als een schaduw leek Will op de een of andere manier grijs en plat. Hij was zoveel afgevallen dat zijn pakken om hem heen slobberden, alsof ze waren gemaakt voor iemand die twee maten groter was.

Had ze hem maar iets meer te bieden gehad dan nekmassages en bekers kruidenthee! Had ze maar de moed gehad om op zijn minst onder ogen te zien wat er gaande was! *En wat is er dan wel gaande?* sprak die bullebak van een stem. Kate dwong zich de feiten onder ogen te zien. Te oordelen naar wat ze had gehoord, kon het kantoor werkelijk op het punt staan failliet te gaan.

O lieve help ...

Ze voelde een steek in haar borst, die haar hand onwillekeurig naar haar hart deed gaan in een onbewuste parodie van een Victoriaanse dame die op het punt stond te bezwijmen. Ze zag dat Miranda haar onderzoekend aankeek en ze dwong zichzelf haar hand opzij te doen. Nee, ze kon haar vermoedens niet met Miranda delen. Het was niet dat haar oude vriendin het niet zou begrijpen; Miranda zou beslist net zo behulpzaam zijn als ze discreet was. Kate besefte dat dat het probleem niet was. Het was haar eigen besef van wat goed en gepast was; haar ouderwetse vasthouden aan de koe bij de horens vatten. Ze kon Miranda niet vertellen wat er thuis aan de hand was om de eenvoudige reden dat ze er eerst met Will over moest praten.

Je moet met hem praten, hield de stem in haar hoofd aan. *Je moet hem je alles laten vertellen*.

'Mijn grootmoeder begon kinds te worden toen ze ongeveer onze leeftijd had. Het zal wel in de familie zitten,' zei Kate en ze omzeilde Miranda's vraag met een gekunstelde luchthartigheid die maakte dat ze zich een slecht soort huichelaar voelde.

'Tja, nou, dat lijkt me ècht een troostvolle gedachte.' Miranda trok een perfect geëpileerde en bijgetekende wenkbrauw op, maar ze glimlachte.

'Ik heb mezelf nooit als van middelbare leeftijd beschouwd, dus misschien heb ik dat gedeelte overgeslagen en word ik nu gewoon oud,' zei Kate met een dun, geforceerd lachje.

'Spreek voor jezelf,' antwoordde Miranda smalend, maar het gewenste effect was bereikt. Haar aandacht verplaatste zich van Kate's problemen naar wat ze tussen de papieren op haar bureau zocht. 'Waar heb je in 's hemelsnaam dat douaneformulier gelaten?'

Kate keerde terug naar het buffet in de werkplaats, waar ze een los stukje lijst zag dat opnieuw moest worden vastgelijmd. Het fineer was ook een beetje dof geworden, ze zou Leonard vragen daar wat aan te doen zodra hij klaar was met het afkrabben van het bankje dat hij later vandaag zou brengen. Ze zou hem ook eens naar die wiebelige poot van de stoel bij de muur laten kijken, als hij er toch was. O, er was zoveel te doen! Ze keek naar het stel zilveren kandelaars in houtwol, dat vanmiddag met dezelfde zending uit Rhinebeck was gekomen. Ze waren Georgiaans, met een gegraveerde driedelige voet en zuilen die werden gesteund door Chinese mannetjes die gebloemde jasjes droegen. Toen Kate ze streelde, voelde ze de opwinding die mooie oude dingen altijd bij haar teweegbrachten. Misschien omdàt ze oud waren, dacht ze, en ze hield van de gedachte dat haar kostbare lampen en klokken en stoelen en vitrines de eeuwen doorstonden, hoe broos ze ook mochten lijken.

Doorstonden, ja.

Kate voelde een steek van een onverklaarbaar verlangen.

De sluwe stem in haar hoofd insinueerde: *Het is niet alleen het kantoor waarover jij je zorgen maakt, hè? Er is nòg een blik met wormen dat je heel nadrukkelijk niet open wilt maken.*

Ze dacht aan de afstandelijkheid die de laatste tijd het bed had bezet dat ze met Will deelde, als een koude, onwelkome gast aan wie ze, uit beleefdheid, geen van beiden durfden te vragen te vertrekken. Had Will enig idee hoeveel verdriet haar dit deed? Dacht hij soms dat door haar niet te storen, zelfs niet tegen haar aan te kruipen, hij haar een gunst bewees? O, kon ze maar de moed vinden om...

'Heb jij de zilverpoets ergens gezien?' riep Kate over haar schouder, waarbij ze haar eigen gedachten onderbrak. Ze baande zich een weg langs stoelen die met de ruggen tegen elkaar stonden, buffetten en bijzettafels die in stof waren gehuld, een boekenkast met glazen deur waaraan diverse ruitjes ontbraken en bewoog zich resoluut naar de oude hutkoffer waarin ze haar losse attributen bewaarde – stofdoeken, busjes poetsmiddel, losse kruisbloemen, knoppen van laden die reeds langgeleden naar de vuilnisbelt waren verwezen.

Kate voelde een hand op haar schouder en ze keek verbaasd op; Miranda was zachtjes achter haar komen staan. 'Kate, als het iets is waarmee ik kan helpen... dan hoop ik dat je weet dat je naar mij toe kunt komen. Ik ben vaak heel slecht in het geven van advies, maar ik kan heel goed luisteren.'

'Dat weet ik,' zei Kate tegen haar en ze draaide vlug haar hoofd om zodat Miranda de tranen in haar ogen niet zou zien.

'Neem me niet kwalijk... maar kunt u mij iets vertellen over die stoelen in de etalage?'

Er keek een jonge vrouw om de haaks op elkaar staande boekenkasten die het kantoor en de werkplaats van de rest van de winkel scheidden. Ze was ongeveer dertig, knap op een beschaafde, onopvallende manier, met de onvermijdelijke verschoten spijker-broek en een gestreken katoenen blouse met een Hermès-sjaal op kunstige wijze in de kraag gestopt. Dankbaar voor deze onderbre-king liep Kate snel naar haar toe.

De vrouw, die zich voorstelde als Ginny Hansen, was bezig het oude Sprague-huis op de hoek van Washington en Chestnut te renoveren. Kate bekeek de stalen behang en bekleding die de vrouw had meegebracht en hielp haar een stof uit te zoeken voor de set Sheraton-stoelen die ze had bewonderd. Kate adviseerde haar ook bij de gordijnen en praatte haar een buffet, waarvan ze vermoedde dat dit te log zou zijn voor die eetkamer, uit haar hoofd.

'Wat hebt u me geweldig geholpen,' zei Ginny enthousiast toen Kate de rekening opmaakte. 'Het was bijna of ik m'n moeder bij me had... die is altijd heel goed in het weten van wat bij wat past. Zij zou dòl zijn op deze winkel.' Ginny zweeg en ze beet op haar onderlip. 'Zou u een keer willen langskomen om te zien wat mijn man en ik hebben gedaan?'

'Met alle genoegen,' zei Kate en ze meende het. 'Hier is mijn kaartje. Bel me gerust.'

Sinds ze zelf een jonge vrouw was geweest, had ze dit effect op mensen gehad. Iets in haar gezicht misschien, als het opgewekte uithangbord bij de deur dat luidde: 'Ja, we zijn open!' Of misschien was het de wandelstok die haar beter te benaderen leek te maken; lijden werd verondersteld je meelevender te maken. Toch, hoe ou-der ze werd, hoe ongemakkelijker Kate zich voelde bij de gedachte zichzelf als een soort wijze oude vrouw te moeten zien.

Komt dat doordat je de waarheid kent – dat jij niet zo eerbiedwaar-dig en recht door zee bent als je lijkt?

De herinnering kwam weer boven, als altijd tegelijk met een doffe pijn die in haar zij begon en die naar haar heup trok, waar hij opvlamde tot een hete, felle kwelling. *Ellie*. Kate kon in gedachten de vrouw voor zich zien, met haar vlasblonde hoofd naar Skylers verbonden hoofd gebogen; en de gelijkenis tussen hen was zó tref-fend geweest dat iedereen het had kunnen zien. Waar was Ellie nu? Had ze de kinderen gekregen die ze had gewild? Was de herinnering aan haar eigen verdwenen dochter met de jaren verbleekt?

Dat zou jou heel goed uitkomen, nietwaar? Dan zou jij je niet zo schuldig hoeven te voelen.

Kate bedwong met geweld de duistere gedachten die door haar geest tuimelden. Het had geen enkele zin die doodlopende steeg in te slaan. Ze kende iedere baksteen en straattegel ervan, elke drei-gende schaduw en ieder duister portiek. Er was geen einde te vinden en geen weg terug. Ze kon die kant maar beter niet uit gaan. In plaats daarvan richtte ze haar aandacht op de doffe kandelaars die ze had willen poetsen voordat Ginny Hansen binnen was gekomen. De rest van de dag ging in een waas voorbij. Het krat van de Goldberg Gallery in New Orleans arriveerde tijdens Miranda's telefoongesprek om te informeren waar hij bleef. De oude mevrouw Otto kwam langs en wilde dat Kate een bod uitbracht op een zilveren theeservies waarvan ze beweerde dat het Georgiaans was, maar waarvan Kate duidelijk kon zien dat het laat-Victoriaans was. Leonard arriveerde met het behandelde bankje en nam het Eastlake-buffet en een biedermeier schrijftafel, die Miranda vorige maand op een veiling in Maine had gekocht, mee. Butler, hun winkelkat, bood Kate een bloederige muis aan. En te midden van dit alles kwam Skyler opdagen.

Kate snelde, verrukt en meer dan een beetje opgelucht, naar haar toe om haar te begroeten. Ze hadden een kleine woordenwisseling gehad – niet echt ruzie, maar er was wel met stemverheffing gesproken – over Skylers besluit om te verhuizen, en Skyler was deze afgelopen weken afstandelijk en koel geweest.

Kate omhelsde haar. 'Lieverd! Waarom heb je niet even gebeld om me te laten weten dat je kwam?'

'Ik wist het zelf tot een paar minuten geleden ook niet. Ik was van de kliniek op weg naar huis, en ik dacht: laat ik eens langs gaan om te zien hoe het met jou is. Hoi, Miranda! Hela, Butler... heb je me gemist?' Ze bukte zich om de grote, zwarte kat, die zich om haar been kronkelde, op te tillen.

Skyler klonk heel goed, opgewekt zelfs, maar Kate kon duidelijk zien dat er iets aan de hand was. In de weken sinds Kate haar voor het laatst had gezien, was Skyler mager en bleek geworden. En haar gezicht leek echt ingevallen! Kate had de grootste moeite geen kreet van schrik te slaken, om niet direct te eisen dat ze vertelde wat er aan de hand was. In plaats daarvan wierp ze een bezorgde blik op haar horloge. Bijna vijf uur – niet te vroeg om deze gelegenheid te baat te nemen en erop te staan dat Skyler met haar mee naar huis ging om te eten. Daarna, wanneer ze allebei met een glas ijsthee op de veranda zaten, zou Skyler haar misschien in vertrouwen nemen.

Er was één ding waarvan Kate overtuigd was: wat het ook mocht zijn dat Skyler ertoe had gebracht te verhuizen, wat het ook mocht zijn dat haar zo ziek deed lijken, het was ernstiger dan Kate aanvankelijk had verondersteld. Ze voelde een steek van paniek in haar maag, maar ze zorgde ervoor dat ze niets liet merken. Ze mocht Skyler niet laten merken hoe ongerust ze was; dat zou haar alleen maar verder weg drijven.

Kate keek steels naar haar dochter, die bij de deur stond met

Butler als een grote zak snoep in haar armen. Ze droeg een spijkerbroek die te wijd was, zag Kate, en een vormloze katoenen sweater die veel te dik leek voor de drukkende augustuswarmte. Een laagje poeder op haar gezicht kon niet helemaal de donkere kringen onder haar ogen verbergen, en haar glimlach had zelfs een klein kind niet voor de gek kunnen houden.

'Hoe zit 't met die oude koelkast van oma... heb je 'm aan de gang kunnen krijgen?' vroeg Kate en ze probeerde zorgeloos te klinken. 'Als je van gedachten bent veranderd over mij een nieuwe te laten kopen, dan is er nog tijd om vlug naar Sears te gaan voordat die sluit. Daarna,' merkte ze terloops op, 'kunnen we wat lekkers bij de Marketplace halen en dat mee naar huis nemen om vroeg te eten.'

Skyler rolde met haar ogen. 'Mam, ik ben niet hierheen gekomen om naar koelkasten te kijken. Bovendien doet de oude het nog prima – het is alleen het vriesvak, en dat gebruik ik nauwelijks.' Ze haakte een arm door die van Kate. 'Maar wat dacht je ervan als ik jóu mee uit eten nam?'

'Een andere keer,' zei Kate en ze klopte haar dochter op de hand. 'Je vader moet vanavond weer overwerken, en ik dacht dat het leuk zou zijn als we met ons tweeën thuis aten, het is daar lekker rustig. Ik wil àlles horen over wat jij allemaal doet.'

Er was iets aan de hand. Dat kon ze vóelen. Skyler was zo stil. Toen Kate door het dorp reed, bleef ze naar haar dochter kijken, die diep in gedachten verzonken was, zelfs terwijl ze glimlachte en knikte in antwoord op Kate's nerveuze gebabbel.

Toen ze het parkeerterrein van de Marketplace opdraaide, onderdrukte Kate een zucht. Ze zou nog wat meer geduld moeten hebben, dat was alles. Skyler, die haar hele leven alles op haar eigen manier en op haar eigen tijd had gedaan, zou zich uiteindelijk openstellen.

Kate's humeur klaarde op toen ze de oude handkar ontdekte die de eigenaren van de winkel een paar maanden geleden bij haar hadden gekocht; hij stond voor de winkel geparkeerd, fris geschilderd en vol geraniums en vlijtige liesjes. Als ze meneer Kruikshank zag, zou ze hem vertellen hoe leuk het eruitzag.

Binnen had de winkel een rustiek uiterlijk – er was een ruwhouten betimmering en er stonden manden in plaats van plastic bakken. Kate manoeuvreerde haar wagentje door gangpaden met aan weerskanten hoog opgetaste, glanzende etenswaren en langs uitstalvitrines vol gourmet-salades en pastagerechten, waarbij ze opzettelijk meer kocht dan ze in haar eentje in een maand kon eten. Het was een daad van opstandigheid die ze als zinloos herkende. Maar ze kon toch zeker op z'n minst de voldoening smaken van het zich voorstellen van de geweldige gezinsmaaltijden die ze met z'n allen zouden nuttigen, nietwaar?

Ze kwam thuis met vier grote boodschappentassen vol en een netje aardappels voor de salade die Kate later in de week van plan was te maken. Maar bij het eten nam Skyler slechts muizenhapjes en ze schoof haar bord opzij toen Kate probeerde haar te verleiden meer te eten. Kate voelde zich onredelijk teleurgesteld en moest een impuls bedwingen om haar dochter te bevelen haar bord leeg te eten.

Na afloop nestelden ze zich op de achterveranda, op de Victoriaanse rieten stoelen die Kate met een William Morris-stof had bekleed. Ze dronken ijsthee en snoepten van de zoete, plaatselijke aardbeitjes. Hun labrador, met een snuit die grijs was van ouderdom, sjokte naar buiten en liet zich met een kreun van welbehagen aan Skylers voeten zakken. Kate zat een minuut lang te kijken hoe Skyler met haar blote tenen over Belinda's rafelige zwarte vacht gleed voor ze haar blik weer op het uitzicht achter de veranda richtte.

De zon ging onder achter de heuvels in de verte en zette de boomtoppen in brand en wierp een pad van goud door het midden van de velden waar paarden hadden gegraasd toen Kate nog een meisje was dat opgroeide op Orchard Hill. Waar het land omlaagliep naar de boomgaarden, ving Kate, door de takken van de appelbomen heen, die met piepkleine groene vruchtjes waren bezet, een glimp op van de oude, met mos begroeide voorgevel van de oude stal. Daar hadden ze Skylers eerste pony gestald, voordat ze les begon te nemen op Stony Creek Farm. Kate herinnerde zich die inschikkelijke oude Shetland-merrie, wier enige slechte eigenschap was geweest dat ze te dicht langs het hek liep, in wat naar Kate veronderstelde een halfslachtige poging was haar jonge berijdster eraf te schuren.

Heer, ik kan het verwerken als Wills kantoor failliet mocht gaan. Ik denk dat ik een manier zou vinden om door te gaan, zelfs als ik Will zou verliezen. Maar o, ik zou het niet kunnen verdragen als er iets met mijn dochter zou gebeuren...

Deze gedachte, die schokkend van intensiteit was, scheen uit het niets neer te dalen. Kate zette haar glas thee op de tafel naast haar stoel. Ze zag dat haar hand trilde. En ze voelde zich zó slap worden dat ze dankbaar was dat ze zat.

Kate wierp een blik in Skylers richting, maar haar dochter staarde voor zich uit naar een verre horizon die alleen voor haar zichtbaar was.

Dacht ze aan Prescott? Kate had van Nan Prendergast gehoord dat hij zich had verloofd met een meisje met wie hij op Yale bevriend

162

was geweest. Inmiddels moest de hele stad het wel weten. En zelfs als Skyler niet verliefd was op Prescott, moest het toch een klap zijn om, slechts twee maanden nadat ze het met hem had uitgemaakt, te ontdekken dat ze zo vervangbaar was.

Kate was veel minder teleurgesteld dat Skyler niet met Prescott trouwde dan iedereen (inclusief Nan Prendergast) veronderstelde. Ze had altijd geweten dat Skyler niet hartstochteljk verliefd was op die jongen. En als puntje bij paaltje kwam, wat was er belangrijker dan dat?

Maar wees voorzichtig, lieverd, want als je eenmaal zo'n liefde hebt gekend, zul je je nooit tevreden stellen met minder. Ze voelde een steek toen ze dacht aan Will en aan hoe het was geweest toen ze pasgetrouwd waren. Hoe ze vaak de hele morgen in bed bleven om elkaars lichamen te verkennen, alsof ze onbekend terrein in kaart moesten brengen. En hoe ze een keer, na het bedrijven van de liefde, was ingestort en in zijn armen had gehuild om de intensiteit van hun hartstocht... en om het stellige besef dat ze die nooit, nooit verloren mocht laten gaan.

Maar op de een of andere manier had ze die wèl verloren laten gaan. Terwijl Kate naar een ree zat te staren, die zich in en uit de schaduwen rond een ver iepenbosje bewoog, merkte ze dat ze bijna wenste dat ze een groter verdriet voelde... want dat zou hebben betekend dat er nog steeds een vonk tussen de as smeulde. Maar de pijn in haar hart was in de loop der tijd afgestompt tot een vaag, dof verlangen.

Het volgende moment werden echter alle gedachten aan Will uit Kate's hoofd geblazen. Er werd naast haar opeens diep ademgehaald en Skyler zei: 'Mam, ik ben zwanger.'

Eén ogenblik lang schenen de woorden van haar dochter vlak onder de oppervlakte van Kate's bewustzijn te zweven, als de vage geluiden van een naderende schemering – het lage gegrom van een tractor van het land op weg naar huis, het getsjirp van de krekels, het gesis van een tuinsproeier. Toen drong het tot haar door.

Ze zakte onderuit in haar stoel, alsof iemand iets in haar schoot had laten vallen, en dit zo hard tegen haar aandrukte, dat het oude riet van protest kraakte.

Met enige krachtsinspanning dwong ze zichzelf haar dochter aan te kijken en haar te vragen: 'Prescott?'

Skylers mond werd strak. 'Nee.'

Kate moest zich bedwingen om haar het vuur niet nader aan de schenen te leggen. Ze wist niet zeker of ze het antwoord dáárop wel wilde weten... nog niet tenminste...

'Hoe... hoever ben je heen?' vroeg ze toen.

'Negen weken.'

'O Skyler...' Kate voelde tranen in haar ogen komen en ze boog zich naar voren en pakte de koele, slappe handen van haar dochter. Dus dit was het wat haar dochter voor haar verborgen had gehouden.

Skyler vertoonde de diepe frons die betekende dat ze op het punt stond in tranen uit te barsten. 'Dat weet ik, mam, dat weet ik. Geloof me, er is niets dat jij kunt zeggen dat ik niet al tegen mezelf heb gezegd.' Ze richtte een paar verdrietige, roodomrande ogen op Kate. 'Ben je kwaad op me?'

'Kwaad op jou? O liefje...' Kate voerde in stilte strijd tegen de snik die in haar opwelde. Ze slikte moeizaam en zei op vlakke, kalme toon: 'Het belangrijkste is nu dat we besluiten wat er moet gebeuren.'

Samen met een besef van vastberadenheid kwam de zelfbeheersing. Kate voelde hoe haar ruggengraat zich rechtte. Ze kon het zich nu niet veroorloven in te storten, evenmin als die dag, lang geleden, toen Skyler bijna was doodgegaan; ze moest sterk blijven voor haar dochter.

Skyler schoof achteruit, trok haar handen uit die van Kate terug.

'Mam,' zei ze rustig maar resoluut, 'dit is geen besluit waarvan ik wil dat pappa of jij het voor me nemen.'

Kate deinsde terug, zowel verschrikt als gekwetst. Hoe kon Skyler zomaar zeggen dat haar dit niets aanging? Het was gewoon absurd om te veronderstellen...

Toen werd ze onderbroken door een duidelijke, heldere stem in haar hoofd: *Ze heeft gelijk. Ik moet proberen op te houden haar leven in een bepaalde richting te dwingen.*

Opeens moest Kate terugdenken aan die dagen toen ze net zwanger was... het wonder van dat alles, een leven dat in haar binnenste groeide. Dagenlang nadat de dokter haar het goede nieuws had verteld, had ze in een mist van blijdschap gelopen, als een matroos op zee die in de verte het geknipper van een vuurtoren volgde. De baby in haar binnenste was dat licht, en zij was de vuurtoren. Ze had gevoeld hoe dat licht in haar binnenste straalde, een gestage gloed, die de belofte van een veilige haven uitstraalde... en van een nieuw begin.

Maar hoeveel ze ook van de baby had gehouden en ernaar had verlangd, en hoe moeilijk het ook viel voor te stellen dat een vrouw níet die gevoelens had, wat het meest van belang was, was de dochter die nu naast haar zat. Het kind, niet van haar schoot, maar van haar hart.

Alstublieft Heer, geef me de kracht om haar recht te doen.

'De baby...' begon ze en haar keel werd weer dichtgeknepen. 'De baby die ik verwachtte toen ik mijn ongeluk kreeg – ik had me nooit laten opereren als er ook maar de geringste hoop was geweest dat het kind kon worden gered.' Ze zweeg en worstelde met zichzelf voor ze zich kalm genoeg voelde om verder te gaan. 'Maar... iedere situatie is weer anders, en jij bent mij niet. Als je besloten hebt om... om het weg te laten halen... zal ik achter je staan in je besluit.'

Skyler slaakte een diepe zucht en staarde weer voor zich uit naar waar de golvende velden zich tot de donkerder schaduw van de bomenrij plooiden.

'Ik wil geen abortus, mam,' zei ze zacht. 'Ik... ik heb besloten het kind af te staan ter adoptie.'

'Het afstaan?' Kate was te verbijsterd om meer te doen dan Skylers woorden herhalen.

'Ik heb erover nagedacht,' ging Skyler verder op de toon van iemand die het allemaal wil zeggen, en snel ook, zolang ze daar nog toe in staat is. 'Gedurende de afgelopen drie weken heb ik niets anders gedaan dan daarover nadenken.'

Er spatte iets in Kate uit elkaar, alsof ze een pot was die te lang aan een te hoge temperatuur was blootgesteld. 'Maar je... je... je kunt het niet zomaar weggeven!' riep ze woedend. 'Een baby is geen puppy of een jong katje! Je eigen vlees en bloed – hoe kun je er zelfs maar over péinzen zoiets te doen?'

'Mam... hou op.' Er viel een bundel licht van de ondergaande zon recht op Skylers gezicht en haar betraande ogen schoten zilveren vonken.

Kate zweeg direct.

'Ik weet dat het heel moeilijk zal zijn, als het zover is.' Skylers stem trilde toen ze sprak. 'Maar ik weet ook dat dit voor de baby het beste is. Ik ben er gewoon nog niet aan toe om moeder te worden.'

'Pappa en ik zouden kunnen helpen. Ik zou voor de baby kunnen zorgen tot jij eraan toe bent.' Kate hoorde de smekende klank in haar stem, maar ze kon zich niet bedwingen. 'O lieverd, je moet er echt nog eens goed over nadenken. We zullen een regeling bedenken waar we allemaal mee kunnen leven. Dat spreekt vanzelf. We zijn toch zeker een gezin.'

Skyler schudde haar hoofd en haar gezicht bleef ernstig. 'Ik ken je langer dan vandaag, mam. Je zou erop aandringen dat ik weer thuiskwam. En als ik studeerde, zou jij degene zijn die steeds voor de baby zorgde. Het slot van het liedje zou zijn dat ik me twee keer zo schuldig voelde – omdat ik niet bij mijn kind was, en omdat ik jou met mijn werk opzadelde.'

'Ik zou het helemaal niet erg vinden,' hield Kate iets te nadrukkelijk vol. 'Bovendien heb ik Vera om me te helpen, en we zouden altijd een kinderjuffrouw in dienst kunnen nemen.'

'Mam… nee.'

Kate wilde protesteren, maar een blik op Skylers gezicht weerhield haar daarvan. In plaats daarvan zei ze: 'Waarom bespreken we dit niet later, wanneer alles een beetje heeft kunnen bezinken?' 'Goed,' stemde Skyler in, 'maar het zal niets helpen. Ik verander echt niet van gedachten. Ik wil alleen weten of ik op pappa en jou kan rekenen als…' Ze zweeg even, omdat haar stem het bijna begaf. 'Ik weet 't niet… als ik jullie nodig mocht hebben, denk ik.'

Kate stond op, ze voelde zich een stuk lichter, sterker, dan de omstandigheden misschien rechtvaardigden. Ze nam haar dochter in haar armen en mompelde in de zijdezachte warmte van Skylers haar: 'Dàt is iets wat ik je zonder meer kan beloven.'

Ze kon aan de trillende gespannenheid van haar dochters rug voelen dat Skyler hevig probeerde niet te huilen. Met moeite bedwong Kate de moederlijke aanrakingen en opmerkingen die even natuurlijk uit haar binnenste opwelden als bloed uit een kloppend hart.

Ze vroeg zich af hoe ze het Will moest vertellen, en wat zijn reactie zou zijn. Zou het hen op de een of andere manier tot elkaar brengen of juist verder uiteen drijven? Zou dit de katalysator zijn die al hun onuitgesproken angst en wrok zou wegnemen… of de druppel die de emmer deed overlopen?

Eén ding wist Kate zeker: ze kon niet langer afwachten tot er iets ging gebeuren.

Ze moest iets doen.

Ze moest Will over Skyler vertellen… en ze moest hem dwingen haar te vertellen of het waar was wat ze over het kantoor vreesde. Hoe zou ze anders in alle eerlijkheid Skyler het soort geruststelling kunnen bieden dat ze nodig had als ze zelfs maar zou overwegen hen voor haar kind te laten zorgen?

Kate voelde opnieuw de spanning van iets dieps en sterks dat ze geen naam kon geven, van een onzichtbare vloedgolf die haar mee zou sleuren naar een bestemming waarvan ze slechts een vaag idee had. Het enige dat ze wist, was waar en hoe haar reis was begonnen – meer dan twintig jaar geleden, op een vriezende novemberdag, toen ze de baby die uit de armen van een andere vrouw was gestolen, aan haar hart had gedrukt.

Kate hoorde het gesmoorde gekraak van Wills voetstappen op de trap en ze keek op de wekker naast het bed. Half twaalf. Ze deed het boek waarin ze niets had gelezen dicht, en zette de radio waar ze niet naar had geluisterd uit. Het enige waar ze vanavond geen moeite mee had gehad, was wakker blijven. Ze betwijfelde of zelfs een pil haar in slaap had kunnen helpen, zoals haar hart nu bonsde.

166

Ben ik hier sterk genoeg voor? piekerde ze. *Moet ik echt de waarheid over onze financiën weten terwijl ik nog niet ben bekomen van Skylers schokkende nieuws?*

Kate had in de afgelopen uren diep nagedacht en ze was tot de conclusie gekomen dat, hoeveel verdriet het hun ook mocht doen, Will en zij zich terughoudend moesten opstellen. Skyler zou nooit tot inkeer komen als zij in haar nek ademden; daar was ze veel te koppig voor. Ze had wat ruimte nodig als er enige kans mocht zijn dat ze uit eigen beweging tot de juiste beslissing zou komen.

Om zelf tot kalmte te komen, keek Kate om zich heen de kamer rond, die haar veilige toevluchtsoord was. Haar blik ging naar de knoestige Weense ladenkast met het paar tortelende duiven dat boven de deur was uitgesneden... de bijpassende Hunzinger-stoelen aan weerszijden van de ramen die uitkeken over haar rozentuin... haar verzameling met kraaltjes bezette reticules aan de verste muur boven de lichtblauwe Linkrusta-lambrizering. In het artikel dat *Country Living* vorig voorjaar over Orchard Hill had gebracht, was een volledige dubbele pagina gewijd aan alleen al de grote slaapkamer. 'Een Victoriaans juweel' had de schrijver het genoemd. Maar net als de kille glans van een edelsteen, had de schoonheid van de kamer nooit volledig het gebrek aan warmte vergoed wanneer zij daar elke nacht lag en Will miste, zijn armen om haar heen miste...

De deur ging voorzichtig open en haar man verscheen in de streep licht die over de drempel uitwaaierde. Kate had een moment waarin ze zijn gezicht onbewaakt kon bestuderen en wat ze zag moedigde haar niet aan. Wat zag hij er moe uit! Hij was grauw en had gebogen schouders, en de huid rond zijn ogen was rimpelig en gevouwen.

En toch bleef Wills nimmeraflatende besef van doelbewustheid – het air van autoriteit waarmee hij zelfs de kleinste taken verrichtte – op de een of andere manier duidelijk aanwezig. Het lag in de manier waarop hij door de kamer stapte, en in de precieze manier waarop hij eerst zijn schoenen uittrok (waarbij hij zorgvuldig de bijbehorende spanner erin stopte voor hij ze in de kast zette), daarna zijn das afdeed (die hij netjes ophing in plaats van over de rug van een stoel te werpen). Er lag zelfs een duidelijke volgorde in de manier waarop hij zijn zakken leegde – eerst de portefeuille, dan zijn sleutelbos, vervolgens het etui van zijn creditcards, en ten slotte het losse wisselgeld.

'Ik had moeten bellen,' zei hij tegen haar en hij liep naar haar toe om haar op haar wang te kussen, 'maar ik dacht dat je al zou slapen. Ik hoop dat je niet hebt liggen wachten.'

Met een zucht nestelde Kate zich weer in de kussens. 'Ik had niet

167

kunnen slapen als ik dat had geprobeerd,' vertelde ze hem eerlijk.
'Het was weer een van die dagen.'
'Vertel me eens.'
Hij glimlachte de glimlach van iemand die de laatste tijd niets anders dan zulke dagen had gehad en hij gaf haar even een kneepje in haar schouder voor hij wegliep. Terwijl Kate toekeek hoe hij zich uitkleedde – zorgvuldig, methodisch, waarbij hij het stof van zijn jasje borstelde voor hij het in de kast hing – kreeg ze opeens, op een onredelijke manier, haast. Ze wilde zich zo snel mogelijk ontdoen van deze last voor die een gat dwars door haar heen brandde.
'Will...?' begon ze aarzelend en ze wachtte even tot hij ophield met wat hij deed en zich omdraaide. Maar Will bleef verdergaan met waar hij mee bezig was alsof ze niets had gezegd. Kate raapte haar moed bijeen en sprak tegen zijn rug terwijl hij voor de hoge ladenkast stond en eerst zijn ene been en toen zijn andere in een pasgestreken pyjamabroek stak. 'Will, we moeten eens praten.'
Langzaam, met alleen maar een pyjamabroek aan, draaide hij zich om om haar aan te kijken – een man van tweeënvijftig met dik, grijs haar en een snor, die nog steeds knap genoeg was om de aandacht te trekken van vrouwen die half zo oud waren. Tot voor kort was hij vier ochtenden per week naar een fitnessclub gegaan en dat was te zien aan de forse spieren van zijn borst en armen, die niet in overeenstemming waren met de huidige gebogen houding van zijn schouders en de diepe groeven van uitputting die aan weerszijden van zijn mond waren geëtst.
'Sorry Kate. Ik ben de laatste tijd zo in mijn eigen dingen opgegaan, dat ik niet veel aandacht aan jou heb besteed.' Hij liep naar haar toe en ging op het voeteneind van het bed zitten. 'Was er iets bijzonders?'
Zijn reactie bracht haar even van haar stuk. Maar was dat niet wat haar altijd aan Will zo versteld had doen staan? Hoe moe of druk hij ook mocht zijn, hij aarzelde nooit er nog een taak bij op zijn schouders te nemen als hij dacht dat die een nuttig doel diende. *Maar ben ik niet gewoon de zoveelste taak?* vroeg ze zich af. *Het zoveelste probleem dat moet worden afgehandeld?*
'Skyler kwam vanavond langs,' begon ze aarzelend. 'Ze had nogal... schokkend nieuws.' Kate haalde diep adem en het was of ze water in haar longen kreeg. 'Will, ze is zwanger.'
Er volgde een moment van stilte waarin Will haar alleen maar aanstaarde met zijn blauwgrijze ogen vol ongeloof, terwijl zijn mond onder zijn keurig geknipte snor nerveus bewoog toen hij dit nieuwe, onmogelijke feit probeerde te verwerken.
'Zwànger!' brulde hij ten slotte. 'Maar dat is on...'

'Dat is níet onmogelijk,' viel Kate hem in de rede, ongeduldig omdat ze zo'n intelligente man zoiets simpels aan zijn verstand moest brengen.

'Maar...'

Kate zette zich schrap. 'Dat is nog niet het ergste. Ze heeft besloten de baby ter adoptie af te staan.'

Er kroop een vuurrode blos over Wills hals naar zijn gezicht, en gedurende één paniekerig moment dacht Kate dat hij elk moment een hartaanval kon krijgen. Maar hij sprong overeind, opeens zo'n dertig centimeter langer dan hij eerst was geweest.

Hij greep naar de telefoon op het kastje naast Kate. 'Het kan me niet schelen of ik die jongen uit z'n slaap bel of niet. Ik zal 'm eens even goed de waarheid vertellen. Als hij ook maar één minuut denkt...'

'Dit heeft niets met Prescott te maken,' vertelde Kate hem met een kalmte die haar zelf verbaasde. 'Hij is de vader niet.'

'Godsamme! Wie dan wel?' Will liet zijn hand zakken en richtte een paar verwijtende, bloeddoorlopen ogen op haar, alsof dit op de een of andere manier allemaal haar schuld was.

Kate snauwde terug: 'Ik weet het niet... en ik geloof ook niet dat we het op dit moment hoeven te weten. Wat nu het voornaamste is, is Skyler, haar hier doorheen helpen.'

'Ik kan je één ding wel vertellen: ze gaat mijn kleinkind niet afstaan! Van adoptie kan echt géén sprake zijn!' Will maakte een definitief gebaar met zijn rechterhand en begon langs het bed heen en weer te ijsberen, over het bijna tot op de draad versleten Aubusson-tapijt dat meer dan honderd jaar in Kate's familie was geweest. 'Ze komt natuurlijk weer bij ons in huis wonen. We zullen haar oude kamer als kinderkamer inrichten en dan kan zij de logeerkamer nemen.' Aan de manier waarop hij zijn pas vertraagde en aan de bedachtzame uitdrukking op zijn gezicht kon Kate zien dat hij warm begon te lopen voor zijn eigen idee. 'Bij Ellis hebben ze hun kinderjuf het eerste jaar in elk geval nog niet nodig, en Godwin zegt dat die vrouw geweldig is met kinderen.'

'Will, het is nog te snel,' vertelde Kate hem vriendelijk. 'Ze is er nog niet aan toe zich over te laten halen. We zullen haar alle tijd geven. Als ze dit eenmaal overdacht heeft, denk ik dat er een goede kans zal zijn dat ze uit zichzelf tot inkeer zal komen.'

'Wat valt er te overdenken?'

'Ze heeft zo haar eigen redenen... en die zullen we voor nu moeten respecteren,' vertelde Kate hem. 'Het is niet alleen maar dat ze zich niet in staat voelt een kind groot te brengen' – ze wendde haar ogen van hem af – 'maar ik denk ook dat het te maken heeft met... met dat ze gelooft dat haar moeder bij haar is weggelopen. Sky is bang dat zij net zo zal zijn. Maar zo is het niet gebeurd. Wist ze maar hoe het ècht is gebeurd…'

'Houd op, Kate.' Will draaide zich met een ruk om, met een lijkbleek gezicht en met handen die zó stijf tot vuisten waren gebald dat alle banden en pezen in zijn nek waren gezwollen. Op gedempte toon siste hij, alsof de woorden uit hem los werden gerukt: 'Houd eens op met dat geromantiseer. Hoe weten we wat voor soort moeder ze was? De manier waarop ze leefde… door Skyler bloot te stellen aan… God mag weten wat. Hoe weten we dat het niet is gegaan zoals ze ons hebben verteld?'

'O Will.' Kate besefte opeens dat wat zij al die jaren als Wills diepgewortelde aversie tegen een pijnlijk onderwerp had beschouwd, in werkelijkheid iets veel serieuzers was. *Hij heeft het niet alleen maar onder het tapijt geveegd. Hij heeft zichzelf wijsgemaakt dat het niet is gebeurd.*

Voor haar geestesoog zag ze Grady Singleton, die met zijn Franse overhemden met monogram op de manchetten en zijn zilvergrijze haar eerder een acteur in een televisiedrama leek dan het soort advocaat dat bij iets illegaals betrokken zou zijn.

Ze zag nog hoe Grady zich over zijn Italiaanse bureau boog. 'Je vader en ik kennen elkaar al heel lang, Will… we zijn samen naar Yale geweest.' Zijn glimlach was hartelijk, vertrouwelijk. 'Er bestaat onder de Yalies een ongeschreven regel dat we elkaar altijd helpen. Dat is de reden waarom ik, toen Ward me vertelde dat jullie een kind wilden adopteren, iets heb gedaan dat ik technisch niet had mogen doen – ik heb me niets aangetrokken van een wachtlijst met cliënten die mij naar de keel zouden vliegen als ze dit wisten. Ik heb tegen Ward gezegd dat ik jullie helemaal bovenaan zou zetten… als jullie geïnteresseerd zijn tenminste.' Hij liet zijn stem dalen tot een vertrouwelijk gefluister. 'Weet je, er is een baby, en…'

Een baby waarvan je voor het gemak verzuimde te zeggen dat ze was gestolen, jij gladde schurk. Nou, het is je allemaal gelukt, we hebben ons laten beetnemen… in ruil voor een honorarium dat dermate fors was dat jij je huis op Sanibel kon kopen, waar je heel goed in golfen schijnt te zijn.

'We hebben geen enkel bewijs, Kate, dus laat dit rusten.' Will sprak op de lage, gezaghebbende toon die hij gebruikte voor personeel dat hij op hun nummer wilde zetten.

Maar hij keek haar tegelijkertijd op een nieuwe en verontrustende manier aan, bijna alsof hij haar smeekte. En plotseling werd de sterke en betrouwbare man die gedurende vijfentwintig jaar haar echtgenoot was geweest – de man naar wie ze altijd had opgekeken en op wie ze gedacht had te kunnen leunen – iemand van wie ze niet zeker wist of ze hem recht in de ogen kon zien.

Kate voelde zich... in de steek gelaten. Het was het belangrijkste in hun leven en ze konden er zelfs niet over praten. Maar dat was niets nieuws. Had Will ooit begrip gehad voor de vreselijke last die zij alleen al deze jaren had moeten dragen? Nu kreeg ze ook nog Skylers zwangerschap te verwerken en zou ze het broze evenwicht tussen haar eigen wensen en die van hun dochter moeten vinden. Want ze zou niet op Wills schouder kunnen leunen, tenzij ze zich aan zijn kant stelde en ermee instemde Skylers besluit te vuur en te zwaard te bestrijden.

Er steeg een woede in haar op die zowel terecht als angstaanjagend was.

'Er niet over praten maakt nog niet dat het er niet is! Als jij enig idee had gehad... van alle nachten die ik erover heb liggen piekeren.' Ze bracht haar handen naar haar wangen, die gloeiend heet aanvoelden.

'Wat er ook mag zijn gebeurd, het is allemaal verleden tijd, Kate,' zei Will op redelijke toon. 'Dit gedoe met Skyler heeft daar niets mee te maken.'

Ze liet haar handen vallen en keek hem aan. 'We hebben al eens eerder voor God gespeeld. Ik ga dat niet nog eens doen. Ik wil me niet met haar besluit bemoeien.'

'Skyler is zelf nog maar een kind. Ze weet niet wat ze doet!'

'Ze is tweeëntwintig, oud genoeg om te weten wat ze wil.' Kate bleef resoluut, ondanks het beverige gevoel dat zich van haar lichaam meester maakte.

'Dus dat is het dan? Jij wilt gewoon afwachten en niets doen?' Ze had nooit eerder zoveel minachting in Wills stem gehoord, in elk geval niet op haar gericht.

Kate begon onbedwingbaar te huiveren en ze trok de gehaakte sprei tot haar borst op. Al haar oude punten van houvast, het kompas dat haar al deze jaren op koers had gehouden, leken te zijn verdwenen en ze was achtergebleven met alleen maar haar eigen, mogelijk onbetrouwbare, richtingsgevoel.

Slechts één gedachte stond haar duidelijk voor de geest, als een volle maan die haar een weg wees: *Will heeft in één ding gelijk – wat er al die jaren geleden is gebeurd, kan niet ongedaan worden gemaakt. We hebben iets vreselijks gedaan dat we nu nóóit meer kunnen veranderen... maar we kunnen er wel van leren. We kunnen proberen om zo niet beter dan tenminste toch verstandiger te zijn.*

'Niets? Nee Will, wat ik voorstel is niet níets doen,' zei ze kalm. 'We streven alleen verschillende dingen na, dat is alles.'

Ze voelde zich opeens heel moe... te moe om zich ook nog eens te verdiepen in de problemen die Will voor zich hield. Wat waren geldzorgen vergeleken bij het welzijn van hun enige kind – en nu

171

ook hun kleinkind? Toch was er iets dat haar bezighield, dat haar dwong nu verder te gaan, voordat de deur die op een kier stond weer dicht werd gesmeten.

Ze keek hem behoedzaam aan – haar lieve, misleide echtgenoot, die daar in zijn gestreepte pyjamabroek stond met zijn armen over zijn blote borst gevouwen – en ze zei vriendelijk: 'Will... je bent al die jaren een goede echtgenoot voor me geweest, tè goed in veel opzichten. Je hebt vaak geprobeerd mij met je zwijgen te beschermen terwijl het veel beter zou zijn geweest als je me eerlijk de waarheid had verteld. Maar het wordt tijd om op te houden met het spelen van deze spelletjes. We zijn daar allebei te oud voor.' Ze raapte haar laatste beetje vastberadenheid bijeen en zei: 'Ik weet het, van kantoor. Ik weet dat het erger is dan jij wilt laten merken. En ik wil je helpen.'

Hij staarde haar verbijsterd aan, alsof ze zojuist had aangeboden de nationale betalingsbalans in evenwicht te brengen. Toen liet hij zich met een zucht naast haar op het bed zakken.

'Kate, dit is niet iets waar jij je op dit moment bij betrokken hoeft te voelen,' vertelde hij haar vermoeid. 'Ik wil niet ontkennen dat op het ogenblik alles een beetje moeilijk zit, maar... ik weet me te redden.'

'Ik zal dat later op je grafsteen laten graveren,' antwoordde ze scherp. ' "Hier ligt William Tyler Sutton. Hij wist zich te redden".'

'Kate, alsjeblieft...'

'Nee!' riep ze. 'Vertel me nou voor deze ene keer eens wat er aan de hand is, zelfs als ik niet veel meer kan doen dan luisteren. Misschien heb ik zelfs wel een voorstel dat de moeite waard is.'

Ze zag hoe zijn kaak verstrakte terwijl hij naar het mooie, oude tapijt aan zijn voeten keek. Ten slotte haalde hij diep adem en bekende: 'Goed, je hebt erom gevraagd. De waarheid is dat ik zelfs niet zeker weet of we volgende maand de salarissen kunnen uitbetalen.'

Kate voelde hoe zijn woorden tot haar doordrongen met een geweld dat bijna fysiek was. O lieve God, was het echt zó slecht? Maar ze bedwong de neiging om duizend ongeruste vragen tegelijk te stellen. In plaats daarvan zei ze alleen maar: 'Ik wil je helpen.'

'Ik zie niet in hoe je kunt helpen,' vertelde hij haar. Maar zijn toon was vol respect en hij keek haar aan met een nieuwe, aandachtige blik.

'Hoeveel heb je nodig om hier doorheen te komen?'

'Een paar honderdduizend op zijn minst. En dat zijn nog maar de loonlijst en de lopende bedrijfskosten, genoeg om niet meteen onderuit te gaan. Maar daar is nog niets bij voor de leningen die we bij de bank moeten aflossen.'

172

'Maar het zou je op de been kunnen houden tot... tot alles weer wat beter gaat?'

'Die Braithwaite-transactie waar ik me zo voor uitsloof... als die doorgaat, vang ik een paar miljoen. Maar met een beperkt samenwerkingsverband op zo'n kostbaar project speel je hoog spel met veel variabelen.' Hij haalde zijn vingers over zijn voorhoofd, wreef met zijn duimen over de wallen onder zijn ogen. Hij voegde er fronsend aan toe: 'Ik zal misschien nog een maand nodig hebben. Hoogstens twee.'

Ze ging rechtop zitten en boog zich naar voren, terwijl ze haar hand op zijn knie legde. Er was zojuist een gedachte in haar opgekomen – een idee dat zo gedurfd en toch zo eenvoudig was, dat ze zich nauwelijks kon voorstellen dat ze er niet eerder aan had gedacht.

'Will, we zouden een hypotheek kunnen nemen op Orchard Hill.'

'Kate.' Zijn frons werd nog dieper. 'Dat zou ik echt niet van je durven vragen.'

'Jij vraagt mij niets. Ik ben degene die het voorstelt. Will, denk er eens over na.' De oude hypotheek op Orchard Hill was in de dagen van haar ouders afbetaald, dus ze hadden geen dubbeltje schuld. En nog maar twee jaar geleden was het huis met alle grond getaxeerd op tegen de vier miljoen.

'Ik hèb erover nagedacht,' vertelde hij haar, waarbij iets van de strengheid uit zijn stem verdween. 'Maar heb jij er wel over nagedacht? Kate, bedenk eens wat er zou kunnen gebeuren als de firma failliet gaat... en wij niet in staat zijn de rente op te brengen.'

Kate werd bij deze gedachte even door paniek overmand. Ze probeerde zich voor te stellen hoe het zou zijn om niet hier te wonen – niet in staat te zijn op zoele ochtenden met haar koffie op de veranda te zitten en de zon boven de bomen te zien opgaan; of naar de boomgaard te lopen om een mand perziken te plukken voor een pastei; of 's winters bij de haard in de salon te zitten en de oude ruitjes wit te zien worden van de sneeuw. Niet de geur te hebben van de kamperfoelie die zich 's zomers over de veranda slingerde, of de ciderachtige geur van valappeltjes die zich in de herfst over het land verspreidde. Om de boomklevers en de vinken te verliezen, die onder de dakspanten doken om hun nest te bouwen; of de fijne visgraatpatroontjes van dierensporen in de maagdelijke sneeuw.

Zelfs het vage vooruitzicht dat alles op te moeten geven, was als een mes dat in haar hart werd omgedraaid. En hoe kon ze onder zulke ongewisse omstandigheden Skyler vragen de baby aan hen toe te vertrouwen? Het uiteindelijke besluit van hun dochter zou ongetwijfeld worden beïnvloed door alle overdaad die haar geliefde Orchard Hill een kind had te bieden. Zonder dat...

Toen Kate voelde hoe de paniek haar dreigde te overmannen, stelde ze zich hiertegen teweer. Wat was belangrijker – een huis, of de mensen erin? Bovendien zou ze het niet zover laten komen. Als dit plan niet goed uitpakte – nou, dan zouden ze gewoon iets anders moeten bedenken. Ze wist dat Will al lang geleden hun meeste waardepapieren had verkocht, maar dat het kapitaal van haar erfenis nog steeds aanwezig was, hoewel ze was grootgebracht met het principe dat de hoofdsom nooit mocht worden aangeraakt en alleen in noodgevallen kon worden aangesproken.

Stoutmoedig bij die gedachte zei ze rustig: 'Laten we het maar doen, Will.'

Will staarde haar nu openlijk aan, met een nieuwe blik die aan bewondering grensde. Ze had altijd geweten dat hij haar liefhad – op een soort afwezige, diffuse manier, alsof ze een lichtbron was over het nut waarvan hij niet na hoefde te denken. Maar dit was anders. Nu lúisterde hij echt naar haar.

'Het is een idee,' zei hij langzaam. 'Maar zullen we er eerst nog een nachtje over slapen?'

'Dat is goed.' Kate zag hoe hij overeind kwam en naar de aangrenzende badkamer liep. Ze wachtte tot hij klaar was en in bed was gekropen, met dichtgeknoopt pyjamajasje, voor ze het licht naast het bed uitdeed.

Ze lagen naast elkaar in het donker, zonder elkaar aan te raken, slechts omarmd door hun gedachten en angsten, toen Will de stilte verbrak. 'Jij blijft me altijd weer verbazen, Kate.'

Ze voelde een blos van blijdschap die het kussen waarop ze lag leek te verwarmen, en ze staarde naar de kantachtige schaduwen van de bomen op het plafond. 'Echt waar?'

'Neem dat maar van mij aan.'

Toen sloeg hij zijn armen om haar heen en ze ademde dankbaar zijn warme, vertrouwde geur in, terwijl ze haar gezicht in de holte van zijn hals begroef. 'We zullen hier wel weer doorheen komen,' mompelde ze. 'We zullen weer een gezin vormen.'

Ze dacht op dat moment aan Skyler en ze wist dat Will ook aan haar dacht. Maar geen van beiden noemde haar naam.

Desondanks vroeg Kate zich, in het korte moment voor ze in slaap viel, opnieuw af wie die onbekende man was die haar kleinkind had verwekt.

Wie was hij? En wat betekende hij voor Skyler?

En, het belangrijkste van al, was hij iemand die haar dochter liefhad?

174

8

Troep B had de meest centrale locatie van de vijf troepen van de Mounted Police – op Forty-second Street, een blok ten oosten van de West Side Highway – maar toen Tony uit de surveillancewagen stapte die hem voor het twee verdiepingen hoge gebouw had afgezet, had hij voor hetzelfde geld in het hartje van Beiroet kunnen staan, zo weinig oog had hij voor zijn omgeving. Hij was juist teruggekomen van zijn ronde langs de andere troepen en doodop. Vreemd genoeg was elke klus die hij niet in het zadel verrichtte veel vermoeiender dan een hele dag paardrijden. Bovendien was het bijna veertig graden, verdomme. September? Wat een mop. Hij voelde zich alsof hij in een stoombad stapte.

Maar dat was niet de voornaamste oorzaak dat Tony zich zo bedonderd voelde. Wat hem dwarszat, was hetzelfde dat hem gisteren en eergisteren had dwarsgezeten, en dat ongetwijfeld morgen ook weer zijn probleem zou zijn.

Skyler. Ze was nu drie maanden heen en het begon zichtbaar te worden. Ze was ook mooier dan ooit. En begerenswaardiger, als zoiets mogelijk was. Hoe hij dat wist? Omdat hij ervoor zorgde dit te weten – door in de afgelopen weken steeds weer een ander excuus te bedenken om even bij haar langs te gaan. Gelukkig voor hem (of ongelukkig, net hoe je het bekeek) stond haar huisje bij Gipsy Trail op niet meer dan een kwartier rijden van Brewster, dus het lag niet echt ver bij hem uit de buurt. Ze hoefde niet te weten dat hij bereid was geweest naar Albany te rijden alleen maar om een uur bij haar te kunnen zijn. Ze hoefde eveneens niet te weten dat haar níet zien hem nog wanhopiger maakte dan haar wel zien. En dat was de reden waarom hij momenteel zo gespannen was: hij had beloofd morgenmiddag langs te komen. Op zichzelf niets bijzonders, maar met nog een dag en een nacht te gaan, was Skyler het enige waar hij aan kon denken.

En dan was het kind er nog. Zíjn kind. Hoe meer hij erover nadacht dat Skyler er afstand van wilde doen, hoe meer hem dat tegen de borst begon te stuiten. Het was al erg genoeg dat ze hem niet in haar besluit wilde kennen, maar moest hij gewoon werkeloos toezien hoe zijn zoon of dochter naar God mocht weten waar werd afgevoerd? Wie wist wat voor ouders hij of zij zou krijgen? Die gedachte was meer dan Tony op dit moment kon verdragen. Hij zette de hele affaire even van zich af en zei tegen zichzelf dat hij er over een paar dagen nog eens over na zou denken om te zien of hij er op een andere manier wel mee om kon gaan.

Toen hij bij de stallen arriveerde, was het eerste dat Tony zag de grote, zwarte ruin die op het trottoir stond en was vastgemaakt aan het hek bij de ingang. Hij herkende het dier op slag als het nieuwe paard dat binnen de kortste keren de schrik van Troep B was geworden. Ook zo'n puinhoop, dacht hij, maar wel eentje waar hij iets aan kon doen. Rockefeller, die zo was genoemd omdat hij door de Rockefeller Foundation was geschonken, had in zijn eerste week hier een van de agenten, Vicky De Witt, afgeworpen en agent Rob Petrowski met een verbrijzelde knieschijf in het ziekenhuis doen belanden. En Rocky had bovendien geen enkel teken getoond spijt te hebben van zijn boosaardige gedrag.

Tony bleef op weg naar binnen even staan om de grote bruut te bekijken. 'Als jij plannen had om míj eraf te gooien, makker, moet je daar nog maar eens even over nadenken,' adviseerde hij Rocky, die hem onbewogen aanstaarde, zonder te beseffen dat hij zijns gelijke had gevonden. Tony had plannen voor dit paard. In plaats van Scotty, zou hij morgen Rocky op surveillance meenemen. Ja, die ouwe Rock en hij zouden morgen hun krachten eens met elkaar meten. En na afloop van de klus van morgen zou, als die grote, zwarte duivel zich niet had bekeerd, een van beiden dood zijn.

Het was precies wat hij nodig had om zijn gedachten van Skyler af te brengen. Waar Tony zich níet op verheugde, was de behandeling van het probleem dat op de een of andere manier het begin had gevormd van deze hele situatie.

Een week geleden had plaatsvervangend commissaris Fuller Rocky willen toewijzen aan een van de nieuwe jongens, maar Tony had daar bezwaar tegen gemaakt. De vier rekruten die vers uit Remount waren gekomen, hadden een paar maanden bij de troep nodig voor ze in staat waren zo'n nerveus paard als dit te hanteren, was zijn redenatie geweest. Fuller had slechts geknikt en er een notitie van gemaakt. Te laat besefte Tony dat hij in de val was gelopen. Fuller bleek zojuist van hogerhand het bevel te hebben gekregen op personeel te besnoeien, en hij had zich verheugd op elk excuus, hoe doorzichtig ook, om een paar nieuwe kerels de klos te laten zijn – doorgewinterde surveillance-agenten die zojuist na drie maanden intensieve opleiding uit Remount waren gekomen.

176

En wat het allemaal zo misselijk maakte, was dat er vlak onder Fullers neus allerlei dood hout zat, kerels als Lou Crawley en **Bif** Hendricks, die altijd op zoek waren naar een smoes om binnen of in een surveillancewagen te blijven zitten, vooral bij slecht weer – om bureauklusjes te doen, de waarnemend commissaris met de auto ergens naartoe te brengen, hooi te halen, of wat dan ook.

Naar Tony's mening, die werd gedeeld door de meerderheid van de vijfentwintig agenten onder zijn bevel – mannen en vrouwen die zowel hardwerkend als onbevreesd waren – zat er een luchtje aan de hele situatie. Hij had de uitdrukking op Pete Ansons sproetige gezicht gezien toen hem het slechte nieuws werd meegedeeld; de arme kerel had eruitgezien alsof hij elk moment in tranen zou uitbarsten. Hij had er zijn hele leven van gedroomd bij de Mounted Police te zijn, had hij Tony verteld. En er hadden werkelijk tranen in de ogen van de ruwe, getatoeëerde Larry Pardoe gestaan, die hij snel had weggeveegd voordat anderen ze konden zien.

Nee, het was niet eerlijk… en Tony was niet van plan werkeloos toe te blijven kijken. Goed, hij wilde niet op een confrontatie met Fuller aansturen, maar het was wellicht niet onmogelijk om wat heimelijke zetten te doen. Hij kon op zijn minst die dikzak van een Crawley in de gaten houden, die in tegenstelling tot Hendricks niet het excuus had over een jaar met pensioen te gaan; hij zou alle rotgeintjes en smoesjes van Crawley noteren – en hij hoopte dat Fuller daarna het licht zou zien. Dat hij Crawley uit de eenheid zou weghalen en hem door Anson of Pardoe zou vervangen. Tony zou eens zien wat hij kon doen…

Maar toen Tony in de stal naar Crawley vroeg, waar de dienst van vier tot twaalf zich klaarmaakte om uit te rijden, had niemand hem gezien. Bovendien scheen niemand daar erg verbaasd over te zijn.

Tony liep naar boven, naar de kantoren op de eerste verdieping, waarbij de doordringende paardenlucht hem tot de metalen deur achtervolgde. Hij duwde de deur open en stapte de grote ruimte binnen waar het hoofdkwartier van de Mounted was gevestigd, en waar dezelfde muffe, van ammoniak doordrongen lucht hing, te danken aan het Newyorkse politiebureau, waar de standaardvoorziening op het gebied van airconditioning bestond uit een ventilator die voor een open raam op een vensterbank was gezet.

Hij stopte even bij de balie, waar hij werd begroet door **Bill Devlin**. 'Hé, Salvatore, je bent de pret misgelopen.'

'Wat is er aan de hand?' vroeg Tony.

Devlin, een oudgediende van drieënvijftig, wiens bierbuik een lichaam verborg dat even sterk was als een John Deere-tractor, schudde zijn hoofd. 'Fuller is weer op het oorlogspad. Hij voelt zeker de hete adem van het hoofdbureau in zijn nek, want hij heeft het opeens op ons gemunt. We zijn slordig, we lopen de kantjes eraf, we maken er een zooitje van. Hij heeft gezegd dat hij gaat snoeien in ons overwerk. Nou vraag ik je, hoe moet ik een vrouw en twee kinderen onderhouden van m'n gewone salaris?'

'Doe mee aan een rodeo,' grapte Tony. Maar dat deed hem aan Crawley denken. Hij vroeg: 'Heb jij Lou gezien? Hij zou vandaag van vier tot twaalf werken, maar beneden heeft niemand enig idee waar hij zit.'

'Dat komt doordat hij zich een uur geleden heeft ziekgemeld,' vertelde Devlin hem en hij schudde vol afschuw zijn hoofd. 'Dat stuk verdriet heeft zoveel ziekteverlof opgenomen dat ze hem de zak zullen moeten geven of een nationale feestdag moeten uitroepen voor elke keer dat hij zich in zijn vinger heeft gesneden.' De telefoon op het bureau rinkelde en Devlin nam op. 'Mounted Unit, met brigadier Devlin. O ja, hallo Sally. Heb je ze? Dat begrijp ik. Hoor eens, ik kan nu niet praten. Ik bel je wel als ik klaar ben. Tot straks.' Hij hing op en grijnsde schaapachtig naar Tony. 'Vrouwen. Je stuurt ze een bosje bloemen als ze jarig zijn en ze denken dat je iets heel geweldigs doet. Je boft maar dat jij op dat gebied nog even vrijaf hebt – voorlopig tenminste.' Hij gaf een vette knipoog.

'Zeg dat wel,' beaamde Tony opgewekt. Maar voor zijn geestesoog verscheen het beeld van Skyler, zodat zijn hart werd vervuld van een donker, vurig verlangen.

Hoe kon hij verliefd zijn op een vrouw die hij nauwelijks kende, een vrouw met wie hij maar één keer naar bed was geweest – hoe gedenkwaardig ook – en bij wie hij net zo weinig kans op een relatie had als op het winnen van de loterij?

Een vrouw die van plan was zijn kind weg te geven aan vreemden.

Dat was het punt dat hem het meeste raakte. En net zoals hij niet van plan was Anson en Pardoe zomaar te laten gaan, besloot Tony dat hij niet van plan was werkeloos toe te zien hoe Skyler alles op eigen houtje bedisselde.

Hij besefte opeens dat hij misschien niet verplicht was alles zomaar te laten gebeuren. Stel dat hij een echtpaar kon vinden – mensen die hij kende en vertrouwde – dat de baby wilde adopteren? Zou Skyler hem dan beschuldigen van zich ermee te bemoeien? Waarschijnlijk. Maar dat hoefde hem er niet van te weerhouden het op zijn minst te probéren. Hij zou haar op de een of andere manier dwingen te luisteren. En stel je eens voor wat het betekende, om in gedachten de gezichten te zien waar je kind iedere dag naar zou kijken, de ogen die zich vol plezier zouden samentrekken bij elk leuk ding dat hij of zij zei.

Toen Tony zich afmeldde, bekeek hij het rooster voor de ploeg van morgen, van zeven tot vier. Er was een opdracht van City Hall, waar een aids-demonstratie zou plaatsvinden. En voor Central Park zouden minstens zes agenten nodig zijn voor het een of andere jazzfestival. Als Crawley, die morgen van zeven tot vier stond opgesteld, zich voor de zoveelste keer voor niets ziek zou melden, zou misschien zelfs Fuller genoeg de pest in krijgen om er iets aan te doen.

Tony had meer dan de pest in, het kwam hem danig de strot uit. Er waren kerels die écht ziek waren. Kerels als Jimmy Dolan, die er alles wat ze bezaten voor zouden willen geven om gezond te zijn, om een normale werkdag te kunnen volbrengen...

'Ik stap op,' zei hij tegen Devlin, terwijl hij naar de kleedkamer liep.

'Vanwaar die haast?' wilde Devlin weten. 'Blijf nog even hier, eet een hapje met me mee. Sally heeft me eten voor zes meegegeven.'

'Jij eet ook voor zes,' plaagde Tony hem. 'Maar in elk geval bedankt. Een andere keer graag, maar ik moet bij een vriend in het ziekenhuis op bezoek.' Dolan was gisteren in het NYU Medical Center opgenomen, waar hij voor de zoveelste longontsteking werd behandeld. Dolan had grapjes gemaakt over dat hij tegenwoordig zó vaak in het ziekenhuis lag, dat hij nieuw postpapier met dat adres zou moeten laten drukken. Maar Tony wist dat het niet iets was om grapjes over te maken.

Nog geen tien minuten later liep hij snel, gedoucht en verkleed, door de poort van de stallen toen hij Joyce Hubbard passeerde. Joyce, merkte hij onwillekeurig op, zag er heel sexy uit met haar zijdeachtige kastanjebruine haar dat los rond haar schouders hing. Vanuit zijn ooghoek zag hij hoe ze haar pas vertraagde, alsof ze hoopte dat hij zou blijven staan om een praatje te maken, maar hij glimlachte slechts en stak een hand in haar richting op toen hij langs haar liep.

Joyce was inderdaad een geweldig stuk, dacht hij toen hij de straat overstak naar waar zijn auto was geparkeerd. Het probleem was dat hij tegenwoordig weinig belangstelling had voor haar of voor welke andere vrouw ook dan Skyler. Hij werd 's ochtends zo geil als een tiener wakker, vol begeerte naar Skyler. Hij droomde 's nachts zelfs van haar. Het was als een zonderlinge ziekte, een waarvan hij alleen maar kon hopen dat die uit zichzelf zou verdwijnen.

Jawel, zeker, en misschien komt er dan ook een wondermiddel voor aids, zodat Dolan met Kerstmis de Notenkraker Suite kan dansen.

Toen Tony een kwartier later Dolans ziekenhuiskamer binnenkwam, ontdekte hij dat zijn kameraad niet alleen was. Dolans the-

179

rapeut, dokter Nightingale, zat in een stoel naast zijn bed. Ze stond op om Tony te begroeten toen hij naar binnen liep. 'Jimmy vertelde me dat hij u verwachtte.' Ze glimlachte hartelijk en nam zijn hand in haar beide handen.

Ze was een aantrekkelijke vrouw van veertig, met een openhartig gezicht en een kalme blik. Ze was vandaag gekleed in een spijkerbroek en een sportieve blouse, haar blonde haar was opgestoken en ze leek opeens veel jonger. Veel nuchterder. Ze deed hem eigenlijk denken aan iemand die hij kende, hij wist alleen niet aan wie.

Hij keek naar de stoel waarop ze had gezeten. Er lag een boek op, met de open kant naar beneden. Ze had kennelijk zitten voorlezen, want Dolans gezichtsvermogen begon achteruit te gaan, hoewel hij dit niet graag wilde toegeven.

Tony, die zich geroerd voelde door haar zorgzaamheid, herinnerde zich opeens iets dat ze tegen hem had gezegd, de vorige keer dat ze elkaar waren tegengekomen, twee maanden geleden toen Dolan met longontsteking in het ziekenhuis had gelegen. Op een bepaald moment, toen ze door het bezoek van Dolans internist even waren verbannen, hadden dokter Nightingale en hij samen een Snickers gegeten uit de automaat op de binnenplaats. Na een paar minuten op gedempte toon te hebben gepraat, had ze Tony verbaasd door op te merken: 'Wat is het jammer, van Jimmy's ouders.'

Tony had zijn schouders slechts opgehaald, omdat hij niet wilde zeggen wat hij van Dolans ouders vond – dat kon hij niet zeggen op een manier wijze die voor haar oren geschikt zou zijn.

Ze had zomaar, op een droevige toon die helemaal niet leek op de gladde, beroepsmatige toon die ze in het bijzijn van Dolan gebruikte, hem toevertrouwd: 'Mijn man en ik hebben jarenlang geprobeerd een kind te adopteren. Misschien is dat de reden dat het voor mij zo moeilijk is om te begrijpen hoe een moeder haar eigen zoon de rug toe kan keren.'

Terwijl hij nu toekeek hoe ze Dolan hielp het kussen in zijn rug recht te trekken, herhaalde Tony in gedachten de woorden die ze had gezegd. *Mijn man en ik hebben jarenlang geprobeerd een kind te adopteren.* Zouden ze het nog steeds proberen? Twee maanden was niet zo lang geleden, dus hij nam aan dat ze er nog steeds mee bezig waren. Maar ze konden inmiddels een baby hebben gevonden.

Maar misschien ook niet.

Er ontstond een idee in Tony's gedachten, een idee dat hij steeds weer bleef bekijken en ronddraaien, als een dubbeltje dat hij op straat had gevonden.

Zou ze…?

Zou *Skyler*?

180

Er was maar één manier om daarachter te komen, dacht hij. Haar ernaar vragen. Een excuus bedenken om haar alleen te spreken en haar dan voorzichtig uit te horen.

Hij kende haar weliswaar niet goed. Maar volgens Dolan kon ze zo ongeveer over het water lopen. Het was een schot in het duister, want zelfs als dokter Nightingale geïnteresseerd was, zou Skyler het misschien niet zijn. Toch was het de moeite van het proberen waard.

Zijn instinct voor het inschatten van mensen was bijna onfeilbaar, en op dit moment was er iets dat hem zei dat deze vrouw de beste was. Dat ze een uitstekende moeder zou zijn.

Opeens besefte hij aan wie dokter Nightingale hem deed denken: Skyler. Hun teint en haarkleur waren dezelfde, zelfs hun bouw. Misschien was het dat, waardoor hij op de gedachte was gekomen haar het kind van Skyler en hem te laten adopteren…

'Zeg, u zou hier een geweldige handel kunnen beginnen. Net als een venter die langs de deur komt zou u van bed naar bed gaan. Stel je voor, het zou een regelrechte goudmijn zijn.' Jimmy, die rechtop zat tegen een stapel kussens, deed Ellie denken aan een kindertekening – zijn hoofd was veel te groot voor zijn uitgemergelde lichaam en zijn zonnige glimlach was diep gegroefd. 'Behalve wanneer ze naalden in je buik steken en slangen in je achterste, dan kan het je geen barst meer schelen dat je moeder Bobby liever vond en je vader je een pak slaag gaf omdat je op je vijfde nog met poppen speelde.'

Ellie pakte de gedichtenbundel waaruit ze had voorgelezen en legde die op het nachtkastje. 'Ik heb voorlopig meer dan genoeg te doen, maar ik zal het in gedachten houden.' Ze wierp een zijdelingse blik op Tony voor ze haar ogen op haar horloge richtte. 'En nu we 't daar toch over hebben, ik moet nu echt gaan. Ik heb om half zeven weer een groep, en als ik voor die tijd niets eet, ben ik dan een wrak.'

'Maar wilt u niet voor de floorshow blijven?' Jimmy's blauwe ogen twinkelden. 'Na het diner begint het pas goed. Avondvisites zouden elders misschien niets opbrengen, maar ik weet zeker dat het hier storm zou lopen.'

'Hou de volgende keer maar een paar plaatsen op de eerste rij voor me vrij,' zei ze tegen hem.

'Dolan, houd je dan nooit op?' Tony grijnsde. Hij zag Ellies blik en zei: 'Weet u wat die gozer onlangs tegen me zei? Hij zei: "Je weet niet wat je mist, Tony, dag-en-nachtservice met uitzicht over de rivier, en Bob Barker om je gezelschap te houden." Maar ik,' voegde hij eraan toe, 'ik heb liever een suite in het Plaza.'

Ellie keek naar de twee mannen die zo volslagen verschillend waren en die toch zo'n hechte band hadden. Tony in zijn verschoten, strakke spijkerbroek en T-shirt was het toonbeeld van gezondheid en onverbloemde mannelijkheid; Jimmy, die weinig meer was dan een paar kobaltblauwe ogen die steeds verhitter en feller gloeiden naarmate de rest van hem wegkwijnde, kon morgen sterven. Maar geen van beiden scheen acht te slaan op deze ongelijksoortigheid. Tony had zijn hand op Jimmy's schouder gelegd en masseerde deze licht. En Jimmy had, zonder het te beseffen, zijn bovenlichaam enigszins gedraaid, zodat hij Tony's kant op leunde, als een bleke zaailing die naar de zon was gericht.

Ellie kende Tony nauwelijks, maar ze had een vrij goed idee dat hij veel complexer was dan hij leek. Hij praatte zelden over zichzelf. De enkele keer dat ze in de gelegenheid waren geweest een praatje met elkaar te maken, leek hij eerder in haar geïnteresseerd dan in het aftroggelen van gratis therapie; hij had naar haar praktijk geïnformeerd en naar hoe het was om overwegend met aids-patiënten te werken. Hij had haar eveneens nadrukkelijk verteld met hoeveel achting Jimmy over haar had gesproken.

Ellie merkte de laatste tijd dat ze steeds meer waardering begon op te brengen voor het gezelschap van deze eerlijke, openhartige man. Want de waarheid was dat hoe druk ze het ook met haar praktijk mocht hebben, of hoe vaak ze met Georgina en haar andere vriendinnen afsprak, ze toch eenzaam was.

Er was een tijd geweest dat Ellie had gedacht dat ze zonder Paul geen zes dagen langer had kunnen leven, en het waren zes maanden geworden. *Hoe kàn dit waar zijn?* vroeg ze zich elke morgen af, ervan overtuigd dat ze zonder hem de dag niet door zou kunnen komen. Ze zag zichzelf over een open vlakte struikelen zonder herkenningspunten om haar richting aan te bepalen, waarbij ze domweg de ene voet voor de andere zette. Maar op de een of andere manier wist ze op de been te blijven.

Paul en zij spraken elkaar regelmatig via de telefoon en af en toe ontmoetten ze elkaar. Ze waren zelfs een paar keer naar een collega van haar geweest, die in huwelijkstherapie was gespecialiseerd. Maar als Ellie een slechte dag had, of wanneer een lid van haar aids-groep een terugval had, of wanneer ze verdriet had, deed het simpele feit zich voor dat Paul niet in de buurt was. Hij was er niet om haar in zijn armen te nemen of haar schouders te masseren of een kop thee voor haar te zetten. En als ze zich in bed naar hem uitstrekte, was er alleen Pauls kant van het matras, glad, leeg en koel.

Zelfs op dit moment, terwijl haar man in een ander deel van de stad bezig was voor een heel ander soort patiënten te zorgen dan zij nu hier deed, merkte ze dat ze verlangde naar de aanraking van zijn armen om haar heen. Haar hart deed pijn, alsof het op de een of andere manier was gekneusd. Het deed zelfs pijn om adem te halen.

Ze zag hoe Jimmy de gedichtenbundel van het nachtkastje pakte, waarbij zijn hand zichtbaar trilde. 'Nog eentje om het af te leren, dokter?' Ellie kon even niets uitbrengen en knikte alleen maar. Ze pakte het boek van hem aan en sloeg het open bij een van haar favoriete gedichten. Aarzelend begon ze te lezen. Toen ze halverwege was, keek ze op van de pagina en zag dat Jimmy's ogen dicht waren gezakt. Terwijl ze het boek dichtdeed, ving ze Tony's blik op en ze knikte even in de richting van de deur. Ze raapte haar spullen bijeen en liep achter hem aan naar de gang, maar toen ze hem begon te vertellen dat het haar tijd werd om te gaan, weerhield hij haar daarvan door een hand op haar arm te leggen.

'Mag ik u iets te eten aanbieden?' vroeg hij. 'Ik blijf hier in de buurt tot Jimmy wakker wordt, dus ik kan niet veel meer dan de cafetaria bedenken, maar u zou me een gunst bewijzen als ik niet alleen hoef te eten.' Als bij nader inzien voegde hij eraan toe: 'Tenzij u naar huis moet…'

'Ik heb nog ongeveer een uur de tijd voordat mijn groep begint,' zei ze en ze wierp hem een glimlach toe die te stralend was. 'Ik zou heel graag willen gaan eten… en de cafetaria is prima. In mijn vier jaar in St. Vincent's heb ik praktisch op cafetariavoedsel geleefd.'

'O ja? Wat een geluk dat u dat hebt overleefd.'

'Wat zal ik zeggen. Onkruid vergaat niet.'

Pas toen ze aan een tafeltje in de cafetaria zat, met een dienblad met daarop het een of andere onherkenbare vlees dat met een dikke saus was overdekt, besefte Ellie hoe hongerig ze was. De maaltijden zonder Paul waren gereduceerd tot hapjes hier en daar wanneer haar knorrende maag gênant werd, of wanneer ze gewoon geen energie meer had. Het was prettig om tegenover een man aan een tafeltje te zitten, dacht ze, zelfs als het een formicatafeltje was en de man een oppervlakkige kennis.

Misschien was hetgene waardoor ze zich óók tot Tony aangetrokken voelde, die standvastige houding van hem. Hij straalde de rustige zelfverzekerdheid uit van iemand op wie je onder alle omstandigheden kon rekenen, iemand die niet wegliep als het moeilijk werd. En ze kon zo iemand op dit moment wel gebruiken.

'U bent een heel goede vriend voor Jimmy,' zei ze tegen hem. 'Ik wou dat iedereen in de groep zo iemand had als u.'

Tony glimlachte de zuurzoete glimlach van een man die niet gemakkelijk complimentjes accepteert. 'Behalve dan het feit dat ik aan "het grote ontkennen" doe, nietwaar?' Hij stak een hapje in zijn mond van iets dat Ellie nu als gehakt herkende. 'Aangezien Jimmy en ik dat onderwerp min of meer vermijden, denk ik dat Jimmy daar met u over zal hebben gesproken.'

'Wij praten over zoveel dingen,' zei ze tegen hem, zorgvuldig haar ambtsgeheim bewarend.

'Nou, zoals ik het zie, dokter Nightingale...'

'Zeg alsjeblieft Ellie,' viel ze hem in de rede.

'Ellie dan, oké. Ik ben dus Tony. Laat me je één ding vertellen.' Hij leunde op zijn ellebogen naar voren, met een blik die zó heftig en intens was, dat ze zich moest bedwingen om niet in haar stoel achteruit te deinzen. 'Ik ben waarschijnlijk de enige in Dolans leven die een volledig beeld heeft, in technicolor, van alles wat hij doormaakt. En dat is niet leuk, neem dat maar van mij aan. Als we daar niet veel over praten, zoveel te beter. Verdraaid, die kerel wéét dat-ie doodgaat. Waarom zouden we kostbare tijd verdoen als we die beter kunnen besteden aan dingen die hem misschien een reden geven om verder te willen leven?'

Ellie glimlachte naar hem. 'Je moeder heeft een intelligente zoon grootgebracht.'

'Mijn moeder?' Tony lachte smalend. 'Als je het over intelligentie hebt, dan heeft zij 't uitgevonden. Ze heeft niet eens de middelbare school afgemaakt, maar het ouwe mens kon op drie straten afstand een leugenaar of een bedrieger ontdekken. Iemand die probeerde Loretta Salvatore onderuit te halen, mocht van geluk spreken als hij ervan afkwam met hele trommelvliezen en met zijn scheiding op dezelfde plaats in zijn haar.'

'Woont ze hier in de buurt?' vroeg Ellie.

'Rego Park,' vertelde hij haar. 'Twee jaar geleden is ze bij mijn zus en haar man ingetrokken, zodat ze Gina met de kinderen kon helpen. Maar vraag me niet of ze gelukkig is. Ze heeft haar portie ellende gehad toen mijn vader nog leefde.'

'Klinkt alsof je een moeilijke jeugd hebt gehad.'

Tony haalde zijn schouders op en wendde zijn blik af. Het was om deze tijd van de dag heel druk in de cafetaria, maar Ellie merkte het nauwelijks op. Ze concentreerde zich op Tony... en op de indruk die hij op haar maakte; de indruk dat hij iets verzweeg, en niet alleen over zijn jeugd. Ellie was er opeens van overtuigd dat Tony's aanbod om met haar te gaan eten toch niet zo spontaan was geweest. Er was een reden dat hij met haar alleen wilde zijn. Had het iets met Jimmy te maken, of was het een persoonlijk probleem waarover hij vakkundig advies nodig had – een vrouw of een vriendinnetje met wie hij problemen had?

Ze besefte dat ze zelfs niet wist of hij al dan niet getrouwd was.

Een blik op de ringvinger van zijn linkerhand vertelde haar dat hij dit niet was, maar een nauwelijks zichtbare streep vlak onder zijn knokkel toonde aan dat hij niet al te lang geleden een ring had gedragen. Gescheiden? Was hij bij zijn vrouw weggegaan of had zij hem gevraagd te vertrekken? Hield hij nog steeds van haar? Hield zij van hem?

Opeens zag Ellie in gedachten Paul tegenover zich zitten op de plaats waar Tony nu zat. Die eerste jaren, toen ze pasgetrouwd waren, tijdens haar opleidingsperiode in Langdon, hoeveel cafetariamaaltijden hadden ze toen gedeeld? En hoe vaak was het alleen maar een excuus geweest om midden op de dag even bij elkaar te zijn, elkaars hand vast te houden, om op fluistertoon te praten over de heerlijke dingen die ze bij elkaar zouden doen als ze thuis waren?

Ze kon bijna Pauls hand om de hare voelen, de warmte van die hand, de ruwe plekken als gevolg van het vele wassen. In gedachten zag ze hem gedag zwaaien naar een van de verpleegsters, een knap meisje met een geel vest over haar schouders... knap genoeg om een tweede blik te rechtvaardigen. Maar Paul keek nooit naar iemand anders dan naar haar. Hij gaf haar het gevoel, alleen al door de manier waarop zijn blik op haar mond bleef rusten terwijl ze sprak, dat zij de enige vrouw ter wereld was met wie hij de liefde wilde bedrijven.

Het gevoel van verdriet dat op dat moment door Ellie heen sneed, was zó hevig dat ze haar ellebogen tegen de tafel schrap moest zetten om niet dubbel te slaan. Het werd onmiddellijk gevolgd door woede – een felle, hete, verbijsterende woede.

Waarom, o waarom moest het op deze manier gaan? Ja, ik zie Pauls kant van de zaak echt wel. Natuurlijk zie ik die. Maar als hij me oprecht liefhad, zou hij terugkomen. Zou hij het begrijpen.

Ze kon niet zomaar ophouden met naar een kind verlangen, net zomin als ze vrijwillig had kunnen ophouden met ademhalen.

Tony moest de verandering in haar stemming hebben aangevoeld, want hij boog zich bezorgd naar haar toe en vroeg: 'Hé Ellie... is alles goed met je?'

'Prima,' zei ze kortaf. 'Ik denk dat ik uiteindelijk toch niet zoveel honger had als ik dacht.' Ze schoof het nauwelijks aangeroerde dienblad opzij. 'Het spijt me, Tony, maar ik moet echt weer eens gaan. Tenzij,' voegde ze er met bestudeerde nonchalance aan toe, 'er echt iets is waarover je met mij wilde praten.'

Tony aarzelde; toen legde hij zijn vork neer en zei: 'Eigenlijk is er wel iets. Het punt is, ik vroeg me af...' Hij schraapte zijn keel. 'Je zei een paar maanden geleden iets over dat je man en jij een kind wilden adopteren. Ik wilde weten of je nog steeds geïnteresseerd bent.'

Ellie voelde een prop in haar keel en haar hart leek even gevaarlijk te wankelen voor het zich weer oprichtte. Ze dwong zichzelf heel stil te blijven, het soort stilte dat instinctief kwam wanneer ze zich bedreigd voelde. Maar er viel niets te vrezen van de man wiens donkere ogen haar zo aandachtig over de tafel heen bestudeerden, zei ze tegen zichzelf. Wat haar bang maakte, was de hoop die zich als flinterdun geblazen glas om haar hart heen spon – een hoop die zo gemakkelijk kon worden verbrijzeld, zoals maar al te vaak het geval was geweest.

'Waarom vraag je dat?' vroeg ze behoedzaam.

Tony wendde zijn blik af en zijn knappe gezicht met de sterke kin en de Romeinse neus kleurde. 'Weet je, er is een meisje dat ik ken,' zei hij. 'Ze is zwanger – iets meer dan drie maanden.'

Ellie werd overmand door alle bekende symptomen – ademnood, ijskoude handen en voeten, nekharen die overeind gingen staan. 'Een vriendin van je?' informeerde een stem waarvan ze niet kon geloven dat die van haar was; daar was hij veel te kalm voor.

'Zo zou je het wel kunnen zeggen.'

'Juist ja.'

'Nee. Het is helemáál niet juist!' Tony haalde een hand door de dikke krullen boven zijn slaap. Zijn houding was zó gespannen dat ze bijna de spieren en pezen kon voelen trillen, als de stalen kabels van een hangbrug. Toen dwong hij zich met zichtbare moeite weer achteruit te gaan zitten. 'Sorry,' zei hij, 'het is gewoon dat dit gedoe me zó gespannen heeft gemaakt dat ik nauwelijks nog normaal kan doen. Wil je de waarheid weten? Ze is meer dan een vriendin… en ook minder, als dat nog ergens op slaat. We zijn maar één keer samen geweest.'

Ellie bleef zwijgen. Er klonk een vaag gezoem in haar oren en haar handen waren opeens klam. *Raak niet meteen opgewonden*, waarschuwde ze zichzelf. *Het is nog te vroeg. Je weet helemaal niets van dit meisje.*

'Die vriendin… weet ze dat je hier met mij over praat?' vroeg Ellie zacht.

Tony lachte kort en hard. 'Helemaal niet. Ze zou m'n hoofd afbijten omdat ik het niet eerst met haar heb besproken. Ze… tja… ze doet het op haar eigen manier.'

Zijn ogen, die donkerder waren geworden tot een tint dieper dan zwart – de kleur van een achtersteegje in een maanloze nacht – vertelde Ellie meer: er waren emotionele niveaus waarvan hij haar nog niets had onthuld.

Maar hij wilde op zijn minst eerlijk tegenover haar zijn door feitelijk de kaarten op tafel te leggen. Ellie dacht even diep na. Was dit iets waarbij ze betrokken wilde raken? Een meisje dat ze nog nooit had ontmoet, dat háár misschien wel niet eens zou willen ontmoeten? Durfde ze het risico te nemen opnieuw te gaan hopen op iets dat duidelijk zo in de mist hing?

Toen het antwoord kwam, was dit duidelijk het juiste, want Ellie aarzelde niet. 'Ik ben geïnteresseerd.'

Tony knikte langzaam zonder zijn ogen van haar gezicht af te wenden. Deze keer had ze het duidelijke gevoel dat ze werd ingeschat, niet door een verwachtingsvolle vader, maar door een politieman die er zijn werk van had gemaakt iedereen die hij in zijn nabijheid liet, zorgvuldig op te nemen.

'Maar ik zal ook eerlijk tegenover jou zijn,' ging ze verder, met vuisten die in haar schoot waren gebald. 'Mijn man en ik zijn van tafel en bed gescheiden.' Het was beter voor hem als hij dit meteen wist. Als hij nu terugkrabbelde, zou haar dit dagen, mogelijk weken van hartverscheurend verdriet besparen.

Toen dacht ze aan Paul en ze vroeg zich af wat zijn reactie zou zijn. Hij zou uiteraard sceptisch zijn. Maar als de belofte van deze baby door een wonder tot realiteit mocht worden, dan zou hij toch zeker wel tot inkeer komen? Hij had haar lief, daar twijfelde ze niet aan. Het enige punt dat bleef te bezien, was of hij wel of niet genoeg van haar hield om nog één poging te wagen om een gezin te vormen…

Tony fronste, zodat ze begreep dat dit kennelijk niet bij het programma hoorde. Hij vroeg: 'En je wilt nog steeds een baby? Zelfs als je die in je eentje zou moeten grootbrengen?'

'Meer dan wat ook ter wereld.'

Tony moest het hebben bespeurd, de rauwe kracht van haar verlangen, want hij keek haar aan met een begrip dat woorden te boven ging. Ze vermoedde dat tegenover haar een man zat voor wie diepe verlangens geen onbekend verschijnsel waren.

Ellie beefde toen ze haar tasje pakte. Ze zag, op een afwezig niveau van haar bewustzijn, hoe haar hand uit zichzelf handelde en als die van een zakkenroller tussen portemonnee, sleutels, lipstick en pen rommelde. Ten slotte vond ze wat ze zocht, het platte, leren etui met haar visitekaartjes. Ze schoof er één uit en krabbelde haar privé-telefoonnummer op de achterkant voor ze het aan Tony gaf.

'Ze mag me altijd bellen,' zei ze, ondanks zichzelf toch ademloos, 'dag en nacht. Als ik niet thuis ben, kan ze een boodschap op mijn antwoordapparaat achterlaten. Zeg maar tegen je vriendin dat ik wacht om van haar te horen.'

De volgende morgen zat brigadier Tony Salvatore om kwart voor zeven in de roosterkamer van Troep B achter het bureau, waar hij door de pagina's van zijn klembord bladerde terwijl hij zich voorbereidde op het appèl. Maar zijn gedachten waren mijlenver weg. Hij zag het groepje schoolbanken niet met hun slaperig kijkende inzittenden – degenen van de dienstploeg van zeven tot vier, die met elkaar zaten te leuteren terwijl ze wachtten op de opdrachten van die dag. Hij dacht er aan dat hij later die dag Skyler zou zien... en hij vroeg zich af hoe hij haar over zijn gesprek met Ellie Nightingale moest vertellen.

Skyler zou het niet leuk vinden dat hij met Ellie had gepraat zonder dit eerst met haar te bespreken. Ze zou het nog minder leuk vinden dat Ellie geen man had. Maar ze was het verdomme toch minstens aan hem verplicht die vrouw te zien, haar een kans te geven. Het was ook zíjn kind.

'Hé brigadier, heb jij iets over die steekpartij in Forty-second Street? Heeft die kerel het nog gehaald?'

Toen Tony opkeek, zag hij Gary Maroni op een hoek van zijn bureau zitten. Maroni was rond dezelfde tijd als hij van het tiende hierheen overgeplaatst, maar hij leek er geen bezwaar tegen te hebben dat Tony als brigadier boven hem was geplaatst. Maroni zat een doughnut te verorberen terwijl hij afwezig wat poedersuiker van de voorkant van zijn uniform klopte. Het was werkelijk verbazingwekkend, dacht Tony, terwijl hij naar de magere gestalte en de holle wangen keek van de kerel die door iedereen in de stallen Bony Maroni werd genoemd. Hij was zijn paard in eten de baas en toch slaagde hij erin eruit te zien als een uitgehongerde rondreizende dominee op zoek naar een zondagsmaal.

'Overleden bij aankomst in het ziekenhuis,' antwoordde Tony kortaf. Gisteren waren Maroni en hij als eersten ter plaatse geweest. Het zag er zo lelijk uit als de pest – de keel van het slachtoffer was doorgesneden met een kapotte fles. Waarschijnlijk een afrekening uit de onderwereld. Tony wist het niet zeker, omdat hij niet de vermoedelijke dader de boeien had omgedaan. Hij had zijn handen vol gehad aan het op afstand houden van alle jakhalzen die een kijkje van dichtbij wilden nemen.

'Jezus ja, al dat bloed.'

'Dwars door zijn halsslagader,' zei Tony.

'Ik had 'm nog niet willen aanraken als er ook maar een kleine kans was geweest hem te redden. Dat soort schorem, hij had waarschijnlijk aids.'

Ook al was het tegenwoordig een strikt voorschrift om handschoenen te dragen bij het hanteren van iemand met een open wond, toch stoof Tony onwillekeurig op bij Maroni's toespeling dat de ziekte op de een of andere manier het exclusieve domein van drugsverslaafden en schorem zou zijn – waarbij 'flikkers' uiteraard in de laatste categorie thuishoorden. Maar hij hield zijn mond. Maroni was te onnozel om er iets mee te hebben bedoeld.

'Heb je het van Joyce Hubbard gehoord?' Maroni, die misschien zijn stemming begreep, veranderde snel van onderwerp.

'Wat is er met haar?'

'Ze heeft zich verloofd met een kerel uit Troep A. Kirk Rooney. Schijnen een geweldige trouwerij van plan te zijn. Het verbaast me dat ze jou niets heeft verteld.'

Tony was niet verbaasd, maar hij voelde zich onwillekeurig toch een beetje schuldig. De waarheid was dat hij haar nauwelijks opmerkte. Nu was het september en ze had zich op de een of andere manier verloofd zonder dat hij het in de gaten had gehad.

Toen Joyce een paar minuten voor het appèl verscheen, feliciteerde Tony haar uitvoerig. Ze bloosde tot aan de wortels van haar kastanjebruine haar – dat vandaag in een vlecht naar achteren was getrokken – en wendde haar blik onmiddellijk af.

'Bedankt,' stamelde ze. 'Ik vermoed dat het een beetje onverwachts moet hebben geleken, maar Kirk en ik, we kennen elkaar al een hele tijd.'

Ze had echt heel aardige ogen, dacht Tony toen ze ten slotte een blik in zijn richting riskeerde. Groen met kleine spikkeltjes goud erin. Ook leuke benen. Het soort dat je echt opmerkt, zelfs als ze niet om een paard zijn geslagen. Met haar blauwe rijbroek, op maat gemaakte laarzen en messcherp gestreken overhemd, had ze voor een rekruteringsposter kunnen poseren.

'Hebben jullie al een trouwdatum vastgesteld?' vroeg Tony.

'Nog niet. Zijn moeder wil volgend voorjaar, zodat ze half Brooklyn kan uitnodigen.' Ze rolde met haar ogen. 'Maar Kirk en ik willen liever niet wachten. We willen zo gauw mogelijk aan een gezin beginnen.'

Joyce was eenendertig, wist hij uit haar gegevens. Het klonk heel verstandig dat ze een gezin wilde vormen, met een smeris wilde trouwen, iemand met wie ze veel gemeen had. Een stuk verstandiger dan zijn hitsige niet-relatie met Skyler Sutton.

'Nou, zeg 'm dan maar van mij dat hij een bofkont is,' zei Tony, die zich plotseling teder jegens Joyce voelde, op bijna spijtige toon.

Joyce bloosde nu alarmerend en ze zag eruit alsof ze elk moment in tranen kon uitbarsten. Toen keek ze hem aan, open en eerlijk, en wat hij achter de schittering in haar ogen zag liggen, was genoeg om hem te doen wensen dat hij zijn mond had gehouden. Het maakte ook dat hij wenste dat hij zo slim was geweest om voor Joyce te vallen, voor een vrouw van zijn eigen leeftijd, een gelijke, iemand die hij kon afblaffen aan het eind van een week met diensten van vier tot middernacht... iemand die dit zou begrijpen.

Er lag nog iets anders in de blik die Joyce hem toewierp, iets dat hem heel ongemakkelijk maakte. Haar ogen vertelden hem: *Je hoeft het maar te zeggen...* Hij keek weer omlaag, naar de standplaatsen op de lijst die hij voor zich had liggen. Joyce begreep de hint en er klonk iets donkers en hards onder de geforceerde luchthartigheid van haar stem toen ze zei: 'Dat kun je hem zelf vertellen. Je komt toch zeker wel op de bruiloft?'

'Reken maar.' Tony blikte op de klok aan de muur en telde de koppen van de agenten die zich voor hem hadden verzameld – alles bij elkaar twaalf, van wie sommigen nog bezig waren hun overhemd in hun rijbroek te stoppen en hun holster om te gespen. Hij ontwaarde Crawley, met zijn lichaam in de vorm van een brandblusapparaat, zijn grijze, kortgeknipte haar dat nog glinsterde van de nattigheid van de douche waarmee hij tot de laatste minuut had gewacht. Crawley zag er verbazingwekkend vief uit voor iemand die de hele vorige dag ziek op bed moest hebben gelegen. Tony voelde even een steek van teleurstelling. *Jammer dat hij vandaag niet in bed is gebleven, dan had ik echt iets gehad om hem te grijpen.*

Tony blafte: 'Douglas! Post Eenentwintig, lunch om elf punt nul nul uur... Tamborelli, jij op Tweeëntwintig, pauze om elf uur dertig... Smith, ik heb Doherty en jou nodig om wat hooi van Troep D te halen...' Hij nam de rest van de lijst door, waarbij hij eindigde met het gebruikelijke: 'Jullie weten hoe de regels zijn. Geen goedkope maaltijden. Geen rondjes... tenzij ik erbij ben.'

Zijn grijns werd begroet door een koor van goedmoedig gekreun. De zoveelste dag, de zoveelste ronde, de zoveelste hoeveelheid rottigheid die ze op hun bord zouden krijgen. En aan het eind daarvan, dacht Tony, zou hij in zijn kruis worden getrapt, niet door een paard, maar door de vrouw voor wie hij de pech had gehad te vallen.

Maroni en hij namen de posten 16 en 17 in, die Times Square besloegen. Maroni zat op Prince, een levendige vos met een donkere vlek rond een oog, wat hem het uiterlijk van een piraat verschafte. Maar Prince was niets vergeleken bij Tony's vervangende rijdier. Terwijl hij op Rocky in oostelijke richting over Forty-second Street reed, voelde Tony hoe het grote zwarte paard tegen hem vocht, bij elk autogetoeter schichtig opzijsprong, en elke keer dat Tony hem stevig met zijn benen voortdreef, een woeste blik achterom wierp.

Maar Tony kende geen genade. Hij bleef de teugels soepel maar stevig vasthouden en dreef Rocky met zit en benen voorwaarts, zodat hij wel moest gehoorzamen. Toen ze de kruising bereikten en het zwarte paard begon te bokken, dreef Tony zijn sporen in de flanken van het dier, en wierp zijn gewicht achterover om hem op zijn plaats te houden.

190

Paarden waren gemakkelijk, vond hij. Zelfs rotbeesten als Rocky. Maar met vrouwen scheen hij minder goed om te kunnen gaan. Kijk maar hoe hij er met Paula een puinhoop van had gemaakt door te trouwen met iemand met wie hij bijna niets gemeen had. En nu maakte hij weer dezelfde fout... door verliefd te worden op een vrouw die hij zwanger had gemaakt zelfs nog voordat de roes van de biertjes die ze bij hun eerste afspraak hadden gedronken was vervlogen. Het enige verschil was dat Skyler en hij niet gingen trouwen. Nu was het enige dat hem nog restte ervoor te zorgen dat hun kind goed werd verzorgd en de liefde kreeg die ieder kind verdiende.

Zie het nou maar eerlijk onder ogen, Salvatore, je probeert alleen maar te compenseren wat je vader je niet heeft gegeven. Maar dit was een heel andere situatie. Zijn zoon of dochter zou misschien zelfs nooit weten wie hij was. Hij of zij zou waarschijnlijk opgroeien met de gedachte dat hij niet eens de moeite had genomen op te bellen of een briefje te schrijven.

Tony voelde een steek in zijn binnenste en hij was blij dat hij spiegelglazen had, die zijn ogen aan het gezicht onttrokken.

Terwijl hij over Times Square patrouilleerde met de eindeloze reeks kroegen en fast-foodrestaurants, probeerde Tony niet te denken aan alle manieren waarop hij zijn kind in de steek liet, en alle dingen die hij tegen Skyler wilde zeggen over hoe het was om op te groeien met een haat jegens je eigen vader. Op de hoek van Broadway en Forty-fifth hief hij zijn wapenstok bij wijze van groet naar een oude bekende op straat. Maxie, in haar knalroze strakke legging en minieme topje, zwaaide terug. Ze was een mager scharminkel met een slecht gebit en een zwak voor paarden, en ze maakte dat hij blij was dat hij niet bij de zedenpolitie zat. Het arresteren van dit soort stumpers was niet zijn idee van leuk werk.

Om twaalf uur troffen Maroni en hij elkaar voor de lunch. Sammy, die de ondergrondse parkeergarage dreef waar zij meestal hun paarden stalden, had zowel voor Rocky als voor Prince een wortel. Slimme kerel, hij wist aan welke kant zijn boterham werd gesmeerd – bij de Mounted Police gebeurde het zelden dat iemand zijn eigen behoeften voor die van het paard stelde. Tony bedankte Sammy en nam zich voor hem met Kerstmis een flinke fooi te geven.

'Hoe is het met je ex-vrouw gegaan?' vroeg Maroni toen ze bij de toonbank van de delicatessenwinkel op hun sandwiches stonden te wachten – kalkoen op roggebrood voor Tony, een enorm stokbrood met van alles erop en eraan voor Maroni. 'Jullie hebben ruzie over de alimentatie?'

Tony had in geen weken aan Paula gedacht; hij had moeite om zich zelfs maar haar gezicht voor de geest te halen. 'Er is niets dat ze liever zou doen, geloof me,' zei hij tegen Maroni en het verbaasde hem dat er niets van de bitterheid die hem zo lang had achtervolgd, in zijn stem doorklonk. 'Maar haar advocaat heeft haar overgehaald een bedrag ineens te accepteren.'

'Oef. Dat zal zwaar zijn geweest.'

Tony haalde zijn schouders op. 'Ik heb te veel andere dingen om me over op te winden.'

'Ja, dat heb ik gezien.' Hij wierp een veelbetekenende blik in Tony's richting. 'Is ze iemand die ik ken?'

'Dat betwijfel ik,' zei Tony en hij voegde er met een lachje aan toe: 'Ik zou zelfs kunnen zeggen dat de kans dat jij haar kent, ongeveer net zo groot is als dat jij de komende tien jaar iedere dag een arrestatie verricht.'

'Dus je houdt haar helemaal voor jezelf?' Maroni nam een flinke hap van zijn sandwich en zijn ogen twinkelden vrolijk terwijl hij verder kauwde.

'Er valt niets te houden,' zei Tony.

'Jazeker, ik heb je door.' Maroni knikte veelbetekenend. 'Het is weer het oude liedje met jou, Salvatore – je houdt je kaarten altijd dicht tegen je aan. De enige kerel op het bureau die niet weet waar een kleedkamer voor dient. T en K, daar gaat 't om. Tieten en kont – de helft van de pret is er later over te kunnen kletsen.'

Tony wist nooit hoe serieus hij Maroni moest nemen, dus meestal negeerde hij hem. Ze slaagden erin de rest van de dag door te komen zonder een arrestatie te verrichten of hun nek te breken, en toen ze aan het eind van hun dienst terugreden naar de stallen, merkte Tony dat zelfs de hoge luchtvochtigheid, die de hele week als een omgekeerde emmer over de stad had gehangen, was opgetrokken.

Drie kwartier later reed Tony in noordelijke richting over de Henry Hudson, waar hij werd getrakteerd op de eerste tekenen van het najaar in de hoeveelheden rood en goud te midden van het dichte groen langs de weg, en hij besefte dat deze dag misschien toch niet zo slecht zou uitpakken. Hij was weliswaar wat gespannen over zijn ontmoeting met Skyler, maar daar was niets nieuws aan. En als hij iets met haar te bespreken had, betekende dat nog niet dat ze niet van elkaars gezelschap konden genieten.

En dat deed hem aan iets anders denken: zijn broer Dominic organiseerde een soort familiebijeenkomst en hij had er bij Tony op aangedrongen dat hij die vrouw meebracht over wie hij zo gesloten deed. Tony had Dom en Carla niet verteld dat Skyler zwanger was. Het enige waar zijn broer en schoonzusje zich om bekommerden, was er zeker van zijn dat Skyler niet zo was als Paula, die ze verafschuwden.

Skyler was niet als Paula, dacht Tony. Maar hoe zou ze met zijn familie kunnen omgaan? Met zijn broers, zussen, aangetrouwde familie, zijn nichtjes en neefjes? Ze vormden een lawaaierig stel. Ze vloekten. Dom dronk te veel, Carla schreeuwde tegen haar kinderen – maar ieder van hen zou zijn laatste ademtocht geven om een lid van de stam te verdedigen. Tony zou zich nooit voor hen verontschuldigen – niet tegenover Skyler, nog niet tegenover de koningin van Engeland.

En zelfs als Skyler het met zijn familie kon vinden, zou hij zich dan zo vriendelijk tegenover háár wereld voelen? Hij had genoeg gezien van het wereldje waarin zij zich bewoog om te weten dat ze zelfs wanneer ze vanaf het trottoir omhoogkeken naar hem op zijn paard, ze er op de een of andere manier in slaagden op hem neer te kijken. Zoals die vrouw niet lang geleden, voor Bergdorf Goodman's, die hem op gebiedende toon had verzocht een taxi voor haar aan te houden. En die keer dat hij bij een liefdadigheidsbal van de Mounted was geweest – met dames in chique avondjurken en heren in smoking, die zich tijdens de borrel vooraf rond Tony hadden verdrongen, maar die zodra hun nieuwsgierigheid was bevredigd, hem nagenoeg de rug hadden toegekeerd. Ze waren niet echt in hèm geïnteresseerd geweest.

Nee, hij kon het zich niet voorstellen, Skyler en hij. Net zomin als hij zich kon voorstellen dat hij op een berg in Tibet zou wonen of met een ruimtevaartuig naar de maan zou gaan. Het probleem was dat hij die boodschap van zijn hoofd naar zijn hart moest sturen, waar dit bericht op de een of andere manier maar niet door wilde komen.

Tony sloeg van Route 84 af naar Route 312, waar de snelweg plaatsmaakte voor beschaduwde landweggetjes met weilanden en houten huisjes als uit een kinderboek. Aan de andere kant van de stad, even ten noorden van het stuwmeer, werd de weg nog steiler toen hij zich door Fahnstock State Park slingerde. Hij reed langzaam, met het oog op eventuele overstekende herten die vanuit het dichte struikgewas konden komen.

Boven op de heuvel draaide hij een smalle weg in, waar hij parkeerde voor een twee verdiepingen hoog houten clubhuis, dat uitzicht bood over een open grasveld. Er waren geen borden die reclame maakten voor de Gipsy Trail Club – en hij veronderstelde dat de redenering hierachter was dat als je niet wist dat die club hier was, je er ook niets te zoeken had.

Maar ondanks het feit dat hij zich wat misplaatst voelde, was Tony toch onder de indruk van het aardige geheel. De vijver waar de zwanen over hun eigen spiegelbeeld gleden; de ruiterpaden die over de bijna zevenhonderd hectaren van de club kronkelden; en de huizen – waarvan sommige werkelijk paleisachtige afmetingen hadden, maar die wonderlijk genoeg toch huisjes werden genoemd – die tussen de bomen verscholen stonden.

Hij trof Skyler in de stal aan de andere kant van het forellenmeer, waar ze haar paard in een lichte arbeidsgalop door de bak reed. Het dier was een leuke kastanjebruine ruin van ongeveer één meter zestig stokmaat, met een uiterst soepele gang. Skyler, met leren beenkappen en een vormloze katoenen sweater die over haar spijkerbroek hing, zag er verhit en mooi uit, maar het was de gemakkelijke zit op haar paard die hem de adem benam. Toen hij haar elegante, bijna zwevende gratie zag, en de manier waarop haar blonde haar het licht ving in het rode en gouden licht van de ondergaande zon, besefte Tony – die reed zoals de meeste cowboys reden, hard en slechts geïnteresseerd in het werk dat ze moesten doen – opnieuw hoe groot de kloof tussen hen was.

Hij stond zwijgend bij het hek naar haar te kijken, tot Skyler hem opmerkte en haar paard in draf naar hem toe bracht. 'Waarom heb je me niet laten weten dat je er was?' verweet ze hem luchthartig.

'Ik had het te druk met naar je te kijken,' zei hij. En hij voegde er wat ongerust aan toe: 'Zeg, weet je zeker dat dit wel goed is? Ik bedoel, voor de baby en zo?'

Skyler liet zich met een grom van ergernis op de grond glijden. 'We leven niet meer in de negentiende eeuw, Tony. Zwangere vrouwen worden niet meer naar hun bed verbannen, tenzij daar een medische reden voor is. Bovendien doe ik alles kalmpjes aan.'

'Geen springconcoursen?'

Ze wilde opstuiven, maar bedacht zich toen. 'Bij mijn laatste concours ben ik bijna afgeworpen,' bekende ze. 'Daarna heb ik besloten dat ik beter even kon wachten tot het… tot het weer veilig is.' Ze wierp hem een scheve grijns toe, die niet helemaal de schittering van het verdriet erachter kon verbergen. 'Mijn trainer kreeg bijna een beroerte toen ik hem vertelde waarom. Ik weet niet of het is omdat Duncan zo'n preutse ouwe knar is, of omdat hij kwaad op me is omdat ik mijn kansen op een grootse carrière als springruiter verpruts. Hoe dan ook, ik stal Chancellor hier voor de winter.' Ze klopte de ruin op de hals. 'Hij zal zich in elk geval niet beklagen.'

'Scotty zou zich in de zevende hemel wanen,' zei Tony.

'Zeg, zullen we nog een eindje gaan rijden voor het donker wordt? John kan een van de paarden voor je zadelen.' Skyler gebaarde in de richting van de blokhutachtige stal, een kleinere versie van het clubhuis, met een met mos overgroeid dak. In de opening van de dubbele deuren, die uitkeken op de bak, lagen twee boerenkatten te zonnen in het laatste beetje licht.

Tony wilde haar eraan herinneren dat hij het grootste deel van de dag al te paard had gezeten, dat hij op die manier zijn boterham verdiende, en dat hij in zijn vrije uren niet direct in de stemming was om landheer te spelen. Maar ach, wat kon het hem schelen. Met een kort knikje liep hij naar de stal.

John, die eerder een voormalige filmster met grijs haar dan een stalmeester leek, gaf hem een appaloosa-merrie, die voor een manegepaard in verbazingwekkend goede staat verkeerde. Toch moest Tony, terwijl hij bezig was met optuigen, onwillekeurig even glimlachen om het contrast tussen Penny en het paard waarop hij eerder die dag had gereden. Dat was een van de dingen waarvan hij het meeste hield in zijn werk: de paarden van de Mounted Unit waren misschien niet geweldig om te zien, maar ze waren gewend om door vakmensen te worden bereden en dat was te zien. Zet Rocky op een plek als hier, met een heel stel recreatieruiters, dacht hij, en hij zou een ware goudmijn worden voor aansprakelijkheidsaanklachten.

'Er loopt een leuk pad achter mijn huisje langs... het is daar echt heel mooi om deze tijd van het jaar,' vertelde Skyler hem toen hij naar buiten reed, naar haar toe. Ze wierp hem een stralende glimlach toe voor ze zich omdraaide om hem voor te gaan over de onverharde weg die langs de vijver en onder een baldakijn van esdoorns en iepen liep.

Tony dacht: *Er klopt iets niet op dit plaatje*. Mooie dag, mooi pad – het was als een dubbele pagina in een tijdschrift, te mooi om waar te zijn. Waar hij vandaan kwam, zou een meisje dat je met een kind had opgezadeld geen vredig commentaar op het landschap geven. Ze zou waarschijnlijk wanhopig zijn, maar ze zou tenminste éérlijk wanhopig zijn.

Tony was er niet van overtuigd dat het voor Skyler veilig was om paard te rijden en hij bleef goed uitkijken naar gaten in de weg en laaghangende takken. Zwijgend zochten ze hun weg door het bos en kwamen ten slotte op een open, moerassig gebied waar het enige geluid het gesop van paardenhoeven in de modder was. Uit het hoge riet vloog met veel gekrijs een koppeltje fazanten op, zodat de paarden schrokken. Tony wendde automatisch zijn merrie af, zodat hij de weg blokkeerde voor Skylers paard, dat nerveus heen en weer danste, klaar om ervandoor te gaan.

'Goed werk.' Haar stem had een ironische ondertoon die hem niets beviel.

Maar Tony zei niets. Hoe was het mogelijk, vroeg hij zich af, dat hij zich bij een vrouw zo geïrriteerd voelde en tegelijkertijd niets liever wilde dan haar uit het zadel omlaagtrekken om haar te nemen, ter plekke, hier op de grond, te midden van de bladeren en het gras en de vertrapte wilde bloemen?

Waar het pad boven op de heuvel afboog, nam Skyler de route

die terugvoerde naar de grote weg. Tegen de tijd dat ze terug waren in de stal, was het bijna donker en werd het duidelijk frisser. Tony zweeg toen ze de paarden aftuigden en in hun boxen zetten. De stal was verlaten; John was kennelijk naar huis gegaan. Er was alleen het tevreden geluid te horen van paarden die hun voer verorberden en het gezwiep van staarten tegen de houten schotten.

Hij stond zijn handen te wassen bij de diepe, met roest bevlekte gootsteen naast de tuigkamer, toen hij zag dat Skyler hem aanstaarde. Hij glimlachte en zei: 'Je kijkt me aan alsof je me opeens niet meer kent.'

'Dat weet ik ook nog niet zo zeker.' Ze wees naar zijn middel. 'Is dat wat ik denk dat het is?'

Toen Tony omlaag keek, zag hij dat zijn sweatshirt omhoog was geschoven en was blijven steken op de kolf van zijn buiten-dienst-revolver, een Smith & Wesson .38, die stevig in de tailleband van zijn spijkerbroek zat geschoven. Hij haalde zijn schouders op. 'Je kunt nooit weten.'

'Ik heb het nooit eerder gezien.'

'Misschien heb je nooit eerder gekeken.'

'Waarom zou je in 's hemelsnaam op een plek als hier gewapend moeten zijn?' Ze spreidde haar armen in een gebaar dat de beschotten met messing en groef, de rij witgekalkte boxen omvatte.

'Zoals ik al zei, je weet maar nooit.' Tony veegde zijn handen af aan een ruwe handdoek die aan een roestige spijker boven de gootsteen hing.

'Gewapend en gevaarlijk. Wauw.'

Ze lachte nu, en de plotseling zure smaak achter in Tony's keel vertelde hem dat dit niet was omdat ze hem zo amusant vond. Hij draaide zich langzaam om en keek haar aan. In het felle licht van de peer die aan het dak hing, met haar ogen in de schaduw, deed ze hem denken aan een arrestant die werd ondervraagd – uitdagend, brutaal, maar onder dit alles meer dan een beetje bang.

Met een snelle beweging stapte Tony naar voren en greep haar bij haar bovenarmen. Hij voelde hoe ze van schrik een schok kreeg. Toen hij zeker wist dat hij haar volle aandacht had, sprak hij haar toe op een zachte, kalme toon die niets verried van de donkere cocktail die in zijn binnenste kolkte – een mengsel van woede en begeerte, met een tikje bitterheid.

'Er zijn twee dingen die een smeris altijd in gedachten moet houden. Punt één: zíj kunnen ons zien, maar wij kunnen hen niet altijd zien. Punt twee: je bent nooit echt buiten dienst.' Hij liet zijn handen zakken, waarbij hij natte vegen op haar sweater achterliet. 'Hoor eens, laten we één ding duidelijk stellen – ik heb geen zin in verstoppertje spelen. Als je het een probleem vindt dat ik naar je toe kom, dan moet je dat eerlijk zeggen, zonder flauwekul.'

Ze stond hem daar aan te staren alsof hij een volslagen vreemde was die haar pardoes had aangeklampt. Tony voelde hoe zijn woede begon weg te ebben en hij wilde die het liefst weer snel oppakken en vasthouden, want wat eronder zat, was nog veel erger.

'Ik weet niet waar je het over hebt,' zei ze langzaam.

'Jawel, dat weet je wel.' Hij hield zijn stem opzettelijk hard. 'Ik ben als de kater na een avond van wodka met tonic drinken... iets dat je niet laat vergeten dat ieder wild feest zijn tol eist. Alleen is dit een kater die niet zo snel weggaat.' Zijn blik ging omlaag naar haar buik, waarvan de ronding nauwelijks zichtbaar was onder haar sweater.

Ze wierp haar hoofd achterover en haar ogen gloeiden. 'Wie heeft je gevraagd je ermee te bemoeien? Je kènt me niet eens.'

'Zelfs wanneer er iets gebeurt waar je niet om hebt gevraagd – iets dat je zelfs niet hebt gewild – is het niet altijd zo gemakkelijk om zomaar weg te lopen.'

'Vertel me daar eens wat over.' Skyler legde haar hand met een hol lachje op haar buik.

Tony keek naar haar gezicht, maar ondanks de kleur die naar haar bleke wangen omhoogkroop, bleef het voor hem gesloten. 'Wat ik probeer te zeggen, is dat als jij van gedachten mocht veranderen en zou besluiten de baby te houden, ik er zal zijn,' vertelde hij haar zachtjes. 'Ik zou ervoor zorgen dat de baby en jij niets te kort kwamen.'

'Tony...'

'Wacht. Laat me uitspreken. Ik heb het niet over zulke stomme dingen als dat wij zouden moeten gaan trouwen of zo, dus rustig maar. Dit gaat niet over jou en mij.' Een leugen... maar een kleine leugen, vertelde hij zichzelf.

'Wat had je in gedachten?' wilde ze weten.

'Je kijkt me aan alsof ik allerlei verborgen bedoelingen heb.' Er ging een mondhoek van hem omhoog. 'Luister, Skyler, ik ben een heel gewone, rechttoe rechtaan kerel... wat je ziet is wat je krijgt. Als ik een belofte doe, dan kun je daarop rekenen. En wat ik hier beloof, is dat als jij toch mocht besluiten het te houden, ons kind zal weten wie zijn vader is.'

Er volgde een korte stilte die werd benadrukt door het bonzen van een hoef tegen een losse kist. Toen zei Skyler, met een verontwaardiging die werd geëvenaard door de woedende blik in haar ogen: 'Ik verander niet van gedachten.'

'Soms kunnen gedachten van zichzelf veranderen,' antwoordde hij mild, zonder er verder op in te gaan.

Skyler zei niets. Ze staarde hem slechts aan, terwijl die vreemde, misplaatste woede uit haar ogen verdween en haar achterliet met een uitdrukking die hij alleen maar als triest kon omschrijven. Ten slotte verklaarde ze op vermoeide toon: 'Tony, dit zijn mijn zaken, oké?'

Tony was daar nog niet zo zeker van, maar het enige dat hij zei was: 'Als jij dat zegt.' Hij wachtte even voor hij vroeg: 'Heb je al met iemand gesproken... over adopteren?'

'Daar heb ik nog tijd genoeg voor,' zei ze en haar mond verstrakte.

'Ik vroeg me alleen maar af of je iemand in gedachten had.'

'Hoe dat zo? Jíj soms?'

Tony verwenste zichzelf dat hij haar zo in het defensief had gedreven. Hij haalde diep adem en antwoordde kalm: 'Er is een dame – je weet nog dat ik het over mijn vriend Dolan heb gehad? Nou, zij is zijn zielenknijper. En ze probeert al heel lang een baby te adopteren. Ik heb gisteren een praatje met haar gemaakt... over ons... over ons kind. Ze is geïnteresseerd. Ze zou je graag willen ontmoeten.'

De harde gloed was weer terug in Skylers ogen. 'Wat weet je nog meer over haar behalve dat ze de zielenknijper van je vriend is?'

'Ik weet dat ze een goed mens is.'

'Dat is de vrouw die mijn haar knipt ook.'

Tony worstelde om kalm te blijven en om zijn stem rustig te houden. 'Het enige dat ik vraag, is of je kennis met haar wilt maken. Je zou je tot niets meer verplichten dan tot een kop koffie.' Hij zweeg. 'Maar er is nog één ding.' Het zou vroeg of laat toch uitkomen, dan kon het maar beter meteen.

'Wat?' Haar ogen werden halfdicht geknepen.

Met een strak gebaar van zijn kaak zei hij tegen haar: 'Haar man en zij... die zijn op dit moment niet bij elkaar.'

Skyler kruiste haar armen over haar borst. 'Vergeet het dan maar.'

'Wil je op zijn minst niet even met haar praten?'

'Waarom?'

Toen verloor Tony zijn zelfbeheersing. Het donkere brouwsel dat zich in zijn binnenste had gevormd, barstte naar buiten. 'Omdat ik het je vraag, dáárom.' Zijn hese stem bulderde. 'Is dat niet voldoende reden? In godsnaam, Skyler, of je het nou leuk vindt of niet, dit is ook míjn kind.'

Er ontstond een rafelige opening in zijn binnenste, groot genoeg om er een vuist doorheen te steken. Waarom zei ze niets? Waarom bleef ze daar maar staan, stond ze hem aan te kijken of hij zijn boekje te buiten ging?

198

Maar toen zag hij dat Skyler zwichtte. 'Ik veronderstel dat het geen kwaad kan haar te ontmoeten,' zei ze ten slotte.

Tony wiegde heen en weer op de versleten hakken van zijn cowboylaarzen. Hij had gewonnen – in elk geval de eerste ronde. Maar wat bewees dit? Niets. Behalve dat Skyler genoeg om de baby gaf om het te proberen met iemand die heel misschien wel degene was die zij zocht. Haar gevoelens met betrekking tot hem – zo ze die al had – waren even zorgvuldig verborgen als de revolver die hij in de tailleband van zijn spijkerbroek had gestopt.

Skyler hield haar hoofd gebogen toen ze de tuigkamer uitliep, bang dat als Tony haar gezicht kon zien, hij zou weten wat ze dacht. Maar wat was er zo vreselijk aan verliefd zijn? *Alles... alles onder de zon*, dacht ze verslagen.

Ze zouden zich niet op hun gemak voelen bij elkaars vrienden. Zijn familie zou waarschijnlijk denken dat ze een snob was omdat ze rijk was. En haar familie zou zich in zoveel bochten wringen om hem het gevoel te geven dat hij er ook bij hoorde, dat hun inspanningen exact het tegenovergestelde effect zouden hebben. Er zouden trouwpartijen en doop- en afstudeerfeesten zijn waarop de een of de ander zich misplaatst zou voelen. In restaurants zou er onvermijdelijk dat gênante moment komen dat hij de rekening wilde pakken en dat zij erop zou staan om te betalen, domweg omdat zij meer geld had. Tony en zij hielden zelfs niet van hetzelfde soort muziek – hij luisterde naar rock en country and western, en het enige dat hij van opera's wist, was dat ze waren afgelopen wanneer de dikke dame begon te zingen.

Nee, het kon nooit iets worden. Bovendien hield ze niet echt van hem, ze verbééldde het zich alleen maar.

Hormonen. Ze kon dit hele krankzinnige gedoe toeschrijven aan haar zwangere hormonen. Als de baby er eenmaal was, zou haar leven weer normaal worden. Ze had naar de faculteit diergeneeskunde van de University of New Hampshire geschreven en ze hadden ermee ingestemd haar nu al voor volgend jaar september in te schrijven. Zelfs haar ouders, hoe verbijsterd en ontdaan ze ook mochten zijn, zouden uiteindelijk tot inkeer komen. En Tony? Hij zou ophouden met voor bodyguard te spelen en teruggaan om weer gewoon politieman te zijn. Hij zou haar binnen de kortste keren zijn vergeten.

Hou maar goed vol. Misschien zul je jezelf ook nog overtuigen.

De onaangename waarheid, dacht ze wanhopig, was dat die hormonen erbij schenen te horen. Ze begon niet alleen allerlei ideeën over Tony te krijgen, maar ze dreigde ook sentimenteel te worden met betrekking tot de baby. Tegenwoordig was alles in staat haar

199

overstuur te maken – een AT&T-commercial met een klein meisje dat haar oma opbelde om haar met haar verjaardag te feliciteren, een etalage van Gap Kids met een uitstalling van tuinbroeken en piepkleine denim gymschoentjes, de engelachtige baby's in de tijdschriften van de wachtkamer van haar verloskundige.

Skyler moest zichzelf er steeds weer aan herinneren dat ze er goed aan deed. Ze liep niet weg, ze zou haar kind niet in de steek laten. Deze baby zou alles krijgen wat hij verdiende. En wat hij vooral verdiende, was liefhebbende ouders die in een positie waren om een kind groot te brengen.

Waarom, vroeg ze zich af, had ze dan besloten Tony's vriendin te ontmoeten? Als die vrouw geen man had, wat maakte haar dan beter geschikt om een baby groot te brengen dan zij? *Dat is niet de reden dat je bent gezwicht, en dat weet je best. Je doet dit omdat hij het heeft gevraagd.*

Er werd een hand op haar schouder gelegd en Skyler draaide zich met een ruk om. Daar stond Tony, en hij keek haar aan met een blik die zó ernstig was, dat ze moest denken aan alle films die ze ooit had gezien waarin een politieman op iemands stoep staat met het bericht van een tragisch ongeval.

'Als je dat wilt, ga ik met je mee,' bood hij aan.

'Mee waarheen?' Heel even was Skyler gehypnotiseerd door zijn zwarte ogen – het soort zwart waar je in kon vallen en nooit de bodem zou raken – en was ze te versuft om na te denken.

'Ze heet Ellie,' zei hij. 'Ellie Nightingale.'

Skyler schudde haar hoofd om weer helder te worden. 'Bedankt, maar ik ontmoet haar liever alleen.' Om te beginnen was het moeilijk voor haar om goed na te denken als Tony in de buurt was. Hij hoefde haar maar aan te kijken, zoals hij dat nu deed, en ze werd slap in haar knieën.

Hij stond zo dicht bij haar, dat ze de warmte van zijn adem op haar enigszins verkilde huid kon voelen. Ze zag de ketting om zijn hals glinsteren en voor ze besefte wat ze deed, haakte ze haar wijsvinger eromheen en trok hem onder zijn sweatshirt vandaan. Ze bekeek de afbeelding op de penning – de aartsengel Michael met wijdgespreide vleugels. Aan de achterzijde stond gegraveerd: 'Waak over mijn echtgenoot.'

'Mijn ex-vrouw heeft me die gegeven toen we pas getrouwd waren,' verklaarde hij.

'Het zal vast wel hebben gewerkt.' Skyler durfde niet op te kijken, omdat hij dan misschien het verlangen in haar gezicht zou zien, een verlangen dat zó acuut was dat het een ziekte leek. Ze was zó gespannen dat ze misselijk werd als ze zo dicht bij hem was.

Tony lachte kort en droog en zei: 'Je raakt mij niet zo gemakkelijk kwijt. Dat heb je waarschijnlijk al gemerkt.'

'Tony...' Ze keek op en zuchtte. 'Ik weet dat jij je verantwoordelijk voelt, en dat je dit goed wilt doen. Dat waardeer ik. Echt waar. Maar ik zou echt niet slecht over je denken wanneer je ophield met bij me langs te komen.'

'Dacht jij soms dat het alleen daarom was?' Zijn stem had een lage, gevaarlijke klank die de haren in haar nek overeind deed staan.

Dit was geen moment om preuts of ontwijkend te doen, besefte Skyler. Bovendien, wat had het voor zin? Ze hadden deze puinhoop niet gehad als ze niets voor elkaar hadden gevoeld.

'Ik denk niet dat het veel zin heeft te ontkennen dat er een zekere aantrekkingskracht tussen ons bestaat,' bekende ze. Aantrekkingskracht? Dat was het understatement van de eeuw. Het leek eerder een meteoor die te pletter was geslagen.

'Zeg dat wel,' beaamde hij en zijn mond vormde zich tot een scheve glimlach.

'Maar dat betekent nog niet dat wijzelf er iets mee te maken hebben,' haastte Skyler zich te verduidelijken.

'Niet tenzij we dat zelf willen.' Er was niets suggestiefs in de toon waarop hij dit zei. 'Intussen zie ik niet in waarom wij geen vrienden zouden kunnen zijn, jij?'

Skyler zag een heleboel redenen waarom ze geen vrienden zouden kunnen zijn, maar ze protesteerde niet. In plaats daarvan flapte ze eruit: 'Vrienden doen allerlei dingen sámen... zoals... zoals naar concerten gaan. En de opera. Houd jij van opera? Ik ben dol op opera. Ik vind alles heerlijk eraan. Mijn geliefde opera is La Traviata, heb ik je dat ooit verteld?' Ze besefte dat ze stond te ratelen, maar ze kon zich niet bedwingen.

Tony in de opera... ben je nou helemaal gek? Hij zal het er waarschijnlijk vreselijk vinden... en je zou je alleen maar aan hem ergeren. Maar misschien was dat wel juist wat ze wilde... zichzelf bewijzen hoe ongelijk ze waren. Het was kinderachtig en onterecht, wist ze, maar op dat moment was ze wanhopig genoeg om alles te proberen om die vreemde greep die hij op haar emoties had te doorbreken.

'Ik ben nog nooit naar een opera geweest. Maar ik ben bereid dat eens te proberen,' antwoordde Tony met een ernst die ze wonderlijk vertederend vond.

'Mooi zo,' zei ze en ze vroeg zich af of ze hem op dat punt misschien verkeerd had beoordeeld.

'Mijn broer Dominic is van plan een groot familiediner te geven... ergens in de komende weken,' vertelde hij haar. 'Ik zou het leuk vinden als je met me meeging.' Hij grijnsde breed. 'Als goede vriendin.'

'Afgesproken,' zei ze, opeens verlegen... veel verlegener dan ze die dag op de bank in haar vaders pied-à-terre was geweest, toen ze voor de eerste keer de liefde hadden bedreven.

Skyler herinnerde zich opeens hoe hij er naakt had uitgezien, donker en behaard, hoe zijn lichaam zich tegen haar had aangedrukt, de hitte die hij had uitgestraald. Zijn mond... brutaal, opdringerig.

Er ging een trilling door haar benen, zodat ze steun zocht tegen de muur rechts van de open deur naar de tuigkamer. Ze dacht aan de revolver die in zijn riem zat geschoven, en tegen al haar heilige liberale gevoelens in voelde ze een grote, prikkelende opwinding. *Ik begin zeker mijn verstand te verliezen*, dacht ze.

In plaats van de penning los te laten, gebruikte ze die om hem naar zich toe te trekken. Ze zag hoe hij wankelde toen hij naar haar toe schoof, hoe zijn ogen halfdicht waren. Ze voelde hoe hij zijn armen om haar heen sloeg, en toen drukte zijn stevige, gespierde lichaam – het lichaam waarvan ze vaker had gedroomd dan haar lief was – haar tegen de box. Zijn adem was heet op haar mond. De contouren van zijn revolver drukten tegen de volheid van haar buik.

'Skyler...'

Opeens stelde ze zich voor dat de revolver afging. Een felle flits, daarna verzengende pijn. *De baby*. Skyler liet de penning vallen en wendde zich abrupt af.

Ze dook de tuigkamer in, deed haar beenkappen af en stopte ze in haar kist. Aan de andere kant van de deuropening kon ze Tony heen en weer horen lopen om dingen op te bergen, waarbij zijn hakken een hol klikkend geluid op de betonnen vloer maakten. Ze voelde zich vreselijk, de pijn in haar borst was even reëel alsof de revolver werkelijk was afgegaan. Ze wilde iets zeggen, wat dan ook, om deze pijnlijke stilte te verbreken.

Maar ze zei niets.

Toen ze vertrokken, groef Tony in zijn achterzak en trok een oude, versleten, leren portefeuille te voorschijn, die glimmend was van ouderdom en naar de welving van zijn heup was gevormd. Hij haalde er een enigszins gebogen visitekaartje uit.

De manier waarop hij dat aan haar gaf, was al even zakelijk. 'Jij mag de tijd en de plaats bepalen,' zei hij. 'Ze zal er zijn.'

Skyler knikte, opeens vermoeid. De vraag was niet wáár, maar waaròm.

Want ze dacht dat er geen enkele reden ter wereld kon bestaan waarom ze déze vrouw haar baby zou laten adopteren.

202

9

Ellie was degene geweest die deze plek had voorgesteld. Op een doordeweekse middag, tussen de lunch en het spitsuur, was de koffiebar op de bovenverdieping van Barnes & Noble, op de hoek van Twenty-first en Sixth, zelden erg druk en veel gasten zaten met hun neus in boeken.

Niemand besteedde veel aandacht aan de knappe vrouw van begin veertig, met een witte coltrui en een marineblauwe blazer, die aan een tafeltje bij de smeedijzeren balustrade zat; een vrouw die voortdurend ongerust naar de trap keek, alsof ze half en half verwachtte dat de persoon op wie ze wachtte haar teleur zou stellen.

Ellie dacht: *Nog vijf minuten. Als ze dan niet komt opdagen, zal ik haar bellen. Misschien heeft ze de tijd verkeerd begrepen, of de datum verward. Misschien is ze het vergeten.*

Ze had moeite om kalm te blijven toen ze omlaag keek naar de klanten die in de kasten snuffelden en op gemakkelijke stoelen en banken in boeken zaten te lezen. De grote winkel met zijn knusse zitjes besloeg bijna een halve hectare vloerruimte, maar had het aanzien van een bibliotheek in een Engels landhuis, met overal gepoetst koper en glanzend donker hout. De muziek van Erik Satie dreef naar haar toe, hypnotiserend, kalmerend. Maar Ellie liet zich niet kalmeren. Het klamme zweet stond in haar nek en het servet dat samen met haar kruidenthee was gebracht, lag in een verfrommelde prop voor haar. Ze keek op haar horloge. De afspraak was voor drie uur gemaakt en het was nu kwart over.

Stel dat ze helemaal niet op komt dagen? Lieve Heer, laat haar alstublieft komen. Ik geloof niet dat ik nòg een teleurstelling kan verwerken.

De jonge vrouw had aan de telefoon heel oprecht geklonken. Zelfverzekerd. Welbespraakt. Helemaal niet als de nerveuze tieners met wie Ellie meestal te maken had gehad en van wie de meesten van Barbie-poppen naar baby's waren gegaan met weinig ertussen. Ellie had Skyler Sutton een verademing gevonden... maar hun

203

gesprek had haar ook verbaasd achtergelaten en haar meer dan een beetje te denken gegeven.

Sutton. De naam had vaag bekend geklonken, als iets dat ze zich half uit een societyrubriek van een dagblad herinnerde... of de lijst van begunstigers op de achterkant van een operaprogramma. Het lijstje van Skyler Sutton zou vast tjokvol staan met Mensa-leden die actief waren binnen hun kerk en maatschappelijke bezigheden, gelukkig getrouwd en fysiek in orde. Er zouden dierenvrienden bij zijn, die ervaring hadden met kinderen. Wat zou Skyler Sutton willen met een overwerkte psychologe wier huwelijk op de klippen dreigde te lopen?

Ellie streepte punten aan die in haar voordeel moesten zijn. Ze was beschaafd. Op mensen gericht. Niet zo oud. In vrij goede vorm, hoewel ze op het punt van haar heupen misschien wat werk moest verrichten. Het belangrijkste van alles, ze wilde dit héél graag. Meer dan succes, geld of bewondering – en kennelijk ook meer dan een man – wilde ze een baby.

Zou het déze baby kunnen zijn? Haar verstand zei van nee... maar haar instinct trok haar een andere kant uit.

Bedenk wel dat je ditmaal niet hebt gezocht; het is vanzelf naar je toe gekomen. Misschien schuilt daar een betekenis in.

Het lot? Ellie glimlachte in zichzelf toen ze bedacht wat Georgina's reactie zou zijn. Ze hadden er natuurlijk over gesproken... en haar lieve oude vriendin had haar gewaarschuwd tegen te veel betekenis toekennen aan symbolen en voortekenen.

'Het is net als om een ladder heen lopen in plaats van eronderdoor... of geloven dat je alleen maar gelukkig kunt worden gedurende bepaalde fasen van de maan,' had Georgina onlangs opgemerkt tijdens een van hun ontspannen etentjes, deze keer in een elegante bistro in Upper East Side. 'Bijgeloof, lieve kind, speelt vrees ik een grote rol bij de reden waarom jij niet bent geslaagd in je zoekpogingen. Diep in je hart geloof je dat er maar één kind is voorbestemd van jou te zijn.'

Op dat moment had Ellie dat als onzin afgedaan, maar ze werd nu overmand door een ongemakkelijk gevoel. Stel dat Georgina gelijk had? Had ze zich misschien vastgeklampt aan het onbewuste geloof dat Bethanne haar in de een of andere vorm terug zou worden gegeven? En kon dit verborgen schema iets hebben veranderd aan de gebeurtenissen die volstrekt willekeurig hadden geleken?

'Dokter Nightingale?'

Ellie keek verschrikt op.

Haar eerste indruk van de jonge vrouw die voor haar stond, was hoe verbazingwekkend knap ze was. Slank op een sportieve, slungelige manier, met ogen die even blauw en helder waren als een bergmeertje, en een bos satijnachtig blond haar dat tot even over haar schouders viel. Ze droeg geen make-up en ze was gekleed in een spijkerbroek en een T-shirt, met een wijd suède jasje. Over haar ene schouder hing een canvas rugzak. Ze had uitstekend gepast op de campus van een Ivy League-universiteit, behalve dat iets in haar een volwassenheid suggereerde die haar jaren ver te boven ging. Iets in de manier waarop ze zich gedroeg – hoofd hoog, armen over haar borst gevouwen, en een je-kan-me-wat-blik die Ellie maar al te goed kende.

Ellie werd op slag overmand door een vage golf van paniek. Ze schoot weinig elegant overeind en stak haar hand uit. 'Skyler? Ik ben blij dat je hebt kunnen komen.'

'Het spijt me dat ik zo laat ben,' verontschuldigde het meisje zich. 'Maar ik zat in een verkeersopstopping.' Haar stem was in het echt nog meer Ivy League dan ze via de telefoon had geklonken, met een mengeling van gladde klanken die even gemakkelijk naar binnen gingen als de gezoete thee die Ellie had zitten drinken.

'Het belangrijkste is dat je er nu bent.' Ellie glimlachte, omdat ze niet al te gretig wilde lijken. 'Ga alsjeblieft zitten.'

De jonge vrouw bleef staan. Ellie besefte dat Skyler haar op een niet-onvriendelijke manier bestudeerde. Desondanks voelde ze zich als een vlinder die op een bord was geprikt. Er schoot haar een regel te binnen uit 'The Love Song of J. Alfred Prufock': 'De ogen die je fixeren met een geformuleerde frase.' Paste ze in het beeld? Kon ze ermee door? Ze spartelde in het niets, terwijl om haar heen het gekabbel van stemmen, het gesis van het capuccino-apparaat, het gedempte gerinkel van kopjes en schotels tot een waas van wit geluid vervaagde.

Maar Skyler zei alleen maar: 'U ziet er veel jonger uit dan ik had verwacht.'

Ellie voelde hoe iets van de spanning uit haar wegliep. 'Als jij zo oud bent als ik, zul je ontdekken dat veertig nog niet echt bejaard is,' zei ze met een glimlach en toen wenste ze dat ze het niet had gezegd. Had ze neerbuigend geklonken?

Maar Skyler gedroeg zich alsof ze het nauwelijks had gehoord. Ze zei ten slotte: 'Het is gek... maar ik heb het gevoel dat ik u ergens van ken.'

'Dat is heel goed mogelijk,' zei Ellie nadenkend. 'Ik spreek af en toe op colleges. Waar heb jij gezeten?'

'Princeton... maar dat is het niet.' Skyler knipperde met haar ogen en schudde haar hoofd, alsof ze dit helder wilde maken. 'Ach, misschien doet u me gewoon aan iemand denken. Het doet er niet toe.' Ze stopte haar rugzak onder de tafel en liet zich in de stoel tegenover Ellie zakken.

'Wil je misschien iets eten?' vroeg Ellie. 'Ze hebben soep en sandwiches, als je honger hebt.'

Skyler rolde met haar ogen. 'Nee, dank u. Ik ben tegenwoordig al blij als ik een handje zoute koekjes binnen kan houden. Ik kan me niet herinneren wanneer ik voor het laatst echt van een maaltijd heb genoten. Maar een kopje thee lijkt me heel lekker.'

Ellie stond op en liep naar de toonbank; even later kwam ze terug met een dampende glazen kop, die ze voor Skyler neerzette. Ze voelde zich wonderlijk bezorgd voor haar, alsof ze in de thee zou moeten blazen om die af te koelen, of erop aandringen dat Skyler probeerde iets te eten. Maar dat was dwaas. Ze kende dit meisje helemaal niet.

'Ik herinner me nog de eerste drie maanden dat ik zwanger was,' zei Ellie. 'Zo misselijk als een hond. Ik kon niets binnenhouden. Zelfs de lijm op de achterkant van postzegels maakte dat ik naar de wc moest hollen.' Ze lachte even en vroeg zich toen af of gevoel voor humor op de lijst van vereisten van deze jonge vrouw stond. Ze hoopte van wel.

Maar Skyler glimlachte zelfs niet. Ze staarde Ellie aan, deze keer op een manier die Ellie het gevoel gaf dat ze iets verkeerds had gezegd. Deed ze te luchthartig over iets dat een pijnlijk onderwerp moest zijn?

'Maar ik dacht... ik bedoel, Tony heeft niets gezegd over...' Skyler zweeg en haar wangen kregen een kleur.

Ellie begreep het direct en ze werd opnieuw bevangen door slechte voorgevoelens. Waarom had ze haar mond niet gehouden?

'Ik heb een dochter gehad,' verklaarde ze en ze besefte met een steek van verdriet dat ze in de verleden tijd had gesproken. Ze schoof achteruit in haar stoel en zuchtte. Waar moest ze beginnen? Hoeveel moest ze vertellen? Hoe goot je een emmer leeg in een vingerhoed? Ellie keek naar een gezette oudere vrouw wier Barnes & Noble-naambordje 'Bea Golden' luidde, en op dat moment voelde ze een waanzinnig verlangen met haar van plaats te wisselen. Bea Golden, met haar gepermanente grijze haar, en haar toegang tot zoveel boeken, zou misschien het antwoord hebben. Eleanor Porter Nightingale had dit niet.

'Hoor eens, we hoeven hier niet over te praten als u dat niet wilt.' Skyler draaide een streng haar rond haar wijsvinger en ze zag er bijna even ongemakkelijk uit als Ellie zich voelde. Ellie besefte tegelijkertijd dat als ze deze kans niet aangreep, en hem niet nú aangreep, hij voor altijd voor haar verloren zou zijn.

'Ze heette Bethanne,' zei Ellie slechts. 'Ze werd ontvoerd.'

Skyler zweeg gedurende een lang, geladen moment. Ellie zag hoe de kleur uit haar wangen wegtrok, en toen ze ten slotte iets uit kon brengen, was haar stem niet meer dan een fluistering. 'Is ze... was ze...?'

'Ze hebben haar nooit gevonden.'

'O God. Dat is...' Ze beet op haar lip en staarde naar haar schoot. 'Dat is zo ongeveer het ergste dat iemand kan overkomen.'

'Zeg dat wel.'

'Wat vreselijk verdrietig.'

'Het is heel lang geleden.'

'Sommige dingen kom je nooit te boven. Nooit.'

Skyler keek op met felle ogen, en op dat moment werd Ellie opnieuw getroffen door het vreemde gevoel dat ze op de een of andere manier verbonden waren. En ze was daar niet alleen in; Skyler had het ook gevoeld. Er ging een lichte rilling door haar heen.

Bijna voor ze wist wat ze deed, vroeg Ellie zacht: 'Skyler... weet je zeker dat je dit wilt? Ben je werkelijk bereid deze baby op te geven?'

Elk gevoel van hartelijkheid dat tussen hen was ontstaan, verdween op dat moment. Skylers blik verhardde zich en ze zei op koele toon: 'Ik heb mijn redenen.'

'Dat zal wel,' zei Ellie, maar ze bleef zorgelijk kijken.

Skyler keek echter berouwvol. 'Tony zei dat u aardig was,' probeerde ze op zachtere toon.

'Ik hoop dat dat waar is.' Ellie glimlachte onzeker. De muziek van beneden was van Satie overgeschakeld op Scarlatti en voerde haar hulpeloos, als een dor blaadje, mee op een kabbelende stroom.

'Wat heeft hij u over míj verteld? Laat me eens raden. Dat ik neurotisch en bekakt ben, en alles bij elkaar een grote lastpak? Ja?'

De slungelige, puberachtige houding die Skyler op dat moment aannam – voorovergezakt op haar ellebogen, haar kin in haar handpalmen, haar wangen rood van alle emoties die ze wanhopig in bedwang probeerde te houden – was zó in tegenspraak met de zelfverzekerdheid die ze eerder had uitgestraald, dat Ellie meteen ontwapend was.

Ze zei vriendelijk: 'Ik denk dat hij wilde dat ik zelf mijn mening vormde.'

'O, nou ja... goed.' Skyler wendde haar blik af met een kleine frons.

Het ogenblik was aangebroken om de sprong te nemen waar ze zo bang voor was, besloot Ellie. Haar hart werd zwaar bij dit vooruitzicht, maar ze kon geen andere manier bedenken. De waarheid zou uiteindelijk uitkomen en was het dan niet beter om te weten waar ze stond? Zichzelf weken, misschien wel maanden van martelende onzekerheid besparen?

Ze zette zich schrap en zei: 'Ik was eerlijk gezegd verbaasd dat je me belde. Tony zal je wel hebben verteld dat mijn man en ik op dit moment gescheiden leven.' Ellie wachtte en ze voelde zich als een broos stuk glas dat zou verbrijzelen als je er te hard op ademde. 'Dat heeft hij inderdaad verteld,' bekende Skyler.

'En dat heeft jou niet afgeschrikt?' Ellie handhaafde een luchtige toon, maar haar hart bonsde.

'Zal ik eerlijk antwoord geven? Ik was hier niet geweest als Tony er niet op had gestaan,' zei Skyler, niet onvriendelijk.

'Juist ja.' Ellie probeerde zich niet ontmoedigd te voelen. Ze had tenslotte geweten dat het een schot in de mist was. Waarom moest ze dan zo van streek zijn? Wat betekende nu één scheurtje meer in een hart dat al zo was gehavend?

'Hoor eens, het gaat niet om ú. Ik geloof alleen dat een kind beter af is met een moeder èn een vader.'

'Ideaal gesproken wel, ja.' Ellie zweeg, onzeker hoe ze nu verder moest gaan. Ze zei voorzichtig: 'Paul en ik... we houden nog steeds heel veel van elkaar. Ik hoop dat we hier samen weer uit kunnen komen.'

'Daar wil ik niet te veel op rekenen,' vertelde Skyler haar. 'Ik neem aan dat u dat wel zult begrijpen.'

Ellie balde haar handen tot vuisten en ze legde ze met een ruk op haar schoot, zodat Skyler het niet zou zien. Wat een vernedering! Elke keer het gevoel hebben alsof ze moest bedelen, zichzelf als een encyclopedie moest verkopen. Ze kon het niet, niet meer. Als dit niet goed zou gaan, nou, oké. Dan zou ze het niet meer forceren.

'Ik begrijp dat jij het beste voor je kind wilt,' zei ze op effen toon.

'Wie zou dat niet willen?' riep Skyler uit en daarna zakte ze onderuit in haar stoel, sloeg een hand voor haar ogen en mompelde: 'Hoor eens, het spijt me... ik had dit nooit moeten doen. Het was een vergissing om hier te komen.'

Het werd stil om hen heen, zó stil dat alles wat Ellie hoorde het geritsel was van pagina's die werden omgeslagen door klanten die over hun koffie zaten gebogen met een boek in de hand. Talloze pagina's gevuld met talloze woorden, waarvan geen enkele enige betekenis voor haar bevatte.

Ellie zei op opgewekte, beroepsmatige toon: 'In dat geval denk ik niet dat het veel zin heeft dit gesprek voort te zetten.'

Maar inwendig was ze ziedend. Ze had het meisje het liefst door elkaar gerammeld, haar op haar nummer gezet omdat ze het lef had haar hierheen te slepen, haar hoop te geven, en haar dan te vertellen dat alles een vergissing was. Ze voelde zich koortsachtig en ze transpireerde onder haar armen. De geur van koffie, die de zolderachtige ruimte zo verleidelijk had gevuld, bracht nu bitterheid in haar mond. Voor ze iets kon zeggen waar ze spijt van zou krijgen, schoof Ellie haar stoel achteruit en begon op te staan. Skylers hand sloot zich om haar pols en hield haar tegen. 'Het spijt me,' herhaalde ze.

'Laat maar.'

'Dit is echt heel moeilijk voor me.' Ze liet haar hand vallen en voegde eraan toe: 'Ik weet eerlijk gezegd niet precies wat ik zoek. Ik hoop alleen dat ik het zal weten wanneer ik het vind.'

'Dat zul je echt,' zei Ellie tegen haar, en haar medeleven won het weer.

'Weet u, ik ben geadopteerd. Mijn ouders zijn echt geweldig, maar… ik heb me altijd afgevraagd hoe zíj zou zijn. Mijn echte moeder. Waarom ze… ze besloot me niet te houden. Waarom ze…'

Skyler zweeg, haar blik was behoedzaam. 'Ik denk dat ik wil zeggen dat ik wil dat mijn kind op zijn minst weet dat ik er genoeg om heb gegeven om het een zo goed mogelijk thuis te geven.'

'Wat vinden je ouders van dit alles?' vroeg Ellie, ondanks zichzelf.

'Mijn moeder is er niet gelukkig mee, maar ze probeert er begrip voor te hebben. Mijn vader is degene die maar niet aan het idee kan wennen. Zijn kleinkind. Nou, u zou pappa moeten kennen.' Skyler zuchtte en dronk van haar thee.

'Ik kan me hun standpunt wel voorstellen.' Ellie voelde haar mondhoek in een ironische glimlach omhooggaan. Ze vroeg: 'Ben ik je eerste?'

'Mijn eerste wat?'

'Je eerste gegadigde?'

'O, dat.' Skyler verschoof in haar stoel en keek wat ongemakkelijk. 'Ik heb met één echtpaar gesproken, maar ik mocht de man niet. Hij bleef me steeds maar liefje noemen, alsof ik zijn dochter was of zo. Het was echt een afknapper.'

'Ik zou mezelf hebben geëxcuseerd en zijn weggelopen. Ik heb nu eenmaal weinig geduld met mensen die ik niet uit kan staan.'

Skyler glimlachte breed bij deze bekentenis en Ellie voelde zich onwillekeurig wat milder gestemd. 'Wat ik toen heb gedaan was eigenlijk nog erger. Toen de rekening voor onze lunch kwam, griste ik die uit zijn hand en betaalde hem.'

Opnieuw voelde Ellie iets van herkenning… het was bijna tastbaar. Hadden ze elkaar ooit eerder ontmoet?

'Jij lijkt in niets op de jonge vrouwen die ik hiervoor heb ontmoet,' vertelde Elly haar openhartig. 'Ik heb zelfs moeite te geloven dat jij niet zelf moeder zou kunnen zijn, zelfs op jouw leeftijd.' Stel dat Skyler dit ter harte nam? Wat had ze te verliezen?

Maar deze keer leek Skyler niet beledigd. 'Eigenlijk zie ik het niet als een vraag wat ik aankan. Het is de baby aan wie ik denk,' zei ze rustig.

Daarna hield Ellie haar mond dicht. Gedurende de eerstvolgende minuten dronken ze hun thee op in iets dat voor iedereen die hen toevallig zag voor een gezellige stilte door had kunnen gaan. Wat die toeschouwers op geen enkele manier konden bevroeden, was de afschuwelijke plaag aan herinneringen die zich aan Ellie opdrong.

Toen het haar te machtig werd, peinsde ze hardop: 'Ik was zeventien, en de eerste tijd kon ik me gewoon niet voorstellen dat ik zwanger was. De gedachte van een baby was, nou ja, die was zo... zo overweldigend. In het begin, toen ik erachter kwam, was ik het liefst doodgegaan.' Ze had dat nog nooit aan iemand bekend, niet aan Paul en zelfs niet aan Georgina. Ze was er zelfs tot op dit moment in geslaagd alles uit haar hoofd te zetten.

Toen Ellie opkeek, zag ze dat er tranen blonken in Skylers ogen. 'Ik weet dat ik er goed aan doe... maar ik wist niet dat ik me zó zou voelen,' snikte ze.

'Je kunt de baby altijd nog houden. Het is niet te laat om van gedachten te veranderen.'

'Dat zegt iedereen. Maar ik doe het niet.'

'Nou, tja. Dan wens ik je veel succes.' Ellie wist niets anders te zeggen. Haar teleurstelling was zó groot dat ze die bijna kon proeven, als een droog, bitter kruid dat ze had ingeslikt. Toen ze opstond, leek deze beweging eindeloos voort te duren, alsof ze op de een of andere manier van elastiek was geworden. Met dichtgeknepen keel zei ze: 'Maar mag ik je wel een raad geven? Neem geen besluit op basis van wat je hoofd je vertelt. Doe het met je hart. Dat zal je nooit berouwen.'

Skyler knikte langzaam en peinzend voor ze antwoordde. 'Toen ik een baby was, heeft de enige persoon die meer om me zou moeten geven dan iemand ter wereld, me in de steek gelaten. Ik zal dat mijn eigen kind niet aandoen.'

Er glipte een traan over haar wang omlaag en Ellie voelde een absurd verlangen die weg te vegen, een verlangen dat zó intens was, dat ze erdoor werd geschokt. Wat was deze jonge vrouw voor haar? Waarom liet ze zich zoveel aan haar gelegen liggen, gezien Skylers kennelijke afwijzing?

'Ik weet zeker dat je dat niet zult doen,' vertelde Ellie haar en ze meende het.

Ze was halverwege de trap toen ze een hand op haar elleboog voelde. Ze draaide zich om en daar was Skyler, met haar knappe gezicht ontdaan van alle eerdere behoedzaamheid. 'Dokter Nightingale, wacht. Ik vroeg me af of... of u... als ik geen echtpaar vind dat me bevalt... of u dan geïnteresseerd zou zijn om nog eens te praten.'

Ellie voelde een golf van wezenloze vreugde door zich heen gaan. Het kon haar niets schelen of de hoop die haar werd geboden miniem was, of dit zou eindigen in de zoveelste luchtspiegeling in de woestijn waarin ze te lang had gedoold. Of dat het weken of maanden kon duren eer Skyler tot een besluit kwam. Wat van belang was, was dat Skyler Sutton, niet zij, de eerste stap had gezet. Zij kon daar alleen maar op in gaan.

Ze vocht tegen de tranen die haar dreigden te overweldigen toen ze zei: 'Je weet waar je me kunt bereiken.'

Zodra ze terug was in haar spreekkamer, belde Ellie Paul. Ze durfde hem niet te vertellen wat er vandaag was gebeurd. Wat had ze moeten zeggen? Dat haar een kleine kans was geboden, meer niet? Dat ze het vreemde gevoel had dat ze op de een of andere manier een band had met dit meisje? Nee. Dat zou allemaal moeten wachten. Haar reden om met hem te praten was veel eenvoudiger: ze wilde alleen maar zijn stem horen.

'Ellie! Je zult het niet geloven, maar ik stond net op het punt om jou te bellen.' Paul klonk heel oprecht, maar ze wist niet zeker of ze hem echt geloofde. 'Ik heb het weekend in Sag Harbor bij mijn ouders doorgebracht, en ze bleven steeds maar naar jou vragen. Ik besloot dat ik jou beter even op kon bellen om te horen hoe het met je gaat.' Er lag iets vlaks in zijn opgewekte toon, dat een kleine kilte door haar heen deed gaan.

'Ik hoopte eigenlijk dat we vanavond misschien samen konden gaan eten,' opperde ze zonder te beseffen dat ze haar schouders krampachtig gespannen hield, tot ze een steek in haar nek voelde. Zachtjes voegde ze eraan toe: 'Je hebt gelijk. We hebben al een tijdje niet meer gepraat.'

Ze spraken af elkaar voor het eten in het Union Square Café te ontmoeten. Desondanks voelde Ellie zich nog meer verslagen dan voor ze hem had gesproken. Ze had net zo goed met een oude vriend kunnen spreken – iemand die ze in geen eeuwen had gezien en die ze waarschijnlijk voorlopig ook niet meer zou zien.

Was er iets van een aarzeling in zijn stem geweest toen ze hem had gevraagd of hij mee ging eten? Had hij met iemand anders afgesproken? Nee, hij zou het haar hebben verteld als hij een ander had. Bovendien hield hij nog steeds van haar. Nietwaar?

Zodra ze het restaurant binnenstapte en hem aan de lange, mahoniehouten bar ontwaarde, sloeg haar hart nerveus een slag over. Hij leek magerder dan de vorige keer dat ze hem had gezien, enkele weken geleden. Er was iets behoedzaams in de manier waarop hij zat, leunend op zijn ellebogen, zijn rug recht, met een glas whisky tussen zijn handen. Als een vermoeide reiziger die weet dat als hij ook maar even stil zou blijven staan, hij het eind van de reis niet zou halen.

Ze schoof naast hem en raakte zijn elleboog aan. 'Paul.'

Hij draaide zich om en wierp haar een glimlach toe die al even voorzichtig was als zijn houding. 'Hoi,' zei hij. 'De tafel is nog niet klaar. Ze waarschuwen ons als het zover is.' Hij bekeek haar wat nauwlettender. 'Je ziet er goed uit. Afgevallen?'

'Ik zou van jou hetzelfde kunnen zeggen. De cafetaria van Langdon is kennelijk nog niets verbeterd sinds de laatste keer dat ik daar at.' Ze ging op de kruk naast hem zitten en bestelde een gin met tonic.

Ellie keek om zich heen. Aan beide uiteinden van de glimmende bar waarop ze leunde stonden enorme boeketten verse bloemen. Het gepraat zoemde aan alle kanten om haar heen, slechts verbroken door af en toe het geratel van de mixer van de barkeeper.

'Weet je nog de vorige keer dat we hier waren?' vroeg Paul luchtig. 'Er waren toen geen tafeltjes vrij, dus moesten we aan de bar eten. Alsof het een broodjeswinkel was, in plaats van een restaurant waar je veertig dollar per diner betaalt.'

Ze glimlachte. 'Ik weet nog hoe we dronken werden van margarita's.' Hij droeg het tweedjasje dat ze hem had helpen uitzoeken bij Paul Stuart, zag ze. Grijs, met vage tinten blauw erdoorheen geweven, in de kleur van zijn ogen. Haar hart kromp ineen. 'Hoe gaat het? Nog interessante nieuwe gevallen?'

'Eentje… een achondroplastische dwerg,' vertelde hij haar. 'De vader heeft achondroplasie, de moeder is normaal.'

'Wat bedoel je met "normaal"? Wie is er normáál?' Ellie nam een slokje uit haar glas en trok even een zuur gezicht bij de scherpe gin. 'Sorry. Ik ben een beetje zenuwachtig. Ik weet niet meer hoe ik me tegenover jou moet gedragen.'

Ze voelde een duizelingwekkende lichthoofdigheid, gevolgd door een bekend prikkend gevoel achter haar ogen. De vorige keer dat ze Paul had ontmoet, had ze haar tranen weten te bedwingen tot ze in de taxi zat op de terugweg naar de flat. Toen had ze zó hard gehuild dat de arme taxichauffeur waarschijnlijk niet had geweten of hij haar naar huis moest brengen of naar Payne Whitney.

Paul zette zijn bril af en veegde die zorgvuldig schoon met zijn servet voor hij hem weer opzette. Hij was ook niet direct van steen, constateerde ze met pervers genoegen. Maar toen hij haar aankeek, waren zijn grijze ogen kalm.

'We zitten in het donker, hè?' zei hij zacht. 'We moeten nog steeds op de tast onze weg zoeken.'

'Wanneer moet ik beginnen te gillen: "Wil iemand het licht aandoen"?'

'Ellie…'

'Ik weet het, ik weet het. Ik had mezelf nog zo beloofd dat we het hier niet over zouden hebben.' Ze dronk genoeg om iets kalmer te worden. 'Maar het is wel moeilijk. Als ik naar jou kijk, dan… O God, daar begin ik weer. Nee, ik ga níet zeuren. We gaan voor de verandering over iets anders praten dan over ons huwelijk. Laten we doen alsof dit ons eerste afspraakje is.'

Er gleed een langzame, bitterzoete glimlach om zijn lippen. 'Ons eerste afspraakje? Als ik bedenk hoe je toen flauw bent gevallen, weet ik niet of dat nou wel zo'n goed idee is.'

'Maak je maar geen zorgen,' zei ze scherp. 'Ik ben nu een stuk taaier dan toen.'

Naast haar stond een vrouw van een kruk op en ze stootte Ellie aan, zodat die een beetje uit haar glas morste. Het geklater van een flirterige lach van een vrouw werd gevolgd door het lage gebrom van een mannenstem. Ellie gebruikte haar servet om het plasje rond haar glas op te dweilen, blij met elke afleiding die haar brandende ogen van Paul afhielden.

Paul legde voorzichtig een hand op haar pols. 'Was het niet bij onze tweede afspraak, die avond dat we Stanley Turrentine bij de Vanguard zagen?'

'Ik zal het nooit vergeten. Hij speelde saxofoon zoals ik nooit eerder iemand heb horen spelen. We zijn voor beide sessies gebleven, weet je nog?'

'We gingen als laatsten om twee uur 's nachts weg en konden toen geen taxi vinden.'

'Het was eerste paasdag, daarom. We gingen zo in elkaar op, dat we het vergaten.'

Paul zat te glimlachen, verzonken in gedachten, terwijl hij zijn whisky met soda opdronk. Toen het glas leeg was, bestelde hij een tweede. Daarna, alsof hij het ene jasje uittrok en een ander, gemakkelijker aantrok, vroeg hij: 'Hoe gaat het allemaal met je? Heeft dat echtpaar over wie ik het heb gehad, nog gebeld?'

'Je bedoelt de Spencers?' Ze knikte. 'Ik heb hen vorige week op het spreekuur gehad. Ik neem aan dat je weet dat ze er niet zo best aan toe zijn.'

'Wie zou dat wel zijn? Hun derde prematuur. Deze heeft iets langer geleefd dan de anderen en ik weet niet zeker of dat een zegen was.' Hij zweeg en zei toen: 'Ze maakten zichzelf echt de grootste verwijten, dus heb ik gezegd dat ze er met iemand over moesten praten. Vooral Liz Spencer. Ze had het idee dat God haar op de een of andere manier strafte.'

213

Ellie wist daar alles van – ze had urenlang zitten luisteren en papieren zakdoekjes aan Liz gegeven, die onbedwingbaar had zitten huilen terwijl haar man ijzig in de verte staarde. Ellie wenste dat Paul haar niet had herinnerd aan de Spencers en hun vreselijke verlies. Ze had opeens het liefst haar glas naar de spiegel achter de bar gesmeten om het beeld van hen beiden te verbrijzelen, zoals ze daar zo stijfjes naast elkaar zaten.

Paul schakelde over op een ander onderwerp, alsof hij haar stemming aanvoelde. 'Weet je wie me gisteren opbelde? Jerry Berger. Mijn kamergenoot in Berkeley... ik geloof dat je hem weleens hebt ontmoet. Nou, hij is in de stad. Een soort congres. Hij zit in het Fulbright-comité.'

'Kleine, kale kerel? Degene die zich op de kerstpartij bij Fletcher en Louisa aan me wilde opdringen?'

'Jij denkt aan de onfortuinlijke man die Alan Tower heet.' Hij hield zijn hoofd scheef en tuurde met geamuseerde achterdocht naar haar. 'Drong hij zich echt aan je op?'

'Ik wist niet of ik moest lachen of de garnalensaus boven zijn hoofd zou omkeren.'

'De klootzak.'

'Is dit een geval van jaloezie achteraf?' plaagde ze.

'Als ik jaloers zou zijn op iedere man die jou te na is gekomen, zou ik er nog slechter aan toe zijn dan nu het geval is.'

Ze wilde hem verzekeren dat ze geen andere mannen ontmoette, helemaal niemand. Maar tegelijkertijd wilde ze hem straffen, hem in de piepzak laten zitten. Ze besloot niets te zeggen.

Ze werden gered door de gerant, die hen naar hun tafeltje bracht in het gezellige, lagergelegen gedeelte achter de bar. Ze keek om zich heen naar de andere tafeltjes. De gasten leken allen echtparen te zijn. Vlak bij haar hielden een man en een vrouw van middelbare leeftijd over de tafel heen elkaars hand vast, met stralende gezichten in het licht van de kaars die tussen hen in brandde. Ellie voelde een afgunst die zó hevig was, dat ze de afgelopen maanden weg wilde grissen, wilde doen alsof ze niet waren gebeurd en alsof Paul en zij net zo gelukkig waren als zij.

Op dat moment verscheen de ober om hun bestelling op te nemen. Hij was een lange man met dunne lippen, met glad achterovergekamd haar, die Ellie deed denken aan Jeremy Irons als Claus von Bülow in *Reversal of Fortune*. Ze gaf Paul een por, die onmiddellijk de gelijkenis zag en naar haar knipoogde. Net als vroeger, dacht ze, ondanks alles blij hiermee.

Ze waren klaar met eten voordat Ellie eraan dacht te vragen: 'Trouwens, hoe gaat 't tegenwoordig met je wonderbaby?'

Paul grijnsde en wenkte hun ober, die bezig was zijn Claus von

214

Bülow-imitatie aan een tafel aan de andere kant van de zaal op te voeren. 'Theo? Die is een paar weken geleden naar huis gegaan, zes pond en wel. Hij heeft wat schade aan zijn longen opgelopen door die langdurige beademing, maar gezien alles wat hij heeft doorgemaakt, verkeert hij in een verdomd goede conditie.'

'Wat zal zijn moeder blij zijn.' Ellie voelde een steek in haar borst, als van een vishaakje dat als er te hard aan werd getrokken, het zachte weefsel waarin het was blijven steken kapot zou scheuren. 'Serena is dolgelukkig. Al die jaren van proberen, en nu heeft ze dan toch iets.' Hij wierp haar een behoedzame blik toe en voegde er toen zacht aan toe: 'Ik heb de indruk dat we proberen om de hete brij heen te draaien.' Hij kamde met een snel, nerveus gebaar van zijn hand zijn haar van zijn voorhoofd naar achteren.

'Erover praten maakt nog niet dat het weggaat,' bracht ze hem in herinnering. 'Dat hebben we al eens geprobeerd, weet je nog?'

'Ik mis je,' zei hij, en zijn stem stokte.

Pauls gezicht, dat zo lief, zo ongelukkig was, loste op in een waas. Maar toen Ellie sprak, was haar stem wonderlijk resoluut. 'Paul, ik wil dat we samen zijn. Ik kan hier niet zomaar zitten doen alsof we niet getrouwd zijn. Ik wil dat je thuiskomt. In ons bed. In ons léven, verdorie.'

'Ellie, ik wil dat meer dan wat ook, maar…'

'Alleen als het op jóuw manier kan,' maakte ze de zin voor hem af. 'Paul, we hebben dit al zo vaak besproken. Je vraagt me iets op te geven dat ik echt niet kàn opgeven.' Ze knipperde met haar ogen en hij kwam weer helder in beeld.

'Goed, oké, ik had het niet ter sprake moeten brengen.' Hun rekening arriveerde en zonder er zelfs maar naar te kijken, wierp hij zijn creditcard op tafel.

Ellie haalde diep adem. 'Ik heb vandaag een jonge vrouw gesproken. Ze is via een van mijn patiënten naar me toe gekomen. Paul, zíj is naar míj toe gekomen. Het was alsof… alsof het lot ingreep.' De woorden stroomden uit haar naar buiten; ze had ze niet kunnen binnenhouden, ook al had ze het geprobeerd.

Paul wendde zijn ogen met een gekwelde blik af. 'Ellie, niet doen. Ik kan het niet.'

Maar het was te laat. 'O Paul, het was echt alsof we contàct hadden. Het was net of ik – of ik al die andere keren in de duisternis had lopen struikelen – en alsof ik nu opeens kon zien. Wat er ook van mag komen, ik weet dat dit zo heeft moeten zijn. Dit meisje is met een reden in ons leven gebracht.' Ze liet haar stem dalen, zich ervan bewust dat haar opwinding dreigde over te koken. 'Paul, alsjeblieft… geef het nog één kans. Als je nog een klein beetje van me houdt, help me dan hierbij.'

Haar hart bonsde en ondanks alle wijn die ze had gedronken, moest ze onwillekeurig huiveren. Paul zag er echter boos en verhit uit.

'Dus daarom wilde je me vanavond spreken,' zei hij met een lage, harde stem. 'Waarom heb je dat niet meteen gezegd?'

Hij had gelijk dat hij zich in de val gelokt voelde, besefte ze. Diep in haar hart moest ze de hele tijd hebben geweten dat ze niet in staat zou zijn dit voor zich te houden. Maar het was meer dan dat. Ze miste hem. En ze had hem lief… ondanks het feit dat ze nu zó kwaad was dat ze hem wel had kunnen slaan.

'Misschien had ik dat ook gedaan als jij het niet zo verdomd moeilijk maakte.' Ellie stond op het punt haar zelfbeheersing te verliezen, maar ze wilde geen scène maken, niet hier, niet omringd door al deze mensen van wie ze kon zien dat sommigen hen vanuit hun ooghoeken nieuwsgierig bekeken. Ze liet haar stem dalen en zei smekend: 'Paul, wil je er op z'n minst eens over denken? Is dat te veel gevraagd?'

'Ik heb niets anders gedaan dan erover na te denken. Gedurende de afgelopen tien jaar om precies te zijn,' viel hij uit. 'En eerlijk gezegd, ja, dat is ècht te veel gevraagd. Zelfs als ik zou besluiten hierin mee te gaan, waar zou dat dan toe leiden? Welke garantie hebben we?'

'Welke garantie had Serena Blankenship dat ze uit het ziekenhuis zou komen met een baby in haar armen?'

'Het verschil,' zei Paul langzaam, 'is dat Theo haar zoon is.'

Ellie deinsde achteruit, alsof hij haar had geslagen. 'Hoe kun je dat zeggen?' riep ze, zonder zich er iets van aan te trekken dat het paar aan het tafeltje naast het hunne hen kon horen. 'Na alles wat mij is overkomen…'

'Dat klopt,' viel hij haar in de rede. 'Wat jóu is overkomen, Ellie. Ik heb nooit een kind gehad, dus ik denk dat ik niet weet hoe het is om verdriet te hebben.' De verbittering in zijn stem sneed rauw door haar heen, als een gekarteld zaagblad.

Ellie stond zó abrupt op dat ze het gevoel kreeg dat ze van haar voeten was geplukt en in de lucht bungelde. Vanaf deze nieuwe hoogte, die haar uitzicht bood op haar man zoals ze hem nooit eerder had gezien – treurig, verloren, verontwaardigd – besloot ze een gok te nemen, alles te riskeren. Ze haalde diep adem.

'Als ik beloof dat dit de laatste keer zal zijn… zou je het dan doen?'

De woede verdween uit zijn gezicht, maar na een poosje schudde hij treurig zijn hoofd. 'Ik wou dat ik je kon geloven, Ellie. Maar

216

zelfs als je het echt meent, dan wil ik, dan kàn ik mezelf dat niet nog eens laten doorstaan. Ik kan geen dag meer leven met dat soort zwaard van Damocles boven mijn hoofd.'

'Het zal niet voor altijd zijn,' verklaarde ze heftig. 'Paul, wat heb je er in 's hemelsnaam bij te verliezen? We wonen nu al apart, dus zeg me, wat heb je er in 's hémelsnaam bij te verliezen?'

Zijn gezicht verkrampte in een emotie die ze tot nu toe nooit eerder bij hem had gezien, een verdriet dat een schok van herkenning door haar heen deed gaan. Voor de eerste keer zag ze in Pauls lijden een afspiegeling van het diepe, hardnekkige verdriet dat haar had voortgedreven in haar schijnbaar eindeloze zoekpogingen om de leegte in haar op te vullen, de leegte die was achtergelaten door het kind dat ze had verloren.

'Ik houd nog steeds van je,' zei hij met zachte, verstikte stem. 'Waar ik het meeste bang voor ben, is dat ik zelfs dat zal verliezen.'

Er viel een stilte tussen hen, die slechts werd verbroken door het gerinkel van zilveren bestek op porselein, door het geluid van stemmen die zich vermengden in een harmonie vol romantiek. Alleen Paul en zij leken verdwaasd rond te dolen als mensen die hun koers kwijt waren geraakt.

'Dan denk ik dat we verder niets meer te zeggen hebben.'

Ellie dacht: *Ik moet hier weg*. Als ze niet gauw vertrok, ditzelfde moment nog, zou ze waar iedereen bij was in tranen uitbarsten.

Maar toen ze zich afwendde, was er iets dat maakte dat ze nog even omkeek.

Paul had zich niet verroerd. Hij zat haar daar maar aan te staren, en de gekwelde uitdrukking op zijn gezicht deed haar denken aan die oude films waarin de held buiten adem arriveert, juist wanneer de trein met zijn geliefde het station uit rijdt.

Maar Ellie bedacht dat het enige verschil was dat in de film de held altijd de trein achterna holde.

217

10

Tegen de tijd dat Tony en Skyler bij het huis van zijn broer in Massapequa arriveerden, hadden ze bijna anderhalf uur op de Long Island Expressway in een lange file gestaan. Het was de laatste week van oktober en het weer was aanzienlijk koeler geworden. Maar Tony had vergeten de kapotte verwarming van zijn Explorer te laten repareren en Skyler was zó koud geworden dat haar vingers en tenen verstijfd waren. Toen Tony de oprit indraaide van het middelmatig grote Cape Cod-huis waar zijn broer en schoonzus met hun drie kinderen woonden, huiverde ze, ondanks haar lange broek, T-shirt en trui. Skyler voelde een steen in haar maag en ze dacht: *Ik zal hier niet passen. Ze zullen zich afvragen waarom ik hier ben... wat moet Tony met een zwangere vrouw die niet eens zijn vriendin is? Waarom heb ik ermee ingestemd hier naartoe te gaan?*

Maar ze zei: 'Waarom wil iemand eigenlijk om deze tijd van het jaar een barbecue houden?'

'Daar is het nou eenmaal mijn gekke broer voor. Hij is altijd met alles te laat,' lachte Tony zonder zich beledigd te voelen. Hij zag dat ze huiverde en hij sloeg een arm om haar schouders toen ze bij de auto vandaan liepen. 'Maak je geen zorgen, we eten niet buiten. Zó gek is Dom nou ook weer niet.'

Het huis zelf maakte dat haar stemming weer wat opklaarde; het deed haar denken aan een illustratie uit een leesboek uit de eerste klas. Het werd overschaduwd door enorme iepen en esdoorns, die een tapijt van gele en rode bladeren op het gazon ervoor hadden gestrooid, en het stond aan het eind van een doodlopende weg die heel toepasselijk Elm Drive heette. Toen Skyler Tony over het zijpaadje naar de achtertuin volgde, zag ze een rooksliert opstijgen boven het hoge hek, en ze ving een geur van geroosterd vlees op. Op een van de ramen was een Halloween-geraamte geplakt, dat al aan de randen begon om te krullen, en langs het hek van de veranda stonden in stenen potten gele en witte chrysanten opgesteld als konijntjes in een schiettent op de kermis.

Skyler voelde de klomp in haar maag nog zwaarder worden. Was haar ontmoeting met Tony's familie misschien haar manier om te bewijzen dat ze dit aankon, dat ze met iedereen goed overweg kon? *Of is het jouw manier om jezelf voor eens en voor al te bewijzen hoe slecht Tony bij jou past?* insinueerde een vervelende stem. Tony, die haar stemming moest hebben aangevoeld, sloeg zijn arm om haar schouders en zei: 'Kalm maar. Niemand zal het je moeilijk maken. Ze weten alleen dat je een vriendin van me bent.'

'Wat heb je hun over de baby verteld?' fluisterde ze.

'Niets. Nog niet. Dat mag je zelf vertellen.'

Hij glimlachte bemoedigend en ze bedacht ondanks alles dat hij zijn best had gedaan om er vandaag bijzonder knap uit te zien: een goedzittende spijkerbroek en een flanellen overhemd met een trui met ronde hals die de welving van zijn revolver niet volledig verborgen hield. Ze begeerde en haatte hem tegelijkertijd. Waarom moest hij er toch zo verdomd sexy bijlopen?

Ze dacht terug aan hoe hij er de vorige week had uitgezien, toen hij met haar naar de Met was gegaan (ongetwijfeld gedreven door hetzelfde misplaatste gevoel van een uitdaging aan te moeten gaan) om *Figaro's Hochzeit* te zien. Tony had naast haar gezeten als een jongetje op een kerkbank dat zijn best deed om niet ongedurig te draaien. Hij was het toonbeeld van ongemak geweest, in een pak dat aan de mouwen een paar centimeter te kort was geweest. Tijdens de pauzes had hij het programma gelezen en na afloop had hij intelligente vragen gesteld. Maar Skyler zou nooit vergeten hoe ze een heimelijke blik op hem had geworpen toen het doek voor de tweede akte was opgegaan: er was een glazige blik over hem gekomen, als van iemand die een verhaal hoorde dat zijn vrouw voor de honderdste keer vertelde. Hij bracht een keer een vuist naar zijn mond en ze kon zien dat hij worstelde om niet te geeuwen. Een andere keer trof ze hem met zijn ogen gesloten.

Skyler had hem willen schoppen; maar toen had ze zichzelf willen schoppen. Wat had ze eigenlijk gedacht te bereiken door hem mee naar de opera te slepen? Wat had ze verwacht? Dat hij op slag in vervoering zou zijn voor muziek waar zij naar had geluisterd sinds ze een kind was? Dat hij in een samenvatting van drie paragrafen waardering zou krijgen voor een libretto dat zij nagenoeg uit haar hoofd kende?

Nu waren de rollen omgedraaid en was zij degene die zich moest aanpassen. En dat niet alleen, ze moest òf een verhaal over de baby bedenken, òf de waarheid toegeven. God, wat zou zijn familie denken als ze hun vertelde dat het Tony's baby was die ze verwachtte en dat ze van plan was hem weg te geven?

De gedachte aan Ellie Nightingale kwam even bij haar boven en Skyler vroeg zich opnieuw af hoe een korte ontmoeting die weken geleden had plaatsgevonden, zo'n effect op haar kon hebben. Ze had sindsdien met nog vier andere echtparen gesproken, maar om de een of andere reden had geen van hen geschikt geleken. Er was niet dat gevoel van verbondenheid geweest dat ze met Ellie had gehad. Op de meest vreemde momenten, wanneer ze haar tanden poetste, of in de kliniek wanneer ze een trillende puppy vasthield terwijl dokter Novick hem injecties gaf, stelde Skyler zich opeens voor hoe Ellie Nightingale een baby in de armen hield, háár baby, om hem voor kwaad te behoeden. Ze scheen het gevoel niet van zich af te kunnen schudden dat deze vrouw, die al dan niet van haar man was gescheiden, haar kind als geen ander zou liefhebben.

Toch had ze Ellie niet gebeld. Ze was er nog niet aan toe op haar instinct te vertrouwen. Stel dat ze het mis had? Om de een of andere reden dacht Skyler aan haar vader, aan zijn methodische benadering van alles, de resoluutheid waarmee hij de helmstok van het leven in zijn hand hield. Hoe hij eens, heel oprecht, toen ze veertien was en wanhopig verdrietig over Dan Linfoots gebrek aan belangstelling voor haar, had gezegd: 'Als je denkt dat het zou helpen, wil ik met alle genoegen met de jongeman gaan praten.'

Nee, hoezeer ze hem ook mocht aanbidden, ze wilde niet als pappa zijn, die altijd zó praktisch het meest voor de hand liggende deed, dat hij vaak miste waar het om ging. Aan de andere kant...

'Tony! Hé! Kom eens hier! Ik heb je nodig om mijn aardappel-salade te proeven! Dom zegt dat ik er niet genoeg zout in heb gedaan!' brulde een hese stem, luid genoeg om in Yankee Stadium een wedstrijd om te roepen.

Toen ze door het hek stapten was het eerste dat Skyler zag een kleine, bruinharige vrouw die er niet uitzag alsof zij zo'n scheidsrechtersgebrul zou kunnen uitstoten. De vrouw zwaaide vanuit de deuropening van de overdekte veranda naar Tony. Ze droeg een legging met een wijde, gestreepte trui. Haar haar was aan de voorkant kortgeknipt en zat van achteren in een paardenstaart die meisjesachtig heen en weer slingerde toen ze de stoep van de veranda afholde om Tony op beide wangen te kussen.

Tony kuste haar terug en zwaaide naar de gezette man in spijkerbroek en Knicks-sweater die bezig was met de barbecue. Hij was een zwaardere versie van Tony, met kalende slapen en het begin van een buikje. 'Hé Dom! Jij bent de enige kerel die ik ken die met Halloween een barbecue houdt,' grapte hij.

'Hoe moet ik anders de hele familie over de vloer hebben zonder dat mijn vrouw zeurt dat de hele keuken in beslag wordt genomen?' schreeuwde Dom terug vanachter zijn Weber-grill. Deze stond in de verste hoek van een bakstenen terras, met jeneverbessen en sprietige vlijtige liesjes erlangs.

'Jééz, moet je hem nou horen. Je zou nog gaan denken dat ik de hele dag daarbinnen had lopen sloven.' Tony's schoonzus rolde met haar ogen. Ze draaide zich naar Skyler om en stak haar hand uit. 'Hoi, ik ben Carla. We zaten allemaal te popelen om kennis te maken met jou. Niet dat Tony ons veel verteld had – maar daarom zijn we juist zo nieuwsgierig.' Haar ogen daalden af naar de nauwelijks zichtbare welving van Skylers buik en haar ronde, enigszins sproetige gezicht straalde een lichte verbazing uit.

Skyler voelde een blos langzaam naar haar hals omhoog kruipen. Ze wierp een paniekerige blik naar Tony, die haar redde door zijn schoonzus luchtig op de schouder te tikken en te zeggen: 'Hela, hou eens op. Ik heb je over Skyler verteld. Ze is een vriendin van me. Ik pas een beetje op haar tot de baby komt.'

Door het zo te stellen, zonder uit te weiden of te liegen, wist Tony de situatie te redden met slechts één onderzoekende blik van Carla toen ze langs haar heen het huis binnenstapte.

In de grote, ruime keuken was elke centimeter van het aanrecht en het fornuis in beslag genomen door potten en pannen en schalen. Carla stak een vork in een mammoetschaal met aardappelsalade en bood Tony een hap aan, die de salade als precies goed beoordeelde. Vervolgens stond hij erop dat Skyler proefde. Skyler vond dat er een ietsje meer zout door zou kunnen, maar ze zei tegen Carla dat het heerlijk was.

Door de keukendeur aan haar rechterhand zag ze een lange tafel die was gedekt met meer plaatsen dan Skyler voor mogelijk had gehouden. Ze voelde opnieuw een steek in haar maag. Hoe gróót was Tony's familie eigenlijk?

Ze volgde hem naar een wat donkere woonkamer die ongezellig was ingericht met meubels die eruitzagen alsof ze zojuist uit een toonzaal waren gekomen. Een blik in de kamer ernaast, met een gehavende bank vol kleine kinderen die tv keken, verklaarde waarom. Dit was de plaats waar de familie huisde; de woonkamer was voor het bezoek. Skyler vroeg zich af of ze ooit genoeg waardering had opgebracht voor haar moeders smaak, voor het feit dat elke kamer in het grote oude huis er altijd gezellig en knus had uitgezien.

Terwijl Skyler met Tony de ronde deed, zijn diverse familieleden een hand gaf, voelde ze zich even stijf als de brokaten bank en stoelen waaruit ze overeind kwamen om haar te begroeten. Tony's broers en zussen en aangetrouwde familieleden deden heel vriendelijk, maar het was alsof er een knop was omgedraaid. Alle spontaniteit was uit hun gesprek verdwenen en zelfs hun gebaren werden stijf en onnatuurlijk. Ze voelden dat zij anders was; het was niet iets duidelijks dat ze kon aanwijzen. De kloof wàs er gewoon, onmiskenbaar, onoverbrugbaar.

Tony's moeder was de enige die niet verhulde wat ze dacht. Toen mevrouw Salvatore opstond en naar haar toeliep, voelde Skyler onmiddellijk een oranje knipperlicht aan en uit gaan. 'Het is heel leuk om u eindelijk te ontmoeten. Ik heb van Tony al zoveel over u gehoord,' begroette Skyler haar terwijl ze een magere, droge hand schudde.

Loretta Salvatore was een kleine vrouw met golvend zwart haar dat hier en daar metaalgrijs was gemêleerd. Haar kleine zwarte ogen, die door een bruinachtig pigment waren omringd, zodat het leek of ze ingevallen waren, namen Skyler van top tot teen op met de vermoeide kennersblik van een begrafenisondernemer die haar maat voor een kist moest schatten, om ten slotte op haar buik te blijven rusten.

'Mijn Tony? De grote prater?' snoof mevrouw Salvatore smalend. 'Je moet wel iets heel bijzonders zijn als hij je het hele verhaal van zijn leven heeft verteld. Bij ons is het alsof je zijn kiezen moet trekken om er ook maar één woord uit te krijgen.'

'Ik kan goed luisteren,' vertelde Skyler haar.

'Geduldig, hè? Dat is mooi, want je zult al je geduld nodig hebben als die baby komt,' merkte de oude vrouw op. Haar dunne mond ging omhoog in een veelbetekenende glimlach. 'Tony had me niet verteld dat je in verwachting was.'

'Ik ben eind maart uitgeteld,' vertelde Skyler, die zich te opgelaten voelde om nog iets anders te kunnen zeggen.

Loretta Salvatore greep Skylers linkerhand vast en bekeek nadrukkelijk de ringloze vinger van haar linkerhand. 'Een schande... zo'n knap meisje als jij zonder man,' zei ze moederlijk. 'Geen wonder dat mijn Tony een oogje op je heeft. Hij is een goede jongen.' Op een terloopse manier, die niet helemaal de sluwe toon in haar stem kon verbloemen, vroeg ze: 'Kennen jullie beiden elkaar al lang?'

Voordat Skyler zichzelf in verlegenheid kon brengen, sprong Tony's jongste broer van de bank. 'Wil je haar nou even met rust laten, ma? Ze gaat nog denken dat wij de FBI zijn of zo.' Eddie leek met zijn rossige haar en zijn diepliggende ogen in niets op Tony, maar hij bezat kennelijk zijn broers handigheid in het op hun gemak stellen van mensen. Eddie glimlachte naar Skyler en vroeg: 'Kan ik een cola of zo voor je inschenken?'

'Een glaasje water zou heel lekker zijn.' Skyler hoorde de bekakte toon in haar stem en ze bloosde. Ze keek verwilderd om zich heen, maar Tony was verdwenen. Een vreugdekreet van een kind trok haar aandacht naar de zitkamer, waar ze hem met zijn nichtjes en neefjes kon zien stoeien. Goeie ouwe oom Tony. Begreep hij niet hoe moeilijk ze het had?

Voordat Eddie iets kon doen, stond zijn vrouw – Vicky? Nicky? – op om naar de keuken te lopen en even later terug te keren met een glas ijswater. Ze gaf dit zonder iets te zeggen aan Skyler, die haar bedankte terwijl ze heimelijk dacht: *Ze zou veel knapper lijken zonder al dat haar rond haar gezicht. Dat zou iemand haar eens moeten vertellen.* Direct daarop schaamde Skyler zich voor haar gedachten. Wat ging het haar aan of Tony's schoonzus een ander kapsel nodig had? Het volgende halfuur verliep met gruwelijke traagheid. De mannen zwierven naar de aangrenzende kamer, waar op de televisie een voetbalwedstrijd werd gevolgd. Skyler bleef alleen achter met Tony's moeder en zijn zussen, die voortdurend naar de keuken heen en weer holden om Carla te helpen. Toen Skyler aanbood te helpen, keken ze haar allemaal aan alsof ze iets heel aardigs had gezegd, maar niemand ging op haar aanbod in. Ten slotte kreeg Tony's zus Gina medelijden met haar en zette haar aan het vouwen van servetten.

'Jongen of meisje?' vroeg Gina, met even een korte blik op Skylers buik. Ze was de knapste van Tony's drie zussen, ze droeg haar krullende zwarte haar kort en benadrukte haar uiterlijk met veel oorbellen en een blouse die haar natuurlijk bruine schouders deden uitkomen. 'Ik? Ik heb 't nooit willen weten. Het bederft de pret een beetje, vind je niet? Ik bedoel, wat maakt het uit, zolang het maar tien vingers en tien tenen heeft, ja toch?'

Skyler herinnerde zich hoe ze haar gezicht afgewend had gehouden toen dokter Firebaugh de echo maakte. Toen ze op de onderzoektafel had gelegen, had ze niets zo graag gewild als haar gezicht begraven in de plooien van het onberispelijk witte jasje van haar verloskundige, om haar ogen uit haar hoofd te huilen. In gedachten had ze haar baby in haar binnenste opgerold gezien, als een slapend jong katje. Ze hoefde niet te weten of het een jongetje of een meisje was. Ze hoefde niets toe te voegen aan het verdriet en het gevoel van verlies dat elke dag sterker werd.

'Hoe oud zijn jouw kinderen?' vroeg Skyler, bij wijze van afleidingsmanoeuvre.

Ze stonden in de eetkamer tussen de opzichtige tafel in mediterrane stijl en het bijpassende buffet, waarop een stel gedenkborden van Currier & Ives aan weerszijden van een schaal van geslepen glas met zijden anjers stond. Vanaf haar uitkijkpost kon Skyler in de keuken kijken, waar Tony's moeder toezicht hield op het storten van de Jell-O salade en Carla de achterdeur openhield voor Dom, toen hij zijwaarts binnenkwam, een dienblad vol geroosterde rib-stukken torsend.

'Drie en vijf,' vertelde Gina. 'En je moet het niet geloven als iemand beweert dat twee net zo gemakkelijk zijn als een. Elke morgen als ik de pap van de keukenvloer schraap, zweer ik dat ik me wil laten steriliseren.' Ze pakte Skyler bij de arm en trok haar opzij, zodat ze gedeeltelijk schuilgingen achter een porseleinkast die liefdevol Carla's verzameling Hummel-figuurtjes herbergde. Op zachte, vriendelijke toon zei Carla: 'Hoor eens, je mag het gerust zeggen als je vindt dat ik me er niet mee moet bemoeien, maar wat is het met Tony en jou? Ik zie hoe hij naar je kijkt, dus kom me nou niet met al die onzin aanzetten over dat jullie alleen maar goede vrienden zijn.'

Het was Skyler duidelijk dat het geen zin had Gina met haar scherpe blik iets wijs te maken. Ze had zo'n idee dat Tony's zus al had geraden hoe zij over hem dacht. Gina keek of ze ook een goed idee had met betrekking tot wiens baby het was die ze verwachtte. Skyler haalde diep adem en keek over haar schouder om er zeker van te zijn dat mevrouw Salvatore niet binnen gehoorsafstand was. Vanuit de keuken klonken stemmen op, vermengd met het geratel van laden die werden dichtgeschoven en het gerinkel van schalen en potten. Een oorverdovend gejuich vanuit de zitkamer wees erop dat het favoriete team een punt had gemaakt.

'Het is heel gecompliceerd,' zuchtte ze.

Gina hield haar hoofd scheef. 'Hoe dat zo?'

'Ik zal de baby niet houden.'

Gina kneep haar ogen een eindje dicht, maar ze zei niets. Het enige commentaar was: 'Weet Tony wat jouw gevoelens voor hem zijn?'

Skyler besefte dat ze bloosde en ze keek omlaag naar het servet dat ze bezig was te vouwen. 'Dat is eigenlijk niet van belang. Wat wij voor elkaar voelen, speelt geen rol,' zei ze zacht.

Ze zou Tony's zus waarschijnlijk nooit meer zien, dus wat school er voor kwaad in om open kaart te spelen? Zelfs als Gina naar Tony toe zou hollen om hem alles te vertellen wat ze had gezegd, zou er eigenlijk niets veranderen.

'Het is gek,' zei Gina langzaam, 'maar voordat Johnny en ik getrouwd waren, hadden we voortdurend ruzie. Zijn vader, weet je, heeft me nooit erg gemogen... en zijn moeder, nou, je stelt bij mamma Catalano niets voor wanneer je niet elke zondag en de eerste vrijdag van de maand naar de kerk gaat. Johnny liep de hele tijd te zeuren dat hij wilde dat ik mijn decolleté afdekte en niet zulke felle lipstick droeg... en of ik iedere keer dat ik een drieletterig woord voelde opkomen dat alsjeblieft in wilde slikken.' Ze trok een 'm'n zolen'-gezicht. 'Weet je wat ik tegen hem heb gezegd? "Als je mij wilt blijven naaien... moeten je ouders de pot op kunnen."' Ze grijnsde. 'En kijk nou eens hoe het met ons gaat, tien jaar later.' Gina deed haar op dat moment zóveel aan Tony denken dat Skyler schaterend in de lach schoot. Daarna liet ze haar stem dalen en zei: 'Ik geloof niet dat je moeder me mag.'

'O, trek je van haar maar niets aan. Ze is gewoon voor Tony op de uitkijk. Ze had gruwelijk de pest aan Paula... maar jij bent heel anders dan Paula.' Ze keek Skyler even onderzoekend aan en zei toen: 'Hoewel ik moet toegeven dat ik jou niet als zijn type had ingeschat.' Haar blik ging omlaag en ze zei op een toon die bijna gefluisterd was: 'Het is zeker Tony's baby?'

Skyler knikte. 'Min of meer een ongelukje.' Haar gezicht gloeide.

Gina zuchtte. 'Zijn ze dat niet allemaal?'

Even later werd iedereen aan tafel geroepen. Skyler werd omringd door Salvatores en hun aanhang en nageslacht, die allemaal door elkaar praatten, zodat ze zich betrekkelijk onopvallend voelde. Niemand besteedde veel aandacht aan haar, behalve om haar af en toe te vragen of ze nog wat vlees wilde of koolsla of aardappelsalade. De kinderen gilden en trokken rare gezichten naar elkaar terwijl de volwassenen afwezig barbecuesaus van kinnen veegden en gemorste melk opweilden. Tony resideerde aan het eind van de tafel, met zijn moeder aan zijn rechterelleboog, terwijl ze voortdurend aan zijn lippen hing. Links van hem waren Gina en Carla in een gefluisterd gesprek gewikkeld en gedurende één moment van paniek dacht Skyler dat ze over haar zaten te roddelen. Toen keek Gina naar Skyler en ze knipoogde, waarbij ze haar vingertop gebruikte om een onzichtbare ritssluiting over haar mond te tekenen.

Tony's schoonzus Laura had als dessert Mississippi mudpie gemaakt, en hoewel Skyler tjokvol zat, dwong ze zich een paar hapjes te nemen van het bijna misselijkmakende zoete spul. Tony liet het grootste deel van zijn portie ook staan, wat niet onopgemerkt bleef. De mollige Laura met het ronde gezicht mopperde op hem toen ze de borden afruimde, maar ze maakte geen opmerking toen ze het bord van Skyler pakte.

Toen het eindelijk tijd was om te gaan, was Skyler uitgeput. Ze had niet veel gedaan; ze had behalve met Gina nauwelijks met iemand gepraat. Ze had zelfs niet veel gegeten. Maar de krachtsinspanning om zich aan te passen op een plaats waar ze niet thuishoorde, had haar heel moe gemaakt, concludeerde ze toen ze afscheid nam. Toen ze met Tony door de invallende schemering naar zijn auto liep, voelde haar gezicht aan alsof het in tweeën zou barsten van al het glimlachen dat ze had gedaan.

Zelfs terwijl ze wegreden, bleef haar opvoeding in goede manieren haar parten spelen. Toen ze een paar kilometer op weg waren, keek ze Tony aan en zei opgewekt: 'Dat was heel gezellig.'

'Kletskoek. Je hebt het vreselijk gevonden.' Tony wierp haar een geamuseerde blik toe, maar achter in zijn diepliggende, donkere ogen meende ze even iets van teleurstelling te bespeuren.

'Niet èlke seconde,' gaf ze toe.

'Wat was het? Heeft Gina je aan een derdegraads verhoor onderworpen?'

'Ik mag je zus graag. Het ging niet om haar...'

Zijn mond verstrakte en hij bleef zijn ogen op de weg gericht houden. Het laatste beetje sepiakleurig zonlicht was verdwenen en de paarse schemering was ingevallen. Er begonnen koplampen te verschijnen, nevelig in het avondlicht, als gefluisterde beloften. Hier waren de huizen wat groter en stonden ze verder van de weg. Tony vond een brede berm tussen twee terreinen en stopte daar. Hij zette de motor af en keek haar aan.

'Het zijn beste mensen; misschien een beetje grof in de omgang, maar dat is het waarschijnlijk niet wat jou bezighoudt?' In de toenemende duisternis, die nog werd versterkt door de grote esdoorns waaronder ze stonden geparkeerd, was zijn gezicht strak en sterk. Het enige geluid was het getik van de motor die afkoelde.

'Nee,' zei ze en ze bedwong haar tranen. 'Tony, ik weet niet wat jij had gehoopt dat hieruit zou voortkomen, maar het gebeurt niet. Ik pas er niet bij.'

'Wie heeft je dat gevraagd?'

Ze staarde hem aan. 'Ik dacht alleen maar...'

'Nou moet je eens goed luisteren.' Zijn stem werd hard en hij boog zich in de wisselende schaduwen naar haar toe, waarbij zijn geur – van vers zweet, leer en flanel dat talloze malen was gewassen – haar omringde met een golf van verlangen. 'Ik houd van mijn familie. Ze zijn niet perfect. Velen van hen kunnen lastpakken zijn. Maar in wezen zal niemand mij vertellen met wie ik wel of niet moet omgaan. Het kan me geen donder schelen of ze jou wel of niet mogen en of jij hen wel of niet mag. Ze zullen uiteindelijk tot inkeer komen. En zelfs als dat niet het geval is, zal dat niet tussen ons staan.'

Ons? Wanneer waren ze in *ons* veranderd? Er ging een riling door haar heen. Ze sloeg haar armen om haar lichaam, huiverend tegen de kou die het einde aankondigde van een lange, glorieuze nazomer. Tony's aanwezigheid, zo dichtbij en toch zo afstandelijk, maakte haar een beetje duizelig. Ze verlangde zo hevig naar hem, dat de gedachte dat ze elkaar niet aanraakten bijna ondraaglijk werd. Ze voelde zich over haar hele lichaam gezwollen en teder, en nat tussen haar benen.

'Tony…' begon ze te zeggen, maar hij legde haar het zwijgen op door een warme, eeltige vinger tegen haar lippen te drukken. De schok van zijn huid tegen de hare duwde Skyler over de rand in een tollende duizeligheid. Toen kuste hij haar en o God, ze wilde dat dit eeuwig voort zou duren. De zoete druk van zijn lippen, het zachte gebaar van zijn tong. Ze groef haar vingers in zijn haar en ze werd slap door het zachte, springerige gevoel tegen haar handpalmen. Tony kreunde en trok haar zo dicht tegen zich aan als hun afzonderlijke stoelen dit toestonden en hij omsloot haar in de warme, gespannen cirkel van zijn armen. Ze kon een spier in zijn hals voelen trekken en de pezen in zijn borst voelen verstrakken.

Hij sloeg zijn hand om haar borst en ondanks de drie lagen kleren, voelde ze zich plotseling naakt. Zijn warmte, die ongelooflijke, natuurlijke warmte van hem, verbrandde haar. Haar tepels, die door haar zwangerschap bijna ondraaglijk gevoelig waren geworden, reageerden onmiddellijk; ze stuurden kleine, elektrische impulsen door de rest van haar lichaam. God o God… had hij enig idee wat hij haar aandeed? Wist hij wel hoezeer ze hem begeerde… genoeg om hem haar nu te laten bestijgen, hier in de auto, alsof ze een stel tieners waren?

Hoe kon ze hier niet aan toegeven? Hoe kon ze leven zonder deze man, zonder zijn aanraking, zijn mond, zijn gefluisterde woorden in haar oor?

Op hetzelfde moment waarschuwde een stem in haar achterhoofd: *Je denkt dat nu wel zo… maar hoe zal het over een paar jaar zijn, wanneer de eerste opwinding eraf is? Wat dan? Zit je dan nog te glimlachen wanneer je van zijn schoonzusjes dessert eet, alsof dat niet veel te zoet is? Kijk je dan de andere kant uit wanneer hij halverwege Tosca in slaap valt? En nu we het er toch over hebben, hoe lang denk jij dat je in staat zult zijn te doen alsof het niets uitmaakt dat hij elke dag zijn leven op straat riskeert voor slechts een fractie van het geld dat jij voor helemaal nietsdoen krijgt?*

Ze dacht aan de tafel van de Suttons, in de Terraces van de National Horse Show, waar haar hele familie de volgende week aanwezig zou zijn. Het was in haar opgekomen dat ze Tony misschien een van die avonden kon uitnodigen, maar ze besefte nu hoe belachelijk dat idee was. Hij zou net zomin bij haar familie passen als zij bij de zijne. Nee, ze konden maar beter meteen ophouden met doen alsof een vierkante wig in een rond gat zou passen.

Skyler trok zich terug, en het leek bijna alsof ze zich los moest scheuren. Ze bracht een trillende hand naar Tony's wang en fluisterde: 'Als ik dit had geweten… O God, als ik dit had geweten…'

227

'Wàt had geweten?' vroeg hij en zijn stem was een laag gegrom in de stilte om hen heen.

'Dat het zó zou zijn. Dat wij…' Ze kon niets meer uitbrengen. 'Tony, ik kàn het niet. Het is allemaal te moeilijk voor me. De baby. Mijn familie. Dit zou… dit zou het beeld alleen maar vertroebelen.'

Nu was het Tony die achteruitschoof, een klein beetje maar, maar voor Skyler leek het opeens mijlenver. Er raasde een auto voorbij en het licht van de koplampen flitste even over zijn gezicht. Op dat moment zag Skyler dat hij haar heel hevig begeerde, vuriger en op meer manieren dan ze zich ooit kon hebben voorgesteld. Meer dan ze zelfs zou willen weten. Het was bijna angstaanjagend, de intensiteit die van zijn verweerde Da Vinci-gezicht met zijn diepliggende ogen straalde.

'Zeg dat wel,' zei hij met een stem die even koel en afstandelijk was als de wind die door de kloof tussen hen in blies. 'Er is echter één ding. En dat heeft niets met ons te maken of met onze families. Dat is het punt van die adoptie. Voordat je tot iemand besluit, zou ik die mensen eerst willen ontmoeten. Ik wil weten wat voor mensen mijn kind grootbrengen. Wil je me dat toestaan?' Zijn kaak bewoog en ze ving een schittering in zijn ooghoek op.

Skyler knikte. Dat was ze aan hem verplicht. Vanaf het eerste begin had Tony niet veel van haar gevraagd; hij was er alleen steeds geweest. Hij had haar ook niet lastiggevallen over dokter Nightingale. Hij liet haar zelf haar besluit nemen.

Tony hoefde niet te weten dat ze wat Ellie betrof in tweestrijd verkeerde, dat ze veel over haar had nagedacht. Dat zou hem misschien op gedachten brengen, en ze was er nog lang niet aan toe om een definitief besluit te nemen.

'Afgesproken,' zei ze en ze zweeg over wat er in haar hart leefde.
Ik houd van je.
Ik verlang naar je.
Dit wordt mijn dood.

De Meadowlands Brendan Byrne Arena had Skyler altijd het hoogste geleken dat er te bereiken viel. Haar hele leven had ze gedroomd ooit uit te komen in de National Horse Show. Zolang ze zich kon herinneren, had ze zichzelf voorgesteld dat zij die glorieuze sprongen maakte, gezeten op een paard dat zó mooi was dat de tranen je ervan in de ogen sprongen. Als tieners hadden Mickey en zij elk concours gevolgd, knipsels uit kranten en tijdschriften vergaard, eindeloos alle details besproken van de diverse strategieën waarmee ze elke rit zouden aanvangen. De amateur-concoursen, zelfs de meest prestigieuze, waren slechts een warming-up voor de Grote Gebeurtenis.

Zittend in de loge van haar familie, hoog boven de tribunes, keek Skyler neer op de arena, waar een poort van latwerk, versierd met zijden rozen, het begin vormde van een springparcours dat bijna te mooi was om echt te zijn: blinkende rood met witte steilsprongen, en breedtesprongen die met gele en witte chrysanten waren omzoomd, een namaak-bakstenen muur die met klimop was bekleed, een trap die door imitatiestenen pilaren werd geflankeerd. In het midden was het Waterloo van het parcours – twee hekken die zo dicht bij elkaar waren gezet, dat de paarden niet meer dan een halve stap ertussen hadden. Skyler vermoedde dat ze daar de meeste afworpen en weigeringen te zien zouden krijgen. Ze voelde haar beenspieren onwillekeurig verstrakken, alsof zij die sprongen moest maken.

Die gedachte bracht haar bijna in tranen.

Dit jaar had ze voor het eerst een echte kans gehad zich te kwalificeren, als ze niet... zwanger was geweest.

Zwanger.

Het woord klonk door haar hoofd als een dissonant die op een piano werd getimmerd.

Ik ben zwanger.

Nu het zichtbaar begon te worden, achtervolgde haar toestand haar overal waar ze ging en bij alles wat ze deed. De mensen met wie ze in de dierenartsenpraktijk werkte, vroegen haar of ze het geen bezwaar vond om de hele dag te moeten staan. In de supermarkt glimlachten moeders stralend naar haar, begerig om met haar de voordelen van zwangerschapsgymnastiek boven yoga, van borstvoeding boven de fles te bespreken. Ze was zelfs allerlei materiaal via de post gaan krijgen, foldertjes met reclame voor kinderkleding, een uitnodiging om een abonnement op *Parents* te nemen, aanbiedingen voor levensverzekeringen.

Maar Skyler had zich stellig voorgenomen alles van zich af te zetten; in elk geval voor vanavond. Want vanavond was iets bijzonders, het was de Grand Prix, en haar vriendin Mickey kwam erin uit. Het was het op een na beste na zelf meedoen, dacht Skyler, om te zien hoe voor Mickey de droom die ze zo lang samen hadden gedeeld, uitkwam.

En voor haar vriendin, wist ze, was het meer dan alleen maar een droom die uitkwam. Dit was het eerste seizoen dat Mickey voor mevrouw Endicott uitkwam en als ze hier faalde, zou ze haar kansen om in de grote open klassen van het volgende seizoen uit te komen, in de waagschaal stellen. Ze was niet in staat het exorbitant hoge startgeld, het dure onderhoud en transport van haar eigen paard te betalen. Er stond voor Mickey veel op het spel. Van waar ze zat, kon Skyler de helling zien die toegang gaf tot de deelnemersverblijven.

De verre gestalte van haar vriendin, zittend op een mooi zwart paard – de nieuwste aanwinst van mevrouw Endicott, een Hollands warmbloedpaard – kwam even in het zicht, en Skyler strekte haar hals om beter te kunnen zien.

'Ze krijgt problemen met die tweede sprong als ze die niet langzaam neemt,' zei ze ongerust. 'Toledo presteert niets met breedtesprongen, als hij niet wat kalmeert en het goede tempo krijgt.'

'Als er iemand is die hem aankan, dan is het Mickey wel,' zei Kate, die naast haar zat.

Skyler, die zich naar voren boog in haar stoel aan de lange tafel waarvan de borden nu werden afgeruimd, smachtte ernaar nu bij Mickey te zijn. In gedachten zag ze zichzelf te midden van al die drukte en paardenlijven, met Chancellor nerveus dansend onder zich, terwijl andere ruiters in kleine cirkels om haar heen reden. Ze kon de geur achter de coulissen bijna ruiken: zwaar, opwindend – een mengsel van sigaretten, mest, hoefolie, paardenschuim en mensenzweet. Ze zag zichzelf al over de hindernissen zeilen, de golf van adrenaline bij een perfecte landing ondergaan...

Maar toen stelde ze zich opeens voor hoe het paard struikelde, zag ze zichzelf voorover uit het zadel tuimelen.

Skyler sloeg instinctief haar handen over haar buik. Er kwamen tranen in haar ogen.

O baby, wat moet er toch van jou worden? Wie moet er voor je zorgen?

Opnieuw kwam Ellie Nightingale bij haar boven. Skyler had serieus overwogen haar nogmaals te ontmoeten, voornamelijk om uit te zoeken of de vreemde band die ze de eerste keer had gevoeld, er nog steeds was... maar het had haar op de een of andere manier niet eerlijk geleken. Ze zou Ellie alleen maar meer hoop geven. *En stel dat ik uiteindelijk iemand anders kies?*

Ze merkte dat haar gedachten ongemakkelijk teruggingen naar de twee echtparen met wie ze deze week een gesprek had gehad, ontmoetingen die een juridische vriend van Mickey had geregeld. De effectenmakelaar en zijn vrouw die aerobics gaf, hadden ideaal geleken, allebei heel vriendelijk en opgewekt zonder dat ze de indruk maakten te hevig te proberen haar voor zich te winnen. Marcia was een DES-baby geweest en kon zelf geen kinderen krijgen. Ze wilden een groot gezin, had ze uitgelegd, en ze overwogen ook oudere kinderen, zelfs als die een handicap mochten hebben. Marcia's man had op dat moment de andere kant uitgekeken en Skyler had gezien hoe hij zijn lippen dichtkneep. Hij was kennelijk niet zo enthousiast geweest bij de gedachte aan een kind in beugels, dat zijn rooskleurige familieportret verstoorde. Skyler had zich na afloop afgevraagd: *Stel dat mijn baby niet volmaakt is?*

Het tweede echtpaar was ouder geweest, achter in de veertig, met een huis in Scarsdale en een winstgevend softwarebedrijf. De vrouw, die mollig was, met grijs haar, had woordvoerder voor de vereniging van huisvrouwen kunnen zijn. Hun eigen zoon was enkele jaren geleden omgekomen bij een motorongeluk, en ze wilden dolgraag nog een kans op ouderschap hebben, maar Diane had haar overgang al achter de rug.

Skyler had geen tijd nodig gehad om over dat echtpaar na te denken. Ze wilde niet dat haar baby opgroeide in de schaduw van een overleden jongen.

John Morton, Mickey's advocaat-vriend, zei dat ze zich niet ongerust hoefde te maken – het aanbod was gering en de vraag was eindeloos. Hij zou zoveel gesprekken regelen als nodig was. En ze had nog maanden te gaan voordat ze een besluit hoefde te nemen.

Skyler voelde een zwaarte in haar borst, met daarbij een tekort aan adem, alsof ze zich plotseling op een duizelingwekkende hoogte had bevonden. Ze zette resoluut de hele vraag van zich af. Morton had gelijk – het had geen haast. Ze zou hier later over nadenken. Nu was alles goed met haar. Helemaal goed.

Wat een gezwets, moest Skyler tegenover zichzelf bekennen. Ze voelde zich zó nerveus over wat Tony 'dat adoptiegedoe' had genoemd, dat ze het nauwelijks kon verdragen. Een nacht goed slapen was iets uit het verleden. Ze kon zelfs nauwelijks een tv-show uitzien of een tijdschriftartikel lezen zonder af en toe op te springen en te gaan ijsberen.

Ze fronste en concentreerde zich op het parcours. De stalknechten schoten toe om alles in gereedheid te brengen voor de barrage, waar één afworp betekende dat je eruit was. De tribunes waren voor ongeveer driekwart gevuld, constateerde ze, maar alle hoofden waren gekeerd naar de glanzende kastanjebruine hengst die nu naar de ingang draafde.

Skyler zag hoe de berijdster, in een strakzittend marineblauw rijjasje en lichte rijbroek, een rondje reed, waarbij het paard huppelde en bokte. De toeter klonk en een beschaafde mannenstem kondigde aan: 'Nummer achttien is Casey Stevens op de elfjarige Hannoveraanse Sultan of Suffolk…'

Sultan nam de eerste hindernis, een hek, iets te haastig en leek even te aarzelen voor hij er als een haas overheen sprong. De menigte slaakte een kreet. Nu de breedtesprong, daarna de triplebar en de drievoudige combinatie. Casey was als beginneling een beetje te haastig, ze wilde dat het zo vlug mogelijk achter de rug was, liever dan op safe te spelen. Zonder haar sprongen goed in te delen. Skyler kon Duncan al horen zeggen: 'Er bestaan geen slechte paarden, alleen maar slechte ruiters...'

'O lieve help, ze zal die laatste niet halen.'

Toen Skyler zich omdraaide, zag ze haar moeder zorgelijk fronsen. Kate was het toonbeeld van elegantie in haar wijde zwarte broek en vest, met een witte zijden blouse, en een Hermès-sjaal sierlijk om haar hals geknoopt. Haar stok stond discreet in de hoek van de muur achter haar.

Net zoals Kate had voorspeld, tikte Sultans linkerachterbeen de balk eraf. Terwijl enkele stalknechten toeschoten om de balk terug te leggen, reed Casey Stevens, die haar best deed niet sip te kijken, haar paard terug naar de ingang. Het applaus dat haar de ring uit begeleidde, was beleefd en kortstondig.

Hierna kwam een schimmel die te klein leek voor de lange man die hem bereed.

'Dat is Henri Prudent...' Kate's stem klonk eerbiedig fluisterend. 'Nú zullen we eens wat zien. Ik geloof dat zijn vrouw ook uitkomt. Ik vraag me af wat er zal gebeuren als die twee allebei in de barrage komen.'

'Als hij ook maar enigszins een heer is, laat hij haar winnen,' plaagde pappa. Hij verhulde nooit dat hij zich bij zulke gebeurtenissen verveelde. De enige pret die hij eraan beleefde, was mam van tijd tot tijd plagen.

'Als hij geen echtscheiding wil, doet hij dat niet,' zei Kate lachend. 'Ze zal het hem nooit vergeven. Bovendien zijn haar kansen minstens zo goed als die van hem.'

Skyler keek van de een naar de ander en ze verbaasde zich erover dat haar ouders zich zo goed wisten te houden. Ze wist onder wat voor spanning ze hadden verkeerd, niet alleen door haar baby, maar ook vanwege de een of andere zakelijke crisis. Ze deden er tegenover haar heel gesloten over, maar ze had in onbewaakte momenten de zorgelijke trek op hun gezicht gezien. Maar hier, te midden van hun vrienden en familie, waren ze vrolijk en opgewekt alsof er geen vuiltje aan de lucht was.

Skyler balde haar vuisten in frustratie. Vertèlden ze haar maar eens wat!

'Hoe dan ook, de opbrengst delen ze,' merkte Reggie Linfoot op terwijl hij met zijn mollige vinger de smeltende ijsblokjes op de bodem van zijn whiskyglas ronddraaide. Goeie ouwe Reggie – Skyler had haar buurman aanbeden vanaf haar achtste jaar, toen Reggie, een bekend schrijver van kinderboeken, samen met haar in de top van de enorme perenboom in zijn achtertuin was geklommen. Halfdronken (zoals gewoonlijk), was hij moeizaam naar de top geklauterd en had als een dikke, bejaarde clown naast haar op een hoge tak gezeten.

'O, Ian Miller zal die wel inpikken,' zei tante Vera op de autoritaire toon die haar mening altijd tot voldongen feit moest verheffen. 'Die nieuwe volbloed van hem is echt iets heel bijzonders.' Vera was pappa's zus en Skylers minst geliefde familielid. Tante Vera's grote tragedie in dit leven was, volgens mam, dat ze nooit tegenslagen of teleurstellingen had moeten verwerken (als je haar echtscheidingen niet meerekende, maar die telden niet omdat ze om te beginnen al niet erg aan haar echtgenoten gehecht was geweest); dus kon ze geen enkel begrip opbrengen voor hen die minder fortuinlijk waren.

Skyler dacht bij zichzelf dat tante Vera toch meer teleurstellingen had moeten doorstaan dan mam besefte. Alleen al elke morgen dat zure, grove gezicht in de spiegel te moeten zien zou ieder mens het gevoel geven van een brug te willen springen.

Ze richtte haar aandacht weer op Henri Prudent, en kromp ineen toen hij wegens een weigering werd gediskwalificeerd. Ian Miller, die na hem kwam, snelde zonder één strafpunt over het parcours. Die zou in de barrage moeilijk te verslaan zijn, dacht ze. En die nieuwe merrie van hem was iets heel bijzonders – haar hals was even lang als die van een babygiraffe en kijk eens hoe ze haar voeten boven die hindernissen optrok. Wat moest dat wel niet over een jaar of twee worden, wanneer ze routine had opgedaan in dit soort concoursen.

'Skyler, liever, wat jammer dat we jóu daar niet zien.' Skyler keek naar de mannequin-slanke Miranda Harkness, haar moeders beste vriendin en rechterhand in de winkel, die haar aankeek met genoeg medeleven om een inzamelingsactie op de tv tot een succes te maken. Ze kromp ineen; ze wist dat Miranda het goed bedoelde, maar ze wenste dat haar moeders vriendin niet de aandacht had gevestigd op wat haar oma als haar 'toestand' had betiteld. Ze begon zich steeds meer te voelen als een kind dat met een besmettelijke ziekte van school naar huis was gestuurd.

'Ik had dolgraag mee willen doen, maar er stond niets in het wedstrijdreglement over anderhalve ruiters,' zei ze gevat, met iets scherps in haar stem.

Vanuit haar ooghoek zag Skyler hoe haar moeder rood werd. Mam had begrip gehad voor een fout, maar voor haar was dit geen grapje. *Ik had daaraan moeten denken*, dacht Skyler, die zich terechtgewezen voelde.

'Skyler kan direct weer gaan trainen zodra...' Kate schraapte haar keel en zei toen opgewekt: 'Hoewel ik denk dat ze haar handen vol zal hebben aan haar studie en zo.'

'Studie?' piepte Reggie, en hij knipperde met zijn ogen toen hij haar door zijn alcoholische nevel aanstaarde.

'Ik ben geplaatst voor diergeneeskunde aan de universiteit van New Hampshire,' verklaarde Skyler, terwijl ze zag hoe zijn elleboog op een haar na van de tafel dreigde te glijden. Ze gaf de elleboog een discreet tikje en zag hoe hij iets steviger houvast zocht. 'En hoe moet het dan met de baby... wie zal daarvoor zorgen als jij moet studeren?' kraakte een stem als een grammofoonnaald op een oude, gekraste plaat.

Langs de hele tafel werden verschrikte gezichten gekeerd in de richting van de oude dame die aan het verste einde zat – oudtante Beatrice, die nog had meegemaakt hoe de society zich in avondkleding had gehuld voor de National Horse Show, voor die van Madison Square Garden naar de Meadowlands verhuisde. Ze droeg een jurk met zwarte gitten die naar kamfer rook, diamanten oorbellen, en echte schildpadkammen in haar blauwgrijze haar. Ze hield haar waterige ogen vol verwachting op Skyler gevestigd.

Skyler draaide nerveus op haar stoel. Grote genade, had niemand tante Beatrice iets verteld?

Mamma behield gelukkig haar kalme blik en rustige houding, zoals die tientallen jaren geleden op Miss Creighton's School for Girls waren geperfectioneerd. Met een heldere, onbeschaamde stem antwoordde ze: 'Skyler zal de baby niet houden, tante Beatrice. Ze wil dat die wordt grootgebracht bij mensen die zelf geen kinderen kunnen krijgen, net als zíj vroeger.' Mams stem klonk heel nadrukkelijk bij de laatste woorden.

Skyler ving vanuit haar ooghoek een glimp op van haar vader, die tuurde in het programma dat op zijn schoot openlag. Arme pappa. Ze wenste dat er iets was dat ze kon zeggen, om te maken dat hij zich beter voelde. Hij begreep niet waarom ze dit deed, ook al had ze het hem steeds weer uitgelegd. Maar dat was nou typisch pappa: hij zag alleen wat hij wilde zien.

Tante Vera maakte een eind aan de pijnlijke stilte die op mamma's verklaring was gevolgd. 'Nog iemand champagne?' Ze tilde de fles uit de emmer en hield die druipend boven Skylers glas.

'Niet voor mij... zwangere vrouwen worden niet geacht alcohol te drinken, weet u wel?' zei Skyler.

Haar tante's lelijke, lange gezicht met de grote neusvleugels, die altijd trilden, vertoonde een fel, onflatteus roze. Op gedempte toon zei ze smalend: 'Echt, ik begrijp niet hoe jij daar zo... zo luchthartig over kunt doen. Als je míjn dochter was...'

'Vera, zo is het wel genoeg,' viel Will haar scherp in de rede. Hij keek haar woedend aan en zijn peper-en-zoutkleurige snor verleende zijn frons nog meer autoriteit. Zijn zus kneep haar ogen half-dicht, maar ze hield haar mond strak. Skyler zakte achterover in haar stoel, ze voelde zich ellendig en zelfs wat schaapachtig. Ze nam zich stellig voor om de rest van de avond haar best te doen. Als het niet voor haarzelf was, dan wel voor haar ouders. *Het enige dat jij moet doen is volhouden tot je alleen kunt zijn met Mickey.*

Mickey reed als laatste in de barrage, waar ze het moest opnemen tegen vier ruiters die zonder strafpunten hadden gereden. Als ze die haalde, kwam ze tegen mensen als Ian Miller en Michael Matz in de laatste barrage, waarin op tijd werd gereden. Het vooruitzicht dat haar vriendin zo'n hoogtepunt zou bereiken, fleurde Skylers stemming weer wat op.

Toen Mickey uitreed en haar ronde bij de toegangspoort maakte, voelde Skyler een golf van trots. Mickey zag er werkelijk geweldig uit, met een zwarte rijbroek en een vuurrood jasje, haar krullen in een haarnetje onder haar cap. In tegenstelling tot haar rivalen met pokergezichten, had zij een enorme grijns op haar gezicht, die iedereen deed applaudisseren en fluiten. Mickey wist hoe ze een publiek moest bespelen, dat had ze altijd geweten.

Haar paard, Holy Toledo, was het huidige lievelingspaard van Priscilla Endicott, en hij was zwart als de fluwelen kraag van een rijjasje. Toen Mickey hem naar de poort reed, danste hij opzij en bokte even speels, om haar te laten weten dat hij alles zou doen wat zij zou bedenken.

Maar nu werd het tijd om ernstig te worden. Mickey bracht hem naar de eerste hindernis, de namaak-bakstenen muur met twee verticale balken erbovenop.

'Rustig aan,' mompelde Skyler binnensmonds. 'Je hoeft niet de beste tijd neer te zetten, als je maar foutloos bent.'

Toledo zweefde als een zomerbries over de muur heen. Mickey vormde daarentegen, met haar kromme ellebogen en haar bijna haaks uitstekende benen, het voorbeeld in elk paardrijboek hoe je niet op een paard moest zitten. Het was maar goed dat houding niet meetelde bij deze sport; het enige dat van belang was, was de hindernis te nemen.

Nu de oxer, en de triple... *God, moet je Toledo zien gaan.* Hij deed sommige andere paarden er als trekpaarden uitzien zoals hij omhoog leek te zweven en boven elke hindernis even in de lucht leek te blijven hangen. En Mickey – zij genoot met volle teugen van het applaus, van de opwinding van dit alles. Het enige dat ze nu nog nodig had was een foutloos parcours afleggen – daarna,

235

als ze de finale haalde, moest ze de snelste tijd maken om de andere finalisten te verslaan.

Skyler klapte tot haar handpalmen prikten en ze juichte tot ze hees was.

Er volgden nog twee ronden, waarbij het aantal finalisten werd teruggebracht tot een veld van drie: Katie Prudent, Ian Miller... en Mickey. Om samen met twee zulke groten te zijn – het leek wel of je deel uitmaakte van de Heilige Drieëenheid, dacht Skyler vol ontzag. Zelfs als Mickey geen kampioen werd, kon ze tevreden sterven. Toen ze zag hoe Mickey met haar warmbloed voor een laatste keer het parcours aflegde, werd Skyler vervuld van trots. Toen haar vriendin bijna de verraderlijke hekken miste, onderging Skyler alle gevoelens die Mickey moest kennen – de bons in haar hart, de steek in haar maag, het gonzen van bloed in haar oren.

Haar vriendin zoefde na een foutloos parcours over de laatste hindernis, waarbij ze als tweede binnenkwam, na Ian Miller. Priscilla Endicott zou heel gelukkig zijn, dacht Skyler. Hierna zou Mickey zelfs haar voorwaarden kunnen stellen. Maar wat vooral van belang was, was dat Mickey had bereikt waarvan Skyler en zij sinds hun kinderjaren hadden gedroomd: ze had de barrage van de National gehaald.

Toen Mickey in hun box verscheen, na de uitreiking van de trofeeën, verhit en klam, stond Skyler op en omhelsde haar uitvoerig.

'Je was geweldig,' zei ze, bijna in tranen. 'Ik ben heel trots op je.'

'Was hij niet ongelooflijk?' zei Mickey opgetogen, vol trots op Holy Toledo. 'God, het is net een droom om met zo'n dier te springen. Je hebt gezien wat hij kan – en hij kan nog veel meer. We willen niet dat hij te veel tegelijk moet; na Toronto laten we hem tot volgende zomer met rust...' Ze zweeg en keek Skyler onderzoekend aan. Op gedempte toon vroeg ze: 'Is alles goed met je? Je ziet er een beetje bleek uit.'

'Ik voel me prima,' zei Skyler. Ze stonden op enige afstand van de anderen, die nog steeds aan tafel zaten. 'Ik denk dat ik een beetje suf ben van alle meligheid.'

'Dat zal best! Allemachtig, je bent veel te jong om je nu al bij de *Horse and Hound*-club aan te sluiten. Laten we 'm smeren. Krijg je een biertje van me.'

'Maak er een cola van, dan zit je eraan vast.'

Skyler en Mickey liepen naar beneden, waar ze een tafeltje vonden in de Winner's Circle Bar, waar het gelukkig niet al te vol was. Skyler nestelde zich met een diepe zucht in haar stoel en ze voelde zich alsof ze aan een lynchende meute was ontkomen. Zodra de serveerster verdween om hun bestelling te halen, keken ze elkaar aan en braken tegelijk uit in een grijns.

'Als ik op dit moment dood zou gaan, zou ik niet het gevoel hebben dat ik iets had gemist,' lachte Mickey.

'Dan zou je de Blijde Gebeurtenis wèl mislopen,' antwoordde Skyler, met iets meer dan een beetje ironie.

Mickey trok een zuur gezicht. 'O God, wat ben ik toch een ongevoelige hark. Ik heb niet eens gevraagd hoe het met jou is. En we hebben in geen ééuwigheid gepraat.'

'Je hebt het heel druk gehad,' excuseerde Skyler haar. 'Maar met mij gaat het prima.'

'Echt waar?'

Skyler vertelde haar over het laatste echtpaar dat ze had gesproken, de Dobsons, en ze werd beloond door het gezicht dat Mickey trok – een gezicht dat haar eigen ideeën bevestigde. Niet dat Mickey instemde met haar idee de baby weg te geven. Een poosje geleden had ze zelfs in een typische uitbarsting van warhoofdige edelmoedigheid aangeboden om er zelf voor te zorgen tot Skyler haar studie had afgemaakt.

'Wat zou je bij al die concoursen met een baby willen doen?' had Skyler tegengeworpen.

'Ik zou hem op m'n rug overal mee naar toe nemen,' had Mickey zelfverzekerd verklaard.

Ze hadden allebei geweten dat het belachelijk was en Mickey was zo verstandig geweest het onderwerp verder met rust te laten.

'Hoe is het met die vrouw die je een poosje geleden hebt ontmoet?' wilde Mickey nu weten. 'Die psychologe van wie Tony wilde dat je met haar sprak? Ik vond dat die wèl aardig klonk.' Ze nam een flinke slok van haar Heineken.

Skyler voelde hoe ze gespannen werd. Ze had met opzet haar ontmoeting met Ellie Nightingale wat afgezwakt, omdat ze niet zeker wist of zelfs Mickey begrip zou hebben voor het vreemde gevoel dat ze die hele dag met zich mee had gedragen. Ze haalde haar schouders op en zei: 'Ze gaat misschien scheiden. Dat lijkt me dan niet zo zinnig.'

'Níets van dit alles is zinnig,' verklaarde Mickey snel. 'Jemig, had jij ooit, toen wij nog kinderen waren, kunnen denken dat het zó met ons zou lopen?'

'Met jou is het precies zo gelopen als je had gewild,' zei Skyler zacht en ze voelde een prop in haar keel.

'En jíj gaat de beste springruiter worden van alle dierenartsen die er bestaan,' antwoordde Mickey snel. Ze voegde er zachtmoedig aan toe: 'Als dit eenmaal achter de rug is, bedoel ik.'

Skyler was weliswaar geroerd, maar ze voelde zich ook alsof ze

van frustratie zou ontploffen. 'Soms lijkt het wel of het nóóit over zal zijn. Kijk verdorie eens naar m'n ouders. M'n vader is er helemaal kapot van. Hij zal me nooit vergeven dat ik zijn kleinkind heb afgestaan.'
'O Skyler.' Mickey pakte haar hand. 'Je hebt je hele leven geprobeerd volgens de regels te leven, zelfs terwijl je je ertegen verzette. Dus oké, je hebt je voorgenomen dit te doen. Ermee door te gaan. Doe dan wat volgens je hart juist lijkt en niet wat zinnig lijkt.'
'Ik hoef nog niet meteen te beslissen.'
'Prima. Kijk goed rond. Ontmoet zoveel echtparen als je maar wilt... maar maak jezelf er niet gek mee. Jij bent niet direct alledaags, dus waarom zou dat kind van jou beter af zijn met alledaagse ouders?'
Skyler deed haar mond open om te vragen waarom zij zich iets zou aantrekken van de raadgevingen van iemand die een baby op haar rug naar concoursen wilde meenemen, toen ze de baby voelde trappelen. Ze ging opeens rechtop zitten, haar mond viel open en haar handen gleden naar beneden. Ze legde haar vingers over haar buik. 'God, ik kan het voelen schoppen. Het is deze keer niet zomaar wat gefladder. Het is heel...' De woorden vervluchtigden, ze waren te nietszeggend om het geweldige te beschrijven van wat ze voelde – iets dat zo magisch en geweldig was, dat het leek of ze op de een of andere manier was betoverd.
'Misschien is het een teken,' zei Mickey ernstig. 'Probeert hij je iets te vertellen.'
'Ik hoop het.' Skyler zuchtte, het magische moment was voorbij, als een regenboog waarvan je maar al te kort een glimp opving vanuit het raam van een voortsnellende auto. Het werd gevolgd door een diepe, daverende neerslachtigheid. 'Want dit is een beslissing waarvoor ik alles zou geven om hem niet zelf te hoeven nemen.'

'Je luistert niet,' zei Georgina verwijtend.
Ellie wendde haar blik af van het raam op de eerste verdieping van Georgina's huis, waar ze naar buiten had zitten kijken naar de sneeuw... de sneeuw die in de vroege duisternis van deze winteravond uit de straatlantaarns langs Central Park South leek te dwarrelen. Ze glimlachte naar haar vriendin, die in een stoel bij de haard zat, waar een vuurtje bedeesd probeerde wat op te vlammen. Georgina vertoonde een geërgerde blik die ze zo goed mogelijk probeerde te verbergen.
'Sorry,' zei Ellie. 'Je zat me te vertellen over dat congres in Madrid, iets over een studie over slaapgebrek bij piloten. Wil je zeggen

dat ik moet ophouden met vliegen, of zit je gewoon wat te praten om mijn gedachten wat af te leiden?'

'Is er iets anders waar je over wilt praten?' Georgina, met haar benen opgerold onder een enorme gele chenille trui, deed Ellie denken aan een oude lapjeskat die lag te suffen, maar elk moment overeind kon springen om in actie te komen.

Georgina's bedrevenheid in het zo ontspannen lijken, was volgens Ellie een van de belangrijkste redenen waarom ze zoveel succes had met haar particuliere patiënten die ze behandelde naast de psychiatrische polikliniek die ze in St. Vincent's dreef. Ze had dan ook deze prachtige spreekkamer, een salon in haar East Seventieshuis, met een schuifdeur die deze afsloot van de rest van de verdieping. De kamer stond vol met wat Georgina haar curiotiek noemde – koperen staande lampen met zijden kappen, snuisterijen die ze over de hele wereld had verzameld, stoelen en banken die als dikke oude mannetjes stonden geschaard rond een open haard die voortdurend vonken op een versleten oosters tapijt sproeide – en toen Ellie er de eerste keer binnenkwam, kreeg ze het gevoel alsof ze thuiskwam.

Alleen was er nu geen plek op aarde waar ze zich volledig op haar gemak zou hebben gevoeld. *Thuis is waar het hart is.* Ze kon het aforisme in gedachten zien staan, alsof het op een merklap was geborduurd. Maar als dat waar was, had zij geen thuis. Omdat haar hart bij Paul wilde zijn, die de deur dichthield – en bij de baby naar wie ze zo verlangde, maar die ze niet kon krijgen.

Ellie voelde hoe ze haar handen tot vuisten balde. Wáárom had Skyler Sutton niet gebeld? Het was nu vier maanden geleden en ze had nog steeds niets van haar gehoord. Ellie zei tegen zichzelf dat het belachelijk was om te blijven hopen. Het meisje had allang iemand anders gekozen... een vriendelijk, liefdevol echtpaar dat haar baby alles zou geven wat hij nodig had. Maar toch...

Ellie had niet de bijna fysieke sensatie kunnen vergeten van het op de een of andere manier verbonden zijn, alsof het lot hen zorgvuldig had geselecteerd als spelers in dit drama. Zelfs nu, terwijl Thanksgiving allang achter de rug was en Kerstmis voor de deur stond, was ze er niet in geslaagd de schokkende indruk die Skyler Sutton op haar had gemaakt van zich af te schudden.

Vanavond, kerstavond, was Ellie een glaasje bij Georgina komen drinken, zoals ze dat de afgelopen acht jaar iedere 24e december had gedaan. Wat aan deze Kerstmis anders was, was dat dit de eerste zou zijn die Ellie in haar eentje doorbracht. Ze dacht aan de Kerstmissen zoals ze zich die had voorgesteld – Paul en zij stralend naast de boom terwijl hun kind onhandig aan papier en lint zat te prutsen – en de droefheid die ze voelde was zó groot, dat ze begreep, net als in die eerste winters na de verdwijning van Bethanne, waarom zoveel depressieve mensen rond de feestdagen zelfmoord pleegden.

Ellie bad dat Georgina in staat zou zijn wat troost te verschaffen, wat licht om haar door de sneeuwstorm van geweld waarin ze verkeerde heen te helpen. Ze wist dat er geen wondermiddel voor was, dat de antwoorden die ze zocht van binnenuit moesten komen – ze was tenslotte zelf therapeute en een verdraaid goeie ook. Maar soms, dacht ze, en ze hapte lucht tegen de prop in haar keel, soms, wanneer je een antwoord nodig had, had je eigenlijk een warme schouder nodig om je vermoeide hoofd op te leggen, en een vriendelijke stem om je verdriet te sussen.

'Wat heeft het voor zin om erover te praten?' zei ze tegen haar vriendin, terwijl er een bittere klank in haar stem kroop. 'Er is niets dat iemand kan doen.'

Georgina stopte een verdwaalde zilvergrijze sliert haar terug in de slordige knot boven op haar hoofd. Met een zucht gaf ze toe: 'Misschien niet, maar het kan nooit kwaad het te proberen, liefje. Ik vind het echt vreselijk om jou zo ongelukkig te zien.'

Ellie deed haar best om niet somber te klinken en ze antwoordde luchtig: 'Er mankeert mij niets dat een man en een baby niet zouden kunnen verhelpen.' Ze strekte zich uit om haar vest van de rugleuning van de bank te plukken.

Georgina hield haar scherpe, oude ogen op Ellie gericht en ze bracht haar vingertoppen onder haar kin bij elkaar. 'Een half ei is soms beter dan een lege dop.'

'Wil je zeggen dat ik mijn pogingen tot adoptie moet opgeven?' snauwde Ellie terug.

'Waarom zou zoiets als overgave moeten worden beschouwd?' antwoordde Georgina, zonder te verblikken. 'Ellie, heb je de mogelijkheid weleens overwogen dat je zo lang, zo hevig, op het ene doel was gericht dat je de mogelijkheid van andere soorten van beloningen over het hoofd hebt gezien?'

Als dit troost was, wat Georgina haar bood, dan hoefde Ellie die niet. Ze stoof op en zei: 'Als jij oneindige wittebroodsweken met niets anders dan je man en jezelf op het oog hebt... dan zie ik waarschijnlijk wel iets over het hoofd.'

'Lieverd, je kunt toch niet oprecht geloven dat Paul alleen maar geïnteresseerd is in het bewaren van een soort echtelijk paradijs. Je weet wel beter... en je bewijst jezelf geen dienst als je niet onder ogen wilt zien wat je met zoveel moeite hebt geprobeerd te vermijden.'

'En zou ik mogen weten wat dat dan wel is?' snauwde Ellie.

240

'De mogelijkheid dat je zelfs zònder kind geluk zou kunnen vinden.'

Georgina's kalm uitgesproken woorden daalden over Ellie neer als een kilte die haar deed huiveren. 'Waarom zou ik dat willen vermijden?'

'Weghollen van geluk kan ook een vorm van straf zijn.' Ellie dacht even na en zei toen langzaam: 'Denk jij dat ik mezelf straf? Dat ik mezelf nog steeds niet heb vergeven wat er met Bethanne is gebeurd?' Ze glimlachte even dun als het laagje sneeuw dat zich op de vensterbank had verzameld. 'Misschien. Maar als dat het geval is, dan is daar geen genezing voor mogelijk.'

'Zelfs niet door een ander kind?' Er verscheen een listige blik in Georgina's ogen, maar deze werd getemperd door zoveel genegenheid en bezorgdheid, dat Ellie voelde dat er tranen in haar ogen kwamen.

Zou een ander kind haar ten slotte, na al deze jaren, in staat stellen zichzelf te vergeven?

'Ik weet het niet,' antwoordde Ellie eerlijk. 'Wat ik wel weet, is dat ik nooit op zal houden te proberen hierachter te komen.'

'Goed dan... het zij zo.' Georgina was niet iemand die lang doorging op een bepaald punt en ze glimlachte om Ellie te laten weten dat het onderwerp was gesloten. Ze hees zich overeind en liep op haar sokken naar de hoge kabinetkast waar ze de karaffen bordeaux en port bewaarde en, om deze tijd van het jaar, de trommels met koekjes en cakes die ze van haar patiënten had gekregen. 'Je moet nu een hapje van de vruchtencake van mijn buurvrouw bij je wijn nemen. Hij is echt heel lekker, maar zeg dat tegen niemand. Letitia geniet geweldig van de uitdrukking op de gezichten van mensen als die bijten in iets waarvan ze denken dat het vreselijk is.'

Ellie pakte een papieren servet met een plakje cake erop aan. 'Als jouw doel is mij vet te mesten,' zei ze, 'dan moet ik je teleurstellen. Ik heb het al geprobeerd. Niets van wat ik eet schijnt te beklijven.'

'Misschien eet je niet genoeg,' merkte Georgina streng op. 'En nu we het toch over eten hebben, wat zijn jouw plannen voor morgenavond? Ik wil er niet van horen dat jij met Kerstmis in je eentje zit.'

'De Brodsky's hebben me uitgenodigd, maar ik denk dat dit alleen is omdat Gloria wil dat ik kennismaak met hun zwager die weduwnaar is,' vertelde Ellie zuchtend. 'Ik heb gezegd dat ik andere plannen had. Ik ben er nog niet aan toe om tekst en uitleg te geven over Paul. Niemand gelooft nog dat dit een scheiding van tafel en bed is om het eens zo te proberen. Er schijnt voor dat excuus een

241

bepaalde beperking van de duur te zijn – na negen maanden leg je het weer bij met je man, of je vertelt iedereen dat je popelt om andere mannen te ontmoeten.'
'Nou, dat is dan geregeld.' Georgina schonk de bordeaux in twee langstelige glazen. 'Jij komt hier. Als ik ergens een loslopende man wist te vinden, zou ik 'm voor mezelf bewaren, dus op dat punt zit je ook safe. En je hebt mijn dochter ook in geen – ach, hoe lang zal het zijn? – eeuwigheid gezien. Bovendien ben ik een slechte kokkin en kan ik wel wat hulp in de keuken gebruiken. Ik accepteer geen nee als antwoord.'
Ellie wist wel beter dan te protesteren. Georgina had gelijk. Alleen zijn met Kerstmis was echt te deprimerend. Bovendien zou Paul de feestdagen doorbrengen bij zijn ouders in Sag Harbor. Ze voelde zich bij die gedachte heel neerslachtig worden. Arme John en Susan! Ze waren zo van streek geweest door dit alles; het zou voor hen bijna net zo erg zijn als voor haar dat ze niet allemaal bij elkaar waren. Bij de eerste ontmoeting met Pauls ouders – op een uiterst winderige dag in januari, toen ze halfbevroren bij hun huis was gearriveerd, en ze met een hartelijke arm om haar schouders naar binnen was gebracht naar een doorgezakte bank bij een hoog-oplaaiend vuur, waar Pauls vader haar handen tussen zijn brede, leerachtige handpalmen warm had gewreven – had Ellie het gevoel gehad alsof er een geweldig kosmische vergissing eindelijk was gecorrigeerd. Ze had John en Susan onmiddellijk erkend als de ouders die ze altijd had willen hebben.
En nu werden zelfs zij haar ontnomen.
Ellie legde haar halfopgegeten cake op de met een glazen plaat afgedekte hutkoffer die dienstdeed als salontafel. Ze stond op en liep terug naar het raam. Er was meer dan tien centimeter sneeuw voorspeld en het zag ernaar uit dat er nog meer zou vallen voor de avond om was. In de melkachtige winterse duisternis, die hier en daar werd opgelicht door brandende straatlantaarns, zag ze hoe een man, in vele lagen kleding verpakt, moeizaam voortsjokte over het pad dat op Seventy-second Street in de sneeuw was gevormd. Ellie werd opeens getroffen door een herinnering aan een andere kerstavond, een avond dat ze voor de St. John the Divine had gestaan en als verstijfd was blijven kijken naar een door schijnwerpers verlichte kerststal waaruit het levensgrote beeld van het kindeke Jezus kennelijk was gestolen, en haar adem was stotend gegaan en er waren tranen op haar verkleumde wangen verschenen.
Ze haalde diep adem en keek Georgina weer aan. 'Ik kom heel graag met Kerstmis eten. Maar alleen als jij me toestaat een cranberry-pecantaart mee te nemen. Het is een recept van mijn moeder en het is zo ongeveer het enige uit mijn jeugd dat de moeite van het

bewaren waard was.' Ze voegde er niet aan toe dat het Pauls lievelingsrecept was en dat ze enige bevrediging ontleende aan de wetenschap dat hij dit nu zou mislopen.

'Het klinkt slecht en dikmakend en ik weet zeker dat ik er dòl op zal zijn,' zei Georgina. 'Houd nu eens op met ijsberen en vertel me wat er allemaal is gebeurd. We hebben geen kans meer gehad om eens rustig te zitten praten sinds die keer dat je hier in vuur en vlam binnenkwam met verhalen over het meisje dat je had gesproken, het meisje met wie je zo'n sterke band voelde.' Er verscheen een bekommerde blik in haar ogen. 'Ik hoop dat je mijn belangstelling absoluut niet als blijk van afkeuring ziet. Ik wil alleen maar wat voor jou het beste is, lieverd.'

'Ik heb niets van haar gehoord,' antwoordde Ellie en ze moest zich bedwingen om niet 'nog niets' te zeggen.

'Zoiets vermoedde ik al,' zei Georgina en ze nam langzaam een slokje van haar bordeaux. 'Als je wel van haar had gehoord, had ik dat vast al geweten. Ik vraag me alleen af of je nog hoop koestert.'

Ellie lachte kort en droog. 'Met andere woorden: of ik nog in wonderen geloof?'

'Maria werd door de aartsengel Gabriël in kennis gesteld van haar ophanden zijnde moederschap,' bracht Georgina haar vriendelijk in herinnering. 'Ik weet dat stoffige ouwe gedragspsychologen niet geacht worden zoiets te zeggen, maar er gebeuren echt nog wonderen.'

Dit was helemaal niet wat Ellie had verwacht van de praktische Georgina te zullen horen, en ze merkte dat ze op het punt stond in tranen uit te barsten. Op dit moment wilde ze niets liever dan haar hoofd op Georgina's schouder leggen en gewoon haar ogen dichtdoen.

'Misschien wel.' *Een wonder? Op dit moment zou ik al blij zijn met een haastig bericht op de valreep.*

Georgina dacht hier even over na en vroeg toen: 'En hoe gaat het met die jongeman van je aids-groep die je zo aardig vond... die danser?'

Ellie glimlachte, haar eerste oprechte glimlach van die avond. 'Jimmy Dolan? Het is verbluffend hoe hij iedere keer weer bij het randje vandaan krabbelt... hoewel ik denk dat dat in ruime mate te danken is aan zijn vriend Tony.' Ze herinnerde Georgina er niet aan dat Tony haar bij Skyler Sutton had gebracht. 'Trouwens, over Jimmy gesproken, ik heb beloofd dat ik op weg naar huis nog even bij hem langs zou gaan.' Ze keek naar de klok op de schoorsteenmantel. 'Ik moet nu echt gaan; het wordt laat.'

Het was precies tien minuten voor tien en Georgina en zij beseften dit op hetzelfde moment en schoten in de lach. Het vijftig-minutenuur van de therapeut. Georgina liep met haar mee naar de grote salon en vandaar over een reeks gewelfde trappen naar de kleine, betegelde ingangshal. Toen Ellie haar jas bij de deur had dichtgeknoopt, gaf Georgina, die sterk naar haar geliefde jasmijnparfum geurde, haar een knuffel en kuste haar op beide wangen. 'Morgen,' bracht ze Ellie in herinnering. 'Ik verwacht je om vier uur met toeters en bellen.'

Tot haar verbazing had Ellie geen moeite een taxi te vinden. Met de trottoirs vol mensen die op het laatste moment nog kerstinkopen wilden doen, had ze zich er mentaal op voorbereid door enkeldiepe sneeuw naar het dichtstbijzijnde station van de ondergrondse te moeten ploeteren. Misschien waren wonderen inderdaad de wereld nog niet uit, dacht ze. De taxi leek als door de hemel gezonden, zelfs met de doorgezakte zitting en de slechte verwarming.

Toen ze bij Jimmy Dolan in zijn studio in Hudson Street arriveerde, deed hij haar opnieuw in wonderen geloven: hij leek een paar pond te zijn aangekomen sinds zijn vorige verblijf in het ziekenhuis. En omdat hij de vorige bijeenkomsten van de groep had gemist, leek deze verbetering opvallender dan anders het geval zou zijn geweest. Hij liet haar binnen met een bijna jolig gebaar, grijnzend alsof zij de drie koningen bij elkaar was. In overeenstemming met de tijd van het jaar, of misschien alleen maar om het feit te vieren dat hij in leven was, droeg hij een rode coltrui en groene bretels. Ze waren zowel praktisch als decoratief, vermoedde ze aan de manier waarop zijn broek om hem heen hing.

'Vrolijk kerstfeest.' Ze kuste hem op de wang en viste daarna een pakje uit haar grote schoudertas en gaf hem dit.

Jimmy leek zowel blij als enigszins verlegen. 'Ik heb helemaal niets voor jou,' zei hij schaapachtig.

'Jawel, toch wel, en je hebt het me zojuist gegeven. Ik kan je niet zeggen hoe geweldig het is om te constateren dat je er zo goed uitziet.'

Jimmy straalde toen hij haar binnenliet in de grote ruimte die dienstdeed als zitkamer, keuken en slaapkamer. Toen ze zich op de futon-bank nestelde, werd Ellies blik als altijd getrokken door alle balletposters die aan de muur hingen. Haar favoriete poster was een vergroting van Jimmy halverwege een sprong, zijn blote bovenlichaam overdekt met zweet en zijn armen hoog boven zijn hoofd.

'Maak maar open,' zei ze tegen hem, glimlachend om de verlegen manier waarop hij daar met het pakje in zijn handen stond, als een groot kind dat in de kerstman wil geloven.

Toen hij hulpeloos aan het lint plukte, zag ze dat zijn handen trilden en niet alleen van opwinding. Jimmy zakte in een stoel, fronsend van frustratie, zodat Ellie wenste dat ze het pakje niet zo goed had ingepakt. Maar ten slotte slaagde hij erin het open te maken.

'Ze zijn van Hammacher Schlemmer... elektrische sokken,' legde ze uit toen hij een paar wollen kousen omhooghield, die met draadjes waren doorregen en bovenaan plastic zakjes hadden waarin batterijen staken. Jimmy had geklaagd dat hij zijn voeten niet langer warm kon houden, hoe dik zijn sokken ook waren of hoeveel dekens hij over zich heen had.

Hij grijnsde, schopte zijn mocassins uit en trok de sokken aan, over knokige voeten die zó bleek waren dat ze bijna blauw leken. 'Dank je wel, doc. Ze zijn geweldig. Als ik honger krijg als ik in bed lig, kan ik nu met mijn tenen marshmallows roosteren.'

'Draag ze in goede gezondheid,' zei ze, waarbij ze zichzelf iets toestond van de galgenhumor waar Jimmy zo van scheen te genieten.

'Gezondheid is niet langer het punt,' zei hij en hij slingerde een vogelverschrikkersarm over de rugleuning van de stoel waarop hij zat. 'Ik ben tegenwoordig al blij als ik op eigen kracht van m'n bed naar de badkamer kan komen.'

'Hoe gaat het met je... in werkelijkheid?' vroeg ze.

'Een beetje beter, maar ik voel me nog steeds rot,' gaf hij toe, nu ernstig. 'Maar het is Kerstmis en ik heb maar één wens voor de kerstman. Ik wil oud en nieuw vieren. Zonder feesthoedjes, zonder champagne, zonder feesten tot diep in de nacht. Op de televisie de viering op Times Square zien is al voldoende. Misschien zie ik Tony nog wel, samen met de rest van de Mounties, bezig orde en wet en de Amerikaanse beschaving te handhaven. Maar ik wil vooral mijn glas heffen op het feit dat ik het weer een jaar heb overleefd.' Hij vertoonde een langzame, lieve glimlach, die zijn verwoeste gezicht deed stralen. 'Hoe zit 't met jou, doc... waar ga jij op drinken?'

'Op de hoop,' zei ze rustig en ze was Jimmy dankbaarder dan ze kon zeggen. Ze was deze koude avond ingegaan met bidden voor iets van verlossing van haar verdriet, en ze had die gevonden in de aanwezigheid van een stervende man.

'Hoop. Ja, nou, dat roept om een toost.' Jimmy had zich overeind gehesen. 'Ik zit zonder ei-grog of kruidenwijn, maar ik denk dat ik nog wel wat wijn te voorschijn kan toveren.'

'Een andere keer graag,' zei ze. 'Ik ben net bij een vriendin geweest en daar heb ik mijn rantsoen kerstdrank al genuttigd.'

In plaats daarvan bleef ze het volgende uur met hem in zijn knipselboek zitten kijken, terwijl hij herinneringen aan zijn tijd op het toneel ophaalde. Er waren programma's, er waren allerlei knipsels met schitterende kritieken, er waren foto's zoals de vergrotingen

245

op de muur. Terwijl Ellie ze bewonderde, werd ze opnieuw getroffen door alles wat Jimmy's ouders misten. Zij zou trots zijn geweest hem als zoon te hebben.

Ten slotte stond ze op. 'Ik moet nu echt gaan. Het wordt al laat.' Ze omhelsde hem voorzichtig, alsof hij een breekbaar stuk machinerie was dat uiteen zou vallen als ze er te ruw mee deed. Hij omhelsde haar op zijn beurt en ze voelde zijn borst schokken, alsof hij probeerde naar lucht te happen of een snik binnen te houden. Maar hij had droge ogen toen hij haar uitliet. Ze wist dat het veel voor hem betekende dat ze langs was gekomen, en ze was blij dat ze het had gedaan.

Toen ze thuiskwam, controleerde ze haar antwoordapparaat. Geen bericht van Paul... of van wie dan ook. Ze werd opnieuw door wanhoop overmand.

Bel iemand op, adviseerde ze zichzelf. Ze dacht aan haar oude vriendin van college, Grazia uit Seattle, en hoe leuk het zou zijn als ze opgerold in een badjas, met een dampende mok thee naast zich, eens lang met haar kon kletsen. Maar in Seattle was het drie uur vroeger en Grazia, die alles altijd tot het laatste moment uitstelde, liep waarschijnlijk koortsachtig op de valreep cadeautjes te kopen.

In plaats daarvan stond Ellie bijna op het punt de telefoon te pakken om Paul te bellen. Ze had gezworen dat ze dat niet zou doen. Ze had het gezwóren. Wat had het voor zin? vroeg ze zich af. Hij zou beleefd en vriendelijk zijn; hij zou zelfs blij zijn iets van haar te horen, zoals hij blij was geweest dat ze met Thanksgiving had gebeld. Ze zouden over hun werk praten. Ze zou naar zijn ouders vragen. Hij zou zeggen dat alles goed met hen was en hen dan aan haar geven. John en Susan zouden haar ieder afzonderlijk hartelijk goede feestdagen wensen... en tegen de tijd dat ze ten slotte ophing, zou ze zich helemaal doodziek voelen. Daarna zou ze in bed klimmen en de ogen uit haar hoofd huilen.

Dat kan ik mezelf niet aandoen, dacht ze. Ze droeg nog steeds haar jas, waarvan de revers waren bespikkeld met sneeuw die tot donkere plekken nattigheid smolten. Ellie liep de kamer door en liet zich op de bank vallen. Ze deed haar ogen dicht en liet haar hoofd achterover zakken, waarbij ze de tranen die ze de hele dag had binnengehouden onder haar oogleden vandaan liet glijden.

In de flat naast de hare speelde iemand, heel klungelig, kerstliedjes op een valse piano. 'Stille nacht, heilige nacht' hield op en 'Jingle Bells' werd ingezet. Ellies hoofd bonsde ritmisch mee op het gehamer op de toetsen. Ze voelde zich zó akelig dat ze zelfs overwoog haar ouders te bellen om hen een vrolijk kerstfeest te wensen. Maar net als altijd, die zeldzame keren dat Ellie belde, zou haar moeder iets zeggen in de trant van: 'Is het niet leuk dat AT&T met kerst zoveel korting geeft? Dat maakt dat mensen naar huis bellen terwijl ze dat anders nooit zouden doen.'

Op dat moment begon de telefoon te rinkelen, zodat Ellie zich bijna ongelukkig schrok.

Paul?

Nee, niet Paul, zonder precies te weten waarom, was ze er van overtuigd dat het Paul niet was.

Maar toen ze moeizaam overeind kwam om op te nemen, bonsde haar hart en stootte ze haar knie tegen de glazen salontafel. Er schoot een felle pijnscheut door haar heen toen ze naar de telefoon op de Japanse kabinetkast hobbelde. Ze beefde van top tot teen. Ze zei tegen zichzelf dat het waarschijnlijk alleen maar Georgina was, die de tijd voor het diner van morgen wilde veranderen...

Toch was er iets dat haar in de greep hield van een spanning die zó groot was, dat ze gebroken zou zijn geweest als de telefoon was opgehouden met rinkelen voor zij had kunnen opnemen.

Toen Ellie met een ademloos 'Hallo?' opnam, wist ze wie de beller zou zijn, net zoals ze had geweten dat er ècht zoiets bestond als het lot of de voorzienigheid of hoe je het maar wilde noemen. Dus was ze niet vreselijk verbaasd door de stem aan de andere kant van de lijn, een stem die voor drie delen uit bravoure bestond en één deel angst.

'U spreekt met Skyler Sutton... herinnert u zich mij nog?' Even snel naar lucht happen en toen ging ze haastig verder: 'Ik weet dat het al een tijdje geleden is, maar ik wilde u graag een vrolijk kerstfeest wensen... en ik wilde zeggen dat ik u graag nog eens wilde spreken. Over de baby. Bent u nog steeds geïnteresseerd?'

11

'Het is een Belter,' zei Kate tegen de vrouw die vol belangstelling naar de broze rococo-stoel keek, die met verschoten flesgroen velours was bekleed en die een opvallende plaats voor in de winkel innam.
'Ja, dat weet ik.' De vrouw, een matrone van in de zestig met zilvergrijs haar en het tweedachtige uiterlijk van de jachtclub van North Salem, richtte zich op en keek om zich heen. Haar blauwe ogen, te midden van een netwerk van fijne rimpeltjes, schitterden.
'Achttien zestig, zo ongeveer. Een mooi exemplaar... waar hebt u hem gevonden?'
'Sotheby's in New York.' Kate schoof de stoel bij de muur vandaan om de rugleuning beter tot zijn recht te laten komen, met het unieke ontwerp, een gepatenteerde techniek die door Belter was ontwikkeld en waarbij verlijmde lagen hout tot geschulpte patronen waren gevormd. 'Ik heb uiteraard de documentatie, als u die wilt zien.'
'Dat zal niet nodig zijn. Ik had eigenlijk mijn dochter in gedachten. Zij verzamelt Belter en ze komt later deze week vanuit Boston hierheen. Zou het mogelijk zijn hem zolang voor me vast te houden?'
'Zeker. Tot vrijdag?' Kate's gedachten snelden vooruit. Ze had beloofd donderdag op de jaarlijkse thee van de Northfield Historical Society te spreken en de huidige voorzitter, Carolyn Atwater, had haar oog op de Belter laten vallen. Het kon geen kwaad een hint te geven dat iemand anders geïnteresseerd was. Maar nu januari goed en wel was begonnen en Kerstmis was vergeten, waren de verkoopkansen goed. De mensen concentreerden zich opnieuw op de inrichting van hun huis en gaven minder geld aan cadeaus uit. En het was ècht iets heel bijzonders.
'O, wilt u dat doen?' De vrouw sloeg verrukt haar handen in elkaar.
Kate glimlachte. 'Met alle genoegen.' Ze schreef haar naam en

248

die van haar dochter op – mevrouw Dora Keyes en mevrouw Linda Shaffer.

Zodra Dora Keyes was vertrokken, met een vrolijk gerinkel van de koperen bel boven de deur, liet Kate zich zakken op de ottomane van een Georgiaanse stoel die deel uitmaakte van een uitstalling die onder subtiel geplaatste lampjes was neergezet, en die de bibliotheek van een Brits landhuis moest weerspiegelen. Ze slaakte een zucht die ze in haar longen had opgehoopt.

Kate dacht: *Ze gaat naar huis om haar dochter te bellen en dan zal een van haar kleinkinderen de telefoon opnemen. Ze zal vragen: 'Hoe was het vandaag op school?' En het kleinkind zal zeggen: 'Oma, wanneer kom je op bezoek? Ik mis je.'*

Kate schudde haar hoofd als om dit weer helder te maken. *Wat maakt het uit of ze grootmoeder is... dat gaat mij helemaal niets aan.* Maar ze wist wel wat haar dwarszat: Skyler. Haar dochter was vastbesloten door te gaan met dit... dit onnatuurlijke gedoe. Hoewel ze nog geen besluit had genomen ten aanzien van een echtpaar om haar baby te adopteren, had Skyler Kate gisteravond via de telefoon verteld dat ze iemand in gedachten had.

Wie zíjn die mensen? had Kate willen vragen. Maar wat deed het er uiteindelijk toe. Ze zouden vast wel aardig zijn. Daar ging het niet om.

Kate's hoofd deed pijn, bij haar ene slaap leek een miniatuuraannemingsbedrijf aan het werk te zijn, met veel gehamer en geboor en gezaag. Het ergste was dat ze niemand had om mee te praten. Miranda was meelevend, als altijd, maar ze keurde Skylers besluit dusdanig af dat Kate zich op de een of andere manier niet loyaal voelde tegenover Skyler als ze dit met haar vriendin besprak. Ze kon er ook niet mee naar Will gaan. Hij deed in grote lijnen alsof er niets aan de hand was, en met alle lange, zware dagen die hij op kantoor maakte, was hij als een stalen kabel die op het punt stond te bezwijken. Dus nu was het aan haar, Kate, om een dapper gezicht te trekken en alles bij elkaar te houden.

Maar o lieve Heer, wat had ze een hoop over gehad voor een sterk paar schouders. Waarom moest zij altijd familiecrises het hoofd bieden? Waarom de fameuze groene twijg die met de wind meeboog, en niet de machtige eik? Als ze meer als Will was geweest, als ze met Skyler toen ze opgroeide minder flexibel was geweest, was dit misschien wel allemaal niet gebeurd.

Toch leek het op perverse wijze dat hoe meer Kate poogde begrip op te brengen, hoe meer haar dochter zich van haar terugtrok. Kate had geprobeerd niet gekwetst te zijn. Ze had tegen zichzelf gezegd dat Skyler alleen maar probeerde Will en haar pijnlijke details over de toekomstige ouders te besparen. Maar aan de andere kant voelde Kate wrok. Hoe durfde Skyler hen buiten te sluiten! Zonder hun zelfs maar de naam van de vader van de baby te noemen! Het enige dat Kate wist, was dat hij Tony heette en dat hij bij de bereden politie zat, nota bene. Maar Skyler hierop aanspreken zou haar alleen maar verder weg drijven. Het was beter om behoedzaam te opereren, een gelegenheid af te wachten, een zwak moment waarop haar dochter haar nodig zou hebben en om haar raad zou vragen. Kate was geduldig. Ze moest wel.

Over een uur zou ze Skyler ontmoeten op het landgoed Wormsley, even ten noorden van Mahopac, waar morgen een veiling zou plaatsvinden. In *Art and Antiques Weekly* had Kate een bureau gezien dat haar perfect leek om de plaats in te nemen van het veel te kleine exemplaar in Skylers huisje. Wat Kate Skyler niet had verteld, was dat er ook een beeldschone wieg met spijltjes was, die precies goed zou zijn als ze met betrekking tot de baby toevallig van gedachten mocht veranderen.

Ze zou uiteraard niet zo opvallend doen om de wieg onder Skylers aandacht te brengen. Maar morgen, op de veiling, zou ze erop bieden... en als ze hem kreeg, zou ze hem tot na de geboorte van de baby in het magazijn opslaan... gewoon voor het geval dat.

Toen ze met haar kastanjebruine Volvo stationcar in oostelijke richting over de I-84 reed, langs besneeuwde akkers en boerenhuizen met ijspegels aan het dak, voelde Kate hoe de spanning zich in haar borst opkropte. Het was net als het gevoel dat ze kreeg wanneer ze de Lincoln Tunnel inreed, de gedachte dat ze gevangen zou zitten onder een grote watermassa die honderden tonnen druk uitoefende – water dat elk moment door het betonnen plafond heen kon barsten. Haar angstige gevoelens waren belachelijk, dat kon iedere ingenieur haar vertellen, en toch geloofde ze dat het kon gebeuren. Ze geloofde het al die tijd dat ze door de tunnel reed, tot ze weer in het licht naar buiten kwam, waar ze om haar dwaze angsten kon lachen.

Maar aan het eind van déze tunnel zou geen licht zijn. Ze had het gevoel dat er iets vreselijks zou gaan gebeuren. Ze kon nog niet zeggen wat het was, waarvóór ze precies bang was. Was tenslotte het ergste niet al gebeurd? Wat kon er vreselijker zijn dan dat haar eigen kleinkind aan vreemden werd weggegeven?

Toch was er één gedachte die in haar achterhoofd speelde: *Al die jaren heb je gewacht tot er iets gebeurde. En misschien is dit... een soort goddelijke wraak. Je hebt Skylers echte moeder beroofd, en nu word jij van Skylers kind beroofd.*

Ja, misschien vreesde ze dàt nog het meeste: dat ze haar eigen verantwoordelijkheid voor dit alles onder ogen moest zien. Want je kon de goden niet bedriegen zonder dat je dat een keer betaald werd gezet. Ze had geknoeid met het lot, en nu moest ze daar de prijs voor betalen. Kate sloot haar geest krachtdadig tegen die gedachten. Ze sloeg af van de snelweg en volgde het landweggetje dat naar Wormsley leidde. Het landhuis stond aan het eind van een lange oprit met grind, te midden van twee hectare overwoekerd gazon en bloemperken die zaad hadden geschoten – een grote verzameling Victoriaanse overdrijving, compleet met vermolmde gevels en afbladderende torentjes. Het geheel zag er uit als een chique dame die op haar laatste benen liep.

Kate parkeerde de Volvo aan de voorzijde en liep voorzichtig, met steun van haar stok, over de ijzige richels die waren achtergelaten door de auto's die eerder waren gearriveerd. Even later stond ze in de spelonkachtige betegelde hal in de catalogus te bladeren, toen iemand haar een koele kus op haar wang gaf. Ze keek op en zag een blozende Skyler in een kort wollen jasje met een gebreide blauwe sjaal, waaronder ze een dikke zwarte legging droeg en een overmaatse Aran-trui. Kate bedwong een opwelling om haar hand op de welving van haar dochters buik te leggen.

Mijn kleinkind, dacht ze met een steek van pijn die zó hevig was dat ze ervan ineenkromp. Skyler, die nu bijna zeven maanden heen was, klaagde vaak dat de baby haar 's nachts met zijn geschop uit de slaap hield. Hoe kon ze dat voelen en het kind niet willen houden? Het idee verbijsterde Kate zo, dat ze het niet van zich af kon zetten.

'Ik ben bij de vorige kruising bijna de verkeerde kant uitgereden,' vertelde Skyler haar lachend en ze trok haar gebreide muts af met een hoofdschudden dat haar haar in een witgouden stroom om haar schouders deed knetteren. 'God, kun je je dat voorstellen? Ik heb deze weg meer dan duizend keer gereden, en opeens was ik bij het verkeerslicht zonder dat ik me kon herinneren welke kant ik uit moest.'

'Het is niet zo vreemd,' zei Kate vriendelijk. 'Je hebt veel aan je hoofd.'

Skyler fronste even, alsof ze een diepere betekenis achter die opmerking vermoedde, en zei toen: 'Dat zal het wel zijn.'

Kate had haar dochter het liefst in haar armen genomen en haar zó stijf tegen zich aangedrukt tot ze allebei geen lucht meer konden krijgen, en Skyler zou begrijpen, op een manier die niet onder woorden viel te brengen, hoe veel en onvoorwaardelijk ze werd liefgehad.

Kate leunde zwaarder op haar stok dan ze bij het binnenkomen had gedaan toen ze haar vrije arm door die van Skyler schoof.

'Laten we eens naar dat bureau gaan kijken, goed? Ik heb mijn meetlint meegebracht, dus we kunnen zien of het tegen de muur past in de... de studeerkamer.'

'Mam, het is níet de studeerkamer... het is de andere slaapkamer,' verbeterde Skyler haar. 'En alleen omdat ik niet van plan ben daar een kinderkamer van te maken, betekent dat nog niet dat we moeten doen alsof er iemand is gestorven of zo.'

Kate voelde hoe het bloed uit haar gezicht wegtrok. Voor ze zich kon bedwingen, snauwde ze: 'Wat vreselijk om zoiets te zeggen!' Toen ze zag dat verschillende kijkers haar kant uit gluurden, liet ze onmiddellijk haar stem dalen. Zachtjes voegde ze eraan toe: 'Ik bedoelde alleen dat je het als werkkamer kunt gebruiken, als je studeert.'

'Mam, dan zit ik in New Hampshire.'

'Nou, je zult dan in de weekends en de vakanties toch naar het huisje komen.' Kate verzweeg zorgvuldig wat ze heimelijk hoopte – dat Skyler na de geboorte van de baby de vakanties op Orchard Hill zou doorbrengen. Daar was meer dan plaats genoeg voor twee, als ze van gedachten mocht veranderen.

Ze slenterden door de eens zo grootse salon, met de afbladderende muren en het brokkelige stucwerk aan het plafond. De oude parketvloeren waren hopeloos kaalgetrapt en de gebeeldhouwde engeltjes aan weerszijden van de marmeren open haard leken zwijgend te protesteren tegen de gehavende lambrizering en versleten gordijnen. Overal stond van etiketten voorzien meubilair opgesteld. De oude mevrouw Wormsley was kinderloos gestorven en haar landhuis werd, samen met de inventaris, geveild om alle belastingschulden te kunnen voldoen.

Het was voor Kate een verrassing te zien dat hoewel het huis in slechte staat verkeerde, het meubilair over het algemeen goed was onderhouden. Mevrouw Wormsley had misschien geen geld voor reparaties aan het huis gehad, dacht ze, maar de oude dame of wie voor haar had schoongemaakt, had de meubels goed in de was gehouden.

In de gefotokopieerde catalogus die ze opgerold onder haar arm hield, streepte Kate het nummer aan van een beeldschone notenhouten hoekkast voor ze naar het bureau liep waarnaar ze was komen kijken – een laat-Victoriaans cilinderbureau met slechts enkele krassen en putjes. Niets speciaals, maar het was praktisch en paste beslist bij de rest van het meubilair in het huisje.

'Hoeveel?' vroeg Skyler.

'Twaalf- tot vijftienhonderd,' zei Kate terwijl ze naar de taxatieprijs keek die met kleine cijfers onder een korte beschrijving van het bureau stond vermeld. 'Maar ik kan hem waarschijnlijk wel voor acht of negen krijgen. Het zullen vooral handelaren zijn die bieden, en omdat wij geen winstmarge hoeven te berekenen, zullen we in een betere onderhandelingspositie zijn.'

'Ik weet het niet,' zei Skyler en ze gleed met een vinger over het stoffige oppervlak en bukte zich om in een vakje te gluren. 'Het is veel geld.'

Kate overwoog aan te bieden het voor haar te kopen... maar ze bedacht zich. Nee, Skyler zou het nooit accepteren. Aan de andere kant was Skylers kapitaal daar, gestort door Kate's moeder toen Skyler was geadopteerd. De hoofdsom was voor Skyler niet opneembaar, tot ze over tweeëneenhalf jaar vijfentwintig werd, maar als beheerder kon Kate iedere aankoop of opname boven de rentebedragen waarvan Skyler leefde, goedkeuren.

'Ik wil met alle plezier met Ralph Brinker van de bank praten, als je dat wilt,' zei ze tegen Skyler.

Skyler wierp haar een verbaasde blik toe en zei: 'Hoe dat zo?' En toen: 'O, bedoel je dàt.' Alsof vijfhonderdduizend dollar in beleggingen nauwelijks de moeite van het herinneren waard was. 'Mam, ik waardeer het aanbod... maar het is echt niet nodig. Het bureau dat ik heb is heel geschikt.'

Kate zuchtte. Skyler had nooit om iets gevraagd, ze was altijd vreselijk onafhankelijk geweest, maar Kate hoopte onwillekeurig dat die scherpe hoeken bij haar dochter in de loop der tijden wat afgerond zouden worden. Skyler moest nog leren dat er ook in ontvangen een zekere barmhartigheid school, net als in geven.

Vanuit haar ooghoek zag Kate de wieg staan, een werkelijk schitterend voorbeeld van de Eastlake-periode, met handgedraaide spijlen en verguld inlegwerk. Het was vreemd, dacht ze. De Wormsley's hadden geen kinderen gehad, voorzover bekend. Kon er ooit een baby zijn geweest die niet had geleefd?

Kate voelde hoe haar hart sneller begon te kloppen. Ze staarde haar dochter aan, dwong Skyler, die een andere kant uit was gedwaald, zich om te draaien en naar de wieg te kijken, om te zíen wat die voor haar kon betekenen.

We krijgen niet altijd een tweede kans, liever. Wanneer er iets goeds onze kant uit komt, ook al is het op een slecht moment, moet je die kans grijpen... want hij komt misschien nooit meer terug.

Maar Kate kon slechts hulpeloos toezien hoe Skyler wegslenterde zonder de wieg ook maar één blik waardig te keuren, en in plaats daarvan verder te lopen naar een duister schilderijtje van een gondel die door een Venetiaans kanaal gleed. Kate voelde zich absurd teleurgesteld toen ze het nummer van de wieg in de catalogus omcirkelde. Het kon haar niet schelen hoe hoog er werd geboden, ze was vastbesloten hem in handen te krijgen. Voor haar was het meer dan een mogelijk cadeau voor haar kleinkind; het was een teken van hoop dat Skyler van gedachten zou veranderen.

Ze snuffelden nog wat rond, maar behalve een zilveren pièce de milieu, dat alleen maar wat moest worden opgepoetst om werkeijk schitterend te zijn, zag Kate niets interessants. Na een tijdje begon haar heup pijn te doen en ze zag dat Skyler rusteloos werd.

'Honger?' vroeg Kate. 'We kunnen iets in het stadje gaan eten, bij het café dat jij zo leuk vindt. Of,' voegde ze eraan toe, 'we kunnen teruggaan naar huis.'

'De Cat's Cradle? Ik zou op dit moment een hele stapel van hun bosbessenmuffins op kunnen.' Skyler negeerde Kate's opmerking over thuis en lachte berouwvol. 'Sinds die ochtendmisselijkheid voorbij is, schijn ik niet meer op te kunnen houden met eten. Ik ben nu al meer dan zeven kilo aangekomen en ik heb nog bijna twee maanden te gaan.'

Kate voelde haar gezicht verstarren en ze wendde snel haar blik af, zodat Skyler het niet zou zien. Op geroutineerd luchthartige toon vroeg ze: 'Wat had dokter Firebaugh te zeggen toen jij voor je laatste afspraak bij haar was?'

'Volgens haar ben ik zo gezond als een vis. Ze wil dat ik de volgende week naar zwangerschapsgymnastiek ga.' Skyler zweeg even en zei toen: 'Ik heb Mickey gevraagd of ze mijn coach wil worden.'

'Maar hoe zit het dan met...?' Kate wilde naar Tony vragen, maar bedacht zich toen. Wat wist ze anders van die man dan dat Skyler en hij vriendschappelijk met elkaar om waren blijven gaan? Stel dat hij er verder niet bij betrokken wilde worden? Ze dwong zich tot een glimlach en zei: 'Mickey kan zo ongeveer alles, denk ik.'

'Het ergste zal nog zijn dat ze bij mij wil logeren in de week voordat ik ben uitgeteld. We zullen elkaar waarschijnlijk voortdurend op de zenuwen werken.'

'Maar dat is altijd beter dan dat je midden in de rimboe in je eentje zit, zonder iemand om voor je te zorgen wanneer het mis mocht gaan,' bracht Kate haar scherp in herinnering.

Skyler zei niets.

Dit was een punt waar ze het al vaak over hadden gehad; Kate en Will stonden erop dat Skyler weer bij hen introk in de week voor Skyler was uitgeteld... en Skyler was al even vasthoudend dat ze het op haar manier wilde doen, wat een rit van meer dan twintig minuten vanaf Gipsy Trail naar Northfield Community Hospital inhield.

Kate was nog steeds geprikkeld toen ze het café bereikten waar ze in een zonnig hoekje onder een stel merklappen werden ge-

254

plaatst. Skyler had het onderwerp van de adoptie-ouders nog steeds niet ter sprake gebracht. En Kate had het eerlijk gezegd ook gemeden. Maar hoe geweldig en zorgzaam ze ook mochten zijn, ze wilde niets weten over het echtpaar dat Skyler had uitgekozen om de ouders van haar kind te worden. Ze kon de gedachte niet verdragen dat ze werkelijk een naam en een identiteit zouden bezitten, dat Skylers besluit realiteit werd in plaats van alleen maar een dreigement.

Toen de serveerster kwam, bestelde ze warme thee en een gegrilde kipsandwich. Skyler wilde, ondanks al haar gepraat over een enorme eetlust, alleen maar soep en een glas melk. Kate nam haar bezorgd op. Skyler kon voor de grap klagen wat ze wilde dat ze zoveel aankwam, maar in feite zag ze er bleek en betrokken uit.

Ze mag dan misschien heel stellig aan haar besluit vasthouden, maar ze is er niet gelukkig mee. Kate herkende de tekenen – de manier waarop Skyler om zich heen zat te kijken, alles en iedereen in zich opnam, maar niet naar Kate keek. De rusteloze manier waarop ze haar grove katoenen servet open- en weer dichtvouwde, de felle blos op haar melkbleke wangen.

Kate wachtte tot ze klaar waren met hun lunch voor ze iets zei. Ze veegde haar mond af met haar servet en bracht zorgvuldig nieuwe lipstick aan. Ze leek haar mening het beste te kunnen geven als ze lipstick op had.

'Ik kwam Duncan vanmorgen nog tegen. Hij doet je de hartelijke groeten,' zei ze en ze klapte haar tasje dicht. 'Hij vroeg of je al een besluit had genomen over de echtparen die je hebt gesproken. Ik heb gezegd dat dat zo was, maar eerlijk, Skyler, ik voelde me echt heel ongelukkig dat ik moest toegeven dat ik geen flauw idee had wie het werden.'

Skyler keek omlaag in haar lege soepkom. 'Ik wist niet zeker of je 't goed zou keuren.'

Kate voelde even een steek van schrik. Goedkeuren? Ze had helemaal níets goed te keuren gehad.

Het was niet alleen Skyler; het was ook de financiële spanning waar Will en zij onder gebukt waren gegaan. Hoewel ze erin waren geslaagd een bankroet af te wenden door een hypotheek op Orchard Hill te nemen, was het kantoor nog lang niet uit de rode cijfers. Will ploeterde om meer tijd te winnen, maar voorlopig bungelde het spreekwoordelijke zwaard van Damocles nog steeds boven hun hoofd. Ze dacht er aan hoe ze zich had gevoeld toen ze de hypotheekakte op haar geliefde Orchard Hill moest tekenen – alsof ze afstand had gedaan van haar leven.

En nu zou ze zich bij nog iets ergers moeten neerleggen.

'Ik kan me niet voorstellen dat jij iemand zou kiezen die wij niet

255

aardig vinden.' Kate dwong haar bevroren mond tot een glimlach. Ze voelde zich alsof ze ijs kauwde.

'Het is niet dat jullie haar niet aardig zouden vinden,' zei Skyler en ze veegde haar haar uit haar gezicht en hield het met één hand vast – een nerveus gebaar dat maakte dat Kate nog meer op haar hoede was. 'Het is alleen dat... Ellie en haar man van tafel en bed zijn gescheiden.'

Ellie?

Een deel van Kate's geest registreerde alarm, alsof er in de verte een sirene klonk, maar ze overtuigde zichzelf er snel van dat ze paranoïde deed. Toch vroeg ze: 'Heeft die vrouw ook een achternaam?'

'Het is eigenlijk dòkter Nightingale, maar ze heeft gezegd dat ik Ellie mag zeggen.'

De schrik die Kate had geprobeerd af te wenden, zette nu zijn scherpe tanden in haar maag. Ze had geen enkele moeite zich de herinnering voor de geest te halen aan de jonge psychologe die het lot veertien jaar geleden haar pad had laten kruisen toen Skyler op het randje van de dood had gezweefd. Het incident stond Kate nog duidelijk voor de geest... even duidelijk als het teken dat ze nu aan de wand zag.

Kate hoorde gebulder in haar oren, als van de branding van de oceaan. Ze zweefde gewichtloos in een zee van blauwe katoen en knoestig grenenhout, terwijl anderen – serveersters en gasten, een man die een grote fles water afleverde – langzaam voorbijdreven.

'Ellie Nightingale.' Kate herhaalde de naam in haar dromerige staat heel zorgvuldig en langzaam, als een wachtwoord dat werd gemompeld buiten een deur waardoor ze niet naar binnen durfde.

'Het is een naam die je niet zomaar vergeet.' Skylers lippen bewogen, maar het leek een onderdeel van een seconde te duren eer de woorden Kate's oren bereikten.

'Nee.' Ze voelde het bloed naar haar wangen stijgen.

'Ik weet dat dit vreemd klinkt, mam, maar het is bijna alsof ik haar mijn hele leven heb gekend... alsof het zo heeft moeten zijn. Ik kan het niet uitleggen, het is gewoon iets dat ik vóel.' Ze keek Kate ongerust aan. 'Heb jij ooit zulke gevoelens ten aanzien van iemand gehad?'

Kate bleef zwijgen, niet in staat ook maar iets uit te brengen.

Onder de tafel sloeg ze haar handen zó stijf ineen dat het leek of haar knokkels door haar huid heen zouden barsten. De zwevende sensatie van een moment geleden was vervangen door een tintelende gevoelloosheid, alsof het deel van haar dat had geslapen, langzaam weer tot leven kwam. Er was één gedachte in haar hoofd die zich steeds weer herhaalde, als een voortdurende tekst die over de onderste helft van een tv-scherm schoof, om te waarschuwen voor een ophanden zijnde storm.

Ik moet het haar niet vertellen. Ik moet het haar niet vertellen… Maar Skyler kon zien dat er iets mis was, want ze leunde over de tafel met bezorgde rimpels in haar voorhoofd. 'Mam, is alles goed met je?'

'Ja… ja… alles is goed, hoor.' Kate probeerde al haar zelfbeheersing bijeen te rapen. 'Het is alleen… ik weet dat we erover hebben gesproken… maar het is toch een schok voor me te weten dat er echt iemand is die me mijn kleinkind af zal nemen.'

Skyler kromp ineen en zei: 'Ik wou dat je het niet zo zou zien.'

'Wat moet ik anders?' Kate was blij om de woede die ze voelde – die hielp haar haar gedachten bijeen te houden. 'Skyler, ik begrijp waarom je dit doet. Ik heb gezegd dat ik je onder alle omstandigheden zal steunen – maar je kunt niet van me verwachten dat ik er gelukkig mee ben. En nu vertel je me dat deze vrouw zelfs niet getrouwd is.'

'Ik weet wat je denkt,' zei Skyler. 'Bij mij kwamen dezelfde argumenten boven. Maar het punt is dat ik haar vertrouw. Als ik Ellie mijn baby laat adopteren, weet ik dat het kind goed verzorgd zal zijn.' Ze zweeg en er kwamen tranen in haar ogen. 'Mam, begrijp je het dan niet? Ik moet het gewoon zéker weten.'

Kate had haar dochter het liefst toegeschreeuwd dat je nooit iets zeker kon weten. Zekerheid, had ze ontdekt, was altijd het onbereikbaarst voor hen die er het hardste naar zochten. Iedere verjaardag die Skyler tijdens haar jeugd had gevierd, was geweest als een mijlpaal op een weg die zich voorzover Kate kon zien als een rechte lijn uitstrekte. Maar nu besefte ze dat ze al die tijd in één grote cirkel had rondgelopen.

Ja, maar als het voor jou nou eens een kans is om boete te doen? Die gedachte galmde door haar hoofd.

Kate overzag de twee mogelijkheden die zich voor haar uitsplitsten. Ze kon hier tegenin gaan; ze kon met argumenten komen die Ellie de slechtste keus zouden doen lijken. Dat was helemaal niet zo moeilijk. Een vrouw alleen? Wat dàcht Skyler wel! Kate had alle reden om bezwaar te maken!

Maar tegelijkertijd fluisterde een hardnekkige stem in haar achterhoofd: *Pas op. Als je nu één verkeerde stap doet, is er geen weg terug.*

Kate wist opeens welke weg ze moest nemen. Ze moest meegaan met deze bizarre wending van het lot, die misschien toch niet zó bizar was.

Door haar stilzwijgen kon ze helpen een vreselijk onrecht recht te zetten.

Kate haalde beverig adem en maakte haar verstijfde vingers weer van elkaar los. *Will, vergeef me*, dacht ze.

Met een kalme stem, die in geen enkel opzicht de emoties weerspiegelde die als een springvloed door haar heen sloegen – angst, verdriet, berouw, ontzag, en ja, hoop – antwoordde Kate: 'Vertel me eens wat over haar... ik wil het kunnen begrijpen.'

Het was de strengste winter die Kate zich kon herinneren. De ene sneeuwstorm volgde op de andere, die nog heviger en ongenadiger was dan de vorige. De wegen werden afgesloten, heropend, en weer afgesloten. De post werd te laat of helemaal niet bezorgd. Bij Duffy's Hardware was een ware run op strooizout geweest en de enige sneeuwschuivers die nog te vinden waren, moesten worden geleend of gestolen. Glynden Pond was voor de eerste keer in tien jaar dichtgevroren – maar er lag te veel sneeuw op om te kunnen schaatsen. In de winkel en overal in Main Street trouwens, waren maar weinig klanten meer te bespeuren. Zelfs de boomklevers en de matkopmezen, die zich meestal rond Kate's voedertafels verdrongen, schenen te zijn gevlucht.

Desondanks waren er momenten – wanneer ze bij het raam met uitzicht over de voortuin stond om te zien hoe een nieuw pak sneeuw de rommelige resten van de vorige sneeuwval bedekte – dat er een wonderbaarlijk gevoel van kalmte over Kate neerdaalde. De sneeuw, scheen haar toe, was een soort doop, een wegwassen van oude zonden. Alsof God met één enorme hemelse veeg van zijn hand de wereld – en haar – een tweede kans bood.

Het probleem was dat dit gevoel nooit blijvend was. Binnen korte tijd maakte het oude gevoel van grauwheid zich weer van haar meester. Haar been en heup begonnen dan weer pijn te doen, en ze begon de uren tot haar volgende Advil af te tellen. Hoe druk ze ook bezig mocht zijn met alles – en de hemel wist dat er meer dan genoeg te doen was zowel op Orchard Hill als in de winkel – toch kon Kate het gevoel van traagheid, dat zich als de loodjes aan een hengel in haar botten had genesteld, niet van zich afschudden.

Zelfs Will, die zelden haar stemmingen opmerkte, deed zijn uiterste best om zorgzaam te zijn. Als hij thuis was, wat niet vaak het geval was, vermeed hij zorgvuldig om over Skyler te praten. Hij bracht Kate af en toe een beker warme thee, zelfs wanneer ze daar niet om had gevraagd, en op zondag trok hij haar favoriete katernen uit de *Times* en gaf haar die om als eerste te lezen.

En toch had Kate zich nooit zo ver verwijderd gevoeld van haar man. Toen hij had gehoord dat de vrouw die Skylers baby zou adopteren niemand anders was dan Ellie, was hij eenvoudig dichtgeklapt en weigerde het onderwerp te bespreken. Kate had graag

258

in staat willen zijn om met hem te praten over deze vreemde, bijna religieuze overtuiging dat ze een kans hadden gekregen de balans van de gerechtigheid weer in evenwicht te brengen. Het was geen toeval dat Ellie weer in hun leven was gekomen. Zelfs Skyler had een zesde zintuig ten aanzien van Ellie... en ze wist nog niet de helft.

Maar Will, verdorie, weigerde zelfs in te zien dat er echt iets fout zat dat weer goed moest worden gemaakt. En Kate kon niet verklaren waarom ze vastbesloten was deze opmerkelijke gelegenheid niet voorbij te laten gaan.

In sommige opzichten voelde ze zich schuldig, omdat ze zure gevoelens jegens haar man koesterde. Hij vocht een ander soort oorlog, een waarvan ze de volle omvang nog niet had ondergaan. Zelfs het niet geringe risico dat ze Orchard Hill zouden verliezen, leek haar niet echt mogelijk. Hier niet meer zijn? Niet uit haar raam kunnen kijken om een wasbeer te ontdekken die op zijn hurken zat om aan de vetbol te snuffelen die ze voor de rode kardinalen had opgehangen? Om de zon niet schuin door de ijspegels aan de dakspanten te zien vallen, zodat ze allemaal als diamanten flonkerden? Onvoorstelbaar. Toch had ze geen van deze gevoelens met Will gedeeld; ze hield alles voor zich.

Miranda was Kate's enige troost geweest. Ze begon zich steeds meer om de winkel te bekommeren, waarbij ze Kate van veel alledaagse bezigheden verloste, zodat Kate kon doen wat ze het liefste deed – kopen en opknappen. Miranda wist ook instinctief wanneer Kate wat gebabbel nodig had om haar af te leiden van haar eigen gedachten... en wanneer ze moest luisteren zonder raad te geven. Ze praatte niet over haar eigen schattige kleinkind en Kate wist zonder enige twijfel dat niets dat zij Miranda in vertrouwen vertelde, zou worden herhaald. En ze had niet één keer gevraagd wat de wieg, die onder een stoflaken in het magazijn stond, betekende.

Als Miranda er inderdaad naar had gevraagd, had Kate haar misschien verteld hoeveel verdriet ze had bij de gedachte dat ze waarschijnlijk nooit haar kleinkind in haar armen zou houden; dat zij nooit de kiekjes zou hebben zoals Miranda die op de dossierkast had geplakt. Ze zou haar vriendin hebben verteld hoe ze soms 's nachts in haar kussen lag te huilen, denkend aan alle verjaardagen die ze slechts in haar hart zou vieren, alle kaarsjes waar ze nooit wensen bij zou uitspreken. Zelfs haar eigen dochter leek haar te ontglippen; Skyler kwam zelden op bezoek en leek nooit blij wanneer Kate opbelde.

Het was tegen het eind van maart, op een vroege zonovergoten morgen, terwijl de wereld lag te dromen onder een deken van verse sneeuw, dat Kate het telefoontje kreeg dat ze zowel gespannen had verwacht als had gevreesd.

'Ik ben op weg naar het ziekenhuis,' vertelde Skyler Kate met dolmakende kalmte. 'Maak je alsjeblieft geen zorgen, mam... ik heb nog tijd zat. Ik ben pas in het eerste stadium. En Mickey belooft dat ze bij wijze van uitzondering heel rustig zal rijden.'

'Dan zie ik je daar wel,' zei Kate en ze zwaaide zich al uit bed op het moment dat ze het zei. 'Ik moet me alleen maar even snel aankleden. Ik zal pappa vanuit de auto bellen... hij zit in de stad.'

Ze verkeerde in een staat van koortsachtige opwinding toen ze een douche nam, en daarna een lange broek en een zwarte coltrui aantrok. Even later reed ze haar Volvo achterwaarts de garage uit, biddend dat ze geen verijsde stukken of opgewaaide sneeuwduinen tegen zou komen. Ze dwong zich heel langzaam te rijden, zelfs terwijl haar hart bonsde, en haar handen grepen het stuur zó stijf vast dat ze na een paar minuten gevoelloos waren. Er schoot haar een poster uit de jaren zestig te binnen (een heel zwijmelige poster, had ze altijd gevonden) met de tekst: 'Vandaag is de eerste dag van de rest van je leven.'

Kate was zó gespannen dat ze zichzelf er steeds weer aan moest herinneren dat de eerste weeën meestal in de categorie hollen-of-stilstaan vielen. Maar alles wat ze kon denken was: *Ik moet er op tijd zijn*.

In elk geval op tijd om haar kleinkind tenminste even te zien – en misschien vast te houden – voor het te laat was.

In Northfield Community Hospital loodste een verpleegster haar naar de kraamafdeling op de vierde verdieping. Toen Kate Skylers privé-kamer binnenkwam, waarvan ze had gedacht dat deze steriel en kaal zou zijn, zag ze tot haar aangename verrassing dat er een vloerkleed lag, met in de hoek een schommelstoel en dat de vrolijke gele muren met reproducties van Renoir waren opge-vrolijkt.

Skyler, die alleen een oversized T-shirt droeg, lag op haar zij opgerold op het bed, terwijl Mickey met bedreven gebaren haar rug met cirkelvormige gebaren masseerde. Met haar haar in een paardenstaart en een paar pluizige roze sokken aan haar voeten, was Skyler nog net een klein meisje, veel te jong om een baby te krijgen. Kate voelde een prop in haar keel en ze moest zich bedwingen om niet haar dochters voorhoofd te voelen, zoals ze had gedaan toen Skyler nog klein was.

'Mam.' Skyler trok een wenkbrauw naar haar op en glimlachte.

'Hier ben ik, liefje. Kan ik iets voor je doen?' Kate streek een verdwaalde sliert haar weg van het voorhoofd van haar dochter, dat inderdaad warm en klam aanvoelde.

260

Skyler schudde haar hoofd. 'Mickey heeft aan alles gedacht. Ze heeft zelfs aan mijn walkman gedacht, hoewel ik niet geloof dat Bruce Springsteen me hierbij zou kunnen helpen – oooh, daar komt er weer een!' Ze sloeg haar armen om haar enorme buik en werd schrikbarend rood in haar gezicht.

Mickey keek even naar Kate en haar gebruikelijke het kan-me-niets-schelengrijns zag er wat rafelig uit. 'Ik zeg steeds maar tegen haar dat dit een goede ervaring is, voor wanneer ze veulende merries moet helpen.'

'Allemàchtig.' Skyler plofte in elkaar, net zo abrupt als een zeemansknoop die losschoot, en ze rolde hijgend op haar rug. 'Dat is precies hoe ik me voel – alsof ik een Percheron moet baren.' Er lag een dunne laag zweet op haar voorhoofd en bovenlip.

Kate glimlachte toen ze haar dochters voorhoofd met een nat washandje afnam. Maar ze kon aan de strakke trek rond Skylers mond en de blauwe kringen onder haar ogen zien dat ze bang was voor meer dan alleen een kind baren.

Ze beseft nog steeds niet wat ze op gaat geven...

Kate legde het washandje weer in de bak en liet zich in de stoel naast het bed zakken. 'Pappa kan elk moment hier zijn,' zei ze tegen Skyler. 'Ik had moeite hem te bereiken, maar hij is onderweg.'

'Mooi.' Skylers ogen zakten dicht. 'Ik vroeg me af...'

'Wat?' Kate boog zich dichter naar haar toe.

'Of Tony er niet bij zou moeten zijn,' fluisterde ze moeizaam, bijna alsof ze in haar slaap praatte. 'Hij wilde dat ik hem zou bellen... en ik heb beloofd dat ik dat zou doen. Maar o, ik weet het niet.'

Kate voelde een vuist in haar maag. Hoewel ze hem nooit had gezien, dacht ze dat ze wist hoe Tony zich moest voelen. Om buitengesloten te zijn van de geboorte van je eigen kind! Net zoals zij buitengesloten was geweest van Skylers zwangerschap. Wat zijn gevoelens ten aanzien van Skyler ook mochten zijn, hij hoorde te weten dat de bevalling was begonnen.

Toen besefte Kate opeens dat hoe terloops zijn relatie met Skyler ook mocht zijn, Tony deze baby misschien wèl zou willen houden. Als hij hier was, zou hij Skyler misschien kunnen overhalen om van gedachten te veranderen. Er was nog steeds tijd.

Dan zou het uit jouw handen zijn. Dan zou jij niet meer verantwoordelijk zijn.

'Wil je dat ik hem bel?' vroeg Kate zacht.

Skyler draaide haar hoofd achterover in het kussen. 'Ja... nee... o God, ik... o!' Haar gezicht verkrampte in een bevroren grimas van pijn.

Mickey ving Kate's blik op en ze vormde de woorden: 'Ik doe

het wel.' Maar hardop zei ze slechts: 'Wilt u het misschien even overnemen terwijl ik pauzeer?'

Skylers arts kwam de kamer binnen juist toen Mickey naar buiten stapte. Dokter Firebaugh was een jonge zwarte vrouw die in Kate's ogen nog niet oud genoeg leek om haar basisartsexamen te hebben gedaan, laat staan zich te hebben gespecialiseerd. Haar stem was vriendelijk en kalmerend toen ze Skyler onderzocht.

'Zes centimeter – je bent verder heen dan ik had verwacht voor een eerste baby,' zei ze met haar afgemeten West-Indische accent. 'Maar je doet het heel goed. De hartslag van de baby is goed en sterk. Maak je maar nergens zorgen over.'

Nergens zorgen over? Wist ze het dan niet? dacht Kate.

Will arriveerde toen de dokter vertrok en hij zag er bleek en ongerust uit.

'Het gaat echt wel goed, pappa,' verzekerde Skyler hem vlug, zelfs terwijl ze het laken strak om zich heen trok. 'Het is echt niet zo erg. Nog niet in elk geval. Ik kan het wel aan.'

'Ik weet niet zeker of ik het wel aankan,' grapte hij, maar er was niets grappigs aan de gespannen trek om zijn mond en de manier waarop zijn ogen steeds in de richting van de deur gingen, alsof hij zich ervan wilde vergewissen dat zijn vluchtroute niet was afgesloten.

'Mam, zorg dat hij ophoepelt,' smeekte Skyler met een zwak lachje. 'Zoek maar een extra bed voor hem of zo.' Ze kromp ineen toen de volgende wee haar overmande.

Op dat moment keerde Mickey terug met een gesloten, heimelijke uitdrukking op haar gezicht.

'Ze kan wel een paar minuten zonder ons,' zei Kate tegen Will, met een vastberaden glimlach op haar gezicht, terwijl ze hem bij de arm nam. 'Waarom gaan we niet een kop koffie drinken?'

Will knikte en volgde haar de kamer uit. In de serre aan het eind van de gang gingen ze slechte koffie drinken, terwijl Will deed alsof hij *The Wall Street Journal* las en Kate voorwendde of ze gewoon een willekeurig echtpaar van middelbare leeftijd waren dat opgewonden de geboorte van hun eerste kleinkind afwachtte. Ze praatten niet. Er viel niets te bespreken. Alles was al besloten. Op een vreemde manier leek hij zich er zelfs bij neer te hebben gelegd dat Ellie de adoptiemoeder was... of hij had de kosmische ironie van dit feit niet erkend... zelfs niet tegenover zichzelf.

Kate merkte dat er een wonderlijk medelijden voor haar man in haar opwelde. Ze was kwaad geweest omdat hij haar in de steek liet – omdat hij háár verantwoordelijk maakte voor iets waar ze allebei schuldig aan waren. Maar als ze nu naar Will keek, met zijn hoofd over het papier gebogen, terwijl zijn ogen afwezig bezig waren met gebeurtenissen en onderhandelingen die een halve wereld verderop aan de gang waren, begreep Kate ten slotte dat het beter was om zwaargebukt te gaan dan blind te zijn. Op de een of andere manier zou zij hier kracht aan ontlenen. Maar Will zou, als de dag des oordeels kwam, die zelfs niet zien naderen.

Kate wachtte tot ze zeker wist dat ze het geen moment meer kon verdragen. Toch dwong ze zichzelf nog eens een kwartier stil te blijven zitten. Ten slotte stond ze op en legde een hand op Wills schouder. 'Blijf jij hier zitten terwijl ik even bij haar ga kijken.' Ze was verbaasd hoe resoluut en gebiedend ze klonk, en Will moest dit ook hebben opgemerkt, want hij knipperde even met zijn ogen voor hij knikte en zich weer op zijn krant richtte.

Zodra ze de kamer van haar dochter binnenstapte, voelde Kate hoe het koord dat al haar gevoelens bijeenhield, plotseling knapte.

In de stoel naast het bed zat een bekende vrouw die een washandje op Skylers voorhoofd legde. Een vrouw die ze in bijna vijftien jaar niet meer had gezien – maar wier gezicht haar had gekweld, zowel in haar slaap als wakend, bijna dag na dag.

Ellie was niet veel veranderd, constateerde Kate afstandelijk. Ze was nog steeds slank, maar er waren nu wat meer rimpels rond haar ogen en mond. En in haar ogen lag een treurigheid die de glimlach die ze toonde niet helemaal kon verdrijven.

Kate onderdrukte een hysterische lach om het volslagen dráma van deze scène – tot zelfs de ziekenhuisachtergrond toe. Maar een verstandige stem maande haar snel tot stilte: *Het gebeurt echt. Je ergste nachtmerrie, en je kunt niets doen om die tegen te houden*.

Als in een wrede afspiegeling van Kate's eigen zorgzaamheid, hield Ellie Skylers hand vast terwijl ze haar gezicht voorzichtig met de natte lap bette. *Moeder en kind*. Deze gedachte overviel Kate als een klap tegen haar hoofd, zodat ze duizelde en bijna haar evenwicht verloor. Ze strekte zich uit en greep de metalen rand van het voeteneind van het bed vast toen haar stok op de grond viel.

'Waar is Mickey?' vroeg ze met een hoge, ijle stem die nog maar vaag op die van haar leek. Het was het enige dat haar in gedachten kwam.

'Ze komt zo terug.' Ellie maakte haar hand uit die van Skyler los en stond op. Ze keek verbaasd toen ze Kate's gezicht zag, maar haar blik was strak en onbewogen. 'Hallo. Ik ben Ellie Nightingale.'

Er viel een pijnlijke stilte tussen hen toen Ellie haar hand uitstak. Kate wist hees te fluisteren: 'Ja, dat weet ik… we hebben elkaar al eens ontmoet.' Ze zou dwaas zijn om dat niet te noemen, dacht ze. Ellie zou Skyler na al die jaren niet hebben herkend als het kleine meisje dat ze ooit in het ziekenhuis had getroost. Maar vroeg of laat zou Ellie ongetwijfeld háár herkennen.

Ellie voelde zich duidelijk wat uit het veld geslagen en zei: 'U komt me heel bekend voor.'

'Het is al lang geleden.' Kate's mond voelde droog en gevoelloos aan, alsof ze net bij de tandarts was geweest. 'We hebben elkaar in 1980 in Langdon ontmoet. U werkte daar, en mijn dochter werd voor een spoedoperatie binnengebracht.'

Ellie verbleekte en deed een stap achteruit. 'God. Dat was ik vergeten. Maar nu u het zegt, o ja, ik herinner me het nu inderdaad. Het is zo lang geleden... en er waren zoveel patiënten. Maar uw dochtertje...' Ze wierp een blik op Skyler, alsof ze haar voor de eerste keer zag. Ze zei met zachte, beverige stem: 'Nu... nu begrijp ik het allemaal. Het gevoel dat we elkaar ergens van kenden. We hebben het allebei meteen gevoeld... vanaf het begin.'

Haar woorden deden Kate huiveren.

Hoe kun je naar Skyler kijken zonder het te weten? schreeuwde een stem in haar hoofd.

Toen kreeg de redelijkheid de overhand. Goed, als je hen naast elkaar zag, zou je een vage gelijkenis zien, dacht Kate, maar alleen als je daar echt naar zocht. Skylers ogen waren een lichter blauw, haar gelaatstrekken waren verfijnd waar die van Ellie meer geprononceerd waren. Ellies mond was voller en haar haar verscheidene tinten donkerder. Alleen Skylers handen verrieden haar – dat waren bijna exacte kopieën van die van haar moeder: groot, bijna als die van een man, met brede, platte nagels aan het eind van spits toelopende vingers.

Kate probeerde niet te staren, maar ze kon zich niet beheersen. Ze bleef als verlamd staan kijken naar de kleine moedervlek op Ellies rechterduim.

Het was Skyler die de spanning verbrak. 'Mam, ik heb haar gevraagd te komen.' Haar stem klonk enigszins verontschuldigend. 'Ik wilde dat ze erbij was wanneer de baby – háár baby – wordt geboren.'

'Wilt u misschien dat ik buiten wacht?' vroeg Ellie, die Kate recht aankeek. Ze droeg een donkerpaarse trui die haar blanke huid wonderlijk bleek deed lijken, maar ze zag er verder heel sterk en beheerst uit.

Naast haar voelde Kate zich klein en onnozel en machteloos.

'Nee... nee, natuurlijk niet,' mompelde ze zwak.

Kate zag tot haar ontzetting dat Ellie keek alsof ze elk moment in tranen kon uitbarsten. 'Ik weet dat dit heel moeilijk voor u moet zijn,' zei ze met een zachte stem vol mededogen. 'Geloof me, dat weet ik. Maar ik wil dat u weet dat deze baby meer zal worden liefgehad dan u voor mogelijk kunt houden.'

Kate wist niet wat ze moest zeggen. Ze voelde zich verpletterd door de stralende blik in Ellies ogen, en door de golf van hitte die door haar heen sloeg. Ze had Ellie het liefst geslagen, haar regelrecht de kamer uit geslagen. Tegelijkertijd wilde ze neerknielen om haar om vergeving te vragen. En terwijl ze op haar knieën lag, zou ze God om genade smeken... deze God van haar die niet alleen een eindeloos vermogen scheen te hebben om haar pijn te doen, maar ook een vreselijk, maniakaal gevoel voor humor.

'Het spijt me,' flapte ze eruit. Daarna, toen ze besefte dat ze haar gedachten hardop had geuit, voegde ze er snel aan toe: 'Ik wou dat ik iets wist te bedenken om te zeggen... maar er lijkt gewoon geen manier te zijn om deze situatie minder pijnlijk te maken. Ik kan u mijn gelukwensen niet aanbieden. Ik wilde dat alles anders had uitgepakt, dat we dit gesprek niet voerden. Maar... ik... ik heb me neergelegd bij het besluit van mijn dochter.'

Ellie gaf geen antwoord.

Kate deed haar mond open om iets onschuldigs te zeggen, maar het zwijgen werd haar opgelegd door een lage, kermende kreun die aangroeide tot bijna een gil.

Skyler, zag ze toen ze naar haar dochter toesnelde, lag verkrampt van pijn, met haar ruggegraat gebogen, terwijl ze haar woorden tussen haar opeengeklemde kaken door wrong. 'Ik heb het gevoel dat ik moet persen.'

Kate was zich vaag bewust van haar eigen pijn, die haar been als met messen in stukjes leek te snijden.

Als van een grote afstand hoorde ze Ellie zeggen: 'Ik zal de dokter halen.'

Skyler had nog nooit zoiets meegemaakt – een pijn die erger was dan enige val van het paard. Haar hele lichaam stond in brand en haar bekkenbodem kon elk moment als brandhout doormidden breken. Lieve God in de hemel, hoe kon iemand zoiets overleven?

Ze moest dit ding naar buiten persen...

Maar de aandrang zakte nu weg.

Toen de onzichtbare touwen om haar buik weer wat losser werden, werd ze zich bewust van haar moeder, die haar in haar armen hield, en ze kreeg het overweldigende gevoel weer een klein meisje te zijn, veilig binnen de cirkel van haar moeders armen. Skyler voelde de fluistering van haar moeders adem in haar haar en de kalme kracht die ze uitstraalde.

Ze ving een wazig beeld op van dokter Firebaugh die aan het

voeteneind van het bed stond. Ze was zich ook bewust van Mickey, die haar instrueerde om adem te halen, in godsnaam ádem te halen. Maar er was iets niet in orde. Er ontbrak iets... nee, iemand. *Tony hoorde hier te zijn*, dacht ze en ze kon wel huilen om zijn afwezigheid. Maar had hij niet al genoeg doorstaan? Als ze zichzelf het vreselijke van dit alles niet kon besparen, dan kon ze hem op zijn minst sparen.

Skyler kon de volgende wee voelen naderen – heviger, pijnlijker dan de vorige. En deze keer moest ze ècht persen. Ze perste uit alle macht en ze hoorde iets in haar oren knappen, gevolgd door een hoog, ruisend geluid als van duizend engelen die zongen.

Op dat moment drong de waarheid tot haar door... wat haar hart had geweten maar wat haar geest niet kon accepteren: *Mijn baby. Onze baby. De baby van Tony en mij. God sta me bij, ik wist niet wat ik op zou geven*.

Ze klampte zich als een drenkeling aan haar moeder vast en ze voelde de liefde die haar haar hele leven had beschenen, zonder te aarzelen, zonder ooit meer dan een hartslag of een handgreep weg te zijn. En ze wilde dat ook voor haar baby – een moeder wier toewijding niet door een bloedband tot stand was gekomen, maar door de edelmoedigheid van de geest, en een oneindig vermogen tot geven. Ze wilde het genoeg om het grote offer te brengen, het offer waarvan ze nu al voelde dat het veel groter was dan ze ooit had gedacht...

Kate steunde de schouders van haar dochter terwijl Skyler perste en hijgde. 'Het gaat allemaal goed,' suste ze. 'Je doet het uitstekend. Je bent heel dapper, lieverd.'

Ze wenste dat ze dit ook van zichzelf kon zeggen. Ze voelde zich licht in het hoofd en meer dan een beetje wankel. De kamer flakkerde om haar heen, gaf haar het vreemde gevoel alsof ze in een groot aquarium was ondergedompeld.

Kate herinnerde zich hoe het in haar tijd was geweest – de angstige isolatie die haar vriendinnen hadden beschreven: vrouwen die van hun mannen werden gescheiden, brancards die overhaast naar de verloskamer werden gereden, waar baby's met tangen uit verdoofde moeders werden losgetrokken. Ze verbaasde zich over het rommelige spektakel van een bevalling in het moderne tijdperk. Welbeschouwd leek het een terugval naar de dagen van dorpsvroedvrouwen.

Net als generaties vrouwen voor haar, hield Kate haar dochter nu in haar armen, ondersteunde haar terwijl Skyler zwoegde en perste.

266

Toen braken de vliezen met een geluid als van een elastiekje dat knapte, waarna het vocht het steriele matrasje dat onder haar was geplaatst, doorweekte.

Mickey bleef instructies schreeuwen over hoe ze adem moest halen.

De knappe West-Indische dokter, die nu een masker en operatie-handschoenen droeg, tuurde tussen Skylers opgetrokken knieën.

'O... Gòd... ik kan het niet meer verdragen!' gilde Skyler met een verkrampt gezicht.

'Jawel, je kunt het wel. Persen. Nú!' drong de dokter kalm aan.

'Ik moet... o God... nee... ik kan het niet... het doet zo'n píjn!' Haar volgende woorden werden opgeslokt door een rauwe, woeste kreun die eindigde in een geweldig persen.

Kate, die zich voelde alsof ze flauw zou vallen, streek de natte slierten haar die aan Skylers voorhoofd plakten weg. Vanuit haar ooghoek ving ze een glimp op van Ellie, die aan het voeteneind van het bed stond met op haar gezicht een uitdrukking van eerbiedige verwondering. Hoewel ze op een vrij grote afstand bleef, was het alsof Ellie en Skyler op de een of andere manier waren verenigd, verbonden door een spookachtige draad die alleen Kate kon zien.

'Het hoofd... ik kan het hoofdje zien!' joelde Mickey, die eruit-zag alsof zij degene was die een kind moest baren met haar krul-lende, donkere haar dat vochtig en in slierten op haar hoofd lag, haar gezicht verhit.

'Je kunt je nu een beetje ontspannen, ophouden met persen,' beval de dokter. 'Ik moet het hoofdje draaien. Ziezo. Nu nog één keer flink persen, Skyler. Laten we eens zien wat we hier hebben...'

Skyler perste hevig, met een dierlijke kreet die Kate's nekharen overeind deed staan.

'Een meisje!' riep een stem – een stem die heel veel op die van Ellie leek – toen er iets kleins en naakts en donkers tussen Skylers dijen glibberde.

De baby slaakte een gorgelende kreet.

Skyler begon te huilen. Ze stak haar armen uit toen haar pasge-boren dochter op haar borst werd gelegd, nog steeds met de klop-pende blauwe navelstreng verbonden. Voorzichtig legde ze een hand rond het kleine, natte hoofdje bij haar borst.

Kate staarde naar het miniatuurmeisje met haar grote pluk zwart haar en ze voelde zich alsof ze in een tunnel was en zich snel naar een verre glimp licht bewoog. Ze had de dood op deze manier horen beschrijven, maar nu werd ze getroffen door een soort goddelijke openbaring: dat sterven en geboren worden in wezen hetzelfde was, allebei een kwestie van laten gaan.

En dat was het wat ze nu moest doen.

Kate bleef volmaakt roerloos zitten, ze durfde nauwelijks adem te halen, toen Ellie het bed naderde met haar blik vol ontzag op de baby gericht, die nu in de armen van de dokter lag, gewikkeld in een wit katoenen dekentje.

Als Ellie een dolk in Kate's hart had gestoken, hadden ze quitte gestaan – maar dit... dit was nog erger. Kate zag hoe Ellie dichterbij kwam met haar armen aarzelend, hoopvol, uitgestoken, haar wangen nat van de tranen. Ze dwong zich te kijken, wetend dat Will niet zou hebben gekeken, en ook uit een soort plichtsbesef. Ze moest dit doorstaan. Ze wist niet precies waarom, of voor wie, ze wist alleen dat het zo was.

Maar toen Ellie met een gesmoorde kreet het witte bundeltje in haar armen nam, kon Kate niet kijken. Ze deed haar ogen dicht. Het was goed... het was eerlijk... maar het deed heel veel pijn.

Het enige waar ze zich nog aan vast kon klampen – de gedachte die haar ervan weerhield overeind te springen en de baby uit Ellies armen te rukken – was de reden waarom ze in deze ondraaglijke positie was geplaatst.

Ik heb Skyler nog steeds. Haar zal ik altijd hebben.

En Skyler zou nooit weten welke vreselijke prijs Kate had betaald.

Het enige dat Skyler wist, was dat ze zich leeg voelde. Uitgehold, lichter dan lucht. Alsof ze met lepels tegelijk was uitgedeeld en er nu niets meer van haar over was. Lang nadat iedereen op zijn tenen was weggelopen, lag ze op haar rug in het bed met alleen haar verpletterende gedachten als gezelschap.

Er liepen tranen vanuit haar ooghoeken naar beneden en ze gleden omlaag in haar vastgeplakte haar. *Baby... het spijt me... het spijt me heviger dan jij ooit zult weten... maar begrijp je het dan niet? Het moest wel op deze manier. Het zou egoïstisch van me zijn geweest als ik jou had gehouden... op zichzelf net zo egoïstisch als de manier waarop mijn moeder bij me is weggelopen.*

Wat Skyler niemand had verteld, was dat ze in de laatste maand voor de geboorte van de baby op de een of andere manier had geweten dat het een meisje zou zijn en dat ze haar heimelijk een naam had gegeven: Anna. Een eenvoudige maar toch stevige naam, die niet aan mode onderhevig was. Een naam die tientallen jaren meeging.

Anna, ik houd van je. Ik zal in mijn hart altijd je moeder blijven.

Skyler slikte een snik weg en kneep haar ogen stijf dicht. Toen ze ze weer opendeed, zag ze een bekend gezicht boven zich zweven, en gedurende één moment dacht ze dat ze op de een of andere manier in slaap was gevallen of droomde. Toen legde hij zijn grote,

268

warme hand over de hare, en vouwde haar vingers in de zijne, als de blaadjes van een bloem die nog niet had gebloeid.

'Tony.' De naam bleef Skyler in de keel steken, als de snik die ze niet had durven uiten.

Hij stond met zijn rug naar het zachte licht dat de lamp op haar nachtkastje verspreidde. Zijn forse gestalte wierp een schaduw die hoekig over de muur viel, zijn sterke gezicht keek op haar neer met zó'n tederheid dat ze het nauwelijks kon verdragen.

Een eeltige vinger volgde een traan die over haar slaap gleed. Ogen die zo zwart waren als de nacht blonken van medeleven en van misschien nog iets meer... van een gedeeld verdriet. Want Tony had ook iets kostbaars verloren: de kans om zijn dochtertje te leren kennen. Hij had zelfs niet de oppervlakkige vreugde beleefd haar te mogen zien.

'Ik ben zo gauw mogelijk hier gekomen,' vertelde hij met een vreemde, dikke stem. 'We hadden een klus in Brooklyn waar iedereen bij moest zijn, en ik kreeg Mickey's boodschap pas toen ik terug was in de stallen.' Hij wist een dappere grijns te produceren. 'Ze heeft er zelfs twee achtergelaten.'

'O Tony...' Skyler greep zijn hand en kneep er krampachtig in terwijl ze tegen haar tranen vocht. 'Ze... Het is een meisje, hebben ze je dat verteld? Ze is echt heel mooi. Je had haar moeten zien. Al dat zwarte haar. Ze lijkt heel veel op jou.'

'Skyler... Jezus...' Tony zakte omlaag op het matras en nam haar in zijn armen toen ze begon te huilen. Hij huilde ook. Ze zag het aan de manier waarop zijn lichaam schokte, niet beefde, maar echt schòkte, alsof hij in de macht verkeerde van een grote, onzichtbare kracht. En ze begreep dat ook al zou hij honderd worden, hij deze avond nooit zou vergeten. Hij zou nooit de dochter kunnen vergeten die ze in uitzinnige hartstocht hadden verwekt... of de liefde die wonderbaarlijk tussen hen was opgeschoten, als een grasspriet die zich tussen de tegels van het trottoir omhoogwerkte.

Skyler vlocht haar vingers door zijn haar en ze drukte zijn hoofd stijf tegen haar borst. 'Het spijt me,' zei ze zacht. 'Ik moest wel, Tony. Ik moest het... voor haar. Haat me er alsjeblieft niet om.'

'Skyler, ik haat je niet.' Hij trok zich met een diepe zucht weer terug en ze zag onmiddellijk wat de hevige poging zich te bedwingen hem had gekost – in zijn wangen stonden diepe groeven die er een moment geleden nog niet waren geweest, en zijn ogen staarden haar aan als granaatscherven. 'Jezus, wat is dit moeilijk. Ik wenste – o God, wat wenste ik dat het anders was geweest.'

'Ik ook,' mompelde ze. 'O, ik ook.'

Hij streelde even haar haar. 'Ik houd van je.'

269

Met gebroken stem antwoordde ze: 'Zeg dat niet als je het niet meent.'

'Ik houd van je,' herhaalde hij koppig.

'Het kan niets worden,' zei ze tegen hem. 'We kunnen niet... Hoe kunnen we elkaar na vandaag ooit nog aankijken zonder... dìt te voelen?' Met een boos gebaar veegde ze een traan van haar wang.

'Zelfs je van binnen helemaal verscheurd voelen,' vertelde hij haar, 'is beter dan doen alsof er niets is gebeurd.' Hij gleed met de achterkant van zijn vingers over de zijkant van haar gezicht, waarbij hij een spoor van kippenvel achterliet. 'Vertel me eens over haar,' zei hij zacht. 'Vertel me alles wat je je kunt herinneren.'

En dat deed Skyler. Terwijl ze daar lag, volledig leeg en uitgeput, drijvend in een zee van zelfhaat en onvervulde liefde, vertelde ze hem over het baby'tje dat ze heimelijk Anna had genoemd.

12

Kort voor twaalf uur op een stralende, vrieskoude maandagmorgen zat Tony schrijlings op zijn paard op de kruising van Thirty-fourth Street en Eight Avenue, wachtend tot het stoplicht op groen zou springen. Hij was samen met Grabinsky, de agent die was belast met de wijk die aan de zijne grensde, op weg om te gaan lunchen toen een zilverkleurige Jaguar, die veel te hard reed, een piepende, verboden bocht tegen het stoplicht in maakte naar Eight Avenue, waarbij hij bijna Scotty's achterwerk raakte. Tony voelde hoe het paard verschrikt opzijsprong en hij greep de vos stevig vast om hem er niet vandoor te laten gaan. Vanuit zijn ooghoek ving hij een flits van zilver op toen de Jaguar Eight Avenue opraasde. 'Klootzak.' Tony's adem vormde in de bevroren lucht een pluim als een uitroepteken. Een minuut geleden had hij gehuiverd van de uitzonderlijke kou die als de laatste stuiptrekkingen van de winter over de laatste week van april was gekomen. Nu voelde hij een kool van woede in zijn binnenste opgloeien, en de lage blauwe vlam verspreidde zich door hem heen.

Met een korte knik naar Grabinsky zette hij zijn stompe koperen sporen in de ribben van Scotty. De vos ging in arbeidsgalop en sloeg de hoek om naar Eight. Eén blik verder naar het noorden, bij Thirty-fifth Street, sprong het verkeerslicht van geel op rood en de Jaguar minderde vaart. *Nou heb ik je*, dacht Tony.

Maar de Jaguar stopte niet – hij zwenkte om een remmende taxi heen en schoot de kruising over. *Shit*. Tony bracht zijn paard in galop. Hij probeerde het nummerbord van de Jaguar te lezen toen die in de richting van Thirty-sixth ging, maar hij was te ver weg. Hij dreef Scotty verder, waarbij hij buiten het verkeer bleef terwijl hij moeiteloos om de dubbelgeparkeerde auto's en bestelwagens rechts van hem reed. Het schokkende ritme van Scotty's beslagen hoeven had een stimulerend effect op hem. Het was alsof hij werd aangesloten op een elektrische stroom die onder de oppervlakte lag van de straten die hij zo goed kende.

Er vielen banen hard, koud licht tussen de gebouwen door, die werden weerkaatst op motorkappen of voorruiten die smoezelig waren van de regenbuien van vorige week. Tony was dankbaar voor de zonneklep op zijn helm, zodat hij zijn ogen gericht kon houden op de blinkende bumper ver voor hem uit. Als het licht op rood sprong en de klootzak ging er niet weer vandoor, kon hij hem misschien net inhalen.

Zijn ademhaling ging snel en diep. Hij dacht aan de wapenstok die hij in de lus van zijn McClellan-zadel had gestopt en de .38-kaliber Smith & Wesson aan zijn koppelriem. Hij zou ze niet bij deze kerel hoeven te gebruiken – tenzij dat misbaksel lastig wilde worden – maar het was goed om te weten dat ze tot zijn beschikking stonden.

Hij verloor de Jaguar uit het oog en pikte hem even later weer op toen hij op Thirty-seventh linksaf sloeg. Jezus, hij kneep ertussenuit.

Tony mocht hangen als hij dat liet gebeuren. Hij stelde zich voor dat de bestuurder een belangrijk zakenman was, of misschien een chirurg... het soort kerel dat zó gewend was orders te geven en mensen te hebben die voor hem bogen, dat hij niet langer geloofde dat normale regels op hem van toepassing waren. Iemand die zou neerkijken op iedere man die zijn dochter mee naar huis bracht, als de arme sloeber geen zescijferig inkomen had en een postcode op de Upper East Side.

In een uitbarsting van frustratie hield Tony de rechterteugel scherp in en hing tegelijk zwaar die kant uit, zodat Scotty over de stoeprand vloog, het trottoir op. De vos schoot de hoek om, tussen een verschrikt kijkende verkoper van warme krakelingen en een vrouw heen, die tegen een krantenkiosk ineendook als onder een mortieraanval. Toen Scotty de straat weer opkletterde, ving Tony een half blok verder een zilveren glimp op. De Jaguar remde toen hij om een dubbelgeparkeerde vrachtwagen heen zwenkte en Tony ving eindelijk iets op van het ijdeltuitige nummerbord: No 1 BOSS.

O ja? Nou, dat zullen we dan nog weleens zien, dacht hij.

De bestuurder moest hem op dat moment ook hebben ontdekt, want hij deed het stomst denkbare voor iemand die slim genoeg was om zoveel poen te hebben verdiend om zo'n auto te kunnen kopen – hij maakte een abrupte bocht naar links, een parkeergarage in, misschien in de hoop niet op te vallen tussen alle andere auto's. Jawel, van zilverkleurige Jaguars met luxe nummerborden gingen er in deze stad dertien in een dozijn.

Tony vertraagde zijn paard tot draf toen hij over de betonnen helling naar beneden ging. Scotty hijgde en Tony boog zich voorover om hem op zijn dampende hals te kloppen. Hij glimlachte toen hij afsteeg. En te oordelen naar het benauwde gezicht van de man die schaapachtig uit de Jaguar klom, die stationair voor het loket van de parkeerwachter stond te draaien, was het niet het soort glimlach dat was bedoeld om vrienden te maken. Tony slenterde naar de bestuurder – een zakentype van middelbare leeftijd, in een pak met krijtstreep. Zijn keurig gekapte haar had precies dezelfde kleur als de lak van de Jaguar.

'Je hebt een probleem, vriend,' begon Tony op een toon die even hard als vlak was. 'Je hebt feitelijk diverse problemen. Punt één' – hij stak zijn wijsvinger omhoog – 'wegens keren waar dit verboden is. Punt twee' – zijn middelvinger ging nu ook omhoog – 'wegens het rijden door rood licht. Punt drie' – zijn ringvinger ging eveneens omhoog – 'wegens het pogen op de vlucht te gaan voor een dienaar der wet.' Hij sloeg de teugels over Scotty's hals en stapte dichterbij. 'Gelukkig voor jou is het geen misdrijf een klootzak te zijn,' voegde hij eraan toe. 'Maar laat me je één ding wel vertellen: als je mijn paard ook maar één haar had gekrenkt, had ik je zó snel in de boeien geslagen dat je niet wist wat je overkwam.'

'Hé zeg, weet u wel tegen wie u 't hebt?' De man stotterde van verontwaardiging. 'Ik laat me niet op die manier toespreken. Dit… dit is onbetamelijk gedrag van politiezijde.' Hij deed een poging zich op te blazen, maar het was even zinloos als lucht pompen in een lekke band.

Tony's glimlach strekte zich tot een grijns die maakte dat de kerel een stap achteruit deed. Vanuit zijn ooghoek ving hij een glimp op van een Latijns-Amerikaanse parkeerwachter die vlak naast zijn glazen hokje stond, alsof hij probeerde te besluiten of hij wel of niet dekking zou zoeken. Bijna als op commando hinnikte Scotty luid en zette met een harde klap een hoef op de betonnen vloer.

'Als ik jou was, zou ik dat echt niet doen.' Tony sprak kalm, maar met een ondertoon van iets dat maakte dat de man grote ogen opzette en zijn mond met een klap dichtdeed.

Tony haalde zijn boekje te voorschijn om met snelle halen zijn dagvaarding op te schrijven. De hufter zou niet naar de gevangenis gaan, maar hij zou een boete te slikken krijgen waarvan de glazen van die designer-bril zouden beslaan.

Toen Tony even later over Eighth draafde om Grabinsky te zoeken, overdacht hij het hele incident nog eens. Scotty was geweldig geweest. En hij, brigadier Salvatore, had zijn werk gedaan – en hij had daarbij zelfs wat stoom kunnen afblazen. Dus waarom voelde hij zich dan nog steeds zo rot? En wat was het aan die Jaguar dat hem veel nijdiger had gemaakt dan wanneer het een Toyota was geweest met een student erin, of een Koreaanse bestelwagen?

Je was zo kwaad omdat die auto een symbool is voor wat er tussen Skyler en jou staat. En het is niet alleen het geld – het is alles wat met geld te maken heeft. De leuke restaurants, winkelen op Madison Avenue, reisjes naar Europa... en ja, het soort auto dat meer dan het dubbele kost van wat jij in één jaar verdient. En dan was er nog iets dat aan hem knaagde – iets dat maakte dat zijn hart pijn deed. De baby. Zijn dochtertje. Behalve die ene blik door het raam van het babyzaaltje in het ziekenhuis, had hij haar zelfs niet te zien gekregen. Hem was verteld dat zijn dochter gezond was, dat ze zeven pond en twee ons woog en vijfenveertig centimeter lang was.

Dat was een maand geleden. De baby was nu bij Ellie en scheen goed te gedijen. Wat hij niet wist, was of ze van dichtbij bekeken op hem leek of op Skyler. Ze had zijn donkere krullen, maar had ze Skylers ogen?

Er was één vraag die Tony voortdurend bezighield: *Hoe lang kan ik nog blijven doen alsof ik er niets mee te maken heb? Blijven doen alsof ze geen deel uitmaakt van mij, en ik geen deel ben van haar?*

Tegen de tijd dat Tony aan het eind van zijn dienst onder de douche stond, klopten zijn slapen en maakte een doffe pijn achter in zijn keel dat hij zich ongemakkelijk afvroeg of hij misschien iets onder de leden had. Zelfs nadat hij zich had afgedroogd en een spijkerbroek en een sweatshirt had aangetrokken, was zijn stemming zó slecht dat Joyce Hubbard, toen hij haar op de trap passeerde, langs hem heen schoof met een gemompeld 'Hoi'.

Alleen die vetzak van een Lou Crawley, die naast de hoofdingang een knoflookkrakeling met roomkaas stond te verorberen, scheen niets in de gaten te hebben van de donkere wolk die boven Tony hing. 'Hé brigadier,' riep hij. 'Heb je gehoord wat er in Troep F is gebeurd? Twee vrouwelijke agenten raakten slaags met elkaar. Fuller moest erheen om ze een uitbrander te geven. Ik wou dat ik erbij was geweest om dat te zien – de hulpsheriff die die twee huppelkutjes de zweep gaf.'

Tony ontplofte opeens. Hij stapte naar voren en greep Crawley bij de voorkant van zijn verkreukelde overhemd, vol walging over de sliert kaas in de hoek van Crawley's blubberige mond. 'Hoor es, jij dikke vetzak,' grauwde hij. 'Nog één keer dat soort opmerkingen en je vliegt eruit! Ik zal het tot mijn persoonlijke levensopdracht maken jou hier voorgoed de laan uit te sturen.'

Crawley gaapte hem aan en er verscheen een kleur van schrik op zijn kwabberige wangen. 'Jezus. Wat mankeert jóu? Wat heb ik gezegd?'

'Kijk jij maar uit met wat je zegt, dat is alles. Wou je soms dat andere klootzakken zo over je zus praatten? Of over Joyce? Hij

274

boog zich dichter naar hem toe en ving een vleug op van Crawley's knoflookadem. 'En dan nog iets: als ik jou nog één keer betrap op schoolziek zijn terwijl andere kerels hier met negenendertig-twee in de vrieskou staan, dan zal ik een manier weten te vinden om jou eruit te schoppen. Met veel genoegen. Dus je kunt je maar beter gedeisd houden.'

Toen hij wegliep en Crawley hem met open mond nakeek, voelde Tony zich een beetje schuldig. Crawley had het verdiend om eens goed op zijn donder te krijgen... en als hij Crawley nodig had om zijn chagrijn op te botvieren, best. Het punt was dat Tony heel goed besefte dat Crawley niet de enige klis onder zijn zadel was.

Hij had ondanks alles het gevoel dat hij op de een of andere manier was beetgenomen. Hij had een pasgeboren dochter, en hij wilde dit van de daken schreeuwen. In plaats daarvan was hij, net als de tweede korte stop van een zoveelsterangs honkbalteam, naar de reservebank verwezen. Verdomme. Maar hij was niet van plan dit zonder meer te slikken. Stel dat zijn dochter ooit naar haar echte vader zou vragen? Hoe heldhaftig Ellie hem ook mocht afschilderen, toch zou zijn kind dit waarschijnlijk niet slikken. Ze zou opgroeien met de gedachte dat hij helemaal niets om haar had gegeven. Jezus.

Hij had Ellies adres onthouden van de adoptiepapieren die Skyler en hij hadden getekend. Hij wist ook dat ze voorlopig vanuit haar flat werkte, om bij de baby te zijn. Ze zou het waarschijnlijk niet weten te waarderen wanneer hij onaangekondigd langskwam... maar ze zou hem niet wegsturen. Hij had haar al vroeg ingeschat als het soort vrouw dat haar schulden inloste. En of ze het nou leuk vond of niet, ze was hem wel iets verschuldigd.

Een kwartier later stopte Tony op een verboden parkeerplaats, niet ver van Ellies ouderwetse flatgebouw op West Twenty-second. Op het dashboard van zijn Explorer zette hij een vierkant stuk karton met het nummer van zijn politiepenning er met viltstift in grote, zwarte letters opgeschreven, zodat hij geen bon zou krijgen.

Hij liep de trap op van nummer 236 en duwde met zijn schouder de zware voordeur open, waarna hij op de bel met 'Nightingale' drukte en wachtte. Geen antwoord. Verdomme. Hij wachtte een minuut en drukte nogmaals. Net toen hij op het punt stond weg te lopen, knetterde er een vrouwenstem door de intercom. 'Ja?'

'Ik ben het, Tony Salvatore. Is het goed als ik even binnenkom?'

Het duurde minstens vijftien seconden eer ze antwoord gaf, en Tony dacht: *Ze zal wel zo zenuwachtig zijn als de pest en zich afvragen waarom ik hier ben*. De adoptie zou tenslotte pas over vijf maanden definitief zijn en ze moest zich terdege bewust zijn van het feit dat Skyler of hij elk moment op het besluit terug kon komen.

Maar toen hij door de deur van Ellies flat naar binnen stapte, was zijn eerste indruk er een van gastvrije rust. Hij kon zich voorstellen hoe een kind, welk kind dan ook – niet alleen zijn kind – daar gelukkig was. Hij overzag de gezellige rommel van boeken en tijdschriften, de Indische kleden die verspreid lagen over stoelen en banken die eruitzagen alsof ze bedoeld waren om op te zitten, of zelfs om met kleine voetjes op te springen. De lampen verschaften de woonkamer een vriendelijke gloed. Er was een haard, met een berg as om je te laten weten dat hij niet alleen voor de show was.

Hij vond dat Ellie er vermoeid uitzag. Maar zelfs in spijkerbroek en vormloze trui, met haar haar naar achteren in een elastiekje, leek ze te stralen van blijdschap. En dat niet alleen, ze leek jaren jonger dan toen hij haar voor het laatst had gezien. Hij werd opnieuw getroffen door haar gelijkenis met Skyler.

'Mijn excuses voor de rommel... ik verwachtte geen bezoek.' Haar begroeting was voorzichtig, maar de hand die ze uitstak, was hartelijk en gastvrij. Van dichtbij rook ze vaag naar babypoeder... een geur die bij Tony een onverwachte steek van verdriet teweegbracht.

Hij gaf haar een geruststellende glimlach die niets afdeed aan de nervositeit die hij voelde. 'De baby zal je wel handenvol werk geven,' zei hij.

'Het is niet het soort werk waar ik bezwaar tegen heb.' Haar gezicht lichtte op, zodat haar laatste beetje gereserveerdheid verdween. 'Tony, ze is zo lief! Je hebt geen idee...' Ze bedwong zich en wierp hem een verschrikte blik toe.

Nee, beaamde hij zwijgend. *Maar niet omdat ik dat niet wil.*

Hij verschoof zijn gewicht van de ene voet naar de andere, opeens niet zeker waar hij met zijn handen naar toe moest of wat hij nu moest zeggen. Ten slotte schraapte hij zijn keel en vroeg: 'Slaapt ze nu?'

'Ja.' Hij zag de aarzeling in haar ogen en ze scheen even inwendig strijd te leveren voor ze zacht vroeg: 'Zou je haar willen zien?'

Tony voelde ontroering... en ook een beetje wrok. Niemand had hem gedwongen dat papier waarin hij afstand deed, te tekenen, maar als puntje bij paaltje kwam, was dat meisje daarbinnen van hèm en het bezorgde hem een bittere smaak in de mond om toestemming te moeten vragen om alleen maar even naar haar te kijken. 'Ik heb geen haast,' zei hij om niet al te gretig te lijken. 'Als ik je niet ophoud, kunnen we dan misschien even praten? Ik zou geen nee zeggen tegen een kop koffie.'

'O ja, natuurlijk... Ga alsjeblieft zitten,' zei ze, veel te snel, alsof ze opgelucht was dat hij niet naar binnen snelde om de baby uit haar wieg te grissen. Ze gebaarde naar de bank met zijn bonte verzameling kussens. 'Ik heb haar een paar uur geleden te slapen gelegd, dus ze zal nu wel snel wakker worden. Ze is meestal heel precies op tijd. Nog geen zes weken oud, en ze slaapt nu 's nachts al door.' Ellie straalde, alsof dit een geweldige prestatie was.

'Ben je van plan om gauw weer aan het werk te gaan?' vroeg hij. 'Ik ben begonnen een paar patiënten hier te ontvangen,' vertelde ze hem. 'En ik heb een kinderjuffrouw in dienst genomen, maar die begint pas volgende maand. Ik hoop dat ik tegen die tijd in staat zal zijn om Alisa langer dan vijf minuten uit mijn ogen te laten.' Ze lachte berouwvol.

'Alisa.' Tony sprak de naam van zijn dochter voor de eerste keer uit. 'Ik kan ermee leven,' zei hij met een opgewektheid die de donderwolk aan de horizon van zijn geest moest maskeren. Hij had degene moeten zijn die de naam van zijn dochter koos, hij... en Skyler.

Ellie leek zijn stemming aan te voelen en ze sprong van de bank overeind alsof ze niet snel genoeg bij hem vandaan kon komen. 'Als je één minuut hebt, zal ik wat koffie voor ons halen.'

Ze verdween in de kamer ernaast en kwam even later terug met een dienblad met daarop twee dampende koppen en een bord met iets dat op zelfgemaakte koekjes leek. Hij voelde zich een beetje opgelaten dat ze zich zoveel moeite had gegeven, maar toen hij naar haar gezicht keek, zag hij dat ze die minuten alleen nodig had gehad om haar zelfbeheersing te herwinnen. Toch trilden haar handen, zodat de koffiekopjes zacht op hun schoteltjes rinkelden toen ze door de kamer liep.

Tony nam het dienblad van haar over en zette het op de salontafel neer. Hij legde even een hand op haar schouder en trok haar naast zich op de bank omlaag.

'Hoor eens,' zei hij. 'Ik ben hier niet gekomen om problemen te maken. Ik wil haar alleen maar even zien. Eén keer, dat is alles. Opdat je haar later kunt vertellen dat haar ouwe heer echt om haar geeft.' Hij schraapte zijn keel, die opeens dik leek.

'Ik wéét dat je veel om haar geeft, Tony.' Ze klonk een beetje boos, meer op zichzelf dan op hem. 'Je zult moeten begrijpen dat ik... gewoon... Weet je, ik heb hier zo lang op gewacht, dat het lijkt of ze altijd in mijn leven is geweest. Je hebt geen idee...' Ze zweeg; ze wrong haar handen in haar schoot en haar ogen blonken van de tranen. 'Jullie hebben me een prachtig geschenk gegeven. Er zijn geen woorden waarin ik ooit uitdrukking kan geven aan mijn dank. Begrijp dat alsjeblieft.'

Hij knikte. Hij kon even niets uitbrengen. Toen zei hij: 'Dat weet

ik... maar het is moeilijk. Zoals ik me hier zit af te vragen hoe het voor haar zal zijn om zonder vader op te groeien.'
Ellie wendde haar blik af. 'Ik hoop dat dat niet altijd het geval zal zijn.'
'Je man, bedoel je? Neem me niet kwalijk dat ik me ermee bemoei, maar als hij zo dolblij is dat hij vader is geworden, hoe komt het dan dat ik hem nu niet hier zie?' Er sloop woede in Tony's stem. De glimlach verdween van haar mooie, sterke gezicht waarin hij een strijd kon zien woeden tussen haar instinct om haar kind te beschermen... en haar gevoel van erkentelijkheid jegens Tony.
Ellie keek hem recht aan en haar heldere blauwe ogen stonden ernstig en bedachtzaam. 'Je kent dat oude gezegde – wie zich één keer heeft gebrand, kijkt de volgende keer beter uit. Paul heeft gewoon even tijd nodig om te wennen aan het idee dat Alisa hier altijd zal blijven.' Ze zuchtte toen ze haar koffiekopje pakte. 'Ik zeg niet dat we geen problemen meer zullen hebben. We zijn zo lang uit elkaar geweest dat een baby niet als bij toverslag alles zal veranderen, maar we werken eraan.'
Tony wist niet wat hij moest zeggen. Hij bedacht onwillekeurig hoe moeilijk het zelfs onder de beste omstandigheden al moest zijn, wanneer alles in evenwicht was, om als echtpaar bij elkaar te blijven.
Alsof ze zijn gedachten had gelezen, vroeg Ellie aarzelend: 'Heb je Skyler de laatste tijd nog gesproken?'
'Ze heeft zich een beetje op een afstand gehouden,' antwoordde Tony naar waarheid, hoewel er meer achter zat dan dat. Het feit was dat ze zijn telefoontjes niet had beantwoord. 'Het is vast niet gemakkelijk om weer op de been te komen nadat je een baby hebt gekregen.' Hij hield zijn stem kalm, maar hij maakte zich meer zorgen dan hij wilde toegeven.
'Geloof me, dat is het niet.' Ellie keek in de verte terwijl ze van haar koffie dronk, waarbij ze de kop in beide handen hield. Toen, alsof ze graag van onderwerp wilde veranderen, zei ze: 'Over gezondheid gesproken, ik maak me ongerust over die van Jimmy. Hij beweert dat hij zich goed voelt, dat zijn aantal T-cellen is gestegen. Maar elke keer dat ik hem uitnodig eens langs te komen om de baby te zien, heeft hij een excuus.'
Tony voelde hoe er iets in zijn binnenste bewoog en naar de oppervlakte van zijn geest kwam, druipend en ranzig, als een moeraswezen uit een slechte griezelfilm, waar Dolan en hij als kind doodsbang voor waren geweest. Hij had de grootste moeite om zijn gezicht niet te bedekken... zijn ogen af te wenden van Ellies onderzoekende blik en van de toekomst die hij niet onder ogen kon zien.

278

'Dolan?' Tony haalde zijn schouders op. 'Ik heb hem overgehaald zijn werkster een paar uur extra per week voor hem te laten zorgen – ze is een reuze aardige vrouw, heeft in haar eentje zes kinderen grootgebracht en denkt dat de zon voor Dolan op en onder gaat. Hij maakt het prima.' Ellie hoefde niet te weten hoe slecht Dolan ervoor stond, als Dolan dat niet wilde.

'Hij is in elk geval niet verder achteruit gegaan,' zei ze met een bekommerde blik.

'Hij is een stuk taaier dan hij eruitziet.'

Ze wierp hem een onderzoekende blik toe. 'En hoe is het met jou... hoe weet jíj je erdoorheen te slaan?'

'Ik red me wel.' Dat was in elk geval uiterlijk waar.

Er volgde opnieuw een pijnlijke stilte en Tony keek op zijn horloge. 'Tjee, is het alweer zo laat? Hoor eens, ik moet nu echt gaan. Zal ik nu maar even bij de baby gaan kijken?'

Zijn borst deed pijn en hij had een vreemd droog gevoel achter zijn ogen. Het was bijna meer dan hij kon verdragen, zijn dochtertje in de kamer hiernaast, maar wat hem betrof een wereld bij hem vandaan.

Ellie stond op en ging hem voor door de hal naar een kleine slaapkamer die vol stond met het laatste zonlicht van die dag. Het was er niet zo rommelig als in de kamers van zijn nichtjes, waar alles roze en met strikken en strookjes was. Hij zag de muren die met wolken en sterren waren bedrukt, de ingelijste filmposter van *The Wizard of Oz*, een eenzame teddybeer boven op een witgelakte boekenkast met daarin alle boeken die Ellie eens aan zijn dochter zou voorlezen. Toen Tony geruisloos naar de wieg stapte, balde hij zijn handen tot vuisten.

Zijn dochter lag opgerold op haar zij onder een zachtroze dekentje, en haar wangetje was rond en mollig als de maan die op de muur boven haar wieg was geschilderd, haar mond stond een eindje open, alsof ze hem een kus toeblies. *Jezus... O God!* Toen Tony op haar neerkeek, voelde hij de vloer onder zich bewegen en zijn knieën werden slap. Heel even werd de kamer om hem heen net zo grijs als de horizon van New Jersey.

Ze had zijn haar. Een grote zwarte bos die boven op haar kruin een pluizige pluk vormde. Haar ogen waren gesloten, zodat hij niet kon zien wat voor kleur ze hadden, maar de vorm van haar neus, de gedecideerde manier waarop ze haar vuist naar haar kin hield, deed hem aan zijn zus Gina denken. Tony voelde hoe de adem in zijn keel stokte.

Hij hield zijn hoofd gebogen, omdat hij niet wilde dat Ellie de tranen in zijn ogen zou zien. Maar toen hij ten slotte een blik in haar richting waagde, zag hij dat ze niet langer in de deuropening stond. Hij voelde een golf van dankbaarheid, wetend hoeveel het haar moest hebben gekost om hem zelfs deze minuten met zijn dochter alleen te geven.

Tony bracht zijn wijsvinger naar de wang van de baby en streelde deze zó zacht dat hij verbaasd was haar in een reactie te zien bewegen, haar gezicht te zien vertrekken en met haar achterwerk te draaien als een hamster die zich ingroef. Hij lichtte voorzichtig het dekentje op, grinnikend om haar lange benen – uitstekende benen om paard te rijden.

Hij trok het dekentje weer om haar schouders en wendde zich af, terwijl hij zijn ogen even dichtdeed. Hij had niet moeten komen. Hij had Skylers raad in het begin moeten opvolgen en zich er helemaal niet mee moeten bemoeien.

Op de een of andere manier wist Tony de deur te bereiken en naar de hal te lopen, waar hij Ellie tegen de muur geleund aantrof, met haar armen over elkaar geslagen. Ze richtte zich op, keek hem aan en keek toen discreet de andere kant uit.

Voordat hij wist wat hij deed, greep Tony onder de kraag van zijn sweatshirt en haakte een vinger om de ketting van zijn Sint-Michielspenning. Hij trok hem naar buiten en deed hem over zijn hoofd, waarbij het licht aan het plafond op de uitgespreide vleugels van de aartsengel weerspiegelde, zodat het even leek of deze op het punt stond weg te vliegen. Hij hield hem even in zijn vuist, probeerde zich de vorm ervan in zijn geheugen te prenten, terwijl hij dacht aan alle kogels waartegen Sint-Michiel hem had beschermd. De grote baas had hem slechts één keer in de steek gelaten. Zelfs als de kracht van de penning in zuiver bijgeloof lag, dan was hij hem nog steeds meer waard dan al het andere dat hij bezat.

Er vormde zich een prop in zijn keel, ruwweg ter grootte van de penning die hij nu in Ellies hand liet vallen. 'Voor haar,' zei hij met een stem die hees was van tederheid. 'Voor mijn dochter.'

De hele weg naar huis bleef Tony aan Skyler denken. Jezus, wat zij moest doormaken. Het was voor hem al moeilijk geweest om bij hun baby vandaan te lopen. Voor Skyler, die hun dochter negen maanden bij zich had gedragen, moest het als een moord zijn geweest.

Ze hoort niet zo alleen te zijn, dacht hij met een zekerheid die bijna even groot was als het verkeersbord voor hem uit, dat de afrit naar Interstate 84 aangaf. *Ze hoort iemand bij zich te hebben die weet hoe ze zich voelt*.

Tony nam de afrit en stopte bij een Sunoco-station waar hij een telefooncel vond. Hij draaide Skylers nummer en toen het toestel overging, bad hij dat ze deze keer op zou nemen en dat hij niet haar verdomde antwoordapparaat zou krijgen.

'Hallo?' antwoordde Skyler opgewekt, zodat hij van verbazing bijna de hoorn liet vallen. De toon van haar stem was... nou ja... bijna opgewekt! Alsof er niets ter wereld aan de hand kon zijn. Tony voelde zich hoogst onnozel. Wat had hij in 's hemelsnaam dan verwacht – een dame in nood? Een vrouw op het randje van zelfmoord? Zo was Skyler helemaal niet. Die avond in het ziekenhuis, toen ze in zijn armen had gehuild, was ze zichzelf niet geweest. Ze had zojuist een kind gebaard, allemachtig. Ze had het inmiddels waarschijnlijk allemaal al verwerkt. Ze zou het hem alleen maar kwalijk nemen als hij alles weer oprakelde.

'Ik ben het, Tony.' Hij sprak op een gelijkmatige, vriendelijke toon, in de hoop dat ze niet zou vermoeden dat zijn hart als waanzinnig tekeerging. 'Ik wilde je eens bellen om te horen hoe je het maakt.'

'Ik maak het goed.'

'Hoe komt het dan dat je mijn andere telefoontjes nooit hebt beantwoord?' Hij probeerde het te verbergen, maar de beschuldiging was daar, als een roestige spijker die in de zachte aarde was begraven.

Er volgde een stilte, en toen antwoordde ze, enigszins ijzig: 'Ik heb het heel druk gehad.'

'Te druk om eens een keertje terug te bellen?' wilde hij snauwen. Maar het enige dat hij zei was: 'Tja... nou, je had me waarschijnlijk toch niet te pakken gekregen. Vorige week en de week daarvoor heb ik dubbele diensten gedraaid. Grote klus in Harlem.'

'Harlem?' Het was geen uitdrukking van belangstelling, alleen maar een vage echo.

Hij schraapte zijn keel. 'Hoor eens, de reden dat ik bel, is dat ik me afvroeg of je misschien een beetje gezelschap kon gebruiken. Dat wil zeggen, als je het niet te druk hebt,' kon hij niet nalaten eraan toe te voegen.

Ze bleef zó lang stil dat hij zich begon af te vragen of ze er nog steeds was. Hij voelde hoe het zaad van de wrok, dat nooit ver van de oppervlakte was, begon open te barsten. Of ze dat nou leuk vond of niet, ze zaten hier samen in – dacht ze soms dat hij niet ook verdriet had?

Ten slotte zei ze met een tegenzin die hem tot diep in zijn ziel raakte: 'Ik heb op dit moment niets speciaals te doen.'

'Ik ben over een kwartier bij je,' zei hij en hij hing op voor ze kon protesteren.

Tijdens de rit erheen voelde Tony hoe zijn ongerustheid steeds heviger werd. Was alles echt zo goed met haar als ze zei? Kon de opgewekte vrouw die hij zojuist had gesproken dezelfde zijn als degene die zo bitter in zijn armen had gehuild, de avond na haar bevalling. Misschien... maar zijn instinct als politieman waarschuwde hem op volle kracht. Een minuut geleden had Skyler hem doen denken aan die keer dat hij in Brownsville een vrouw had moeten vertellen dat haar zoon het slachtoffer was geworden van een afrekening in de onderwereld. De vrouw had het nieuws kalm ontvangen, ze had hem zelfs binnengevraagd voor een kop koffie. Dagen later hoorde hij dat ze na afloop was ingestort en naar Bellevue was gebracht voor psychiatrische observatie.

Tony drukte het gaspedaal nog dieper in.

Even later reed hij over een steile toegangsweg met bomen aan weerszijden. Toen kwam Skylers A-vormige huis met ceders ernaast in zicht. Uit de natuurstenen schoorsteen kronkelde rook omhoog, en toen hij stopte, zag hij dat de houtstapel naast de veranda klein begon te worden. Hij zou terugkomen om wat sprokkelhout te kloven, dat hij op weg hierheen had zien liggen, zodra hij een vrije dag had. Dat wil zeggen, als zij hem dat toestond.

Toen hij de stoep van de veranda opklom, ving Tony een flits van een beweging in de glazen schuifdeur rechts van hem op. Hij kon haar niet zien – het was slechts een vage contour – maar hij kon voelen hoe Skyler naar hem keek. Zijn nekharen gingen overeind staan. Toen ze ten slotte de deur opendeed, had hij al zijn ervaring als politieman nodig om normaal te reageren.

Ze was zó mager dat haar spijkerbroek en oversized blouse deerniswekkend om haar heen hingen. Jezus. En die kringen onder haar ogen... Tony voelde zich alsof hij het doek op zag gaan voor een van de tragische opera's waar Skyler zo dol op was. Want iedereen die er zo uitzag, en die klonk zoals zij over de telefoon had geklonken, moest of een verdraaid goede actrice zijn, of op het punt staan af te knappen.

'Tony... hoi. Kom erin.'

Skylers welkomstglimlach deed niets om zijn bezorgdheid te verminderen, evenmin als de oppervlakkige omhelzing die ze hem gaf. Toen hij haar nauwlettend volgde, zoals ze voor hem uit naar de grote woonkamer met open balkenplafond zweefde, en het feit dat ze blootsvoets liep, ondanks de leistenen vloer die ijskoud moest zijn, besefte hij dat wat hij voor kalmte had aangezien, in werkelijkheid iets anders was. Ze was gewoon... overspannen.

Toen ze bij de haard kwamen, waarin slechts enkele sintels gloeiden te midden van een berg as, draaide ze zich om en zei: 'Ik wilde net een blik soep opwarmen. Wil jij ook wat?'

Soep? Kind, je ziet eruit alsof je een bloedtransfusie nodig hebt.

Maar Tony zorgde ervoor dat hij zijn schrik goed voor haar

verborgen hield. Hij zei op ontspannen toon: 'Wat dacht je ervan als ik jou in plaats daarvan op een etentje trakteerde?'

'Het dichtstbijzijnde restaurant is een half uur rijden hiervandaan,' verklaarde ze lusteloos. 'Bovendien ben ik daar niet echt voor in de stemming.'

De soep was kennelijk vergeten toen ze zich moe op de leren ottomane liet zakken die hoorde bij een stoel die eruitzag alsof hij meer dan dertig kilometer over een onverharde weg was gesleept. Dat was iets dat Tony niet kon begrijpen – als haar familie nou zoveel geld had, waarom verving Skyler dan niet al die oude, versleten troep?

Maar dat niet alleen, ze scheen ook niet in de gaten te hebben dat het hier zo koud was als op de Noordpool.

Zonder om toestemming te vragen, liep Tony naar de haard, pakte een paar blokken uit de houtkist en wierp die in de as. De vonken stegen in een wervelende kegel omhoog en daarna kwam het langzame likken van de vlammen. De zoete geur van houtvuur dreef naar hem toe en hij ontspande zich iets toen de warmte de kamer begon binnen te dringen.

Toen hij zich omdraaide, zag hij Skyler in het vuur staren met een lege, glazige blik die nog angstaanjagender was dan de donkere kringen onder haar ogen. De tijd voor verstoppertje spelen was voorbij, besefte Tony met een schok.

'Je ziet er vreselijk uit,' zei hij tegen haar. 'Wanneer heb je voor het laatst goed gegeten?'

Ze schrok op uit haar trance en deed haar mond open alsof ze wilde zeggen dat hij zich daar niet mee moest bemoeien. Daarna schudde ze haar hoofd met een diepe zucht.

'Ik heb de laatste tijd niet veel eetlust,' zei ze.

'Dat is wel duidelijk. De vraag is, wat gaan we daaraan doen?' Deze keer kon hij de woede niet uit zijn stem houden.

'We?' Ze wist nog een zwakke verontwaardiging op te brengen. 'Sinds wanneer vind jij het nodig je met mij te bemoeien?'

'Sinds je dat zelf niet meer doet.'

Allemachtig, dacht ze nou echt dat het hem niets kon schelen wat er met haar gebeurde? Had ze zich al deze weken, waarin ze niet had gereageerd op de boodschappen die hij op haar antwoordapparaat had achtergelaten, ooit afgevraagd of híj zich misschien ongerust maakte?

Ik houd van je, verdomme! wilde hij schreeuwen. *Kun je daar soms ook niet tegen?*

Voor hij iets kon zeggen waar hij spijt van zou krijgen, liep Tony naar de keuken, waar hij een bijna lege koelkast en nagenoeg lege kasten aantrof. Hij wist wat zoute koekjes te vinden en een blik champignonsoep, die hij opwarmde met het beetje melk dat er in de koelkast over was. Toen hij het eten op een dienblad zette, dacht hij aan de talloze keren dat hij dit voor zijn moeder had gedaan toen ze zo ziek en akelig was dat ze zelfs niet meer uit bed kon komen. Hij had toen het eten voor zijn broers en zussen gekookt en daarna zijn moeder een kom soep gebracht en gezien hoe ze die langzaam met een lepel naar binnen werkte, alsof ze het opat om hem een plezier te doen.

Terwijl Tony nu zat te kijken hoe Skyler hetzelfde deed, nam hij zich voor dat hij niet weg zou gaan voor hij zeker wist dat ze voor zichzelf kon zorgen. En wetend hoe koppig ze kon zijn, verwachtte hij niet dat dit eenvoudig zou zijn.

Skyler verbaasde hem echter met een glimlach die even oprecht leek als de kleur die naar haar wangen trok. Ze zette de soepkom op het wankele tafeltje naast de bank en zei tegen hem: 'Bedankt. Ik voel me nu echt een stuk beter. Ik denk dat ik inderdaad gewoon iets in mijn maag nodig had.'

'Je ziet eruit alsof je ook iets op je botten nodig hebt. Hoeveel ben je afgevallen?'

Ze haalde haar schouders op. 'Ik weet alleen dat ik de vorige keer dat ik op de weegschaal stond een stuk meer woog.' Ze lachte even hees. 'Verbluffend, nietwaar, hoeveel verschil het kan maken wanneer je geen baby in je binnenste meedraagt.'

Tony, die zag hoe haar gezicht verkrampte en haar ogen zich met tranen vulden, was diep bewogen. Hij liep naar haar toe, hees haar van de ottomane overeind en nam haar teder in zijn armen. Hij voelde hoe haar hoofd op zijn schouder viel en hoe haar borst op en neer ging toen ze een verscheurde zucht slaakte.

'Stil maar,' mompelde hij in de warme muskusachtige geur van haar ongewassen haar. 'Je kunt je laten gaan.'

Haar armen gingen aarzelend omhoog en hij voelde de druk van haar handpalmen tegen zijn schouderbladen, niet zozeer alsof ze hem in haar armen hield, maar alsof ze zich schrap wilde zetten tegen alles dat haar zoveel pijn bezorgde. Hij omhelsde haar iets steviger en hij hoorde een geluid dat zó zwak was dat het van buiten had kunnen komen – de wind die door de bomen kreunde.

De kreun werd heviger, luider, en ging ten slotte over in een felle jammerkreet.

'O Tony… het is veel erger dan ik had gedacht dat het zou zijn,' snikte ze. 'Zó veel erger.'

'Ik weet het… ik weet het,' suste hij.

Ze maakte zich met een ruk van hem los, en keek hem met felle, gloeiende ogen aan. 'Je weet het helemaal niet. Je kunt het niet weten. Jij hebt haar niet in je binnenste meegedragen. Jij hebt haar niet ter wereld gebracht. Je bent niet degene die haar heeft... weg... gegeven.' Er barstte een nieuwe snik naar buiten in een stortvloed van tranen. Toen ze weer adem kon halen, zei ze met verstikte stem: 'Ik... ik loop de hele dag rond alsof ik... alsof ik slaapwandel. Ik dacht dat ik dit kon verwerken... maar dat blijk ik niet te kunnen...' Ze verloor opnieuw haar zelfbeheersing, zakte slap tegen hem in elkaar. Hij ving haar op en voelde hoe ze een handvol van zijn shirt beetgreep, als iemand die van een klif dreigde te glijden en wanhopig naar houvast graaide.

Hij kon geen woorden bedenken om haar te troosten, dus troostte hij haar in plaats daarvan met zijn lichaam, door haar in zijn armen te houden en haar te wiegen, haar over haar achterhoofd te strelen. Hij liet haar huilen, wetend dat ze dit meer nodig had dan eten, meer dan slaap.

Ten slotte steeg er een gesmoorde stem op vanuit de doorweekte plek op zijn sweatshirt, waartegen haar gezicht was gedrukt. 'Tony?'

Hij wachtte.

'Ik heb het gevoel dat ik een vreselijke vergissing heb begaan.' Ze sprak op een ijle fluistertoon. 'Misschien had ik... beter na moeten denken over wat goed was voor mij, niet alleen voor de baby.'

Hij slikte, zonder woorden te kunnen vinden. Ten slotte zei hij dat waarvan hij dacht dat ze dat het meeste nodig had om te horen. 'Je hebt er goed aan gedaan. Kwel jezelf er niet mee.'

'Heb ik er goed aan gedaan?' Ze hief haar hoofd op en haar rode, gloeiende ogen leken door hem heen te branden. 'Ik weet het nog niet zo zeker.'

'Zo denk je er nu over, maar over een paar maanden...'

'Nee! Zo is het niet!' riep ze uit. 'Over een jaar, over tien jaar, zal ik er nog niet anders over denken. O Tony, wat heb ik gedaan? Wat heb ik in godsnaam gedáán?'

Met een wonderlijke gratie, als van een dunne sjaal die aan haar voeten viel, zakte ze in geknielde houding op het gevlochten kleed voor de haard, met haar hoofd omlaag. Met haar armen strak over haar borst geslagen, wiegde ze op haar hielen heen en weer, met vreemde, schokkende kreetjes.

Tony kreeg een prop in zijn keel en hij onderging een vreemde gewaarwording... iets dat hij aanvankelijk niet thuis kon brengen. Hulpeloosheid. Hij voelde zich zo verdomde hulpeloos.

'Skyler?' Hij hurkte voor haar neer op het kleed vol schroeiplekken en hij legde zijn hand op haar gebogen nek.

Haar hoofd schoot abrupt omhoog en ze keek hem recht aan, met open mond en trillende lippen. Zonder een geluid te geven, met wijdopen ogen, hield ze haar gezicht omhoog zodat hij het kon kussen. Hij bracht zijn mond naar de hare en voelde hoe ze zó gretig was dat ze hem bijna de adem benam. Hij huiverde, en hij voelde hoe iets dat veel te lang achter slot en grendel had gezeten, eindelijk los werd gelaten. Hij zonk omlaag toen ze haar heupen naar voren duwde, zich aan hem vastklampte en hem kuste, hem op zijn onderlip beet alsof ze zich in hem wilde begraven, zich compleet in hem wilde verliezen.

Tony wist dat hij eigenlijk moest ophouden. Verkeerd moment, verkeerde reden. Maar aan de andere kant besefte hij ook dat als hij probeerde zichzelf of haar tegen te houden, dit even zinloos zou zijn als proberen de kogel terug te roepen uit een revolver die was afgevuurd. De hitte sloeg in een reeks kleine explosies door hem heen. Toen was hij opeens degene die háár koortsachtig kuste – haar wangen, haar hals, de kloppende holte van haar keel. Hij greep een van haar handen en bracht die naar zijn mond, gleed langzaam met zijn tong over haar handpalm. Ze schrok, en hij voelde een rilling door haar heen gaan.

Tony rukte aan de knopen van haar blouse, slaakte een gesmoorde kreet bij het voelen van de naakte huid onder zijn vingers, de welving van haar ribben, de zachte onderkant van haar borsten tegen zijn duimen. Ze kreunde en spreidde haar knieën, en hij dacht aan die eerste keer, aan hoe nat ze was geweest en hoe goed dit had gevoeld door de stof van haar korte broek.

Hij schoof een hand omlaag langs de voorkant van haar spijkerbroek, en hij ontdekte dat ze net zo nat was als hij zich herinnerde, en deze keer duwde ze zich echt tegen zijn hand aan, schokte ze met een wild, bijna wanhopig ritme. Jezus.

Gedreven door een begeerte die heviger was dan hij ooit eerder had meegemaakt, duwde Tony haar voorzichtig op haar rug, waar ze bleef liggen met het licht van het haardvuur dat over haar borsten danste. Hij zag hun volheid, de aderen die vlak onder de huid zichtbaar waren; dit waren niet de borsten van een meisje, maar van een vrouw die onlangs had gebaard. Hij voelde verdriet in zich opwellen… maar dat maakte dat hij haar alleen maar nog meer begeerde.

Hij zag hoe ze zich uit haar spijkerbroek worstelde en hij werd bijna duizelig van opwinding bij de aanblik van haar lange, blanke benen die zich vrij spartelden en zich voor hem openden. Hij trok vlug zijn eigen spijkerbroek uit, daarna zijn sweatshirt, en liet zich toen over haar heen zakken.

'Nee… niet in me,' hijgde ze. Alsof hij dat zou doen, na alles wat er de vorige keer dat ze de liefde hadden bedreven was gebeurd.

'Maak je maar geen zorgen,' fluisterde hij tegen haar slaap, toen hij over de vochtige welving van haar buik gleed. Hij was zó stijf, dat hij het gevoel had dat hij bij de minste aanraking klaar zou komen. Hij had al zijn zelfbeheersing nodig om zich in te houden. Ze wiegde tegen hem aan en hij voelde hoe haar meisjesachtige gespannenheid zacht en rond was geworden. Hij schoof een hand tussen haar benen, over haar vochtige heuvel, en ze bewogen in hetzelfde ritme. Het was vreemd, maar op de een of andere manier voelde dit heel goed en juist. Ze schoven en schokten, waarbij hun adem stotend ging. Hij voelde hoe zijn zelfbeheersing hem ontglipte toen ze zich in een boog omhoogduwde en verstijfde, terwijl ze een felle kreet slaakte. Hij kreunde en greep haar vast zonder zich er nog om te bekommeren of zelfs maar te merken of hij haar pijn deed.

Op dat moment, alsof zijn climax vanuit zijn lendenen kwam, voelde hij hoe hij zich over haar buik uitstortte. Hij drukte zich stijf tegen haar aan en riep: 'Skyler, o God, Skyler!'

Met een verkrampte huivering sloeg ze haar armen en benen om hem heen, begroef haar gezicht in de holte van zijn hals. Ze begon weer te huilen. Hij voelde hoe de nattigheid op haar wang, en zijn zaad, dat warm tussen hun buiken kleefde, hen op de een of andere manier verbond.

'Ik wil haar terug,' fluisterde ze heftig. 'Tony, als ik haar niet terug kan krijgen, ga ik dood. Het kan me niet schelen wat ik ervoor moet doen. Ik heb een vreselijke vergissing gemaakt. Alsjeblieft. Help me haar terug te krijgen.'

Tony dacht aan Ellie, aan hoe ze naar hem had geglimlacht toen hij de Sint-Michielspenning in haar hand had gedrukt. Het was de glimlach van een moedertijger die geen onnozel stukje metaal nodig had om haar kind tegen het kwaad te beschermen.

Jezus. Had Skyler eigenlijk enig idéé?

Kalm aan, zei hij tegen zichzelf. *Ze denkt niet goed na*.

Maar iets vertelde Tony dat ze even serieus was als ze klonk. Skyler zou misschien spijt hebben van vanavond, spijt van hèm, maar ze zou niet van gedachten veranderen over dat ze hun baby terug wilde.

Er ontstond een laag, brandend gevoel in zijn lichaam, dat langzaam omhoogkroop... een vreemd, warm-koud gevoel dat ergens in de buurt van angst en misschien ook in de buurt van hoop lag.

Hij had gedacht dat ze het ergste achter de rug hadden, maar het zag ernaar uit alsof het moeilijkste pas net was begonnen.

13

Het bleef de rest van die grauwe week regenen. Het weer varieerde van motregen tot stortbuien en maakte geen aanstalten om op te klaren, tot vrijdagmiddag laat. Om half vijf liet Ellie een patiënt uit – Adam Burchard, van haar aids-groep – toen haar opviel hoe rustig het opeens was geworden. Het gestage getik van de regen tegen de ruiten was eindelijk opgehouden. En ze hoorde geen kik van Alisa, die verderop langs de gang in haar kamertje lag te slapen, onwetend van de wisselvalligheden van het weer… van alles in feite, behalve de armen die haar oppakten wanneer ze huilde, de warme borst waartegen ze zich nestelde wanneer ze uit haar fles dronk. Haar lieve, lieve Alisa, die elke regendag tot een feestdag maakte.

Ellie zette de ketel op om water voor de thee te koken, toen ze opeens besefte hoe gelukkig ze was. Vanuit haar kleine keuken keek ze uit over een wanordelijke tuin met door klimop overgroeide muren achter het huis, waar een waterig zonnetje door een opening in het wolkendek priemde om de narcissen te belichten. Ze leunde tegen de muur die met vergeten oude advertenties voor levensmiddelen was behangen, en ze glimlachte in zichzelf. Het was zo lang geleden dat ze voor het laatst iets had ervaren dat op geluk leek, dat ze het gevoel nauwelijks herkende – alsof ze alle voorgaande jaren had geprobeerd een onbekend ritme te volgen en de muziek haar nu moeiteloos afging.

Was Paul maar hier geweest om dit met mij te delen. Woonde hij maar hier, in plaats van een paar keer per week langs te komen…

Had Paul maar, wanneer hij naar Alisa keek, dezelfde uitdrukking van tevredenheid op zijn gezicht gehad zoals ze die bij Tony had gezien. Paul had zoveel muren om zich heen opgetrokken, dat ze niet wist of zelfs hij in staat was ze weer af te breken. Donderdagavond had ze naar hem gekeken toen hij Alisa oppakte om wat uitslag op haar arm, waarover Ellie zich ongerust had gemaakt, te bekijken. Wat haar had getroffen was de tederheid van zijn handen en de afstandelijke, zorgelijke blik die hij vertoonde.

288

Het moment van verpletterend geluk, zoals ze dat even geleden had gevoeld, verdween even abrupt als het straaltje zonneschijn dat weer door wolken werd opgeslokt. Nu Aiisa de dagen voor haar indeelde, onderging Ellie elk kostbaar ogenblik dat voorbijging even heftig als een diefstal. Wanneer Paul naar de deur liep, wilde ze hem het liefste bij zijn revers beetpakken om hem in zijn gezicht te schreeuwen dat wat hij miste, nooit meer terug zou komen.

Om nog maar te zwijgen van hoeveel zíj hem miste. Het was meer dan een jaar geleden en er was geen dag voorbijgegaan waarin ze niet naar hem had verlangd. Gisteren nog had ze hun favoriete solo van Stan Getz op de radio gehoord en ze was begonnen naar Paul in de andere kamer te roepen, voor ze zich herinnerde dat hij er niet was. En vorige week donderdag was ze een oude vriendin, Betsy Higgins, bij D'Agostino's tegen het lijf gelopen. Betsy was verbaasd geweest te horen dat Paul en zij van tafel en bed waren gescheiden... en ze was nog meer verbaasd geweest toen Ellie midden op de diepvriesafdeling in tranen was uitgebarsten. Ze wist dat als Paul vanavond door die deur naar binnen kwam, zij ervoor zou zorgen dat het voorgoed was.

Waarom? vroeg ze. *Waarom de één de beker die overvloeit... en de ander één die droog staat?*

De telefoon ging op het moment dat ze een theezakje in een beker kokend water liet zakken.

Ellie haastte zich om op te nemen zonder te wachten tot haar antwoordapparaat in werking trad. Ze was bang dat het gerinkel Alisa wakker zou maken uit haar dutje, en de hemel wist dat ze best een paar extra minuten kon gebruiken om haar benen hoog te leggen en van haar thee te genieten. Maar toen ze naar de telefoon aan de muur boven het aanrecht reikte, was haar tweede gedachte die aan Paul.

Laat het hem alsjeblieft zijn. Laat hem zeggen dat hij er nog eens goed over heeft nagedacht, dat hij me te veel nodig heeft om ooit nog iets tussen ons te laten komen – zelfs een baby die we misschien zouden moeten verliezen...

Maar toen Ellie de telefoon pakte, was de stem aan de andere kant niet die van Paul. Er klonk een diepe zucht, gevolgd door een gefluister dat even alarmerend was als de kreet van een kind om hulp.

'Ellie... met mij... Skyler.'

Ellie voelde opeens een steen in haar maag. 'Skyler, wat is er aan de hand?'

Stilte, slechts verbroken door Skylers wanhopige, moeizame ademhaling.

Ellie tastte achter zich naar de gecapitonneerde zitting van de barkruk die het dichtstbij stond en hees zich erop. Haar hart bonsde tegen haar ribben, maar ze dwong zich kalm te spreken. 'Skyler, ben je ziek? Heb je een dokter nodig?'

Een snelle inademing, toen: 'Nee... dat is het niet,' waarna de woorden gesmoord naar buiten tuimelden. 'Ik... ik ben alleen... ik ben gewoon... nou ja, een puinhoop. Ik kan niet eten. Ik slaap de hele tijd, maar ik word nooit uitgerust wakker. Ik wist niet dat het zo zou zijn. Ik had geen idee...'

Ellies eerste paniekerige gedachte was: *Dit kan niet waar zijn, niet weer, niet bij mij.* Toen herinnerde ze zich hoe het was geweest na haar eigen bevalling, de wilde stemmingswisselingen, de huilbuien die op vlagen van euforie volgden. Skyler moest dezelfde soort hel doorstaan, zei ze bij zichzelf. Alleen was het in haar geval erger, omdat ze er niets tegenover had staan.

Als ik dit goed aanpak, zal ze wel kalmeren, zei Ellie bij zichzelf en ze worstelde om haar zelfbeheersing te bewaren.

'Ik begrijp wel wat jij nu doormaakt,' zei Ellie vriendelijk tegen haar. 'Toen mijn dochtertje... toen ze was ontvoerd, dacht ik niet dat ik verder kon leven.'

'Alisa is niet ontvoerd. Ik heb haar weggegéven.'

'En dat was om heel verstandige redenen.'

'Nee. Het was verkéérd van me.' De resolute zekerheid in Skylers stem bezorgde Ellie een rilling over haar ruggengraat.

Alleen vele jaren ervaring met het in bedwang houden van haar emoties, redde Ellie ervan in de telefoon te schreeuwen: 'Het is nu te laat, hoor je me? Te laat! Ze is nu van mij. Ze is van míj!' In plaats daarvan draaide ze het snoer van de telefoon strak om haar vingers.

'Ik begrijp dat je je zo voelt en ik kan niet in oprechtheid zeggen dat het over zal gaan... maar het wordt in de loop van de tijd wel gemakkelijker.' Ze dwong zich heel kalm te spreken, zoals ze enkele minuten geleden nog tegen Adam Burchard had gesproken, die in haar woonkamer vijftig minuten lang had zitten huilen over het onontkoombare feit dat hij stervende was. 'Skyler, ik denk echt dat het goed zou zijn als je hiermee naar een deskundige ging. Ik ken een vrouw, een vriendin van me, die...'

'Ik heb geen zielenknijper nodig!' Skylers stem steeg en werd schel, voor ze smekend fluisterde: 'Ellie, ik weet dat je van haar houdt. En je zult het wel vreselijk vinden dat ik dit zeg, maar... maar het was verkeerd van me om haar op te geven. Ik... ik wil haar terug.'

Ellie staarde omlaag naar haar hand die heel wit was geworden onder het strakopgerolde telefoonsnoer. Ze voelde iets tintelen in

haar vingers, een gevoel dat haar deed denken aan de sterretjes op 4 juli. Maar er zat geen vuur in haar. Ze was ijskoud.
'Ik ben bang dat het daar te laat voor is.' De vlakke, nasale stem die uit haar diepste binnenste opwelde, was helemaal niet de hare – hij was van Ellie Porter uit Euphrates, Minnesota, die haar laatste beetje onschuld had begraven in de stoffige sporen van de Trailways-bus die haar naar New York had gebracht... een meisje dat in één enkele winternacht had ontdekt wat het betekende een kind te verliezen.
Ze zou dat nooit meer laten gebeuren. Niet als zij er iets aan kon doen.
'Je hebt dit besluit helemaal alleen genomen,' ging Ellie verder, terwijl haar medelijden plaatsmaakte voor woede. 'Ik heb jou niet opgezocht. Jij bent naar mij toegekomen. En ik heb nooit gesmeekt. Me nergens mee bemoeid. Ik was eerlijk over mijn omstandigheden. Maar ze is nu van mij. Ze is míjn baby.'
'Ik heb haar ter wereld gebracht,' krijste Skyler. 'Ik heb haar negen maanden lang in mijn binnenste gedragen. Dacht jij dat een stuk papier daar ooit verandering in kon brengen?'
Ellie begreep onmiddellijk dat het verkeerd van haar was geweest om Skyler in het defensief te dringen. 'Kunnen we hierover praten wanneer je niet zo overstuur bent? Kies jij de tijd en de plaats maar.'
Ellie sprak tegen haar alsof ze een gelijke was, een van haar eigen collega's.
'Ik zie niet in wat daar het nut van zou zijn,' zei Skyler stijfjes. 'Mijn besluit staat vast.'
'Als dat waar is, dan zal een gesprek met mij er niets aan veranderen. Dus wat heb je te verliezen?'
'Hou op!' riep Skyler, op het randje van hysterie. 'Ik weet wat je probeert te doen... maar dat zal niet lukken. Hoor je me? Dat zal niet lukken.'
'Skyler, luister naar me...'
'Nee! Ik luister níet!'
Ellie begon te trillen, zó hevig dat ze de spieren in haar kuiten kon voelen trekken en verkrampen; ze moest de hoorn stijf tegen haar oor drukken om te voorkomen dat die werd weggerukt. Met een lage, hese fluisterstem vroeg ze: 'Wat wil je van me?'
Er volgde een stilte, en toen: 'O Ellie... het spijt me. Het is allemaal mijn schuld. God, het spijt me zo...' Skyler zweeg en haar stem loste op in wanhopig gesnik.
Ellie wachtte tot de vreselijke geluiden aan de andere kant van de lijn waren opgehouden. Toen ze ten slotte begon te spreken, was het met de ernstige, dodelijke kalmte van een begrafenisondernemer.

'Het spijt je? Je weet niet wat spijt is. In tegenstelling tot jou heb ik nooit de luxe gehad te weten wat er met mijn kind is gebeurd... of ze nog leefde of dood was... of ze naar beschaafde mensen is gegaan, die van haar zouden houden.' Er prikten tranen in haar ogen, maar ze wist ze te bedwingen. 'Er gaat geen dag voorbij dat ik niet aan haar denk, en hoop dat ze gezond en gelukkig is. Jij weet tenminste dat er van Alisa zal worden gehouden. Jij weet...'

Ellie werd onderbroken door een doordringend gejammer vanuit de kinderkamer verderop in de gang. Alisa was wakker geworden uit haar middagdutje.

Ellie werd overweldigd door ontzetting. Ze wilde een hand over het mondstuk van de telefoon slaan om te zorgen dat Skyler de kreten van haar baby niet kon horen, maar ze voelde zich te zwak om zich zelfs maar te bewegen.

'Alsjeblieft,' smeekte ze, zonder te proberen overredend te zijn, zelfs zonder waardigheid. 'Doe dit niet. Geef het wat tijd, een paar dagen op zijn minst. Denk er nog eens goed over na...'

'Geloof me, ik heb de afgelopen viereneenhalve week aan niets anders gedacht.' Skylers stem trilde. 'Het heeft geen zin. Ik voel me voortdurend ziek en onpasselijk. Ik voel me... bedrogen. Nog erger, ik heb het gevoel dat ik háár bedrieg. Ik weet het, ik weet wat je gaat zeggen... dat mijn redenen om afstand te doen van haar nog steeds geldig zijn. Maar het is alsof ik een andere persoon was toen ik die beslissing nam. Alles is nu anders. Ik ben een moeder. Daar kan ik niets aan veranderen, net zomin als aan de gevoelens die ik nu heb.' Ze haalde diep adem en toen kwamen de woorden die Ellie het meest had gevreesd. 'Als je me tegenwerkt, dan maak je het voor ons allemaal alleen maar erger.'

Verderop in de gang begon Alisa in alle ernst te jammeren.

'Ik moet nu echt gaan,' zei Ellie en ze hing op.

Ze bleef een volle minuut als verstard op de stoel zitten. Zelfs terwijl ze popelde om gehoor te geven aan het gehuil van haar baby, kon ze zich de volgorde waarin haar armen en benen moesten bewegen niet herinneren; de code daarvoor zat verward in haar hoofd. Er was maar één beeld dat haar helder voor de geest stond: een lege rieten mand in de hoek van een woonkamer in een huurkazerne.

Langzaam stond Ellie op. Haar hoofd bonsde en de spieren van haar benen kwamen met kleine steken weer tot leven. Toen ze in de richting van het gehuil van haar baby liep, voelde ze zich echter wonderlijk gewichtsloos, alsof ze over een vliegend tapijt door de lucht werd vervoerd. Een bijna maniakaal opgewekte stem die ze nauwelijks herkende als die van zichzelf, riep vrolijk: 'Mamma komt eraan! O, wat maak jij een kabaal... alsof de wereld vergaat!'

In de kinderkamer tilde ze Alisa uit haar wieg en legde de spartelende baby tegen haar schouder, terwijl ze de plek kuste waar haar donkere haar in vochtige slierten tegen haar slaap zat geplakt. Ellie voelde hoe de spanning uit het lichaampje van de baby verdween en haar kleine vuistjes ophielden met rondmaaien. 'Stil nou maar. Ik ben er. Ziezo... dat is beter, hè? Alles komt goed...' Er knapte iets in Ellie, en ze slaakte zó'n gekwelde kreet dat ze er bijna van dubbelsloeg. Ze wankelde achteruit om haar evenwicht te bewaren en ze voelde de baby verbaasd schokken, waarbij haar hikkende gehuil weer tot volle kracht steeg.

Ellie klampte Alisa stijf tegen haar borst, terwijl ze heen en weer wankelde, en ze nam zich stellig voor dat wie er ook zou proberen de baby van haar weg te nemen, diegene haar eerst zou moeten doden om dit te doen.

Maar ze kon deze strijd niet in haar eentje voeren. Er was maar één ander iemand die in staat was haar de hulp te geven die ze nodig had.

Toen Alisa zich weer in slaap had gehuild, legde Ellie haar voorzichtig terug in de wieg en liep op haar tenen de kamer uit. Deze keer was haar hand kalm toen ze in de woonkamer de hoorn van de haak nam.

'Afdeling neonatologie,' antwoordde een meisjesachtige stem aan de andere kant. Ellie herkende hem direct als die van Martha Healey.

'Martha, je spreekt met Ellie.' Ze probeerde zo natuurlijk mogelijk te klinken, alsof ze niet op het randje van hysterie verkeerde. 'Is Paul in de buurt?'

'Hij maakt zijn avondronde,' zei Martha verward, en Ellie zag in gedachten de kleine hoofdverpleegster voor zich, die haar om de een of andere reden altijd aan Judy Garland, in die oude films met Mickey Rooney, deed denken. 'Maar ik zal hem de boodschap wel doorgeven. Hé,' – haar stem veranderde en werd nu wat duidelijker – 'ik vergat je te feliciteren, maar je weet hoe krankzinnig het hier toe kan gaan. Hoe gaat alles? Baby oké?'

'Ze is... ze is prachtig.' Ellie merkte tot haar eigen verbazing dat ze glimlachte.

'Nou, tel je zegeningen dat ze tien vingers en tien tenen heeft en gezond is.' Er viel een pijnlijke stilte, en Ellie kon Martha bijna horen denken wat waarschijnlijk een veelbesproken onderwerp op de afdeling was: Wat jammer dat Paul en zij nu niet meer bij elkaar zijn.

Ellie nam een heel klein hapje lucht – ze durfde niet te veel lucht tegelijk in te ademen, anders werd ze duizelig – en ze zei: 'Bedankt. Zeg hem alleen maar dat ik gebeld heb, oké?'

De avondronde op neonatologie leek in veel opzichten op de selectie en rangschikking van gewonde soldaten in een oorlogsgebied. Paul leidde een groep vermoeide specialisten in opleiding door de doolhof van couveuses, zuurstofflessen, monitoren, medicijnkasten en de elektrische kabels om alles te bedienen. Te midden van dit alles hingen zo'n twintig of meer levens voortdurend aan een zijden draadje, onder de hoede van vier verpleegsters die heen en weer holden. Nooit – op geen enkel moment – zou een van de aanwezigen vergeten dat een patiënt elk moment kon sterven. De dood was hier de vijand, de frontlinie die ze probeerden te naderen, zelfs al was het maar marginaal en zelfs als het een verloren strijd leek.

'Dorfmeyer, wil jij de presentatie over baby Ortiz doen?' Paul zat op een van de zes bureaus die tegen elkaar aan waren geschoven en dienstdeden als kantoor van de verpleegsters. Hij keek even naar de pukkelige, blonde jongeman die naast hem stond en met verbeten concentratie naar de status keek die op de map in zijn handen was geklemd.

Er zat een vlek van blauwe inkt, als een slordige knoopsgatbloem, op het borstzakje van de labjas van Carl Dorfmeyer, waar hij per abuis een pen zonder dop had gestopt. Maar de andere vijf assistenten, die druk bezig waren de inhoud van hun eigen statuskaart te bekijken, zouden het nog niet hebben opgemerkt – of zich er iets van hebben aangetrokken – als hij een gorillapak had gedragen. Vaardigheid, en de snelheid waarmee deze werd toegepast, waren de enige zaken die hier telden.

De jongen keek op en hij kreeg een kleur alsof hij zich door dit verzoek voelde overvallen, maar Paul wist dat dit geenszins het geval was. Dit was echt een intelligente knul. Voor hij door Cornell werd gerecruteerd was Carl Dorfmeyer – voor vrienden 'Doogie Howser' – cum laude afgestudeerd in Harvard op de prille leeftijd van achttien jaar.

Dorfmeyer schraapte zijn keel en vond ten slotte zijn stem. 'Dag zeventien... weegt negenhonderd gram... bloedgassen zeven komma vier pH en veertig p 102,' citeerde hij uit zijn hoofd toen hij voor de plexiglazen couveuse stond waarin een zevenentwintig weken oude baby onder een warmtelamp lag, verbonden met allerlei slangen en snoeren. 'Medicatie? Even denken.' Hij aarzelde even. 'Ampicilline – veertig gram elke twaalf uur. Cefotaxime, zelfde dosis. In de afgelopen twee dagen heeft hij verscheidene bradycardieën gehad, maar een echo van het hoofd wees niet op een hersenbloeding.'

'Zou jij deze vorm van behandeling willen voortzetten?' vroeg Paul.

Dorfmeyer aarzelde niet. 'Ik zou nog een echo van het hoofdje willen maken. Gewoon voor alle zekerheid. En ik denk dat we zijn voedingen wat moeten verhogen. Ik zou hem nog één cc Similac meer willen geven. Als dat niet...'

Voor hij verder kon gaan, ontstond er opwinding doordat het tumult, dat in de gang buiten gaande was geweest, door de dubbele deuren van de afdeling naar binnen daverde in de vorm van een strijdlustig, grauw uitziend tienermeisje met grote, heldere ogen en de houding van een vechtende haan.

'Die stomme klootzakken zeggen dat ik m'n baby niet mag zien! Ik heb het recht mijn kind te zien!' brulde het meisje met de rauwe stem van iemand die te zwaar onder de verdovende middelen zat om zelfs maar te merken dat ze schreeuwde.

'O jee... daar heb je moeder Ortiz. Daar gaan we weer,' hoorde Paul Ken Silver mompelen. Zelfs Silver, met zijn forse lichaam van één meter tachtig, keek nerveus.

Paul had in de loop der jaren zo zijn ervaring met drugsmoeders, maar geen van hen was zo moeilijk geweest als Concepción 'Cherry' Ortiz. Sinds die ochtend, twee weken geleden, toen haar nauwelijks ademende kind haastig naar Langdon was gebracht, acht weken te vroeg geboren als gevolg van haar verslaving aan crack, had Cherry Ortiz al het mogelijke gedaan om iedereen op de afdeling het leven tot een hel te maken. De kern van haar woede betrof een gerechtelijk bevel dat haar verbood haar zoontje te bezoeken, maar waaraan ze niet meer aandacht besteedde dan wanneer het een parkeerbon was geweest. In haar strijd om langs de zusters te komen, had ze alle mogelijke tactieken gebruikt, van hysterisch geschreeuw tot zielige huilbuien. Ze had zelfs een keer geprobeerd zich via omkoping toegang tot de afdeling te verschaffen, door aan te bieden met een van de assistenten naar bed te gaan.

Vanuit zijn ooghoek zag Paul hoe Martha Healey met haar handen op haar heupen aan kwam marcheren, met de grimmige blik van een generaal die zijn troepen de strijd in voert. Martha was in crisissituaties geweldig... maar tact was niet haar sterkste punt.

Hij stond op en liep vlug naar de plaats waar de magere tiener klaarstond om de vrouwelijke kanonskogel in roze ziekenhuiskleding af te weren. Een fractie van een seconde voordat Martha haar kon grijpen, stapte Paul voor het meisje.

'Juffrouw Ortiz, u zult helaas buiten moeten wachten,' vertelde hij haar met een beleefde kalmte die een stalen wil, zo scherp als een chirurgisch scalpel, verborg.

'Wie denk jij wel dat je bent, om mij te vertellen wat ik moet

295

doen? Meneer de grote dokter, die zich een beetje te veel verbeeldt! Dat is míjn kind, daar!' Cherry's hoofd, vol kroeskrulletjes, wipte woest naar voren en haar handen maaiden wild door de lucht. 'Dat had je moeten bedenken toen je zwanger was en toch drugs bleef gebruiken!' snauwde Martha, die om Paul heen schoot om het meisje bij de arm te grijpen.

Martha's poging om Cherry naar buiten te loodsen, werd echter beloond met het bijna uit de kom rukken van haar arm. Cherry schudde de hoofdzuster van zich af en stortte zich in de richting van Paul, als een boze geest die uit de fles was losgelaten.

Haar ogen, waarvan het wit aan alle kanten rond haar iris te zien was, stonden koortsachtig. Haar handen waren tot klauwen gekruld, met uitstekende nagels. Paul was minstens vijftien centimeter langer dan zij, maar toch kon hij haar nauwelijks in bedwang houden. Hij greep haar bij haar beide polsen vast en kneep tot ze kermde.

'Juffrouw Ortiz, u zult buiten moeten wachten,' herhaalde hij met ijzeren kalmte. Het enige verschil was de druk die hij op haar polsen uitoefende... polsen die even dun en broos waren als stokjes. Hij voegde er ernstig aan toe: 'Uw zoontje is heel erg ziek. Hij kan ieder moment een hartstilstand krijgen. Begrijpt u wat dat betekent?'

Hij voelde hoe haar polsen slap werden in zijn greep. 'U bedoelt dat hij dood kan gaan?'

'Dat is precies wat ik zeg. En ik weet dat u dat niet zou willen.'

'Nee,' zei ze met rauwe stem en ze likte langs haar lippen die wit en kapot waren.

'We weten dat u veel van uw zoontje houdt, maar uw voortdurende scènes maken het alleen maar slechter voor hem. Als u hem echt wilt helpen, moet u ons ons werk laten doen.'

Er kwamen tranen in de grote ogen van het meisje. Ze jammerde: 'Ik wil hem alleen maar zien, dat is alles. Ik ben zijn moeder.'

Paul kreeg opeens een inval.

'Martha,' riep hij, 'hebben we die Polaroid-camera hier nog steeds ergens liggen?'

Hij keerde zich naar de kleine verpleegster die op een paar meter afstand bij de spoelbak stond, met een trek van afkeuring op haar gezicht. Niets wat deze magere tiener hem kon toewerpen kon erger zijn dan de toorn van Martha Healey, R.N. Maar na hem een paar seconden lang woedend te hebben aangekeken, stevende ze weg en keerde even later terug met de camera in haar uitgestrekte hand, alsof het een vat was met giftig afval.

Paul pakte hem van haar aan en liep naar de Ortiz-couveuse, waar hij een foto maakte van het nietige schepsel dat nauwelijks als een baby herkenbaar was. Het beeld dat op het stijve stukje vierkant karton verscheen, leek eerder een verdoofde eekhoorn dan een menselijk wezen. Maar toen hij het haar gaf, keek Cherry Ortiz ernaar alsof het een cherubijn van Rafaël was.

Paul zag hoe Martha de nu dociele jonge vrouw met een sardonische grijns naar buiten leidde. Hij had onwillekeurig bewondering voor Cherry Ortiz. Ze had tenminste de pit om te vechten voor wat van haar was.

Stel dat hij hetzelfde deed voor zijn huwelijk? Ervoor vocht in plaats van het dood te analyseren? Alles was anders nu de baby (hij had nog steeds moeite haar bij de naam te noemen) in beeld was gekomen. Ze zouden eindelijk een gezin vormen, net zoals ze dat altijd hadden gewild. Dus wat weerhield hem?

Paul wist het niet zeker. Misschien was hij gewoon te cynisch, te achterdochtig. Hij was nog niet zo ver dat hij erop durfde te rekenen dat Alisa echt zou blijven. En zelfs als de adoptie zonder verdere problemen definitief werd, zou een stuk papier niet op magische wijze alle tijd die Ellie en hij afzonderlijk hadden doorgebracht, kunnen uitwissen. Dit was niet – ook al had hij dat vaak gewenst – een ABC-film van de week, waarin de mensen elkaar aan het slot in de armen vielen, nee, hier was geen sprake van het langzaam vervagen van het beeld.

O nee? Nou, dat zeg je met je hoofd, makker. Wat dacht je ervan om bij wijze van afwisseling je hart eens te laten spreken? Terwijl jij je op een afstand zit te houden, uit angst risico's te nemen, mis je misschien een van de mooiste dingen die je ooit zijn overkomen.

Paul probeerde zijn geest tegen deze gedachten af te sluiten terwijl hij zijn ronde afmaakte, en daarna liep hij met Brad Elcock, de orthopedische kinderarts, naar een andere kamer om de röntgenfoto's te bekijken van een voldragen baby die met een ontwrichte heup ter wereld was gekomen. Tegen de tijd dat hij met Brad klaar was, was het bijna negen uur en hij besefte dat hij niets meer had gegeten sinds het broodje dat hij rond lunchtijd tijdens het werk had genuttigd.

Hij wilde juist iets in de cafetaria gaan eten, toen Martha hem achterna holde met een enigszins schaapachtige uitdrukking op haar gezicht.

'Paul, dat vergat ik je te vertellen... je vrouw heeft een paar uur geleden gebeld,' vertelde ze hem. 'Ik was het in alle opwinding vergeten je te zeggen.'

Hij was direct gespannen. 'Heeft ze gezegd wat ze wilde?'

'Ze heeft alleen een bericht achtergelaten of jij haar terug wilde bellen.'

Martha's ogen stonden vol vragen die ze niet durfde te stellen.

Hij wist dat er op de afdeling veel over zijn huwelijk werd gespeculeerd. Maar Martha, die zelf getrouwd was en twee kinderen op de basisschool had, was veel te voorzichtig om te vissen. Een jaar, dacht hij. Het was meer dan een jaar geleden dat hij bij Ellie was weggegaan. Een jaar om wrok en beschuldigingen op te zouten – en ja, om zijn eigen weg te gaan.

Maar toch werd Paul maar al te vaak midden in de nacht wakker, in de slaapkamer van zijn gemeubileerde onderkomen op de hoek van Thirty-second en First, en miste hij haar zó hevig dat hij de grootste moeite had om niet overhaast een regenjas over zijn nachtkleding aan te schieten, naar beneden te hollen en in een taxi te springen. Hij miste haar geur op het kussen naast zich. Hij miste de rokerige avonden van gin met tonic en jazz in de Vanguard en de Blue Note. Hij miste de manier waarop ze hem 's ochtends begroette, door in bed om te rollen en haar been over de zijne te slaan… en de manier waarop ze haar hoofd achterovergooide in een hees gelach wanneer hij iets zei dat haar amuseerde. Hij miste zelfs haar panty's die over de deur van de douche hingen te drogen en de lege theekoppen die ze overal liet rondslingeren.

Maar het meest van al miste hij de wetenschap dat zij er aan het eind van de dag zou zijn, op die rustige plaats van liefde die thuis heette.

'Bedankt,' zei hij tegen Martha, meer kortaf dan hij had bedoeld.

Maar voor Paul de dichtstbijzijnde telefoon kon pakken, ontwaarde hij een bekende gestalte die door de tochtdeuren van de afdeling kwam – een slanke vrouw met glad, honingkleurig haar en een glimlach die even stralend was als de tl-lampen aan het plafond. In haar armen hield ze een bundeltje dat in een gehaakte deken was gewikkeld en waaruit een plukje rossig haar stak. Paul voelde zich onmiddellijk lichter en blijer worden.

'Serena!' riep hij.

Hij haastte zich naar haar toe, waarbij hij weer een golf voelde van het optimisme dat hij als jonge assistent had gekend, voor de ontgoocheling was ingetreden. Het was alweer enige tijd geleden dat Serena Blankenship hier voor het laatst was geweest, minstens enkele maanden. Maar wanneer hij haar met Theo zag, werd Paul altijd herinnerd aan wat hij hier herhaaldelijk vergat: dat Gods wil niet per definitie onveranderlijk was.

Serena keek hem stralend aan en ze vouwde het dekentje open van een slapende baby ter grootte van een kind van zes maanden. 'We hebben gisteren zijn eerste verjaardag gevierd.' Ze sprak zacht om Theo niet wakker te maken. 'Als jij er niet was geweest, had ik hem nu niet gehad.' Ze stak haar vrije hand in de grote tas die om haar schouder hing, en viste er een in folie gewikkeld pakje uit, dat ze hem gaf. 'Ik weet dat het niet veel is, maar het minste dat ik kan doen is jou een stukje van zijn taart brengen.'

Paul kreeg een prop in zijn keel toen hij Theo's mollige wang, zo zacht als een rozenblaadje, streelde. De baby bewoog zich en er gingen een paar blauwe ogen open die Pauls gezicht vol belangstelling bekeken. Paul grinnikte. 'Komen jullie allebei even mee naar een plek waar ik in alle rust mijn taart kan opeten. Het gebeurt niet elke dag dat ik een verjaardag kan vieren waarvan niemand van ons had gedacht die ooit mee te maken.'

In de eens zo gestroomlijnde lounge, met zijn verzameling dossierkasten en medische apparatuur langs de muren geschoven, hielp Paul Serena Theo op de bank te leggen, waar hij prompt weer in slaap viel. Paul merkte onwillekeurig de ironie van dit beeld op. Hoe vaak had hij Serena niet slapend aangetroffen op deze zelfde bank?

Hun ogen vonden elkaar en ze wierp hem opnieuw een stralende glimlach toe.

'Je ziet er goed uit,' zei hij tegen haar. Hij kon zijn ogen niet geloven, zo goed als ze eruitzag, met stralend blauwe ogen en een blos op haar eens zo bleke wangen.

'Dank je wel… jij ook,' antwoordde ze, te snel, en ze sloeg haar ogen neer.

Paul wist dat dit niet waar was. Vorige week had hij nog, toen hij een kledingwinkel bij hem in de buurt probeerde, ontdekt dat hij met gemak in dezelfde maat spijkerbroek paste als hij op de middelbare school had gedragen.

'Hoe zit het met Theo's controles? Ziet alles er nu normaal uit?' vroeg Paul.

'Min of meer… behalve wat betreft zijn astma, en daar weet je al van.' Er gleed even iets zorgelijks over haar gezicht.

'En hoe zit het met kruipen – doet hij dat al?'

'Dokter Weiss zegt dat hij voor zijn leeftijd aan de lage kant van de ontwikkelingscurve zit… maar dat het niets is om me zorgen over te maken.'

Hij klopte haar op de arm. 'Hij heeft gelijk. Geef hem een beetje tijd. Een langzame start betekent niet dat hij het uiteindelijk niet zal inhalen.'

Serena beloonde hem met een glimlach. 'Inhalen? Je zou hem moeten zien… zoals hij met iedere verkoopster en caissière van de supermarkt flirt. Op het gebied van charmes is hij de meeste volwassen mannen de baas.'

'En hoe staat het met zijn vader – heeft die nog enig contact?' vroeg Paul, maar hij wenste onmiddellijk dat hij zijn mond had dichtgehouden. Wat ging hem dit aan?

299

Serena sloeg haar blik neer en friemelde aan een hoek van het blauwe dekentje dat over de knie van een uitzonderlijk welgevormd been was gevallen. 'De scheiding is vorige maand definitief geworden,' antwoordde ze. 'Om je de waarheid te zeggen, was dit een grote opluchting. Dan was nooit echt geïnteresseerd in het krijgen van kinderen. In sommige opzichten zal het gemakkelijker zijn Theo in mijn eentje groot te brengen dan wanneer Dan in de buurt was geweest.' Ze keek hem aan met een aarzelende glimlach. 'Maak je maar geen zorgen, we redden ons wel.'

'Wie weet... misschien kom je nog eens iemand tegen die een geweldige stiefvader zal zijn,' zei Paul, iets te joviaal.

Serena bloosde vuurrood. Toen, alsof ze iets nodig had om haar gedachten op iets anders te richten, pakte ze het in folie gewikkelde pakje uit zijn handen – hij was vergeten dat hij het had – en maakte dit resoluut open. 'Het is worteltjestaart,' vertelde ze hem. 'Ik heb hem zelf gebakken. Theo had er uiteindelijk meer van in zijn haar dan in zijn mond, maar ik geloof dat het in principe een groot succes was.'

Paul brak een stuk met zijn vingers af en ontdekte dat hij meer honger had dan hij had beseft. 'Mijn lievelingstaart, hoe wist je dat?'

Ze glimlachte. 'Gewoon gegokt.'

In gedachten zag Paul de kiekjes die ze aan de binnenkant van Theo's couveuse had geplakt. Het huis met zijn weelderige tuin; de enorme lobbes van een golden retriever die in een langwerpige vlek zonlicht op het pad naar de voordeur lag; het keurige oudere echtpaar, Serena's ouders, die met hun armen om elkaar heen geslagen stonden en met champagne toostten op wat hun veertigjarige bruiloft bleek te zijn.

Wanneer hij zich Serena in die omgeving voorstelde, werd Paul herinnerd aan de verhalen die zijn moeder hem als kind had voorgelezen – sprookjes over prinsessen in verre kastelen en over betoveringen die de diensten van onversaagde prinsen behoefden. Hij dacht aan hoe leuk het zou zijn om op magische wijze te worden overgeplaatst naar een rijk dat ver van het doornige pad van zijn huwelijk verwijderd was – om wakker te worden in een bed dat geen herinneringen bevatte – goede of slechte – naast een vrouw met wie hij geen andere band in het verleden had dan dat hij de draak had verslagen.

'Heb je zin om met mij te gaan eten?' De woorden waren eruit voor hij zelfs maar besefte dat hij had gesproken.

Serena keek hem verschrikt aan en de kleur op haar wangen werd dieper.

'Ik was net op weg naar de cafetaria om een hapje te eten, maar er zijn hier een stuk of wat restaurants in de buurt waar een baby geen probleem vormt,' ging hij haastig verder en hij voelde zich als een man die roekeloos in een vijver duikt voor hij de diepte ervan heeft getest.

Serena keek hem aan met een enigszins verbaasde blik. 'Paul, wil jij een afspraakje met me maken?' Wilde hij dat? Nou ja, misschien wel. Ergens in de loop van de tijd was hij opgehouden Serena alleen maar te zien als moeder van een patiënt, die troost nodig had... en was hij haar gaan beschouwen als een vrouw die hem troost te bieden had. Een onmiskenbaar aantrekkelijke vrouw.

Nu was de aap uit de mouw. Met een schaapachtige glimlach bekende hij: 'De vorige keer dat ik zo nerveus was over een afspraakje met een vrouw, was toen Nixon nog aan de macht was.'

'Ik hoop wel dat je niet vindt dat ik op hem lijk,' grapte ze.

'Jij bent veel mooier dan Nixon,' zei hij.

'Ik wed dat je dat tegen alle vrouwen zegt.'

'Alleen degenen die me cake voeren.'

Ze glimlachte zó stralend dat het bijna verblindend was. Maar de glimlach verdween even abrupt als hij was gekomen. Ze nam het ernstig op, met vage rimpels tussen haar wenkbrauwen en rond haar mondhoeken.

'Paul, ik zou niets liever willen dan met jou uit eten te gaan, maar...' Haar stem stierf weg. Ten slotte zei ze: 'Ik geloof niet dat dat een goed idee zou zijn. Je bent getrouwd.'

'We zijn van tafel en bed gescheiden, feitelijk.' Paul voelde zich als een bedrieger, alsof hij Ellie in de rug stak.

Serena dacht hier even over na voor ze antwoord gaf. 'Hoor eens, ik ken je niet erg goed,' zei ze zacht. 'Maar er is één ding dat ik wel weet – jij bent niet iemand die het snel opgeeft. Als jij iets hebt – wat dan ook – dat het waard is om voor te vechten, dan ga je door tot het bittere eind.' Deze keer was de glimlach die ze hem toewierp rond de mondhoeken wat geforceerd, alsof ze een bitterzoete spijt voelde. 'Ik had hier niet gezeten als jij een ander soort mens was geweest, en Theo ook niet.'

'Je zwaait me te veel lof toe,' zei hij luchtig, dankbaar voor de mogelijkheid het gesprek op bekender terrein te brengen. 'Theo is iemand die je in de gaten zult moeten houden. Over een paar jaar is hij de schrik van de buurt.'

Ze rolde met haar ogen. 'Alsof ik dat niet al weet! Hij zit nu al aan alles waar hij bij kan. Gisteren kon ik hem nog net te pakken krijgen toen hij een cracker in m'n cd-speler probeerde te stoppen.'

Ze bleven nog een paar minuten praten voordat Serena opstond en haar rok gladstreek. Theo lag nog steeds te slapen, opgerold op zijn zij. Hij had een duim in zijn mond gestopt en hij lag tevreden te sabbelen. Ze bleef even zwijgend op hem neerkijken voordat ze hem voorzichtig tegen haar schouder hees.

Paul hielp haar met haar tas en bracht haar toen naar de lift. Ze wilde haar duim op de knop leggen toen hij haar hand pakte en die in zijn handen nam. 'Bedankt,' zei hij zacht.

Toen hij in haar knappe, vriendelijke gezicht keek, vroeg hij zich af of hij misschien de kans om haar beter te leren kennen misliep... maar aan de andere kant voelde hij zich ervan overtuigd dat ze hem had gered van iets dat misschien een fatale vergissing was geweest.

'Tot ziens, Paul.' Ze ging op haar tenen staan om hem op zijn wang te kussen, en hij ving de vage geur op van het een of andere bloemenparfum.

Toen Paul haar in de lift zag stappen, werd hij vervuld van een plotselinge vastberadenheid. Hij draaide zich om en liep snel terug door de gang naar neonatologie, voor het telefoontje waarvan hij opeens een dringende behoefte voelde het te beantwoorden.

Ellie had een halfuur lang lopen ijsberen, vanaf het moment dat Paul had gebeld om voor te stellen nog iets van de Chinees te halen en dat samen op te eten. Ze had hem niets verteld over het telefoontje van Skyler; ze bewaarde die confrontatie voor het moment dat ze hem in het gezicht kon kijken en kon weten dat ze slechts één hartslag van zijn armen verwijderd was.

Tegelijkertijd waarschuwde ze zichzelf. *Doe niet al te wanhopig. Daar schrik je hem alleen maar mee af.* Het zou lijken alsof ze nu pas had ontdekt dat ze hem nodig had, terwijl ze hem feitelijk al die tijd al nodig had gehad, en te koppig en te eigenwijs was geweest om hem te laten weten hóeveel.

Maar toen de klop kwam en ze de deur opendeed en Paul daar in zijn marineblauwe jas zag staan, scheef glimlachend naar haar, herinnerde Ellie zich geen woord meer van haar zorgvuldig gerepeteerde toespraak. Die verdween gewoon uit haar hoofd. Ze bleef hem daar maar aan staan kijken en de tranen van dankbaarheid vulden haar ogen als balsem, na de verscheurende uren van huilen die op Skylers telefoontje waren gevolgd.

'Hoi,' zei ze. Ondanks het koude water waarmee ze haar gezicht had gewassen, voelde dit strak en verhit aan. Zou hij begrijpen dat ze had gehuild?

Hij begroette haar met een kus op de wang en zei: 'Je ziet er moe uit – weet je zeker dat je hier nog wel puf voor hebt? We kunnen het ook een andere avond doen, als je liever vroeg naar bed gaat.'

'Chinees eten halen is iets anders dan in het Carlyle dineren.' Ze wist een snelle, lichte lach te voorschijn te toveren. 'Kom op, ga zitten. Dan zoek ik de menu's op, die moeten hier ergens zijn.' 'Blijf maar zitten,' zei hij. 'Ik weet dat ze hier ergens moeten zijn... in elk geval de vorige keer dat ik keek.' Hij trok zijn jas uit en liep naar het bureau bij de deur naar de keuken, waar hij in de onderste la begon te rommelen.

Ellie bleef naar hem staan kijken, vervuld van een besef van compleetheid – van thúis – bij de aanblik van hem over de la gebogen, terwijl zijn haar, dat altijd nodig moest worden geknipt, over zijn voorhoofd viel en zijn bril met stalen montuur over zijn te lange neus omlaag was geschoven. Hij zag er ook moe uit, maar zijn wangen waren rood van de kou en hij bracht een geweldig besef van vitaliteit mee.

'Paul...' Haar stem klonk hees en fluisterend.

'Ze moeten hier toch ergens zijn, nietwaar? Tenzij jij ze hebt weggegooid,' mompelde hij, zonder zich om te draaien. Toen zweeg hij en richtte zich op, draaide zich langzaam om om haar aan te kijken. 'Ellie, wat is er? Wat is er aan de hand?' Zijn blik registreerde de pijn die ze op dat moment voelde... de pijn die ze niet langer verborgen kon houden.

'O Paul, het gebeurt weer. De baby...' Haar woorden werden verstikt door de kreet die in haar opwelde.

Hij begreep onmiddellijk wat ze bedoelde. Ellie zag hoe hij enigszins verstijfde en ze onderging een moment van paniek, uit vrees dat hij zich terug zou trekken, haar dit in haar eentje zou laten afhandelen.

Maar Paul liet haar niet in de steek. Hij liep naar haar toe en nam haar in zijn armen. Ze voelde hoe de knopen van zijn overhemd tegen haar borstbeen drukten. Hij rook naar vochtige wol en naar zeep die met jodium was vermengd, en daaronder, zwakker, naar de ondefinieerbare geur die van Paul alleen was – de geur die ze nu voornamelijk associeerde met de jasjes en truien die nog in zijn kleerkast hingen. Ellie onderging een bijna overweldigend gevoel van opluchting, vermengd met een verlangen dat zo hevig was, dat ze dacht dat ze eraan zou sterven.

'Geloof jij in karma?' vroeg ze, met haar wang tegen zijn verkreukelde revers gedrukt.

'Alleen het goede soort,' mompelde hij.

'Misschien had jij wel gelijk... misschien stond het gewoon niet voor ons in de kaarten. Voor mij.' Haar handen balden zich tot vuisten, die ze tegen zijn rug drukte in een poging niet opnieuw in tranen uit te barsten. 'Maar verdraaid, Paul, we hebben het niet over de een of andere theoretische baby. Alisa is... is... mijn kind. Mijn baby.'

'Dat weet ik.'

O ja? vroeg ze zich af.

'Ik geef haar niet op,' verklaarde ze heftig. 'Als ik Skyler niet kan overtuigen om in te binden, dan neem ik het tegen haar op.'

Pauls gezicht, zag ze toen ze zich terugtrok, was ernstig, zijn brillenglazen waren nat, zodat ze zijn ogen slechts gedeeltelijk kon zien. Tranen? vroeg ze zich af. Zou Paul meer om de baby geven dan hij wilde bekennen?

Ze dacht aan de vorige keer dat hij haar had bezocht, hoe teder hij Alisa had vastgehouden, en hoe hij had gegrijnsd toen ze hem met een glimlach had beloond. Toen Ellie hem met haar had gezien, had ze zich voorgesteld hoe ze met z'n drieën in de niet zo verre toekomst door het park liepen, hun dochter tussen hen in, met een klein handje in hun handen.

Er drong een scherpe splinter in haar hart.

Ellie onderzocht Pauls gezicht en haar adem bleef in haar keel steken, als iets hards dat haar kon laten stikken. Als alleenstaande moeder zou ze de grootste moeite hebben een jury ervan te overtuigen dat het in Alisa's belang was haar de voogdij toe te wijzen. Haar hele leven hing af van zijn antwoord op haar vraag. Hun hele toekomst.

'Wil je me helpen?' vroeg ze rustig.

Paul schudde zijn hoofd en de blik die hij haar gaf, vervulde haar van vrees. 'Ellie,' zei hij, 'ik weet hoe graag je dit wilt, maar je zult één ding moeten begrijpen: je hebt geen been om op te staan. Ik heb het vaker zien gebeuren – we hadden een baby die dat aardige kerkgaande echtpaar probeerde te adopteren, en het hof kende de voogdij toe aan de tienermoeder, ook al had ze geen andere bron van inkomsten om haar zoontje van te verzorgen dan de bijstand.'

Maar dit is anders! wilde Ellie schreeuwen.

Maar hoe anders was het dan wel? Omdat zij Alisa al kende en liefhad? Het feit was dat Skyler, afgezien van haar intelligentie en handigheid, een paar ouders bezat met financiële middelen waarvan een schoolverlater slechts kon dromen.

Ellie wist dat Paul gelijk had, maar ze kon hem tegelijkertijd wel slaan. 'Wil je zeggen dat je me niet zult helpen?' Ze deed nog een stap naar achteren, met half dichtgeknepen ogen, terwijl er iets ijskouds langs haar ruggegraat omlaag liep.

Paul bleef haar heel lang aankijken voor hij sprak. Toen zei hij, met een stem vol verdriet: 'Ellie, ondanks alles wat er tussen ons is gekomen, en alle tijd die we van elkaar gescheiden hebben doorgebracht, is er één ding niet veranderd: ik houd van je. Ik zal waarschijnlijk van je blijven houden, ook als je altijd tegen windmolens zult blijven vechten.'

304

Ellie bedwong de glimlach die rond haar mondhoeken trilde. Ze kon het zich niet veroorloven zich over te geven aan de blijdschap die onder in haar hals opbloeide. Nog niet.

'Het is alleen maar deze ene windmolen, Paul, en zo groot is die nou ook weer niet. Het enige dat ik vraag is dat jij weer thuis komt wonen... minstens tot na de zitting, als die mocht komen. Daarna... nou ja, daarna zullen we wel zien... denk ik.'

'Zelfs als ik dat deed, weet je dat er geen garantie is dat we zouden winnen.'

'Bíjna geen kans is meer dan geen enkele kans,' bracht ze hem in herinnering. 'En misschien gaat Skyler er anders over denken wanneer ze ons bij elkaar ziet. Als gezin.'

'Denk je echt dat dat zal gebeuren?' Hij trok een sceptische wenkbrauw op.

Ellie dacht even na. 'Nee. Als ze ook maar een beetje op mij lijkt... en ik denk dat dat het geval is...' Ze schudde haar hoofd. 'Nee.'

'Koppig, hè?'

'Je hebt geen idee.' Ze haakte een arm door de zijne. 'Laten we verder praten tijdens het eten. Ik ga even Alisa klaarmaken voor de nacht.'

Ze vond een van de zoekgeraakte menu's onder het telefoonboek in de keuken en gaf het aan Paul.

'Sung Lo Ho is nog steeds niet door de keuringsdienst van waren gesloten?' grapte hij.

'Te oordelen naar de manier waarop het er aan de buitenkant uitziet, zou ik zelfs niet willen wéten wat er in die keuken gebeurt. Het enige dat mij interesseert is dat het spul lekker is.' Ellie pakte de borden uit de kast boven de gootsteen en draaide zich toen met een ruk om, zodat ze bijna tegen hem opbotste. 'O Paul!' riep ze en ze liet de borden met veel gerinkel op het aanrecht vallen en sloeg haar armen om hem heen. 'Paul, ik houd zoveel van je.'

Hij begroef zijn gezicht in haar hals. Ze voelde hoe zijn adem door haar haar streek en de rand van zijn bril voelde heerlijk koel tegen haar huid. Zijn slungelige lichaam, dat tegen het hare was aangedrukt, met zijn snelle en sterke hartslag, vervulde haar van zelfvertrouwen. *Blijf*, dwong ze hem in gedachten. *Laat me deze keer niet meer alleen.*

Ze voelde hem huiveren, alsof de diepte van haar verlangen zelfs voor hem te veel was. 'Ik zal doen wat ik kan.' Hij zuchtte. 'Niet omdat ik denk dat het zal helpen. Maar omdat jij mijn vrouw bent, en ik van je houd. God sta me bij omdat ik dit zeg, maar als je wilde dat ik voor jou de Mount Everest zou beklimmen, zou ik het waarschijnlijk doen ook.'

Er spoelde een golf van opluchting door haar heen, die haar bijna deed zweven, zelfs terwijl ze voorzichtig zei: 'Je zou kunnen vallen.'

'Aan de andere kant zou ik misschien ook niet vallen.'

Ze maakte zich los en keek hem aan, met gelijke delen hoop en vrees. 'Stel dat we het halen, dat het allemaal lukt?' vroeg ze zacht. 'Wat dan?'

'Dan zouden we de koning te rijk zijn.' Hij glimlachte en schudde zijn hoofd. 'Maar reken er niet op, Ellie. Godallemachtig, reken er niet op.'

14

Terwijl Skyler in haar Nissan over de lange oprijlaan naar Orchard Hill reed, was ze enigszins verbaasd over de explosie van groen die had plaatsgevonden toen zij even niet keek. Op de velden die zich aan weerszijden van de weg uitstrekten, bedekte het voorjaarsgras de kale plekken die de winter had achtergelaten. De hagen en struiken droegen tiara's van lichter groen en de takken van de bomen waren overdekt met nieuwe loten. Het was half mei en de prunussen langs het weggetje met eenrichtingsverkeer waren bijna over hun hoogtepunt heen; de grond lag vol met afgevallen, gekneusde bloemblaadjes.

Waar was april gebleven? vroeg ze zich af. De vorige maand en de eerste helft van mei schenen te zijn voorbijgegaan in een soort droom waaruit je wakker wordt met je hoofd vol ganzendons. Het was meer dan twee weken geleden sinds ze met Ellie had gesproken – een confrontatie die haar met berouw vervulde, maar die niets had gedaan om haar verlangen te verminderen. Nee, het was geen verlangen, het was een ziekte.

Het was niet het soort ziekte dat haar in bed hield, of dat haar er zelfs van weerhield haar dagelijkse bezigheden af te handelen – elke morgen haar eigen ontbijt klaarmaken, Chancellor berijden, zelfs haar werk in de dierenkliniek hervatten.

Maar er moest meer in het leven bestaan dan alleen maar haar dagelijkse bezigheden. Daarvoor was ze toch zeker niet hier? Het kwam uiteindelijk allemaal hierop neer: ze had hulp nodig.

Skyler ging in gedachten het gesprek nog eens na dat ze had gevoerd met Verna Campbell, de no-nonsense advocate die ze had gekozen.

'Niets is natuurlijk waterdicht,' had de oudere vrouw haar gewaarschuwd. 'Er hangt veel af van de rechter en zijn vooroordelen. Maar de omstandigheden zijn overweldigend in jouw voordeel. Ik zou een aanvraag voor tijdelijke voogdij willen indienen tot we de uitspraak van de rechter hebben. Het is niet waarschijnlijk dat je die zult krijgen, maar we kunnen het altijd proberen.'

Alleen was Verna Campbell, die een van de besten heette te zijn, niet goedkoop.

Skyler had alles gedaan wat in haar vermogen lag om het voorschot op het honorarium van twintigduizend dollar, dat haar advocaat verlangde, bijeen te krijgen, maar het lukte niet. Zonder haar moeders toestemming als curator kon ze niet aan het kapitaal komen. Zelfs het huisje bij Gipsy Trail was niet echt van haar tot ze vijfentwintig was.

Na alles wat ze hun had aangedaan vond ze het heel vervelend om naar haar ouders te moeten gaan. Maar aan de andere kant: wat vroeg ze eigenlijk? Alleen maar iets dat uiteindelijk toch van haar zou zijn. Het was niet dat ze hun om een lening vroeg. *Dus waar maak je je ongerust over? Als je haar vertelt waar je het geld voor nodig hebt, zal ze halsoverkop naar de bank snellen. Het enige dat mamma wil, is haar kleinkind terug hebben...*

Maar als er geen reden voor haar was om zich ongerust te voelen, waarom had ze dan hartkloppingen en voelde ze een steen in haar maag?

Ze huiverde en zette de verwarming aan. Hoe hoog de buitentemperatuur ook mocht zijn, of hoe warm ze zich ook kleedde, ze had het altijd koud. Ze dacht aan een regel van Emily Dickinson: 'En nul in het bot.'

Nul – dat is wat je krijgt als je één en één van elkaar aftrekt.

Er schoot een steek door haar onderbuik, bijna een kramp, zoals ze die had gekend toen ze weeën had. Er kwam een herinnering bij haar boven: een warm, vochtig gewicht op haar gevoelige buik, een klein donker hoofdje dat blindelings aan haar borst snuffelde.

Skylers handen grepen het stuur stijf vast. *God, o God... hoe heb ik dit kunnen laten gebeuren? Hoe heb ik haar kunnen laten gaan?*

Het speet Skyler dat ze Ellie zoveel verdriet moest doen. Niets van dit alles was Ellies schuld; ze verdiende het om moeder te zijn, meer dan wie ook die Skyler ooit had gekend. Maar hoewel Skyler veel strijd over Ellies lot had gevoerd, waarbij ze nachtenlang in bed had liggen woelen, toch kon geen enkele vorm van mededogen haar afhouden van het doel dat ze zich had gesteld: haar baby opeisen.

En vreemd genoeg was de enige persoon die precies moest weten hoe Skyler zich voelde uitgerekend Ellie.

Ik weet zeker dat ze het maar al te goed weet. Dat is het probleem. Na alles wat zij heeft doorgemaakt, denk jij echt dat ze niet al het mogelijke in het werk zal stellen om te voorkomen dat dit weer gebeurt?

'Ze kan proberen wat ze wil, maar het zal niet baten,' zei Skyler hardop in de zoemende, oververhitte stilte van de auto.

Weet je dat zeker? klonk een koele, beredeneerde stem in haar hoofd.

Nee, dat wist ze niet zeker. Niet voor honderd procent. Niemand had een revolver tegen haar hoofd gehouden toen ze het papier had getekend waarin ze afstand deed van haar ouderlijke rechten, en de rechter zou dat beslist in zijn overweging betrekken. En Ellie... o God, Ellie zou haar uit alle macht bestrijden. Dat kon heel akelig worden. Het kon maanden duren. En al die tijd zou Ellie zien hoe Alisa haar eerste tandjes kreeg en leerde zich op te trekken. Het zou Ellie zijn die kiekjes voor haar fotoalbum verzamelde en Alisa trots aan haar vriendinnen liet zien.

Skyler wist dat ze snel en doortastend zou moeten handelen voordat Alisa zich nog meer aan Ellie hechtte dan nu al het geval was.

Tot gisteren was het niet in Skyler opgekomen dat haar moeder zou weigeren haar te helpen. Maar toen ze had opgebeld of ze vandaag even langs kon komen, had mam onmiddellijk aangevoeld dat er iets aan de hand was. Wanneer had Skyler dat ooit hoeven vragen, vooral op zondag?

'O lieverd... natuurlijk,' had haar moeder gezegd. 'Het is veel te lang geleden. En ik overdrijf niet als ik zeg dat je vader en ik ziek van ongerustheid over jou zijn geweest.' Ze klonk ontredderd, maar ze berispte Skyler niet omdat ze niet eerder had gebeld of langs was geweest. Toen zei ze pardoes: 'Wat is er, Sky? Kun je me niet vertellen wat er aan de hand is?'

Skyler had haar tranen bedwongen, diep ademgehaald en bekend: 'Mam, ik heb een grote vergissing begaan door afstand te doen van Alisa. Ik ben bezig haar terug te krijgen.' Er viel een lange stilte, waarin ze haar moeder kon horen ademhalen. 'Mam? Heb je me gehoord?'

'Ik heb je gehoord.' Maar haar reactie was helemaal niet wat Skyler had verwacht. Mamma had zo vreemd geklonken... helemaal niet verrukt, zoals Skyler had verwacht.

Terwijl Skyler nu naar haar moeder reed, kon ze de teleurstelling over Kate's reactie niet van zich afschudden. Waar was die afkeurende toon in haar moeders stem vandaan gekomen? Was mamma boos omdat ze een besluit had genomen dat hen door alle vuren van de hel had gesleept... terwijl ze het nu precies andersom wilde?

Het leek helemaal niets voor haar moeder; ze was nooit bevooroordeeld. Maar terwijl ze over de bochtige weg omhoogreed, voelde Skyler zich toch heel gespannen en verbijsterd.

Was het niet juist haar moeder geweest die had gesmeekt haar baby niet af te staan? En dat niet alleen, ze was erbij geweest, daar in die kamer, toen Alisa werd geboren... en de tranen die over haar gezicht hadden gestroomd, waren niet alleen tranen van vreugde geweest.

Er is iets aan de hand, iets dat ze me niet wil vertellen. Problemen tussen pappa en haar? Skyler wist dat zelfs gelukkige huwelijken soms op de klippen liepen wanneer geld een probleem werd. Misschien verkeerde haar vaders kantoor in veel grotere problemen dan ze had gedacht...

De aanblik van de oude stenen stal die in zicht kwam vanachter een groepje bomen, hielp haar zich een beetje te ontspannen.

Skyler herinnerde zich haar allereerste pony en haar moeders handen om haar middel, stevig en sterk, toen ze haar in het zadel had getild. Voor haar geestesoog kon ze haar moeders gezicht zien, dat naar het hare was opgericht als een margriet die zich naar de zon keerde, met haar glimlach die liefdevol en bemoedigend was. *Ze zal me nu vast niet in de steek laten*, zei Skyler bij zichzelf.

Toen ze over de top van de heuvel kwam, verrees het huis als om haar te begroeten, wit en stralend in de zon, met gevelspitsen die vol zaten met nestelende zwaluwen die in en uit vlogen. De judasbomen aan weerszijden van de veranda hadden het grootste deel van hun bloesem verloren en begonnen nu uit te lopen. Eronder hielden de bloemperken met tulpen en hyacinten dapper stand tegen de oprukkende alyssum en duizendschoon. Een paarse clematis slingerde zich vanuit een stel bronzen achttiende-eeuwse urnen – mamma's 'vondst' waarover ze heel enthousiast was geweest – die aan weerszijden stonden van het pad met flagstones dat naar de voordeur leidde.

Toen ze de auto parkeerde en uitstapte, stelde Skyler zich voor hoe het huis er uit moest zien in de ogen van een ander die hier voor de eerste keer op bezoek kwam – iemand die niet aan luxe gewend was, die misschien een beetje geïntimideerd zou zijn door zoveel klaarblijkelijke rijkdom. Nou, niet écht geïntimideerd; ze kon zich niet voorstellen dat Tony zich ooit zo door iets of iemand zou voelen. Hij zou misschien vol ontzag zijn. Op de manier waarop iemand die volmaakt tevreden was met zichzelf, even langs de kant van de weg stopte om van het spectaculaire uitzicht te genieten voor hij verder ging naar waar hij op weg was.

Tony's voor- of afkeuren zouden haar uiteraard totaal niet hebben geïnteresseerd als er niet twee onomstotelijke waarheden waren geweest: hij was de vader van haar kind... en zij was hopeloos verliefd op hem.

De herinnering aan de avond die ze samen in haar huisje hadden doorgebracht, steeg in haar geest op als de schaduwvlammen die op de muur hadden gedanst toen ze hun wilde, zoete, levenbrengende liefde hadden bedreven. Ze herinnerde zich de warmte van het vuur, en hoe het had geleken of de warmte regelrecht uit haar binnenste kwam, van vlak onder haar naakte, bezwete huid. En hoe Tony na afloop naar de badkamer was gegaan en terug was gekomen met een warm, nat washandje, waarmee hij eerst haar tranen en toen het kleverige zaad van haar buik had gewassen. Daarna had hij haar teder opgetild en naar haar bed gedragen, waar hij naast haar had gelegen en haar in zijn armen had gehouden, gewoon in zijn armen had gehouden, tot ze was beginnen te geloven dat de wereld misschien toch niet verging.

Maar welke toverkracht hij die nacht ook had gebruikt om haar weer op te lappen, toch kon ze zich niet voorstellen dat die sterk genoeg was om hen door alle dagen en nachten te voeren die voor hen lagen. Het was gewoon dat ze zo verschillend waren; en het was ook om Alisa. Het was het besef dat ze niet op deze manier bij elkaar waren geweest als Skyler niet zwanger was geworden. Hun verkering, als je die zo wilde noemen, was niet met wijn en vrolijkheid en liefde gepaard gegaan... maar met bitterheid en gedeelde smart. Wat voor leven kon je daarop bouwen?

Denk niet aan Tony, waarschuwde ze zichzelf. *Alisa komt op de eerste plaats*. Toen ze over het pad met flagstones liep, weerhield alleen de gedachte aan hoe theatraal het mocht lijken voor iemand die vanuit een raam naar haar keek Skyler ervan haar handpalmen tegen haar slapen te drukken, exact zoals ze dat in zo'n honderd films had zien doen.

Ze vond haar moeder in de kleine ruimte naast de keuken, die eens het washok was geweest, voor de wasmachine en de wasdroger naar het souterrain waren verbannen. Nu was de verweerde gootsteen gevuld met zieke kamerplanten en stond het betegelde aanrecht vol met potten en stekjes in aardewerken potten. Kate stond, gekleed in een denim slagersschort over een corduroy broek en een geruit overhemd, gebogen over een pot van keramiek waarin ze een sierasperge overplantte.

Ze keek op toen Skyler binnenkwam en haar frons van concentratie loste op in een blijde glimlach. 'Hoi, liefje. Is het al lunchtijd? Lieve help, moet je mij zien, helemaal onder de viezigheid, en ik heb zelfs nog niet nagedacht over wat we gaan eten. Skyler, wat is er aan de hand? O liever...'

Skyler voelde zich opeens hevig beschaamd, want ze stond daar als een kind van tien, met ogen die net zo druppelden als een van mams planten die net water had gekregen. Maar het leek wel of ze er niets aan kon doen. Wanneer ze echt van streek was, had haar moeder dit effect op haar, alsof er op een knop was gedrukt, een knop die tranen te voorschijn bracht en haar deed denken aan de manier waarop mam altijd alles beter wist te maken.

Skyler accepteerde de papieren zakdoek die Kate haar in de hand duwde en ze snoot haar neus terwijl ze troost ontleende aan de geur van potgrond en bladgroen, die ze altijd zo sterk met thuis associeerde.

'Ik heb gezworen dat ik dit niet zou doen.' Haar stem brak en ze schudde vol afkeer haar hoofd. 'Ik ben niet hier gekomen om op je schouder uit te huilen.'

'Nou, waarom dan wel niet, in 's hemelsnaam? Daar zijn moeders toch voor?' Kate lachte even en streek over haar wang.

'Het is meer dan dat, mam. Ik heb je hulp nodig.'

Kate legde de snoeischaar, waarmee ze bezig was geweest de verwarde wortels van de sierasperge los te knippen, weg. Ze waste haar handen en droogde ze af aan haar schort, draaide zich om en sloeg een arm om haar dochters schouders. 'Kom mee, dan gaan we even zitten om iets te eten. We kunnen er tijdens de lunch over praten.'

Skyler zag de dunne rimpeltjes rond haar moeders ogen; tussen haar wenkbrauwen lag een diepe rimpel, die ze zich niet kon herinneren van de vorige keer dat ze op bezoek was geweest, slechts enkele weken geleden. Kate's haar, dat bruin was geweest met een beetje grijs erin, was nu bijna helemaal grijs. Ze leek ook zwaarder op haar stok te leunen toen ze van de wasruimte naar de grote, zonnige keuken erachter liep.

Ze laat het niet altijd merken, maar dit heeft haar diep geraakt, dacht Skyler toen ze zag hoe haar moeder een koperen pot loshaakte van het cirkelvormige rek boven het slagersblok. Pal daarop kwam de gedachte: *Het is allemaal mijn schuld*.

Overmand door schuldgevoelens liet Skyler zich in een stoel aan de ronde eettafel zakken. Vera bleek sandwiches te hebben gemaakt en er was aspergesoep van gisteravond, die mam nu opwarmde. De tafel was gedekt en er stond een kom met pasgeplukte irissen midden op het gebloemde tafelkleed. Kate verscheen even later aan tafel met twee dampende kommen die heerlijk geurden. Skyler, die wekenlang nauwelijks had kunnen eten, had opeens een razende honger.

'Oma zei vroeger altijd dat alles erger was op een lege maag,' zei Kate met een glimlach, terwijl ze in de stoel tegenover die van Skyler ging zitten.

'Grootmoeders denken altijd dat eten het antwoord is op alles.'

'En moeders dan?' Kate trok een wenkbrauw op.

'Moeders citeren hùn moeders altijd.'

Skyler werd opeens getroffen door de zeer reële mogelijkheid dat zij misschien nooit de gelegenheid zou hebben haar eerstgeboren kind te kennen, misschien nooit met Alisa aan de keukentafel zou zitten zoals zij daar nu met haar moeder zat. Alisa en zij zouden misschien nooit grapjes maken met elkaar en met hun ogen rollen om oude familiegezegden.

Kate reageerde onmiddellijk op haar verpletterde blik, en ze strekte zich uit over de tafel en bedekte haar hand. 'O lieverd... ik weet niet wat ik moet zeggen om je te troosten... Dit alles moet heel verwarrend voor je zijn.'

'Ik ben niet meer verward,' vertelde Skyler haar. 'Ik voel me alleen maar ontzettend ellendig.'

'Een kind verliezen is niet gemakkelijk. Dat weet ik.' Haar ogen flitsten even fel.

'Dit gaat niet over het verlies van Alisa, het gaat over het haar terugkrijgen.' Skyler haalde diep adem en zei: 'Ik heb met een advocaat gesproken.'

Kate ging met een verbijsterde blik rechtop zitten. 'Een advocaat? Lieve help, is dat niet een beetje... extreem?'

Skyler werd boos om haar moeders onvermogen de ernst van de situatie in te zien. 'Wat kan ik anders doen?' vroeg ze. 'Ellie zal haar echt niet zomaar teruggeven. Ik heb met haar gesproken en we... nou ja, het ging min of meer zoals ik had verwacht dat het zou gaan.' En ze verbaasde zowel zichzelf als Kate door trouwhartig te verklaren: 'En zal ik je eens wat zeggen? Ik kan het haar niet kwalijk nemen. Ik had precies hetzelfde gedaan als ik in haar plaats was geweest.'

Kate was stil en tuurde uit het raam, waar een boomklever in en uit het voederhuisje boven de vensterbank vloog. Ten slotte keek ze Skyler aan en zei op een vreemde, vlakke toon: 'Ik kan het haar ook niet kwalijk nemen.'

Skyler staarde haar moeder aan. Mam was het zomaar met haar eens... maar om de een of andere reden voelde Skyler zich een beetje geïrriteerd. Waarom zei mam niet meteen dat ze haar kleindochter dolgraag terug wilde hebben?

Misschien is ze bang te snel te gaan hopen, zei een stem in Skylers hoofd. *Misschien is ze bang dat jij je weer zult bedenken. Je zult haar moeten tonen dat het je ernst is...*

'Mam, ik heb jullie hulp nodig,' zei ze.

'Wat voor hulp?' Kate verstijfde even.

'Het is niet wat je denkt... ik ben niet van plan pappa en jou in de narigheid te betrekken,' haastte Skyler zich te verklaren. 'Ik... ik weet dat jullie allebei andere dingen aan je hoofd hebben.' Dit was het meeste dat ze kon zeggen over dat ze wist hoe bezorgd ze zich over hun financiën maakten.

Kate wierp haar een gekwelde blik toe. 'O liefje... ik zou nóóit zozeer door mijn eigen problemen in beslag genomen kunnen worden dat ik geen tijd en aandacht voor jou had.'

Skyler haalde diep adem. 'Alles wat ik nu nodig heb, is genoeg geld om mijn advocaat een voorschot te betalen. Vijfentwintigduizend dollar.' Snel, voor Kate antwoord kon geven, voegde ze eraan toe: 'Ik vraag niet om een lening – ik hoef alleen maar een brief van jou waarin je toestemming geeft voor de opname uit mijn kapitaal.'

Kate knipperde met haar ogen alsof haar zojuist was gevraagd een plakje groene kaas van de maan te serveren. Ze vroeg zacht: 'Is dit niet vreselijk plotseling? We hebben het er gisteren pas voor het eerst over gehad.'

Skyler voelde zich alsof al het bloed in haar aderen door ijswater was vervangen. Waarom gedroeg haar moeder zich zo?

Met een stem die verdoofd was van de schok, merkte Skyler op doffe toon op: 'Ik dacht dat jij dit geweldig zou vinden.'

'Onder andere omstandigheden beslist wel,' zei Kate defensief. 'Maar... lieve help, het is allemaal zo gecompliceerd. Lieverd, besef je echt wel goed wat je je allemaal op de hals haalt?'

'Je bedoelt in tegenstelling tot toen ik zo stom was om mezelf zwanger te laten maken?' snauwde Skyler.

De gekwetste uitdrukking die op het gezicht van haar moeder verscheen, maakte dat ze onmiddellijk spijt had van haar uitbarsting. Maar Skyler had tegelijkertijd het onrustbarende gevoel dat haar moeder tijd probeerde te winnen. Waarom? Wat kon mam hopen te winnen met haar dit uit het hoofd te praten?

'Dat is niet eerlijk, en dat weet je zelf ook!' riep Kate. 'Hebben je vader en ik niet al het mogelijke gedaan om jou ervan te overtuigen dat je de baby niet af moest staan? En toen je niet naar ons wilde luisteren, hebben wij je wensen toen niet gerespecteerd? Dus ga me nou niet zitten aankijken alsof ik je in de steek heb gelaten. Als hier iemand teleurgesteld is, dan zijn dat je vader en ik wel geweest.'

Kate was zo zelden boos op haar geweest, dat Skyler het nauwelijks herkende. Maar nu ze de witte trek rond Kate's mond zag en de verstijfde manier waarop ze rechtop zat, voelde Skyler zich ineenkrimpen.

Het besef dat haar moeder gelijk had, maakte alles voor Skyler alleen maar erger. In plaats van alleen maar berouwvol te zijn, voelde Skyler zich beschaamd over hoe ze zich had gedragen. Met een zucht zei ze: 'Mam, ik weet dat ik naar je had moeten luisteren. Ik probeerde redelijk te zijn, probeerde te denken aan wat voor de baby het beste zou zijn. Ik dacht dat ik niet over de goede omstandigheden beschikte om een kind alles te geven wat het nodig had. Maar wie weet dat wel? Kijk eens naar alle offers die jij voor mij hebt gebracht.'

Kate's ogen vulden zich met tranen en de stijfheid verdween abrupt uit haar, alsof er aan een onzichtbare draad was getrokken. 'O lieverd, ik heb er nog geen minuut spijt van gehad. Ik had alles voor jou over gehad. Als je eens wist...' Ze beet op haar lip en er rolde een traan over haar wang; hij viel van haar kin en maakte een donkere veeg op de geweven groene placemat.

'Ik weet het wèl,' zei Skyler. 'En dat is de reden waarom ik je nu echt niet om je hulp zou vragen als die in wat voor vorm dan ook een offer voor jou betekent. Ik zal zelfs de brief zelf opstellen, als je dat wilt. Alles wat ik nodig heb, is je handtekening.'

Kate greep de rand van de tafel vast met een vreemde, afwezige uitdrukking op haar gezicht. 'Daar is het te laat voor,' zei ze met een zachte, verstikte stem.

'Te láát?' echode Skyler, niet in staat te geloven dat ze het goed had verstaan.

Met een diepe, zorgelijke zucht zette Kate haar vingertoppen onder haar kin. 'Het spijt me.' Ditmaal liet haar antwoord geen ruimte voor twijfel. Skyler voelde het in haar binnenste, als een messteek die langs haar ruggengraat omhoogging. Op dezelfde zachte, maar onverzoenlijke toon zei Kate: 'Ik wou dat ik je kon helpen, maar dat zou niet goed zijn. Het zou niet eerlijk zijn tegenover... tegenover haar.'

Skyler schoof haar stoel achteruit, te verbijsterd om meteen te reageren. Ten slotte riep ze ontzet uit: 'Ellie? Is dit allemaal om Ellie? Je kent haar niet eens!'

'Ik begrijp wat ze moet voelen,' zei Kate. 'Jij bent nog jong. Je zult andere kinderen krijgen. Maar dit is háár laatste kans om moeder te worden.'

Skyler voelde hoe het bloed uit haar gezicht wegtrok terwijl ze staarde naar de vrouw die tegenover haar zat... de moeder van wie ze had gehouden en op wie ze altijd had gerekend, en die was vervangen door een volslagen vreemdeling.

Kate bleef volmaakt roerloos zitten. Ze stelde zich voor dat als ze ook maar de geringste beweging maakte, zelfs maar met haar vingers knipte, ze als een heel oud, heel fraai kristallen glas in scherven uiteen zou vallen. Ze had de grootste moeite om kalm te blijven tegen de golf van emotie die door haar heen sloeg.

Haar verdriet werd nog versterkt door de blik die ze op Skylers geschokte gezicht wierp.

Heb ik dat echt gezegd?

Die woorden... ze waren er zomaar... uitgeglipt. Ze was niet van plan geweest ze uit te spreken en ze zou verbijsterd zijn geweest als iemand had gesuggereerd dat ze misschien zo zou reageren.

Het had bijna haar hart gebroken, die dag in het ziekenhuis, toen ze Skylers pasgeboren dochter in Ellies armen had zien liggen. En er was sindsdien geen dag voorbijgegaan dat ze geen steek van verdriet had gevoeld bij de gedachte aan haar kleindochter. Ze deed soms alledaagse klusjes in huis, of iets in de winkel, en dan overviel het haar opeens. Dan moest ze even ophouden om weer op adem te komen, terwijl haar ene hand naar haar hals fladderde, en haar andere naar haar buik, als om een klap af te weren.

Ze zou hemel en aarde hebben bewogen om Skyler te helpen haar dochter terug te krijgen. Ze zou Orchard Hill hebben verkocht om Skyler het geld uit haar eigen zak te kunnen geven. Maar er was één ding dat ze niet kon opofferen: haar geweten.

Ze had een tweede kans gekregen en ze mocht die niet weggooien. Ze geloofde niet langer dat het alleen maar toeval was geweest dat Ellie en haar bij elkaar had gebracht. Als ze godsdienstiger was geweest, had ze wellicht gezegd dat het Gods wil was. En misschien was dat ook wel zo. Maar het enige dat ze zeker wist, was wat ze moest doen – het was even duidelijk als een vinger die het pad wees dat zij moest volgen om boete te doen.

Oog om oog, tand om tand...

Een kind om een kind.

Met uiterste krachtsinspanning dwong Kate zich tot spreken. Ze moest proberen haar dochter te helpen dit te begrijpen, ook al kon Skyler het hele verhaal niet kennen.

'Lieverd... als jij me ook maar drie maanden geleden om mijn hulp had gevraagd, had ik het voor jou tegen een heel invasieleger opgenomen,' zei ze met verscheurde stem. 'Maar nu is het te laat. Alisa is haar kind. Ik kan echt niet...' Ze slikte moeizaam en voegde er zacht aan toe: 'Het zou zijn... alsof ik die vrouw vermoordde.'

Skyler schudde haar hoofd, waarbij een sliert blond haar bleef hangen in de hoek van haar mond, waar het nat was. De ogen die ze op Kate richtte, waren die van een martelaar op een renaissanceschilderij – ze verspreidden een vreemd, doorschijnend licht. Maar het was meer dan alleen lijden dat Kate zag. De uitdrukking op het gezicht van haar dochter was van iemand die zich verraden voelde.

'En hoe zit het dan met je eigen dochter?' sprak Skyler op fluistertoon. 'Dit is míjn dood. Kan het jou dan hélemaal niets schelen?'

Kate wilde haar ogen bedekken, ze afschermen voor dat gekwelde licht in haar dochters ogen. *O liefje, als je eens wist!*

Onder normale omstandigheden zou ze hemel en aarde hebben

bewogen om Skyler op alle mogelijke manieren te helpen. Geen gehoor geven aan haar smeekbede was voor Kate als een steek in het hart – een kwelling die beslist even groot was als die welke Skyler nu onderging. Maar ze kon dit niet doen... ze kòn het echt niet. Ze besefte dat ze later ook rekenschap en verantwoording tegenover Will zou moeten afleggen. Hij zou woedend zijn wanneer hij hoorde dat ze had geweigerd Skyler te helpen. Temeer omdat hij niet in de positie verkeerde om gewoon een cheque uit te schrijven, zoals hij anders zou hebben gedaan.

'Het spijt me,' zei ze tegen Skyler en ze kneep haar ogen dicht en drukte haar handpalmen zó stijf tegen elkaar dat ze de spieren in haar armen kon voelen trillen. 'Ik zou alles doen wat je me vroeg... behalve dit. Hoezeer ik het ook zou willen, ik kan het niet. Ik verwacht niet van je dat je het begrijpt. Maar vergeet alsjeblieft niet dat ik van je houd. Ik heb van je gehouden vanaf het eerste moment dat ik je in mijn armen heb gehouden. Als iemand toen had geprobeerd jou van me af te nemen, dan...' Ze deed haar ogen open en keek Skyler recht aan. 'Dan was ik gestorven.'

'Ik ken dat gevoel.' Skylers stem was vlak en koud.

'Lieverd, ik weet dat dit heel moeilijk is en ik wil niet beweren dat je er eens overheen komt. Er zijn dingen waar je nooit overheen komt. Maar ik kan je één ding beloven: het leven zal verder gaan.'

Skyler keek haar triest aan. 'Daar ben ik nou juist zo bang voor.'

'Het zal ècht beter worden,' verzekerde Kate haar en ze voelde zich een oplichter, een gladde verkoper, dat ze zo'n belofte deed.

'Op dat punt heb je gelijk,' zei Skyler verbitterd. 'Maar niet omdat ik van plan ben af te wachten en mijn wonden te likken. Ik zal het geld ergens vandaan weten te halen. Wat ik er ook voor zal moeten doen.'

Kate sloeg een hand voor haar mond. 'Ik wou dat je niet op die manier praatte,' zei ze.

'Wat dacht jij dan? Dat ik het op zou geven, alleen maar omdat jij me niet wilt helpen?'

'Nee... dat denk ik niet.' Kate knikte langzaam. Ze moest toegeven dat haar dochter niet iemand was die bij de pakken neer ging zitten. 'Ik wou alleen... ik wou alleen dat jij je niet altijd overhaast in dingen stortte zonder ze goed te hebben overdacht.'

'Hoe lang hadden pappa en jij nodig om te besluiten mij te adopteren?' vroeg Skyler uitdagend.

Zelfs terwijl Kate glimlachte en zei: 'Minder dan een seconde,' herinnerde ze zich maar al te goed haar verdriet toen ze de waarheid over haar baby had ontdekt.

En nu moest die vreselijke schuld worden ingelost.

'Als je zoveel van me houdt, waarom help je me dan niet?' Skyler legde haar vuisten aan weerskanten van de kom soep, die koud begon te worden. 'Dit is niet het een of andere morele principe waarover we het hier hebben. Het is míjn baby. Jóuw kleindochter.' Haar stem steeg en brak. 'Je kunt me niet zomaar in de steek laten – je bent mijn móeder.'

'En dat zal ik altijd zijn ook,' bracht Kate haar rustig in herinnering.

'Nee.' Skyler beefde en haar gekwetste blik ging dwars door Kate's hart. 'Ik weet niet wie mijn moeder is… maar jij bent dat niet.'

Kate zag verslagen hoe haar dochter overeind kwam, en even bleef staan, alsof ze haar evenwicht moest hervinden, voor ze zich omdraaide en weg begon te lopen. Kate wilde haar eigen woorden, en die van Skyler, terugnemen; ze wilde iets zeggen of iets doen, wat dan ook, dat de vreselijke kloof die tussen hen was ontstaan zou dichten. Gedurende Skylers hele leven was ze bang geweest haar te verliezen… en nu zou dit toch gaan gebeuren.

En deze keer was er niets dat Kate kon doen om het tegen te houden.

Toen ze van Orchard Hill wegreed, besefte Skyler niet waar ze naartoe reed, tot ze de weg insloeg die naar Stony Creek Farm leidde. Even later parkeerde ze op het grind voor de stallen en stapte uit haar Nissan, op benen die wiebelden zoals ze dat niet meer had meegemaakt sinds de dagen dat ze was begonnen met paardrijden. Het was laat in de middag en de zon wierp lange schaduwen die onder de hekken van het weiland door vielen. De voorjaarsregens hadden hier, in combinatie met de hoeven van grazende paarden, de velden in modder veranderd. Maar de buitenbak, zag ze, had een nieuwe laag gemalen boomschors gekregen; daar had Duncan voor gezorgd. In de verte zag ze zijn pezige, imposante gestalte voor de hooischuur die uitkwam op het noordelijkste kwadrant van Stony Creek, waar hij aanwijzingen gaf aan een man in een open vrachtwagen die met hooi was geladen.

Maar het was niet Duncan die ze nu nodig had, besefte Skyler. Het was Mickey. Haar vriendin trainde Victory Lap, het nieuwe paard van mevrouw Endicott, voor de Hartsdale Classic in West Palm Beach, volgende maand, en ze was hier elke dag minstens vier uur lang met hem bezig, zowel met rijden als met springen.

Toen Skyler door de stal liep, onder de brede poort die naar de aangrenzende binnenbak leidde, draafde Mickey op een mooie kastanjebruine volbloed onmiddellijk naar de omheining. Toen ze

Skylers betraande gezicht zag, liet ze zich met een zwaai uit het zadel glijden.

'Jezus... wie is er dood?' Mickey maakte de grendel van het hek open.

'Misschien ben ik dat wel,' zei Skyler.

'En het is nu aan mij om jou een klop op de schouder of een glas whisky te geven en te zeggen: "Het is voor je eigen bestwil"? Zeg zelf maar wat.' Mickey lachte hees, op een manier die haar bezorgdheid maar ten dele verbloemde.

'Je hebt geen idee.'

Mickey haalde haar schouders op. 'Je zult het me vast wel vertellen als je zover bent.'

Skyler bedankte Mickey stilzwijgend dat ze haar niet onder druk zette. Toen Skyler haar vriendin bekeek, met haar bezwete, open overhemd en modderige rijbroek, het stuk groezelig plakband dat om de staart in haar haar was gedraaid, wist ze dat ze bij de juiste persoon was aangeland – iemand die haar niet in medeleven zou smoren. Wat Skyler meer nodig had dan een schouder om op uit te huilen, was een flinke dosis gezond verstand en een praktisch advies.

'Kom, help me even deze bruut af te tuigen, dan kun je me erover vertellen.' Ze hadden het eerste gedeelte van de stal bereikt, waar de paarden altijd werden verzorgd en waar diverse halsters aan de muur hingen. Mickey haakte de ketting onder Victory's bit los en schoof zijn hoofdstel af, waarna ze hem een halster omdeed.

Na de volbloed met een oude handdoek te hebben afgewreven, krabde ze zijn hoeven uit en borstelde toen zijn onderbuik. Even later liep ze met het hoofdstel over een schouder, het zadel onder haar arm, naar de tuigkamer, terwijl Skyler Victory Lap naar zijn box bracht. Toen ze de vertrouwde geur van hooi, zaagsel en mest inademde en hoorde hoe de paarden in hun boxen stommelden, voelde ze haar verdriet wat zakken. Ze kon Duncan buiten horen schreeuwen in een van de lagergelegen weilanden. Een van de stalknechten, een donkerharige jongen die ze zich niet kon herinneren eerder te hebben gezien, wierp haar een verlegen glimlach toe toen hij met een kruiwagen veegsel voorbijkwam. Ze gaf hem een flauw glimlachje terug.

Skyler trof Mickey bij de dubbele deuren die naar de oostkant van Stony Creek voerden, waar de buitenbak was. Ze stond naar buiten te kijken met haar ellebogen boven haar rechterknie over elkaar geslagen, met haar hak op de houten bank waarop ze talloze keren met zijn tweeën hadden gezeten om hun laarzen aan te trekken. Buiten liet een onverwachte wolkbreuk, die schijnbaar uit het

319

niets was gekomen, een stortbui los die met bakken tegelijk op de dakspanten kletterde.

Skyler liet zich op de bank vallen en zag hoe Mickey een sigaret opstak. Mickey zei niets, ze bleef daar maar staan roken en naar de regen staren. Een stalkat wipte op Skylers schoot en begon te spinnen toen ze hem streelde.

Mickey bood haar een sigaret aan uit het verkreukelde pakje dat in het borstzakje van haar overhemd zat. Skyler nam er een, ook al rookte ze niet. Omwille van de oude vriendschap, dacht ze.

'Moeilijk, hè?' zei Mickey ten slotte. 'Ik had je nog zo gezegd dat het geen grapje was om moeder te zijn.'

'Dat zal jij weten.' Skyler wierp haar een quasi-minachtende blik toe en staarde toen weer naar de rook die vanaf de gloeiende punt van haar sigaret omhoogkrulde.

'Ja, je hebt gelijk, ik zou er niets van terechtbrengen,' beaamde Mickey. 'Dus je gaat 't doen? Je gaat ervoor vechten.' Skyler had haar in vertrouwen genomen zodra ze had ingezien wat haar te doen stond... maar zelfs Mickey wist niet hóe vastbesloten ze was.

'Ik móet wel.'

'Jézus.' Mickey's blik grensde aan ontzag. 'Skyler, ik moet één ding wel zeggen: jij weet er wel een puinhoop van te maken, zeg! Echt waar. Maar ik moet je ook één ding nageven: wanneer jij iets wilt, dan zet je je ervoor in!'

Dat moest Mickey nodig zeggen, dacht Skyler. Toen zei ze: 'Volgens mijn moeder is dat zowel een vloek als een zegen.' Ze nam een trekje van haar sigaret die als gedroogde mest smaakte.

'Ik neem aan dat dit betekent dat je met haar over het geld hebt gesproken?'

'Ik kom er net vandaan.'

'En?'

Skyler haalde diep adem. 'Ze wil het niet doen. Ze wil verdomme geen brief voor de bank schrijven.'

'Dat kan ik niet geloven!' Er was niet veel dat Mickey kon hebben geschokt, maar de gedachte dat Kate, die Mickey verafgoodde, zoiets kon doen, was verbijsterend.

'Ik weet het zeker.' Maar zelfs tot Skyler was het nog niet helemaal goed doorgedrongen. Ze bleef in gedachten de scène steeds nagaan, in de hoop dat ze het mis had gehad, dat haar moeder niet echt had geweigerd haar te helpen. Maar nee, mam was volstrekt duidelijk geweest. Skyler kon het op geen enkele manier verkeerd hebben begrepen.

De realiteit van de situatie trof haar met volle kracht, en Skyler liet zich onderuit glijden, met haar rug tegen de muur, terwijl ze de kat tegen haar borst drukte. Haar hart deed pijn en er was een leegte in haar buik die door niets kon worden gevuld. Ze voelde zich alsof ze niet alleen haar baby had verloren, maar ook haar moeder.

Plotseling werd ze overmand door een verlangen naar Tony – naar het solide gevoel van zijn armen om haar heen, de sterke klop van zijn hart tegen het hare... naar zijn gewone, praktische manier van doen, waar ze nu wel een flinke dosis van kon gebruiken in haar eigen uitermate chaotische leven.

'Het was niet alleen mijn moeder. Ik... ik heb dingen gezegd die ik niet had moeten zeggen,' gaf Skyler toe en de herinnering aan haar boze woorden was als een vergif dat ze had ingeslikt en waarvan ze nu de werking begon te voelen. 'Maar ik voelde me zo... verraden. Mickey, hoe kòn ze?'

'Ze zal je toch zeker wel iets van een uitleg hebben gegeven?'

'Ik denk dat het op de een of andere manier te maken heeft met het feit dat zij me heeft geadopteerd. Ze identificeert zich met Ellie. Toch begrijp ik het echt niet.' Ze liet haar sigaret op het beton vallen, dat door talloze hoeven was uitgesleten. Afgezien daarvan weet ik niet wat ik moet doen. Ik heb dat geld nodig.'

'Hoe zit 't met je vader? Hij wil het je toch zeker wel geven?'

'Ongetwijfeld. Meteen.' Ze zweeg, ze wist niet zeker hoeveel ze wilde dat Mickey over de financiële problemen van haar vader te weten zou komen, hoewel God wist dat Mickey's familie daar zelf genoeg mee te maken had gehad. 'Maar ik wil geen aalmoezen van hem. Ik wil dit zelf doen, met m'n eigen geld.'

'Ik wou dat ik niet zo krap zat. Dan zou ik 't je meteen lenen.'

'Dat weet ik.' Skyler zuchtte.

Mickey wierp haar een sluwe blik toe. 'Je zou Tony kunnen vragen. Ik wed dat hij een manier weet om aan het geld te komen.'

'Laat maar zitten,' snauwde Skyler. Dit was het enige onderwerp dat ze beslist niet wilde bespreken, zeker niet met Mickey, die niet kon begrijpen waarom Skyler, als ze zo gek op die kerel was, niet met hem naar bed ging.

'Goed, dan niet,' zei Mickey schouderophalend. 'Nog andere ideeën?'

'Ik zou een bank kunnen beroven.'

'Te riskant. Bovendien denk ik niet dat ze voogdij toekennen aan veroordeelde criminelen.' Ze zweeg en deed een laatste trekje aan haar sigaret voor ze die uitmaakte met de hak van haar laars. 'Hoor eens, ik heb een beter idee. Je zou met mij naar West Palm Beach kunnen gaan. Over vier weken is Hartsdale. Er is nog tijd om te trainen, als je het echt grondig aanpakt.'

Skyler staarde haar verbijsterd aan. 'Je lijkt wel niet wijs, Mickey, het is maanden geleden dat ik met Chance voor het laatst een

321

hindernis heb genomen. Hij heeft de hele winter bijna niets gedaan – hij is dan nog lang niet klaar.'

'De Grand Prix heeft als hoofdprijs dertigduizend dollar.' Mickey liet de woorden even doordringen.

'Het zou een miljoen kunnen zijn. Dan maakte ik nog steeds geen kans die te winnen.'

Mickey haalde haar schouders op. 'Nou, als dat de houding is die jij aanneemt, dan heb je waarschijnlijk gelijk.'

'Ik wéét dat ik gelijk heb.'

'In dat geval kun je maar beter vergeten dat ik het heb genoemd.'

'Duncan zou er een beroerte van krijgen. Ik heb zelfs het startgeld niet. Ik…'

'Ik dacht dat het onderwerp gesloten was.' Mickey wierp haar een listige blik toe.

'Dat is het ook.' Skyler besefte dat ze bijna in Mickey's valstrik was gelopen en ze deed haar mond stijf dicht.

'Nog een sigaret?' Mickey hield haar het pakje voor.

'Nee, bedankt.' Skyler zweeg; haar hart begon sneller te kloppen bij de gedachte aan wat er voor nodig was om in vorm te komen voor een concours van wereldformaat als Hartsdale. Meer dan slopende dagen van 's ochtends vroeg tot 's avonds laat; meer dan Duncan die tegen haar schreeuwde en haar vertelde dat ze het nog eens over moest doen, en nog eens, en nog eens; meer dan misschien zelfs Chancellor, op zijn best, kon presteren. Hiervoor zou het enige nodig zijn dat tot nog toe uit haar prestaties afwezig was geweest: een begeerte om te winnen die uit een veel diepere plek voortsproot dan alleen eerzucht.

'Duncan zou ermee in moeten stemmen,' zei Skyler. 'Zonder hem zou ik 't niet kunnen.'

'O zeker, maar je weet hoe Dunc is. Hij is nergens zo dol op als op een uitdaging.'

'Chancellor moet helemaal in vorm worden gebracht. Zijn beenspieren zijn totaal niet wat ze een jaar geleden waren.'

'Hij is binnen de kortste keren weer in vorm. Hij is een kampioen.'

'En kijk mij nou – ik ben nog nooit zo belabberd geweest als nu. Het is krankzinnig om zelfs maar te denken dat ik dit zou kunnen. Tegen de zomer zou ik misschien zover zijn, maar Mickey, in een máánd?'

'Hoe snel heb je het geld nodig?' vroeg Mickey.

'Gisteren.'

'Nou en?'

'We hebben het er zelfs niet over dat ik een kans op een prijs maak, het zou een wonder zijn als ik me zelfs maar kwalificeerde.'

322

'Wat weerhoudt je er dan van het op zijn minst te proberen?'
Skyler dacht hier even over na en vroeg toen: 'Kan ik in Palm
Beach bij jou slapen? Als ik het startgeld bijeen heb geschraapt en
het vervoer van Chance heb betaald, ben ik zo'n beetje failliet.'
Mickey kneep haar bruine ogen halfdicht. 'Je had mij echt niet
nodig om je hiertoe over te halen, hè? Zodra ik dit ter sprake bracht,
wist jij dat je het ging doen.'
'Heb ik een keus?' Skyler zag hoe de stalkat zich uitrekte, van
haar schoot sprong en de schaduwen indook. In het kantoor rinkelde een telefoon. De regen was bijna opgehouden.

Voor de eerste keer in dagen, weken zelfs, voelde ze zich bevrijd
van de hulpeloosheid die haar elke morgen bij het opstaan had
bevangen en zich als een nevel aan haar had vastgeklampt tot ze
's avonds in bed viel.

...en de koe sprong over de maan.

De regel uit het kinderversje kwam opeens bij haar boven en
ondanks het oppervlakkige, snelle kloppen van haar hart, merkte
Skyler dat ze glimlachte. Kon het haar lukken? God wist dat ze
deze keer iets had om voor te vechten. Voor Alisa zou ze achter
op een koe over de maan springen... of ze zou eraf vallen als ze
het probeerde.

Mickey had op één punt gelijk gehad: Duncan was voor het plan
te porren.

Hoe chagrijnig, mopperend en veeleisend hij ook was, hoeveel
hij blafte en protesteerde, toch kon hij de uitdaging niet weerstaan
om beenspieren die tot gelatine waren vervallen weer in vorm te
brengen, een gevoel voor timing dat hopeloos was geworden weer
aan te scherpen. Dag na dag, vaak acht uur achter elkaar, werkte
Skyler met hem in de bak. Bij mooi weer trainden ze buiten. Als
het regende, gebruikten ze de binnenbak. Bij dit alles was Duncan
meedogenloos.

'Hoofd omhoog! Hoe vaak heb ik je niet verteld dat je je kin
omhoog moet steken!' blafte hij dan, zoals hij niet had geblaft sinds
haar tiende. 'En glimlach eens, potverdomme! Je moet het er uit
laten zien alsof je het leuk vindt. Alsof een hindernis van één meter
tachtig gewoon een lolletje is!'

Skyler had een maand vrij genomen van haar werk om zich volledig op haar training te richten en ze sleepte zich elke nacht uitgeput naar huis. De rug van haar neus verbrandde, vervelde, en
verbrandde toen opnieuw. Er verschenen sproeten op wangen die
bleek waren geweest als melk. Ze werd dikwijls uit een diepe, verdoofde slaap wakker met kuiten die kramp hadden en met vingers
die met de duimen omhoog waren gekruld als om een stel teugels.

Na twee weken begon ze het verschil te merken. De delen van haar lichaam die zacht waren geweest, werden weer taai en hard. Duncans kreten van afkeer maakten geleidelijk plaats voor korte bevelen met zo nu en dan een afgemeten knikje wanneer ze het goed deed. De hindernissen die hij construeerde werden steeds hoger en moeilijker. En ze liet zich niet langer aan het eind van elke dag op benen van schuimrubber uit het zadel vallen.

Chancellor was eerst weerspannig als een kind dat te lang geen toezicht had gehad en hij had ongehoorzaam gedaan, had gebokt om zijn misnoegen te laten blijken toen ze hem discipline probeerde bij te brengen, en hij had geweigerd hindernissen te nemen waar hij een jaar geleden moeiteloos overheen was gezeild. Maar na een moeizame start schikte hij zich en leek er zelfs weer plezier in te krijgen. Op dat punt had Mickey ook gelijk gehad: Chancellor was een kampioen. En kampioenspaarden vonden niets zo leuk als de gelegenheid te krijgen om hun kunnen te tonen.

Aan het eind van de derde week vertoonde Chancellor een lichte kreupelheid en Skyler was enkele angstige dagen lang in de stal in de weer met koude omslagen en smeersels. Toen dokter Novick een peesbeschadiging niet waarschijnlijk achtte, ontspande ze zich een beetje. Toch kon hij een paar dagen niet worden bereden... en dat was op zichzelf een bron van paniek. Stel dat hij nog steeds tekenen van kreupelheid vertoonde tegen de tijd dat ze naar Hartsdale moesten vertrekken? Dan kon ze niet met hem aantreden. Al haar harde werken was dan voor niets geweest.

Maar gelukkig was Chancellors been de volgende maandag weer in orde. Skyler slaakte een enorme zucht van opluchting, maar vertroetelde en verwende hem niettemin dusdanig dat haar – en Duncan – duidelijk werd dat ze hier niets mee opschoot.

Op advies van de dierenarts begon ze haar training te verdelen tussen Chancellor en een vijfjarig Duits warmbloedpaard dat Silver Trophy heette en waarvan Duncan grote verwachtingen had. Silver Trophy was niet zo volledig op haar afgestemd als Chancellor, maar hij was gewillig en sterk. En hij bleek meer dan alleen maar een vervanging te zijn: hij weerhield Skyler ervan te vastgeroest in haar gewoonten te worden. Hij maakte dat ze voortdurend op haar hoede was, naar subtiele manieren zocht om zijn prestaties te verbeteren.

Gedurende die hele maand van zwoegen en ploeteren bleek wat eerst een vloek had geleken, een zegen te zijn: doordat ze zo hard moest werken en aan het eind van iedere dag zó vermoeid was dat ze nauwelijks recht uit haar ogen kon kijken, werd Skyler ervan weerhouden te veel aan haar moeder te denken. Ze had zelfs een excuus voor het niet beantwoorden van Kate's telefoontjes: ze was bijna nooit thuis.

Waar Skyler wèl aan dacht, was haar baby. Elke spier waar ze ijs op legde, elk nieuw zadel dat pijn deed aan haar achterste, bracht haar een stap dichter bij haar doel. Ze had geen bezwaar tegen de lange uren in de bak. Ze slikte Duncans gebulder en Chancellors gebok. Omdat dit alles haar sterker maakte, beter in staat niet alleen de uitdaging die voor haar lag aan te gaan, maar ook die welke daarna kwam: Alisa terugkrijgen.

Ze dwong zichzelf zich slechts daarop te richten. Ze weigerde zelfs Tony op bezoek te laten komen. O ja, vaker dan ze kon tellen, vooral aan het eind van een zware dag met Duncan, wilde Skyler niets liever dan Tony's gemakkelijke aanwezigheid... zijn eeltige hand op haar schouder... zijn openhartige benadering van alles in combinatie met dat sardonische glimlachje dat altijd rond zijn mondhoeken speelde. Maar elke keer dat ze de telefoon oppakte om hem te bellen, dwong ze zich die weer neer te leggen. Zijn aanwezigheid zou haar alleen maar afleiden. Hoezeer ze er ook naar verlangde hem weer te zien, ze moest flink blijven tot na Hartsdale.

Hartsdale. Opeens stond wat steeds in de nabije toekomst was geweest, vlak voor de deur. De twee dagen voor ze naar West Palm Beach zou vliegen, bracht Skyler door met onderhandelen met de chauffeur van de vrachtwagen die Chancellor moest vervoeren, waarna ze zich bij MasterCard en Visa nog dieper in de schulden stak om het startgeld van tweeduizend dollar bijeen te schrapen. Tegen de tijd dat ze op donderdagmiddag in het vliegtuig stapte, was haar maag loodzwaar.

Pas toen het vliegtuig tweeëneenhalf uur later in West Palm Beach landde, voelde Skyler hoe haar uitgeputte gespannenheid zich begon om te vormen tot oprechte opwinding.

Ze betwijfelde nog steeds of ze een kans maakte om te worden geplaatst. Als een sneeuwbal in de hel? Maak er een hele gletsjer van. Zelfs met al haar zware trainingen verkeerde ze in lang niet zo'n goede vorm als Mickey, die het hele jaar uitkwam in concoursen. Maar verdomme, ze zou zich nu door niets of niemand laten weerhouden. Het ging nu niet alleen maar om geld.

Winnen of verliezen, ze moest die uitdaging aangaan – al was het maar om zichzelf te bewijzen dat ze niet iemand was die bij de pakken neerzat. Want als ze niet alles gaf dat ze bezat, hoe kon ze dan ooit de hindernissen nemen die achter Hartsdale lagen?

325

15

De grote zilverreiger cirkelde boven hun hoofd. Toen landde hij met een sierlijke zwenk, die de pas opgegane zon op een vleugeltop leek mee te voeren, aan de rand van de met hibiscus omzoomde waterhindernis die in het midden van het parcours van de Hartsdale Grand Prix lag.

Skyler, die met Mickey het parcours doorliep, bleef op een meter of tien van de vogel staan, die haar met een hooghartige uitdrukking aankeek, alsof hij wilde zeggen: '*Haal je nou maar niets in je hoofd omdat je voor deze wedstrijd bent geplaatst. Je hebt geen schijn van kans.*' Goede raad, dacht ze. Het was zondag en de Grand Prix was over nog geen twee uur. Skyler voelde zich verre van zelfverzekerd door het feit dat ze in de voorrondes hoog genoeg was geëindigd om zich te kunnen plaatsen, en ze was ervan overtuigd dat ze weg zou worden gevaagd. Naar haar mening waren de afgelopen dagen niets anders geweest dan een aaneenschakeling van spectaculair geluk hebben.

Skyler keek om zich heen naar het bijna ondraaglijk landelijke tafereel. Een wolkenloze hemel zo blauw als een ansichtkaart maakte dat ze vergat hoe warm en plakkerig het was. Aan alle zijden van het openluchtstadion schitterde het gesproeide gras vele hectaren ver, als een fameuze stad, bevolkt door reigers en aigrettes, en omringd door enorme hibiscusstruiken. Meer naar het noorden, op een flauwe helling op nog geen halve kilometer van het wedstrijdterrein, vormden de stallen van Hartsdale in New-England-stijl de buitenste begrenzing van de tentenstad – met losse, tijdelijke stallen die om ruimte streden met campers, paardentrailers en toiletwagens – die tussen het parcours en het tentoonstellingsterrein was opgeschoten. Uit de draagbare oven van de hoefsmid steeg een dunne sliert rook op.

Toen Skyler de rook in de onberispelijk blauwe lucht zag vervluchtigen, kreeg ze onwillekeurig het gevoel dat haar kansen op succes niet tastbaarder waren dan die rook. In de voorrondes had ze het met moeite tot een negende plaats gebracht, ruim achter Mickey met haar vijfde, hoewel voor vele anderen, die veel ervarener waren. Eerder die week had ze foutloze parcoursen gereden, tot Chancellor bij de barrage voor de laatste dubbele oxer weigerde. Maar de Grand Prix van vanmorgen zou de ware test zijn. Ze zou uitkomen tegen de besten van de besten, en zelfs geluk was misschien niet voldoende om haar erdoorheen te helpen.

In een poging op alles voorbereid te zijn, had ze zich bij Mickey en de stuk of vier andere ruiters en trainers gevoegd die het parcours in kaart probeerden te brengen. Dit nam een kwart hectare in beslag – oxers, steilsprongen en triples die in allerlei tinten turkoois en wit waren geschilderd; imitatie-bakstenen muren die van blokken balsahout waren gemaakt en door miniatuur sinaasappelboompjes werden geflankeerd, de watersprong met zijn spiegelende oppervlak waar de reiger de wacht hield.

Mickey en zij liepen langzaam over het zand en de gemalen rubbersnippers, waarbij ze zorgvuldig uitmaten hoeveel stappen hun paard voor iedere hindernis moest afzetten. Ze schudden aan de balken in hun steunen, tuurden met dichtgeknepen ogen naar de twee- en drievoudige combinaties en probeerden de beste hoek van nadering te schatten. Toen Skyler neerknielde om de veerkracht van de rubberranden aan weerskanten van de watersprong te testen, voelde ze haar maag ineenkrimpen. Ze had nog niet ontbeten en ze vroeg zich nu in paniek af of ze wel iets binnen zou kunnen houden.

Ze had zich nog nooit zo nerveus gevoeld voor een wedstrijd – hartkloppingen, droge mond, transpirerende handpalmen, het hele rijtje. Maar aan de andere kant had er nog nooit zoveel voor haar op het spel gestaan.

'Ik wil niet flauw doen, maar dit is jouw Waterloo,' zei Mickey toen ze naar de waterbak van drie bij één meter wees, met het hek van een halve meter hoog bij de afsprong. 'Tenzij Chancellor zwemlessen heeft genomen waar ik niets van weet.'

'Hij weigert heus niet. Daar zorg ik wel voor,' antwoordde Skyler met een harde stem die ze nauwelijks als de hare herkende. Ze ging weer staan en schoof de rand van haar honkbalpetje recht, dat ze had opgezet om het haar uit haar plakkerige, bezwete nek te houden. Er tolde een golf duizeligheid door haar schedel en ze bleef heel stil staan terwijl ze wachtte tot het voorbijging.

Mickey, in een rood poloshirt en een roomkleurige rijbroek met een grasvlek op de knie, draaide zich om om Skyler aan te kijken, met één hand boven haar ogen om die tegen de felle zon te beschermen. 'Nou, hoor eens, je hebt het zover weten te brengen. Er is een goede kans…'

'...dat ik het niet tot de barrage haal. Dat ik plat op m'n achterste zal vallen. Kans dat ik een spier of een pees zal verrekken...' Skyler somde alle narigheid op zoals die maar al te vaak voorkwam bij wedstrijden met een parcours dat zo moeilijk was als dat van Hartsdale. Wat ze niet hardop zei, omdat het te onthutsend was om zelfs maar over na te denken, was dit: *En als ik die prijs niet win, dan is er maar één manier waarop ik in staat zal zijn zo'n bedrag bijeen te brengen, en dat is Chancellor verkopen*. Die gedachte was een paar weken geleden in haar opgekomen, toen ze was begonnen bij Duncan te trainen. Haar paard was minstens vijftigduizend dollar waard, misschien wel meer, als ze op korte termijn een begerige koper kon vinden. En hoeveel ze ook van Chancellor hield, toch zou ze, als ze het geld niet op een andere manier kon vinden, gedwongen zijn het ondenkbare te doen.

Maar het deed haar veel pijn, als een zaagblad dat met stompe, roestige tanden door haar binnenste zaagde. Ze had zoveel binnen zo'n korte tijd verloren. Ze kon de gedachte niet verdragen Chancellor ook nog te verliezen.

Een luid geblaf deed Skyler uit haar gedachten opschrikken. In volle vaart kwam vanaf de andere kant van het wedstrijdterrein een bordercollie op haar af, die ze herkende als de hond van de stalknecht van Beezie Patton. De oren van de hond waren gespitst en zijn ogen waren op de reiger gericht, die geen grote haast leek te maken om ervandoor te gaan. Pas toen de collie bijna bij hem was, ontvouwde de vogel zijn vleugels met één grote klap en steeg op.

De collie minderde vaart en draafde naar Skyler, die neerhurkte om hem achter zijn oren te krabben. 'Geeft niet, Ralphie,' troostte ze hem. 'De ene dag heb je nou eenmaal meer geluk dan de andere.' Hij likte tevreden haar hand en huppelde weg om aan een van de opgepotte sinaasappelboompjes te snuffelen.

'Leuk om te zien dat je nog steeds goed met dieren kunt omgaan,' zei Mickey en ze hield haar hoofd scheef terwijl ze naar Skyler omlaagkeek, met een zure glimlach rond haar mond. 'Heb je al iets van de universiteit gehoord, over uitstel tot volgend jaar?'

'Nog niet, maar ik heb erg mijn best gedaan hen over te halen. Ik denk dat het me uiteindelijk wel zal lukken.'

'Ik heb zo'n idee dat je op dit moment grotere problemen aan je hoofd hebt.'

'Zeg dat wel.' Ze hield haar toon luchthartig, omdat ze niet wilde dat haar vriendin wist hoeveel paniek ze voelde.

'Heb je er bezwaar tegen als ik vraag waar Tony in dit alles past?' vroeg Mickey behoedzaam.

Sinds die middag, lang geleden, toen Tony haar nichtje en neefje onder zijn hoede had genomen om hun de stallen te laten zien, kon de man bij Mickey een potje breken.

'Ik weet het nog niet,' antwoordde Skyler naar waarheid. 'Hij... hij verkeert in een moeilijke positie. Ten slotte was het in eerste instantie zijn idee om mij met Ellie in contact te brengen. En één ding heb ik wel bij Tony ontdekt – als hij eenmaal iets heeft beloofd, komt hij niet snel op zijn woord terug.'

'Dat zou een mooie eigenschap zijn als jullie tweeën samenwoonden,' merkte Mickey op.

Skyler zweeg, ze duwde de klep van haar honkbalpetje naar achteren om haar vriendin woedend aan te kijken. 'Dat is niet grappig,' zei ze.

'Zo had ik het ook niet bedoeld.'

'O, nou... dat is nou echt wat ik op dit moment nodig heb. Een vriend die bij me intrekt, boven op al het andere.'

'Ik zeg niet dat dit je problemen zou oplossen. Jij bent perfect in staat dat zelf te doen. Maar het heeft misschien wel iets te maken met dat rottige humeur dat jij de laatste tijd hebt.' Ze wierp Skyler een zijdelingse blik toe.

'Je weet best wat daar de reden van is.' Dat ze haar baby zo miste deed meer dan haar alleen maar in een slecht humeur brengen; sommige dagen had ze het gevoel dat ze helemaal gek zou worden.

Het tweetal liep het parcours verder af, daarna liepen ze langs het stadion naar het zigeunerachtige kamp dat diverse vierkante hectaren vertrapte graszoden besloeg. De hoefsmid, met ontbloot bovenlijf en met vuurvaste beenkappen, had een werkplaats met een smidsvuur op propaan ingericht naast zijn Range Rover en hij stond over zijn aambeeld gebogen op een hoefijzer te slaan. Boven het gezoem van de generatoren kon Skyler ruiters en stalknechten naar elkaar horen roepen, waarbij ze goedmoedige beledigingen en laatste raadgevingen uitwisselden. Mannen en vrouwen in overhemden met korte mouwen zaten op tuigkisten en laadkleppen met zorg hoofdstellen en laarzen te poetsen. Het ochtendzonlicht weerkaatste op bitten en trenzen en teugels, stijgbeugels en singelgespen, en de lucht rook naar zadelzeep, warm leer en angstzweet.

Skyler en Mickey hadden weliswaar hun intrek genomen in een motel verderop langs de weg, maar ze hadden ook de camper van mevrouw Endicott, die royaal genoeg was om een country and western-ster en haar volledige band in te huisvesten.

Maar op dat moment dacht Skyler niet aan de koelkast vol champagne en mineraalwater. Alles wat zij wilde, waren een douche en een slok water om het droge gevoel in haar keel weg te spoelen.

Daarna zou ze aan de Grand Prix denken, die binnen een uur

zou beginnen. Maar ze zou niet aan verliezen denken... alleen aan wat het zou betekenen als ze won.

'Ga jij maar vast... ik wil nog even bij Victory kijken,' zei Mickey tegen haar toen ze vlak bij de camper waren. Gisteren had de volbloed na de barrage een beetje kreupel gelopen, en hoewel de dierenarts had gezegd dat het niets serieus was, nam Mickey dit niet voetstoots aan. Op gedempte toon, voor het geval de oude dame toevallig binnen gehoorsafstand was, voegde ze eraan toe: 'Als de zwelling niet is verdwenen, ga ik niet met hem rijden, wat ze ook mag zeggen.'

Toen ze elkaar aankeken, bracht de ironie van de situatie een vage glimlach naar Skylers lippen. Ze raakte Mickey's mouw aan, wetend dat voor de eerste – en misschien wel de laatste – keer de rollen tussen hen waren omgedraaid. Ze zei: 'Dat kun jij je permitteren.'

Mickey glimlachte terug en holde toen weg met omhoog gestoken arm.

De deur van de camper stond op een kiertje en Skyler kon horen dat er iemand binnen was. Mevrouw Endicott? Of een van haar volgelingen? De oude dame – een weduwe wier man fortuin had gemaakt in de internationale diamanthandel – heette bijna even rijk te zijn als koningin Elizabeth, met waarschijnlijk net zoveel pluimstrijkers en hovelingen. Voor ze naar binnen ging, stak ze voorzichtig haar hoofd om de hoek.

Maar de steviggebouwde man met verschoten spijkerbroek en afgetrapte cowboylaarzen, die op de ingebouwde leren bank zat, was niet de een of andere gelukszoeker die een sponsor wilde.

'Tony!' riep ze uit toen ze naar binnen stapte, waarbij ze van schrik de aluminium-met-glazen deur met een klap achter zich dicht liet vallen.

Toen hij opstond, leek hij de hele ruimte te vullen. Wat deed hij hier? Of nog preciezer: hoe was hij hier gekómen?

Toen besefte ze het. Tony moest hierheen zijn gevlogen, alleen maar om haar te zien.

Skyler voelde een vreemde, schuldbewuste vreugde in zich opstijgen. Deze afgelopen vier weken had ze hem meer gemist dan ze voor mogelijk had gehouden. Zelfs terwijl ze alle redenen opsomde waarom ze niet bij elkaar pasten, alle obstakels waarvoor ze konden komen te staan, moest ze toch steeds terugdenken aan het gevoel van zijn armen om haar heen... de zachte aanraking van overhemden die door dezelfde hand waren gewassen en dichtgeknoopt – de hand die nu naar haar werd opgestoken in een gebaar dat halverwege hallo en een schouderophalen was – het korte inademen dat altijd aan zijn eerste kus voorafging.

330

'Ik was toch in de buurt,' zei hij, waarbij één mondhoek omhoogging.

'Echt niet.' Maar Skyler kon haar lachen niet inhouden.

'Oké, ik was aan vakantie toe.'

'Wat een vakantie heb jij dan uitgezocht, zeg.' Ze stapte naar binnen en liet zich in de fauteuil tegenover hem vallen, terwijl ze haar bemodderde laarzen uittrok. 'Je had me weleens mogen waarschuwen.'

'Waarom? Dan had jij toch maar gezegd dat ik niet moest komen.'

'Je hebt gelijk, dat had ik zeker gedaan.'

'O ja? Nou, toevallig is brigadier Salvatore meer gewend bevelen te geven dan ze op te volgen. Hoe dan ook, hier ben ik. Een van de stalknechten zei dat ik je hier misschien kon vinden. Een vriendelijke oude dame zei dat ik hierbinnen wel op je mocht wachten.'

'Mevrouw Endicott... dit is haar camper,' verklaarde Skyler. 'Mickey rijdt in de Grand Prix op een paard van haar.'

Tony haalde zijn schouders op. 'Ik denk dat ze me niet het type vond dat haar zou willen beroven.'

'Je bent een smeris.'

'Reken maar.' Hij keek haar uitdagend aan.

'Ik moet onder de douche,' kondigde Skyler abrupt aan en ze stond op. Haar topje was doorweekt van het zweet en zelfs in korte broek voelde ze zich warm en plakkerig.

'Ik wacht wel.'

'Daarna krijg ik het heel druk,' vertelde ze hem. 'De wedstrijd begint over een uur.'

'Dat weet ik. Ik heb een kaartje gekocht.' Hij liet zich onderuit zakken op de bank en legde zijn laarzen op het lage tafeltje voor hem. 'Ga gerust je gang... ik blijf in de buurt tot alles voorbij is.'

Skyler voelde hoe de warmte die hij uitstraalde deze ruimte benauwd maakte, met zijn ogen die vragen stelden waarop ze liever geen antwoord gaf. Ze bedwong de neiging om naar de aangrenzende kamer te vluchten.

'Tony, ik heb op dit moment geen enkele behoefte aan gezelschap. Ik heb zelfs mijn ouders gevraagd niet te komen. Dit is een slecht moment.'

'Je had het me kunnen vertellen,' zei hij en zijn stem was hard en zijn ogen waren op haar gezicht gericht. 'Het minste dat je had kunnen doen, was me vertèllen dat je geld nodig had.'

Zijn plotselinge stemmingswisseling had het effect van een wolk die voor de zon langs schoof, zodat zijn bruine huid donkerder werd en er over zijn zwarte ogen een schaduw trok die Skyler het gevoel gaf in de loop van een revolver te kijken die elk moment af kon gaan.

'Wie heeft je dat verteld?' wilde ze weten.

'Mickey. Maar je moet haar niets verwijten… ik heb haar zo ongeveer de duimschroeven aangedraaid.'

Toch voelde ze even een steek van woede jegens Mickey. 'Oké, en als ik 't je nou wèl had verteld? Wat had je er dan aan kunnen doen? Stel dat je had willen helpen, waar had je dat geld dan vandaan gehaald?'

'Het punt is dat je het niet hebt gevráágd.' Hij liet zijn hakken met een harde bons op de vloer vallen, zodat de metalen onderkant van de camper rammelde. 'Jij hield me gewoon voor het soort kerel dat van de ene betaaldag tot de andere leeft. Je hebt me zelfs niet het voordeel van de twijfel gegeven.'

'Tony, ik kan dit nu echt niet gebruiken.' Haar stem stokte, en ze legde haar hand tegen haar slaap, die begon te kloppen.

Zijn blik werd onmiddellijk weer zachter en hij stond op, waarna hij om de salontafel heen liep om een hand op haar schouder te leggen. Ze kon zijn ruwe huid voelen, waar het eelt haar blote huid raakte. Ze wilde zich terugtrekken… maar ze verlangde er tegelijkertijd naar dat hij haar in zijn armen nam. Haar hart bonsde in haar borst, zwaar van verlangen.

'Hé, hoor eens… het spijt me,' zei hij. 'Ik ben niet helemaal hier naartoe gekomen om jou het leven moeilijk te maken. Eerlijk waar.'

'Waar ben je dan wèl voor gekomen?' Ze keek hem onderzoekend aan, zoals hij daar voor haar stond – een man die zich had voorgenomen voor haar te zorgen, of ze dat nu wilde of niet.

'Voor jou,' zei hij zacht. 'Ik ben voor jou gekomen.'

Toen sloeg hij zijn armen om haar heen en drukte haar hoofd tegen zijn harde schouder. Toen ze haar gezicht in de warme plooien van zijn overhemd drukte en ze de gesp van zijn riem, koel en hard, door de dunne stof van haar topje voelde, was Skyler zich alleen nog maar bewust van haar verlangen naar hem en van haar verdriet bij het besef dat ze het op de een of andere manier allemaal achterstevoren hadden gedaan… een kind hadden verwekt zelfs nog voordat ze liefde voor elkaar hadden opgevat, Alisa hadden verloren nog voor ze zich zelfs maar konden voorstellen dat ze een gezin zouden vormen.

Maar zelfs terwijl ze verdriet had om wat ze hadden gemist, en wat ze waarschijnlijk nooit zouden krijgen, voelde ze zich meer verwant met Tony dan ooit tevoren. En als hij geen beloften kon doen of haar op enigerlei wijze kon beschermen tegen de strijd met Ellie die voor haar lag, dan had ze in elk geval nog dit gehad: een paar sterke armen om haar te troosten en een hart dat zeker en sterk tegen het hare klopte.

Om te beginnen waren er de beroemdheden. Beezie Patton, een kleindochter van generaal George Patton. Michael Matz. Ian Millar. Katie Monahan Prudent en haar man Henri. Namen die voor Skyler net zulke begrippen waren als de gezichten die in Mount Rushmore waren uitgehakt. En alsof dat nog niet indrukwekkend genoeg was, was er een handvol nieuw talent, de stijgende sterren van het springconcours – zoals Mickey, die volgens de geruchten een grote kans maakte op plaatsing in de Olympische ploeg van volgend jaar, en Bettina Lerner, een meisje van achttien uit Roanoke, dat er vorig jaar heel verrassend in Californië met de La Quinta Classic vandoor was gegaan.

Ze waren bij elkaar met zijn elven, elf ruiters uit een veld van tweeëndertig – zij die de barrage van de Grand Prix hadden gehaald na drie afmattende rondes die door afworpen, weigeringen en valpartijen waren gekenmerkt. Skyler, die even buiten het voorterrein op haar paard zat, kon nauwelijks geloven dat ze het tot deze grote hoogte had gebracht, en de droomachtige toestand die haar door de eerste ronden had geholpen, begon nu weg te ebben. Ze was net zo nerveus als Chancellor, die ze onder zich kon voelen trillen.

De ruimte waar ze stond, samen met een stuk of wat andere ruiters die stilstonden of hun paarden in kleine cirkels rond lieten lopen, lag op maar vijftig meter afstand van het stadion. Hij was aan één zijde omzoomd door yucca's en lage palmen en had het voordeel halverwege het oefenterrein en de overdekte ingang van het parcours te liggen. Hiervandaan kon Skyler het lage gebulder van applaus horen, met het gedempte geluid van de toeter en de stem van de omroeper door de microfoon. Ze werd getroffen door een spanning die zó hevig was, dat het aan verlamming grensde.

Het is allemaal een vergissing, dacht Skyler. *Er kan elk moment iemand naar me toe komen om me te zeggen dat ze een verkeerde uitslag hebben gegeven en dat ik de barrage toch niet heb gehaald.*

Met bonzend hart deed ze haar ogen dicht om haar talisman op te roepen: een beeld van Alisa's kleine, gerimpelde gezicht en de manier waarop haar handje door de lucht had gemaaid voordat ze die, als een zeesterretje, om Skylers wijsvinger had gesloten.

Ze voelde haar verlies met geweld door zich heen gaan, als een scalpel dat haar doormidden sneed. *Ik kàn dit doen. Ik móet dit doen.*

Mickey kwam eraan gelopen, ze leidde Victory Lap aan de teugels mee, waarna ze aan de singel van de volbloed begon te sjorren. 'Hij zet zijn buik uit, de rotzak.' Ze gaf hem met haar volle hand een klap op zijn zijde en keek woedend achterom. 'Waar zit die stomme stalknecht nou weer?'

Skyler was niet verbaasd dat hij nergens te bekennen was. Wanneer Mickey voor een belangrijke wedstrijd gespannen was, was ze als een gevallen hoogspanningskabel waar de stroom nog op stond – niemand die zijn gezonde verstand gebruikte, waagde het bij haar in de buurt te komen.

'Ik geloof dat ik hem daar zie.' Skyler wees naar het groepje dat rond Diamond Exchange, de zenuwachtige Hannoveraan, stond. De grote schimmel probeerde te steigeren en diverse stalknechten moesten hem vasthouden, terwijl Lisa vloekte en aan de teugels rukte.

Niets bijzonders, dacht Skyler, die zich een beetje ontspande. Zij was hier niet de enige die een nerveus wrak was. Ze waren allemaal een beetje over hun toeren.

Skyler richtte haar aandacht weer op Mickey, die zelf de singel had weten aan te spannen en die zich nu met één vloeiende beweging in het zadel zwaaide. De diepe rimpel tussen haar donkere wenkbrauwen was verdwenen en ze vertoonde haar bekende schalkse grijns toen ze zich vooroverboog om de volbloed op de hals te kloppen.

'Hij loopt tenminste niet kreupel,' merkte Mickey op. 'De dierenarts zegt dat zijn been prima is. Hij moet gewoon een beetje rust hebben. Hierna mag hij wat mij betreft de komende drie maanden kalm aan doen.'

'Neem je 'm dan niet mee naar Toronto?' vroeg Skyler.

Mickey's slaperige oogleden gingen omlaag in een gebaar dat bijna preuts was. Bij een andere vrouw had Skyler gedacht dat het iets met een man te maken had – maar bij Mickey kon het slechts één ding betekenen.

'Priscilla is bezig een nieuwe ruin te trainen, een Westfaler. O God, Skyler, wacht maar eens tot je die hebt gezien. Hij is echt geweldig! Sneeuwwit, sprekend Milton,' voegde ze er op gedempte toon aan toe, waarbij ze naar het legendarische Britse springpaard verwees dat meer dan een miljoen pond aan prijzengeld had opgebracht.

Skyler vroeg zich af of Mickey ooit verliefd zou worden. Waarschijnlijk niet. Ze was getrouwd met de springwereld.

De ruiters stelden zich nu buiten het stadion op, waarbij de stalknechten de laatste hand legden aan het tuig. Neal Hatcher, de tengere stalknecht met paardenstaart, die Chancellor had vergezeld bij zijn tocht in zijn paardentrailer, verscheen aan Skylers zijde om nogmaals haar singel te controleren. Terwijl Neal aan de riemen trok, ving ze door de overdekte poort die naar het starthek leidde, een blik op van het wedstrijdveld. Ze zag een gedeelte van de tribunes met blauwe vierkantjes die wapperden als bloemblaadjes in de wind, doordat duizenden toeschouwers zich met hun programma's koelte toewuifden. In de loge van de sponsors weerkaatste het zonlicht op de lenzen van de camera's en de verrekijkers. Skyler dacht aan Tony, die daar ergens moest zijn, en haar hartslag schoot omhoog. Ze voelde zich opeens gesterkt bij de gedachte dat hij haar zou toejuichen, ook al had ze geen idee waar hij precies zat.

Als vanaf een grote afstand hoorde ze Mickey zeggen: 'Wens me geluk.' Haar vriendin zou als tweede rijden en ze was niet gelukkig met haar plaatsing. Mickey wilde graag weten tegen wie ze het op moest nemen, welke tijd ze moest verslaan – dat was de prikkel die ze nodig had.

Skyler werd getroffen door de ironie van de situatie – ze streed tegen haar beste vriendin om een prijs die, zo niet letterlijk dan toch overdrachtelijk, het verschil tussen leven en dood zou betekenen. Hoewel ze het erover hadden gehad hoe geweldig het zou zijn als Skyler won, was er niets gezegd over wat er zou gebeuren als Mickey met de hoofdprijs ging strijken. Hun vriendschap zou het uiteraard overleven. Maar voor Skyler was het de vraag of zij het ook zou overleven.

Even later klonk de toeter. Skyler zag hoe in het stadion alle hoofden opzij werden gedraaid, hoe de mensen zich naar voren bogen, waarbij de hitte en het gebrek aan wind werden vergeten. In de loges van de pers en de jury, met hun rood-met-geel gestreepte vlaggetjes, werden alle gesprekken gestaakt en werden de camcorders in de aanslag gehouden.

Katie Monahan Prudent, op Silver Skates, reed als eerste. Als de doorgewinterde routinier die Katie was, scheen ze nauwelijks beweging in de lucht te veroorzaken toen ze het schitterende witte paard over de triples, oxers, bezembakken en muren dreef. Haar tempo was gelijkmatig, zelfs statig; haar tijd een fractie meer dan dertig seconden.

Mickey had nog een heel eind te gaan om Katies elegante stijl te overtreffen – maar het was duidelijk te zien aan de hoogrode kleur op haar wangen en de stalen trek rond haar mond, toen ze het veld opreed, dat zij niet dacht aan hoe ze eruitzag. Het enige dat Mickey kon schelen, was snelheid.

Victory Lap bokte een paar keer en Mickey gaf hem even wat ruimte, zodat hij iets van zijn temperament kon afreageren terwijl de ceremoniemeester haar aankondigde.

'Onze tweede ruiter, Mickey Palladio, op Victory Lap, een zevenjarige volbloed van eigenares Priscilla Endicott van Sunnyhill

Farm, had vorig seizoen een indrukwekkende lijst overwinningen...'

Skyler luisterde niet verder naar de omroeper, maar keek toe hoe haar vriendin over de eerste hindernis ging, een muur met aan weerszijden klimop en azalea. Ze merkte dat ze zowel met Mickey meeleefde als half wenste dat ze een balk zou afwerpen, een stap zou missen, wat dan ook om haar ervan te weerhouden de eerste plaats te grijpen.

God, wat ging ze snel! De toeschouwers, die door de verhoogde spanning werden gegrepen, bogen zich op hun zitplaats naar voren. De zon, die recht boven hun hoofd stond, deed Mickey's korte schaduw golven, als donker water van een kreek over de zanderige bodem eronder. Het zitvlak van haar rijbroek spande zich door haar onelegante houding met achterwerk omhoog. Het verdwaalde applaus steeg tot gebulder... maar Mickey sloeg er geen acht op. Ze was een ridder in de aanval, die in volle vaart de strijd inreed.

Ze was glorieus.

Voor de eerste keer in al de jaren dat ze vriendinnen waren geweest, voelde Skyler zich heel jaloers op haar vriendin.

Zie eens hoe ze die dubbele oxer nam, waarbij ze zich zó ver over de hals van het paard boog, dat het een wonder was dat ze niet voorover in het zand tuimelde. Nu de kruissprong... en het hek met zijn twee meter hoge bierflessen als zijstukken. Skyler zou hebben gezworen dat ze stoom zag opstijgen van Victory's schoften. Zelfs de waterbak, waar zoveel paarden voor terug waren geschrokken, bracht de volbloed op geen enkele manier van zijn stuk. Hij vloog zo ongeveer. Nog eentje, een triple, en...

...en ze ging eroverheen, paard en ruiter schenen gedurende één martelend onderdeel van een seconde in de lucht te hangen alvorens aan de andere kant in een kleine zandstorm neer te komen.

Terwijl Mickey in triomf een rondje met Victory reed, flitsten de cijfers op het scorebord op: 28,7 seconden. De menigte begon te juichen en toen stonden de mensen op en klapten en zwaaiden met hun programma's.

Er volgden nog acht ruiters. Vijf met afworpen en weigeringen – en geen van hen kwam in de buurt van Mickey's tijd, behalve Ian Millar op Big Ben, die 28,9 liet vastleggen.

Toen was het Skylers beurt.

Alstublieft God, laat mij het worden in plaats van Mickey...

Toen ze de eerste hindernis naderde, voerde ze Chancellor in een cirkel. Skyler voelde hoe gespannen hij was, klaar om er bij de minste druk van haar benen vandoor te gaan. Ze zette zich schrap, waarbij ze haar eigen spieren voelde trillen.

De toeter ging.

Ze bracht Chancellor in galop... en over de muur, waarbij ze hem voelde spannen toen hij naar voren dook en de bovenste balk met zijn achterbeen aantikte. *Voeten intrekken, Chance* beval ze hem in gedachten toen ze naar de enkele bomen raasden.

Alsof hij haar gedachten had gelezen, trok Chancellor bij de volgende sprong zijn voeten ver in, zodat zijn knieën bijna zijn borst raakten. Hij zeilde met vele centimeters afstand over de bovenste balk, en Skyler slaakte een zucht die meer een grom leek.

Maar een foutloos parcours zou niet genoeg zijn. Ze moest snel zijn – en nòg sneller. Ze moest Mickey's tijd evenaren.

Er waren alles bij elkaar zeven hindernissen in oplopende graad van moeilijkheid. Maar Chancellor minderde totaal geen vaart. Hij ging vloeiend van de ene hindernis naar de volgende, zonder iets van kleine onderbrekingen of misstapjes die hadden kunnen betekenen dat hij uit de pas was. Maar het mooist van alles was dat hij zich goed concentreerde. Als bij een precisie-uurwerk bewoog elk deel van hem zich volmaakt synchroon.

De zon, die in een fel-oranje schittering langs de rand van haar helm streek, deed haar ogen tranen, maar ze durfde niet te knipperen. Ze zag een onderdeel van een seconde een balk verrijzen, voordat de grond onder haar werd weggegrist. Ze boog zich naar voren toen Chancellor zich over de oxer welfde en ze werd een kort moment later beloond door de plof waarmee zijn hoeven de grond raakten.

Toen haar kastanjebruine paard over de volgende hindernis zoefde, een hek dat aan weerskanten door enorme massa's paarse bougainville werd geflankeerd, was Skyler zich ervan bewust dat iedere spier in haar lichaam hem voorwaarts dreef, sneller voortdreef, sneller... sneller... tot hij leek te vliegen, als Pegasus, regelrecht omhoog naar de zon. Ze boog zich zó ver naar voren, dat ze zijn manen tegen haar wang kon voelen.

Kom op... nog twee maar... je kùnt het, jongen...

Het water dook voor haar op. Gedurende één moment voelde ze hoe Chancellor zich spande, zijn spieren verkrampten, toen was hij over de met gras bedekte rand en gleden hun afgeplatte spiegelbeelden over het blinkende water onder hen.

Skyler voelde een snik uit haar keel opwellen toen ze een golf van applaus kregen.

Ze waren er bijna... bijna binnen met een foutloos gereden parcours...

Alleen nog maar de laatste triple, niet meer dan één vijftig op het hoogste punt. Maar met slechts anderhalve stap na het eerste element – een hek dat een fractie lager was dan dat er direct achter – was er nauwelijks ruimte om vaart te maken. Ze voelde hoe Chancellor begon te aarzelen, inhield. *God, nee... niet nu... we zijn er bijna*.

Skyler, met het hart in de keel, haar hele lichaam zoemend van de adrenaline, sloeg haar hielen in zijn flanken. *Doorgaan, verdomme, Chance, je móet doorgaan...* Opeens werd ze gewichtloos, zweefde ze als een veertje vlak boven het zadel. En toen viel de aarde opnieuw weg, plukte de zon haar omhoog in zijn verblindende schittering. Een golvende duik, het ratelende gedreun van hoeven, en Chancellor was voorbij het tweede element en lanceerde zich voor het derde en laatste. Skyler was zich bewust van een waas van gezichten dat voorbijtrok, van platte, langwerpige schaduwen die over de omgewoelde grond onder hen golfden.

Bonk.

Het onmiskenbare geluid van een hoef die hout raakte, schrok Skyler op uit haar euforie. In die fractie van een seconde voelde ze, meer nog dan ze zag, hoe de bovenste balk in zijn dragers rammelde. Haar hart stond bijna stil. *O God!*

Maar de zware dreun van een gevallen balk bleef uit; ze hoorde slechts het geluid van een wild applaus, dat als de branding van de oceaan over haar heen sloeg. Toen ze voorbijsnelde, ving ze een glimp op van het scorebord, voor ze door flitslampen en de felle zonnen op tientallen camcorders werd verblind.

Achtentwintig komma zes seconden. Een tiende van een seconde sneller dan Mickey. Ze had gewónnen!

Toen Skyler zich eenmaal buiten de poort uit het zadel liet glijden, had ze de tijd niet om zich af te vragen of haar vriendin jaloers zou zijn – want opeens stond Mickey daar om haar in een vurige omhelzing te smoren.

'Het is je gelukt,' fluisterde ze in de massa haar die onder Skylers cap uit zakte, ondanks het netje dat alles op zijn plaats had moeten houden. 'Ik wist wel dat je het kon. Ik wist het wel.'

Toen leek de hele wereld Skyler op haar rug te timmeren, haar in omhelzingen te verdrinken, een foto van haar te willen maken. Iemand gaf haar een plastic bekertje met iets bitters en schuimends – bier, realiseerde ze zich na een paar slokken. Haar hoofd duizelde. Ze hield de beker naar Chance omhoog, zodat hij zijn neus erin kon steken, en er barstte een bulderend gelach om haar heen uit, vergezeld van een heel sterrenstelsel aan flitslampen die haar verblindden, zodat haar ogen zwarte stipjes zagen.

Cameraploegen van de televisie baanden zich een weg naar de winnaar en Skyler probeerde samenhangend te spreken toen een vrouw met een bomvast blond kapsel haar vragen op haar afvuurde. Waarom had ze vorig seizoen geen wedstrijden gereden? Waren de geruchten waar dat ze even uit de roulatie was geweest om een baby te krijgen? Zou ze hierna verdergaan naar de West Palm Beach Invitational?

Skyler draaide zich om, zodat ze recht in de lens van de zoemende camcorder keek en ze antwoordde met nadruk: 'Nee. Dit is het. Morgen ga ik naar huis.'

Op dat moment zag ze Tony, in een rood mouwloos T-shirt met zijn katoenen overhemd bij de mouwen rond zijn middel geknoopt, terwijl hij zich een weg door de menigte om haar heen baande. Hij grijnsde en hield iets omhoog dat op een fles champagne leek. Haar hart werd licht... zo licht als de hoeveelheid lucht onder haar schedel, die haar als een heliumballon van de grond leek te tillen.

'Naar mijn baby,' voegde ze eraan toe, zó zacht dat alles wat iemand die naar haar keek had kunnen zien, haar lippen waren die als in gebed bewogen.

Het was ver na middernacht toen Skyler ten slotte haar pogingen om in slaap te vallen opgaf. In het bed naast haar lag Mickey te snurken, zonder zich iets aan te trekken van zowel het gepiep van de oude airconditioning als het schreeuwerige licht van de neonreclame van het motel, dat op de vitrages voor de ramen met uitzicht op het parkeerterrein viel.

Skyler glipte tussen de klamme lakens vandaan en liep blootsvoets naar de badkamer, waar ze een spijkerbroek en een schoon T-shirt aantrok. Toen ze naar buiten stapte, waar de temperatuur vlak onder die van een lauw bad lag, voelde ze zich klaarwakker en vol opwinding.

Een waterige maan gleed achter een wolkendek vandaan en ze haalde diep adem, sloot haar ogen en dankte in stilte de goede en barmhartige God tot wie ze in haar jeugd in de kerk had gebeden... maar die in de afgelopen tien jaar min of meer een bijrol toegewezen had gekregen. Nu echter, na alles wat ze had doorstaan, was het Skyler duidelijk dat denken dat je alleen en eenzaam over deze aarde wandelde, een illusie was... en soms ook een misleiding.

God, ik vrees dat ik niet altijd het juiste heb gedaan. Ik heb genomen wat ik wilde, zonder veel over de consequenties na te denken. Ik heb haastig gehandeld waar ik op mijn tenen had moeten gaan. Alstublieft God, help me deze strijd te doorstaan zonder meer schade aan te richten dan absoluut noodzakelijk is...

'Blijf heel stil staan.'

Een lage mannenstem achter haar. Skyler draaide zich met een ruk om.

Tony. Hij stond een meter achter haar. 'Muskiet. Ziezo... ik heb 'm.' Hij stapte naar voren en gaf haar een klopje op haar linkerarm, vlak boven de elleboog.

Skyler staarde hem aan. Hij had een lichtgewicht kaki pak aan met een open overhemd dat wit afstak tegen zijn gebronsde huid. Ze huiverde, maar niet van de kou. Waar zij God bescherming voor had moeten vragen, was tegen het verlangen dat haar vervulde als een lichtflits. Alleen al de wetenschap dat hij op maar een armslengte afstand was om haar te omhelzen... dat ze dezelfde lucht inademden... dat het zweet dat op zijn voorhoofd glinsterde en in het geultje boven zijn bovenlip, werd veroorzaakt door dezelfde hitte die haar de nacht in had doen tuimelen, rusteloos en vol verlangen – o God, dat was genoeg om haar een berg op te drijven om naar de maan te janken.

Ze was eerder in de verleiding geweest om weg te glippen naar zijn kamer, maar ze had deze opwelling weten te bedwingen. Bij Tony zijn was als aan boord zijn van een schip dat door hoge zeeën van zijn koers was afgeraakt. Waar het Alisa betrof, ja, daar had ze hem nodig... maar wat ze nu niet nodig had, was het hevige verlangen dat hij in haar wekte.

'Het is laat. Wat doe jij nog op?' vroeg ze.

Hij haalde zijn schouders op. 'Ik zou jou hetzelfde kunnen vragen. Ik zit maar twee deuren verderop – ik hoorde je naar buiten gaan.'

'Ik kon niet slapen,' vertelde ze hem. 'Ik overwoog zelfs om naar de stallen te gaan. Om te zien hoe Chancellor het maakt, na alle opwinding.'

Het klonk precies wat het was: een excuus om bij hem weg te komen. Tony ging hier echter niet op in. Ze liet haar ogen even op hem rusten, waarbij ze zijn gespierde onderarmen onder zijn opgerolde mouwen zag – spieren die waren ontstaan door vier dagen per week, acht uur per dag, paard te rijden. Ze bedwong de neiging met een vinger langs zijn sterke kaaklijn te gaan. Haar hart begon sneller te slaan en ze wendde zich van hem af voor hij het effect kon zien dat hij op haar had.

'Ik rij je er wel naartoe,' zei hij.

Deze keer ging Skyler er niet tegenin. Ze sloeg haar armen om haar bovenlichaam om te voorkomen dat ze tegen hem aan stootte, toen ze met Tony over het parkeerterrein liep, dat bijna totaal was verlaten nu de meeste ruiters met hun gevolg waren vertrokken. Toen ze in zijn gehuurde Blazer stapte, vroeg ze zich af of het wel zo'n goed idee was geweest... en ze besloot dat het dat niet was. Beslist niet. Maar ergens was een rad in beweging gezet en ze leek er niet langer enige controle over te hebben. Ze kon het in haar binnenste voelen... ze voelde het draaien... draaien als iets dat was losgeraakt van de pal die de anders nutteloze machine in staat had gesteld te werken.

Hij wachtte tot ze in zuidelijke richting over de snelweg reden voor hij iets zei. 'Je was vandaag echt heel goed,' vertelde hij haar met een langzame, gelijkmatige stem vol bewondering. 'Ik herken een ruiter wanneer ik er een zie... maar dat was... dat was meer dan alleen goed rijden. Dat was verdomd indrukwekkend.'

'Nogmaals bedankt voor de champagne,' zei ze met een scheve glimlach. 'Maar hoe wist je het? Ik had heel goed kunnen verliezen.'

Tony haalde zijn schouders op. 'Ik had zo'n voorgevoel.'

Ze vertelde hem niet dat de ongeopende fles nog in haar kamer stond; dat ze had besloten die te bewaren voor wanneer ze iets nòg geweldigers kon vieren dan de eerste plaats in de Hartsdale Grand Prix behalen.

'Dan beschik jij wel over een heel bijzonder voorgevoel.'

Hij wierp haar een zijdelingse blik toe en concentreerde zich vervolgens weer op de weg. Winkelcentra en tankstations met af en toe rijen palmbomen flitsten aan weerskanten van hen langs. De kruising die hen bij de weg bracht die naar de stallen leidde, was maar anderhalve kilometer ver, maar voor Skyler leek de weg opeens even eindeloos als de Oregon Trail. Samen met Tony in een auto zitten leek te veel op die eerste keer, die middag dat hij met haar naar haar vaders flat was geweest. Zelfs met de airconditioning op vol vermogen had Skyler het warm en benauwd.

Tien minuten later reden ze een tweebaans weg op, die enkele kilometers hobbelig verder liep tot ze bij een brede oprijlaan met grind kwamen. Aan het eind van de oprijlaan stond een grote stal die meer dan vijftig paarden kon herbergen, omringd door allerlei bijgebouwen, variërend van hooischuren tot het originele boerenhuis, dat tot kantoorruimte was verbouwd.

Op dit uur was er niemand aanwezig. Zelfs de stalknechten sliepen; er brandde geen enkel licht achter de ramen van hun onderkomen. De stal, die landelijk rood was geschilderd met witte randen (alsof ze in Vermont zaten en niet pal in het midden van wat eens een moeras was geweest) was verlaten, op één enkele magere gestalte na, die uit de schaduwen naast de ingang te voorschijn kwam toen Skyler en Tony uit de auto stapten.

'Hallo mensen... is dit niet een beetje laat voor een bezoek?' De nachtwaker met zijn witte haar was zo op het oog achter in de zestig en hij had het gegroefde, verweerde gezicht van iemand die zijn brood in de buitenlucht verdient. Hij zag er vriendelijk uit, maar Skyler kreeg het gevoel dat indringers beslist niet op een koel biertje zouden worden getrakteerd. Toen hij dichterbij kwam, kneep de man zijn ogen halfdicht om haar wat aandachtiger op te nemen.

Toen gleed er een langzame, scheve glimlach van verbazing over zijn rimpelige gezicht. 'Nee maar, daar zullen we het gaan beleven. Jij bent dat meisje dat de eerste prijs heeft behaald! Juffrouw, laat me je een hand geven.'

Skyler pakte zijn droge, leerachtige hand. 'Ik wilde alleen maar even bij m'n paard kijken,' verklaarde ze. De oude man zwengelde haar hand nog eens op en neer en schudde daarna die van Tony voor hij de dubbele deuren naar de ingang wijdopen deed.

Een gang die breed genoeg was om ruimte te bieden aan verscheidene paarden, leidde naar een ruimte met betonnen vloer, ter grootte van een kleine gymzaal, waaraan dubbele rijen boxen grensden. In de knoestige grenen wand achter hen was de deur naar de tuigkamer, waarboven een zwakke gele gloeilamp brandde.

In het schemerlicht vonden Skyler en Tony hun weg naar Chancellors box. Ze riep zachtjes zijn naam, en zijn hoofd verscheen direct boven het witte houten hek, alsof hij haar had verwacht. Hij hinnikte en rekte zich uit om aan haar te snuffelen.

Ze sloeg een arm om zijn hals en ze hield haar wang tegen de zijne gedrukt tot hij zich in protest terugtrok. 'Ja, ik weet het, jij verbeeldt je een heleboel, hè?' plaagde ze en ze viste in de zak van haar spijkerbroek naar het klontje suiker dat ze daar altijd had zitten.

'Je verwent hem nog,' zei Tony.

'Hij is al zo verwend, dat het toch niets meer uitmaakt.'

'Scotty is net zo,' grinnikte Tony. 'Geef hem één klontje, en hij wil de hele doos.'

'Sommige mensen zijn ook zo,' zei ze met een lach.

'Ik ken er zelf ook een paar.' Hij knikte. 'Aan de andere kant is er het soort dat zich van iets afwendt, zelfs als ze weten dat het goed voor ze is.'

Skyler draaide zich om en keek hem aan. 'Waarom krijg ik nu het gevoel dat je het over mij hebt?'

Hij haalde zijn schouders op. 'Wie de schoen past...'

'Tony...'

'Zeg maar niets,' waarschuwde hij en zijn blik werd hard. 'Ik heb het allemaal al eens eerder gehoord, weet je wel? Vanaf het begin heb je nooit gewild dat ik hier deel aan zou hebben. Het moest op jóuw manier, en anders kon ik ophoepelen. En jouw manier liet niet veel ruimte voor een politieman met een tatoeage en een juridische bul die in een la lag te verstoffen.'

'Dat is niet eerlijk,' zei ze tegen hem en ze voelde opeens hete tranen prikken.

'En nu begrijp ik jouw plan om ons kind op dezelfde manier groot te brengen – jij alleen.' Ze hoorde de woede die in zijn milde toon verborgen lag, als een diamant die in lagen zwart fluweel was verpakt. 'Dat wil zeggen, als je haar terugkrijgt.'

'Wat bedoel je daarmee?' wilde ze weten.

'Het is nog niet door de rechtbank beslist,' bracht hij haar koel in herinnering.

'Natuurlijk krijg ik haar terug,' snauwde ze. 'Ik ben toch zeker haar móeder.'

'Is het zó simpel?' Hij stapte in de plas licht van de lamp recht boven hem en de harde vlakken van zijn gezicht kwamen in beeld. 'Alles is al uitgedacht en geregeld, alle plannen liggen klaar. Net als toen je ontdekte dat je zwanger was. Toen had je ook al helemaal bedacht wat het beste voor het kind was. Nu is alles veranderd en ben ik niet zomaar een losse bijkomstigheid. Je denkt dat het voor de rechtbank goed zou lijken als ik aan jouw kant stond, als ik belangstelling voor ons kind toonde. Maar verdomme, Skyler, is het ooit in je opgekomen dat mijn belangstelling weleens ècht zou kunnen zijn? Dat ik ook deel zou willen uitmaken van Alisa's leven – apart van jou, apart van die hele bekakte high society-achterban van jou?'

Skyler voelde zich opeens heel onzeker en leunde even tegen de gladde houten paal in haar rug. 'Ik kan begrijpen dat jij het op die manier ziet,' zei ze stijfjes tegen hem. 'Het spijt me.'

'Wat spijt je dan wel? Spijt het je dat je me niet in jouw grote plan hebt betrokken? Of spijt het je dat ik degene was die jou met een kind heeft opgezadeld?' Hij kwam een stap dichterbij en ze kon zijn adem bijna proeven, heet en kruidig van woede. Met lage, strakke stem voegde hij eraan toe: 'Ja, dat is het, hè? Ik zou net zo in je leven passen als een vlag op een modderschuit... en dan was ik de modder.'

Skyler hield haar adem in en drukte haar knokkels tegen haar rug. Er steeg een hevige woede in haar keel op. Verdomme. Waarom moest hij daar nu mee komen?

'Moet ik nu soms op mijn knieën gaan om jou om vergeving te smeken?' antwoordde ze woedend. 'Geen van ons beiden zou hier zijn geweest, zou dit gesprek hebben gevoerd, als niet iemand boven de verkeerde hendel had overgehaald of zo. Het was een ongeluk, een misser, dat ik zwanger werd. Ik vond het gewoon niet eerlijk om twee levens overhoop te halen in plaats van één.' Ze was opeens uitgeput, deed haar ogen dicht en zuchtte. 'Hoor eens, laat maar zitten. Ik ben te moe om ruzie met je te maken. Laten we maar teruggaan voor een van ons iets zegt waar we echt spijt van zullen krijgen.'

Ze draaide zich om en begon terug te lopen door de gang tussen de dubbele rij stallen.

'Skyler, wacht.' Ze voelde hoe Tony haar arm greep. Ze rukte zich los en liep verder.

'Verdomme Skyler, ik práát tegen je!' Zijn stem dreunde in de stilte en bracht een koor van nerveus gehinnik voort.

Skyler bleef doorlopen tot ze de dichte deur naar de tuigkamer had bereikt. Maar toen ze Tony vanuit haar ooghoek zag – met de gebalde woede op zijn knappe gezicht toen hij de afstand tussen hen in enkele lange passen aflegde – verstarde ze. Ditmaal probeerde hij niet haar vast te grijpen. In plaats daarvan timmerde hij met een grom van gefrustreerde woede op de muur.

Er viel een ingelijst certificaat van het Broward County Health Department van de haak... en spatte met veel gerinkel van glasscherven op de betonnen vloer uiteen. Skyler voelde een hete, scherpe pijn in haar linkerenkel, als een bij die haar vlak onder de zoom van haar spijkerbroek stak. Ze staarde omlaag naar de flonkerende scherven aan haar voeten.

Ze werd zich vaag bewust van iets warms dat langs haar wreef omlaagdruppelde. Ze bukte zich en veegde nonchalant over haar enkel. Haar vingertoppen waren besmeurd met bloed.

Skyler was te verbaasd om geschokt te zijn. Wat wat dát nou? Kwam dat door Tóny?

Hij leek zelfs nog meer geschrokken dan zij. Ze ving een glimp van zijn gezicht op, dat wit en hard als steen was geworden, voor hij zich op zijn knieën liet zakken om de snee te onderzoeken.

'Godallemachtig Skyler, dat had ik echt niet bedoeld...'

Skyler bleef daar maar staan, ze staarde versuft op hem neer. In het schemerige licht van de gele gloeilamp boven de deur glansden zijn dichte, strakke krullen als een antieke bewerkte helm. Ze voelde hoe hij haar vastpakte toen hij haar gewonde voet optilde – en opeens dacht ze weer aan die dag dat ze elkaar voor het eerst hadden ontmoet, Tony op een gebogen knie voor haar, midden op Fifth Avenue, toen hij haar teruggevonden schoen aan haar voet schoof, als een ouderwetse prins. *Een sprookje*, dacht ze, *waarin de prinses zwanger wordt en de hel losbreekt*. Skyler voelde een hysterisch gegiechel in zich opstijgen en ze moest haar mond stijf dicht knijpen om dat te bedwingen.

Tony stond met een grimmige blik op en pakte haar hand. Hij duwde de deur naar de tuigkamer open, bracht haar naar binnen en sloeg met zijn vrije hand tegen de muur. Het licht ging aan en onthulde een langwerpige, keurig onderhouden kamer met banken en tuigkisten en aan de muren steunen waarop rijen blinkende zadels hingen. Aan het plafond hingen haken met hoofdstellen en aan de verste muur was een rij metalen kleerkasten. Tony loodste

Skyler naar een van de banken, waar aan het eind een stapel pasgewassen zadeldekens opgevouwen lag.

'Ga zitten,' beval hij.

Skyler deed wat haar werd gezegd. Als in een waas zag ze hoe Tony neerknielde om zorgvuldig haar sandaal uit te trekken. De snee was dieper dan ze zich had gerealiseerd – haar halve voet zat onder het bloed. Maar in haar trance-achtige toestand kon haar dit helemaal niets schelen. Zelfs de pijn was afgenomen tot een soort vaag geklop.

Zonder aarzelen deed Tony zijn witte overhemd uit en gebruikte dit om het bloed van haar voet te vegen. Ze wilde protesteren, tegen hem zeggen dat hij de vlek er nooit meer uit zou kunnen krijgen, maar ze was niet in staat iets uit te brengen. Ze staarde zwijgend op hem neer, naar de glimmende zweetplekken op zijn gespierde rug en schouders, naar de druppeltjes vocht die als diamantgruis in het zwarte haar op zijn brede borst fonkelden.

'Doet het pijn?' vroeg hij.

'Niets dat niet door een verbandje te verhelpen is.' Toen ze zag hoe hij opstond en naar een verbandtrommel begon te zoeken, zei ze met een beverig lachje: 'Hoor eens, ik ben geen dame in nood voor wie jij in opdracht van God moet zorgen.'

Hij keerde zich naar haar toe en de donkere ogen die op haar werden gericht waren niet langer meelevend. 'Jij geeft ook geen greintje krimp, hè?' Zijn stem was laag van woede.

'Dat kan ik me niet veroorloven... vooral nu niet.' Ze haalde diep adem in een poging kalm te blijven. 'Ik hoef ècht niet te worden gered, Tony. Het enige dat ik van jou wil is je steun.'

'Ellie zal zich met hand en tand verzetten,' waarschuwde hij. 'Jullie tweeën lijken veel meer op elkaar dan jullie beseffen.'

'God, dacht je soms dat ik niet wist hoeveel we op elkaar lijken?' verzuchtte ze. 'Zo is het in eerste instantie begonnen. Zodra we elkaar ontmoetten, had ik het gevoel dat we elkaar ergens van kenden... alleen weet ik niet...' Ze schudde haar hoofd, alsof ze dit wilde bevrijden van de wazigheid die erin was doorgedrongen.

'Je vraagt me om partij te kiezen,' zei Tony zonder zijn ogen van haar gezicht af te wenden.

'Ze is ook jouw dochter.'

'Jezus, dacht je soms dat ik dat niet weet?' snauwde hij. Toen stapte hij naar haar toe en trok haar overeind.

Plotseling kuste hij haar, met die scherpe, beverige inademing die een golf van verlangen door haar onderbuik deed gaan. En zij kuste hem terug, proefde de binnenkant van zijn mond, beet gretig op zijn onderlip. Ze hoorde hem kreunen, hij drukte haar tegen zich aan en zijn blote armen spanden zich, ontspanden zich even, en spanden zich toen weer.

Stop! riep een stem in haar hoofd.

Maar ze kon niet ophouden. Ze was verlamd door de warmte die als een kostbare gouden vloeistof door haar heen stroomde... ze was even hulpeloos als wanneer ze zonder zadel op een op hol geslagen paard had gezeten.

Ze gleed met het puntje van haar tong langs zijn hals, die zilt smaakte, en ook een beetje zurig. Ze likte zijn adamsappel en voelde die tegen haar mond trillen. De huid onder zijn kaak was wat stoppelig. Ze beet hem teder... hier... en daar...

'Skyler... o Jezus...'

Hij plukte koortsachtig aan haar T-shirt; toen gleden zijn handen kleverig over haar blote rug omhoog, speelden zijn vingertoppen over haar ruggengraat. Ze voelde hoe de gouden hitte haar buik vulde en straaltjes vuur omlaag stuurde... langs haar dijen... naar haar knieholten. In een staat van verdoving zag ze hoe hij de stapel zadeldekens van de bank rukte en ze over de vloer uitspreidde.

Toen Skyler zich op de zachte, doorgestikte stof liet zakken, steeg de vage paardengeur – ondanks alle zeep – van de dekens aards en troostvol rond haar op. Ze vroeg zich niet langer af of het verkeerd was om Tony aan te moedigen, verkeerd om te maken dat ze hem nog meer lief zou hebben dan nu al het geval was. Het enige dat ze wist – de enige gedachte waartoe haar geest in staat was – was dat ze hem begeerde, naar hem smachtte... en dat wanneer ze zich van hem onthield, het zou zijn alsof ze voedsel afwees terwijl ze honger leed, of een slok water terwijl ze stierf van de dorst.

'Skyler... Skyler...' Hij mompelde haar naam steeds weer, met langzaam uitgesproken lettergrepen.

God, die handen. Zijn handpalmen waren heet en ruw, zijn vingers masseerden haar, bewogen in langzame cirkels over haar rug, rond haar ribbenkast naar haar borsten. Opnieuw die hijgende inademing toen hij zich bukte om haar ene tepel en daarna de andere te kussen, in zijn mond te nemen, te likken, te sabbelen, haar rug met een kreun te doen welven. Teder schoof hij haar spijkerbroek over haar heupen omlaag, uitkijkend voor haar gewonde voet, die eindelijk was opgehouden met bloeden maar nog steeds gevoelig was.

Tony rolde van haar weg om zijn riem los te maken. Toen zijn broek in een verkreukelde hoop naast zijn cowboylaarzen lag, greep hij in een van de achterzakken om een in folie verpakt vierkantje te voorschijn te halen.

'Deze keer ben ik op alles voorbereid,' zei hij.

346

'Rotzak, dus je wist het.' Maar haar woorden waren niet fel.

'Ik weet wat ik voel, dàt weet ik.' Hij keek haar ernstig aan, met onderzoekende blik.

'Doe 'm dan om,' fluisterde ze.

'Weet je 't zeker?'

'Natuurlijk. Tenzij je me weer zwanger wilt maken.'

'Geen sprake van... niet voordat ik weet hoe het is om vader te zijn van het kind dat we al hebben gemaakt,' fluisterde hij tegen haar oor.

Skyler kromp ineen. Maar het volgende ogenblik, toen hij bij haar binnen stootte, was ze zich van niets anders bewust dan van de plotselinge golf van genot die hij teweegbracht. Ze sloeg haar benen om hem heen, duwde haar heupen omhoog en bracht hem zo ver bij haar naar binnen als hij maar kon gaan. De verfijnde warmte werd heviger, maakte haar nat van het zweet dat een zacht soppend geluid maakte bij iedere beweging van hun lichamen. Haar borsten tintelden als die keer dat haar melk begon te komen.

Tony nam haar ritme over en ze schokten nu in koortsachtige harmonie. Hij was zó diep in haar binnenste dat ze hem tot in het centrum van haar lichaam kon voelen, waarbij elke stoot bijna pijn deed van genot.

Ze klampte zich áan hem vast en haar benen trilden onbedwingbaar. En toen werd ze meegevoerd... meegevoerd door een donkere, zoete rivier, naar een plek waar niets anders van belang was dan dit. Toen kwam ze klaar. Ze kwam klaar zoals ze nooit eerder was klaargekomen, en ze beet in zijn schouder om de kreet die ze dreigde te slaken te smoren.

Tony klemde zich stijf aan haar vast, volgde met een hese kreun die bij haar een tweede climax veroorzaakte – minder intens dan de eerste, maar op een vreemde manier meer bevredigend.

Na afloop bleven ze heel stil liggen. Skyler werd zich langzaam bewust van haar omgeving – en ze besefte dat de oude nachtwaker elk moment bij hen binnen kon komen. Ze bewoog zich en kroop onder Tony vandaan, sloeg haar armen om haar knieën toen ze rechtop ging zitten.

God. Stel dat ze waren betrapt? Ze zag het verhaal al voor zich: Skyler Sutton, winnares van de Hartsdale Grand Prix, betrapt bij het neuken op de vloer van de tuigkamer.

Ze trokken zwijgend hun kleren weer aan en toen wist Tony de verbandtrommel op te sporen. Behendig maakte hij haar wond schoon en verbond deze, waarna hij haar met haar sandaal hielp.

Toen ze buiten over het grind van de oprijlaan knerpten, sloeg Tony geen arm om haar heen en probeerde zelfs niet haar hand vast te houden. Skyler voelde zich opgelucht en tegelijkertijd vreemd teleurgesteld.

Ze hadden meer dan een kilometer over de donkere, met palmen omzoomde laan gereden voor ze sprak.

'Tony,' zei ze zacht. Alleen maar dat... zijn naam... als een liefkozing.

'Ja?' antwoordde hij.

Ze opende haar mond om iets te zeggen, maar bedacht zich toen. 'Laat maar.'

Hij drong niet aan. Hij keek haar zelfs niet aan, behalve dat hij een keer in haar richting blikte toen hij het tegemoetkomende verkeer overzag voor hij een bocht naar links maakte.

Na een poosje zei Skyler voorzichtig: 'Ik verwacht niet dat je nu iets besluit. Ik bedoel, over... partij kiezen.'

'Er is maar één partij die ik wil kiezen,' vertelde hij haar, nog steeds zonder haar aan te kijken. 'En dat is de partij van mijn dochter. Ik wil doen wat voor haar het beste is.'

Hij zweeg weer. De weerkaatsingen van het tegemoetkomende verkeer gleden langs de zijkant van zijn gezicht en nek, waar een pees scherp in reliëf uitstak. Skyler huiverde en ze vroeg zich onwillekeurig af of ze Tony opnieuw had onderschat.

Hij houdt zijn mening voor zich, besefte ze. Ze zou geduld moeten hebben. Want als ze iets van dit alles had geleerd, was het wel haar opwellingen te bedwingen. Was ze niet juist door haar impulsieve daden in deze problemen beland?

Misschien. Maar Skyler kon het gevoel niet van zich afzetten dat er bij Tony, zelfs vanaf het eerste begin, een kracht aan het werk was geweest die veel groter was dan een van hen had beseft. Een kracht die hen zelfs nu voortdreef met een woede die hun beheersing te boven ging.

16

Kate staarde naar het artikel in de krant zonder het goed te lezen. Ze zat in haar keuken, gehuld in het ochtendzonlicht dat door de openslaande deuren naar binnen viel en een bladpatroon vormde op de tegelvloer en op de donkere kersenhouten kasten. De editie van 14 juni van de *Northfield Register* lag uitgespreid op de ronde eikenhouten tafel voor haar en de koffie in het porseleinen kopje was koud geworden naast haar elleboog. Ze bleef heel stil zitten, maar de woorden krioelden als insecten voor haar ogen. Er was een foto van haar dochter, staande naast haar paard, met een glimlach die even breed en stralend was als de trofee in haar armen. 'Plaatsgenote Behaalt Eerste Prijs op Hartsdale Classic' luidde de kop.

Kate's maag kromp ineen. *Dus het is geregeld. Ze heeft nu het geld om die advocaat in de arm te nemen.*

Maar wat de consequenties ook mochten zijn, en hoeveel verdriet het haar ook deed om buitengesloten te zijn, toch verheugde Kate zich in Skylers overwinning. Het zou zo gemakkelijk zijn om de telefoon te pakken en haar op te bellen om haar te vertellen hoe trots ze op haar was! En hoe ze voor haar had geduimd... zelfs in de wetenschap wat het zou betekenen als ze won.

Maar Kate wilde tegelijkertijd Skylers overwinning weggrissen. Want wat een triomf leek te zijn, zou uiteindelijk alleen maar tot verdriet leiden. Er kwamen tranen in Kate's ogen, zelfs terwijl ze bij zichzelf zei dat het nog te vroeg in de morgen was om nu al huilerig te worden, het was nog geen acht uur. Ze had de rest van de dag nog voor de boeg en Will moest nog naar zijn werk.

Will. Ze had gisteravond bijna op zijn schouder uitgehuild toen ze – via Duncan – hoorde dat Skyler had gewonnen. Maar ze had zich beheerst. Voornamelijk uit trots, besefte ze nu. Trots vermengd met afgunst. Want hoewel Skyler deze weken nadrukkelijk haar telefoontjes had genegeerd, wist Kate dat haar dochter contact had gehad met Will, die ze vrijelijk op kantoor belde. Had Will haar dit niet verteld toen hij haar opgewekt verzekerde: 'Zie je nou wel, Kate? Ze keert zich niet van ons af.'

Ons? Zag hij het dan niet? Was hij dan net zo blind voor het verdriet dat hun dochter hun aandeed als hij dat voor Ellie was?

'Goeiemorgen Kate.'

Kate keek op toen Will de keuken binnenkwam, heel fris en keurig in zijn lichtgrijze zomerpak. Hij was weer iets aangekomen na afgelopen winter, en zijn gezicht was niet langer zo ingevallen. Hij had alle reden om er levenslustig uit te zien. Het papierwerk van het meest lucratieve contract waar Will op had zitten zweten – een kantoorgebouw op East Fifty-ninth – was nu voltooid en hij kon gewoon afwachten tot alles zijn beslag had gekregen. Hoewel het bedrijf nog steeds niet uit de rode cijfers was, betekende deze transactie een geweldige oppepper. En het mooist van alles was dat ze de hypotheek op Orchard Hill konden aflossen.

Toch hadden Wills ogen nog niet helemaal hun gekwelde blik verloren en kon ze nog altijd die witte streepjes van spanning rond zijn mond zien. Wat haar echter het meeste trof, was zijn haar: dat was even dik als altijd, maar wit, zilverwit als de lepel die op het schoteltje van haar koffiekopje lag. Het bezorgde hem het uiterlijk van een beschaafde oudere man... maar wel een oudere man.

De spanning waaraan hij blootgesteld was geweest – zowel in zijn werk als met Skyler – had zijn sporen nagelaten. En Will kennende, zijn obsessieve behoefte om iedere situatie die hij in de hand kòn hebben, in de hand te houden, was ze niet in het minst verbaasd – gekwetst ja, maar niet verbaasd – toen ze zag dat hij haar even een koele blik toewierp. Hij nam het haar kwalijk dat ze weigerde haar dochter te helpen. Maar hoewel ze daar gespannen woorden over hadden gewisseld, durfde hij zijn woede hierover niet kenbaar te maken – daarvoor was het onderwerp veel te beladen. Hij wilde er niet aan worden herinnerd wat ze Ellie schuldig waren; diep in zijn hart moest hij zich er wel van bewust zijn, waarom zou hij anders zoveel moeite doen het nooit over haar te hebben?

'Er zit koffie in de pot,' zei Kate. 'Zal ik wat ontbijt voor je maken?' Onder de tafel snufte Belinda zacht in haar slaap.

'Doe geen moeite, ik neem wel iets onderweg naar kantoor,' antwoordde hij en hij bleef even staan om over haar schouder te kijken terwijl hij naar het koffiezetapparaat op het marmeren aanrecht liep. Ze voelde hoe hij abrupt achter haar stil bleef staan... en ze begreep dat hij de foto van Skyler had gezien.

'Het is geweldig, vind je niet?' zei ze en haar woorden klonken vals opgewekt, als noten die op een ontstemde piano werden aangeslagen.

Ze voelde Wills zware stilte achter haar rug terwijl hij het artikel doorlas. Ten slotte zei hij, met een stem waarin het verwijt doorklonk: 'Wij hadden daar bij moeten zijn, Kate.'

Kate voelde hoe ze kippenvel in haar nek kreeg, alsof er een kille bries naar binnen streek door de openslaande deuren naar de zonovergoten tuin waar haar pioenrozen bloemen hadden ter grootte van kleine kolen, en de lichtgroene uitlopers van de clematis zich rond de buxushaag slingerden.

'Ze heeft ons niet gevraagd,' bracht Kate hem vriendelijk in herinnering.

'Wat had jij dan verwacht – een gecalligrafeerde uitnodiging? Je hebt meer dan duidelijk gemaakt dat wij niet achter haar stonden. En je weet dat Skyler echt niet iemand is die ergens om zal smeken.'

Kate zuchtte en ze draaide zich om om naar hem op te kijken. 'Will, we hebben het hier al vaker over gehad...'

Zijn ogen schoten vuur. 'Als je bedoelt dat we dit hebben besproken, dan zal ik dat niet ontkennen. Maar als jij ook maar één minuut denkt dat ik op enigerlei wijze blij ben met deze situatie, dan heb je het mis.'

'Ik ben er ook niet blij mee,' wees ze hem terecht, vervuld van een woede die uit het niets te voorschijn leek te komen. 'Als de situatie ook maar enigszins anders was geweest... nou, dan had ik alles verkocht wat ik bezat om zelf het honorarium te betalen.'

Will gaf geen antwoord... en de reden van deze stilte maakte haar zelfs nog bozer. Hij krabbelde terug, niet omdat hij te beleefd was om met haar te kibbelen, maar omdat hij haar er niet toe wilde drijven de doos van Pandora te openen.

Met een zwaar hart zag Kate hoe haar man de koffiepot van het plaatje tilde. Zijn schouders waren stijf en onverzettelijk... en hoe was het mogelijk dat ze in al die jaren dat ze samen onder hetzelfde dak hadden gewoond, niet eerder had opgemerkt hoe hij, als hij kwaad werd, zijn nek vanuit zijn kraag opstak, als een mastiff die aan zijn lijn rukte?

'De koffie is koud,' verklaarde hij.

'Dan heb ik hem zeker per ongeluk uitgezet. Zet 'm dertig seconden in de magnetron,' adviseerde ze lusteloos.

'Ik neem wel een kopje op kantoor,' antwoordde hij op zorgvuldig effen toon.

Normaal gesproken zou ze hem hebben aangeboden een verse pot koffie te zetten, maar vanmorgen kwam ze niet uit haar stoel overeind. Het was meer dan alleen maar boosheid. O waarom, wáárom moest het op deze manier gaan? Waarom kon zij niet net als andere moeders zijn, moeders die de tevreden slaap van de rechtvaardigen sliepen, die niet met een droge mond en bonzend hart aan het ontbijt verschenen, die niet te stijf waren om van het ene eind van de keuken naar het andere te lopen? *Denk nu eens niet aan jezelf... denk aan alles wat Ellie op dit moment moet doormaken.* Kate kon zich maar vaag voorstellen wat die vrouw moest voelen, wetend dat haar baby elk moment bij haar weg kon worden gegrist.

Zoals dat met haar eerste dochter was gebeurd – met het kind dat Kate en Will al deze jaren bij haar vandaan hadden gehouden.

Kate wist dat het nog maanden zou duren voor er iets werd besloten. Er moesten verzoeken tot een rechterlijke uitspraak worden ingediend, getuigenverklaringen worden opgesteld, een zittingsdatum bepaald. Maar wanneer de dag aanbrak, bad ze dat ze klaar zou zijn voor de uitkomst, wat die ook mocht zijn.

Ze bad ook voor haar dochter... en ja, voor Ellie.

Het was voor Jimmy Dolan de laatste bijeenkomst van de groep.

Ellie keek, zittend in haar fauteuil, in de spreekkamer op de benedenverdieping van GMHC naar Jimmy, die sinds augustus in een rolstoel zat. Het was nu half september en hij was bijna volledig weggeteerd – zijn ogen stonden diep in zijn hoofd en zijn perkamentachtige huid zat strak over zijn beenderen. Het enige dat hij nog niet had verloren, was zijn spirit. Jimmy had de groep aan een levendige start geholpen door opgewekt aan te kondigen dat het vanavond zijn afscheidsvoorstelling was.

'Geen toegiften, alsjeblieft.' Hij grijnsde en zijn gezicht was een uitgemergelde schaduw van wat het zelfs twee maanden geleden nog was geweest.

'Maak je maar geen zorgen, man... we zullen de staande ovatie voor je begrafenis bewaren.' Armando Ruiz, met blote borst, in een spijkerjack met afgescheurde mouwen, deed weer even uitdagend als altijd... ook al was hij verbonden met een draagbare tank die via slangetjes in zijn neus zuurstof in zijn longen pompte.

Zijn grap werd met veel gegrinnik ontvangen. In deze kamer was galgenhumor eerder regel dan uitzondering. De meeste mannen hadden op een gegeven moment hun opluchting bekend dat ze hier niet op hun tenen hoefden te lopen, op fluistertoon hoefden te praten; lachen in het aangezicht van de dood leek een wonderlijk opbeurend effect te hebben.

Ellie keek om zich heen naar deze bonte verzameling die ze had leren kennen en van wie ze was gaan houden... en om wie ze, in het geval van de afwezigen, was gaan rouwen. Na de acht weken die ze vrij had genomen om voor Alisa te zorgen – waarbij ze de groep had achtergelaten in de bekwame handen van een van haar collega's, Grant Van Doren – had ze de leiding weer op zich genomen in juli, de warmste maand van het jaar, waarin de presentie op een record-dieptepunt was geweest. En nu was het al herfst. Buiten begonnen de bladeren kleur te krijgen... en in deze kamer was het onderwerp dat werd besproken, het einde.

Zou de dag van morgen ook een ander einde brengen? vroeg ze zich af. De hoorzitting voor de voogdij was vastgesteld op 9.00 uur v.m. precies, in het gerechtsgebouw in Center Street. Na drie maanden van het indienen van verzoekschriften, verklaringen, rapporten van maatschappelijk werkers en vooronderzoek, was de dag eindelijk aangebroken...

Het was net als haar nachtmerrie, de nachtmerrie die ze de afgelopen drieëntwintig jaar steeds weer had gehad. De droom was altijd dezelfde. In die droom achtervolgde ze iemand door een reeks straten vol voetgangers... een man met een baby in zijn armen. Het enige dat af en toe veranderde was de identiteit van de baby. Soms was het Bethanne, soms was het niet meer dan een kind zonder gezicht. Maar in de afgelopen maanden was de baby die ze over de schouder van de man zag, Alisa.

Ellie werd even door paniek overmand. Zou ze ooit bij een toneelstuk op school in de zaal zitten om voor het optreden van haar kind te applaudisseren? Zestien kaarsjes op een verjaardagstaart aansteken? Een volwassen dochter in haar trouwjurk door het middenpad zien lopen?

Het besef van alles dat ze zou missen als Alisa haar werd ontnomen, bezorgde haar een felle steek tussen haar ribben. Maar er was nog niets besloten, bracht ze zichzelf snel in herinnering. Er was een kans – hoewel een geringe – dat de rechter in haar voordeel zou beslissen. En ze had Paul aan haar zijde.

Ja, Paul. Ze dacht aan hoe hij was teruggekeerd, hoe hij zich soepel in hun oude leven had ingepast, alsof hij nooit weg was geweest. Er was natuurlijk aanvankelijk wat verlegenheid geweest en het hardnekkige gevoel van gekwetstheid en verraad aan beide zijden. Maar die oneffenheden waren gladgestreken door de zachtmoedige, liefdevolle hand van hun blijvende liefde voor elkaar.

Ellie glimlachte in zichzelf toen ze terugdacht aan zijn eerste avond thuis, toen Paul eindelijk weer in bed was gekomen. Wat was dat heerlijk geweest... met zijn armen om haar heen en hun lichamen die op het oude ritme bewogen, als op een geliefde, oude melodie. Hun begeerte was zo intens, dat ze ademloos en met zweet overdekt waren geweest.

'Paul,' had ze na afloop gefluisterd, met verstikte stem. 'O Paul.'

Hij had haar hoofd tegen zijn schouder gelegd en het gewiegd. 'Stil maar,' had hij gemompeld, 'het kan me niet schelen wat er gebeurt. Ik ga nooit meer bij je weg.'

353

In de koude, witte gloed van de vergaderkamer moest Ellie vechten om dat warme, geweldige gevoel van veiligheid dat ze in Pauls armen had gekend, te bewaren. Maar het verdween... het verbleekte, net als de glimlach op Jimmy's gezicht. De gedachte aan Alisa drong met alle hevigheid haar kalmte binnen.

Alisa. O God.

Morgen, stelde ze zichzelf snel gerust. *Je hoeft er morgen pas aan te denken*.

'Over mijn begrafenis gesproken, jullie zijn allemaal uitgenodigd.' Jimmy's schelle lach verbrak haar gedachten. 'Ik geef na afloop een groot feest – het is allemaal al geregeld. Champagne en kaviaar. Niemand zal zeggen dat Jimmy Dolan er niet in stijl uit is gestapt.'

Niemand hoefde te vragen wanneer de begrafenis zou zijn; het was duidelijk aan hoe Jimmy eruitzag en aan zijn moeizame ademhaling te zien dat dit niet lang meer zou duren. Het feit dat hij de groep verliet, zei alles al. De goede strijd, die hij zo lang had gestreden, was bijna voorbij... hij had gewoon geen kracht meer.

'En wie is dan wel de gastheer bij deze braspartij, als ik mag vragen?' vroeg Erik Sandstrom, die er bijna uitzag als een parodie van een uilachtige professor, met zijn opzijgekamde haar en rode voorgestrikte das. 'Je vriend Tony, neem ik aan. Maar champagne en kaviaar? Zal hij dat niet allemaal een beetje macaber vinden... alsof het een féést is?'

'Nou, waarom zou het geen feest mogen zijn?' piepte Jimmy. 'Jullie kerels moeten allemaal verder zwoegen, ik niet. Wanneer het gordijn over de oude Jimmy valt, kun je er zeker van zijn dat ik zal dansen, waar ik ook mag zijn.'

'Je doet alsof het gemàkkelijk is om eruit te stappen,' gromde Daniel Blaylock, met zijn bierbuik.

Jimmy, die diep in zijn rolstoel zat weggezakt, grijnsde breed, zodat Ellie aan een oude filmster moest denken die de gehavende resten van een eens glorieus kostuum bijeen probeerde te houden. 'Fluitje van een cent,' zei hij. 'Het moeilijkste deel, beste kerel, is blijven leven.'

Hij was beslist ook bang, dacht Ellie, maar hij hield zich flink, op zijn eigen onnavolgbare manier... net zoals zij zich flink zou moeten houden wanneer ze morgen die rechtszaal binnenstapte.

Hoeveel wist Jimmy over haar situatie... hoeveel had Tony hem verteld? Ze veronderstelde dat het niet echt uitmaakte, maar ze moest onwillekeurig verder aan Tony denken. Waar stond hij in dit alles? Zou hij morgen in die rechtszaal als getuige fungeren, of als toeschouwer... of hoe dan ook? Niemand scheen dit te weten, zelfs – voorzover haar advocaat kon vaststellen – Skyler niet.

'Ik laat me begraven in een oude Mercedes 100 SL,' zei Adam Burchard lachend. 'Op mijn grafsteen zal staan: "Lijk aan boord".'

Ellie richtte haar blik op hem – Adam, met zijn pakken van tweeduizend dollar en zijn gouden Rolex, waarmee hij zich wapende in de hoop dat materiële rijkdommen hem zouden beschermen tegen alles wat voor hem lag.

'Wat heeft het voor zin te lachen,' vroeg Erik bedroefd, 'als er niemand over is om dat te horen?'

'En God dan? Ik neem aan dat Hij een heel goed gevoel voor humor zal hebben,' grapte Nicky.

'Ik weet niet hoe het met jullie is, lui… maar als ík ga, is het enige waar ik me om bekommer, zorgen dat Robert de helft krijgt van alles wat van mij is. Het is niet veel, maar mijn ouwe heer, die mij z'n "flikkerzoon" noemt, heeft het in elk geval niet verdiend.' Er lag een felle blik in de donkere ogen van Armando toen hij zijn armen over zijn borst vouwde.

'Dat is een interessant punt,' zei Ellie. 'Wat doe je wanneer de wensen van je familie niet in overeenstemming zijn met die van je partner?'

'Je kent het oude gezegde: "Het hemd is nader dan de rok",' zei Erik met zijn meest sardonische stem.

Ellie vroeg zich diep in haar hart af of het hemd inderdaad nader was dan de rok. Na nog een paar minuten van verhitte discussie keek ze omhoog naar de klok en zag dat het tijd was om op te houden. De sessie was snel voorbijgegaan… schokkend snel. Net als de mannen die om haar heen zaten, was ze zich abrupt, acuut bewust van de beperktheid van het menselijk bestaan op aarde… en van de wreedheid van de naderbij sluipende nacht.

Morgen, dacht ze. *Als ik het tot dan nog vol kan houden…*

Ze was half uit haar stoel overeind gekomen, toen ze toevallig omlaagkeek en de rode afdrukken zag van waar haar nagels in haar handpalmen hadden gedrukt. En het was alleen maar met de grootste krachtsinspanning dat ze in staat was de snik te bedwingen die zich in haar keel vormde toen ze zich bukte om voorzichtig het broze, verwoeste lichaam van Jimmy Dolan in haar armen te nemen.

Na de grandioze voorgevel met zuilen en de hal met de afmetingen van een amfitheater, deed de armoedige rechtszaal op de derde verdieping van Center Street 55, met zijn kale houten vloer en afbladderende stucwerk, Ellie denken aan die keer dat ze een feest in het Waldorf-Astoria had bijgewoond en de verkeerde zaal was ingelopen. Alles voelde hier verkeerd aan. Het was negen uur in de morgen en de zon, die flets door de hoge, naar het oosten gekeerde ramen viel, leek nog steeds een verre belofte. Ze zat aan een eikenhouten tafel die eruitzag of hij niet meer was gewreven sinds Eisenhower president was geweest, en ze hield haar blik gericht op de afgebladderde muurschildering boven de tafel van de rechter – een neoklassieke weergave van de balans der gerechtigheid, met een paar vrouwen in soepele Griekse gewaden die een koperen weegschaal flankeerden.

Gerechtigheid? dacht ze. *Welke gerechtigheid zal er voor mij zijn?*

Naast haar bewoog Paul. Ze voelde zijn hand op haar elleboog. 'Je huivert,' fluisterde hij. 'Wil je mijn jasje aan?'

'Nee, dank je, ik heb 't niet koud... ik ben alleen maar zo nerveus als de pest.' Ze strekte zich uit en kneep even in zijn hand met haar eigen, enigszins bezwete hand.

Rechts van haar zat haar advocaat, Leon Kessler, met zijn eekhoornachtige pluk rood-met-grijs haar, gekleed in een verkreukeld bruin pak en een gebloemde stropdas die in golven over zijn reusachtige buik viel. Hij fronste toen hij in zijn open aktentas rommelde.

Ellie liet een snelle blik over de dubbele rij banken achter zich glijden en ze zag tot haar opluchting dat die door niet meer dan een stuk of tien getuigen werden bezet. Ze herkende de sociaal werkster, een innemende jonge zwarte vrouw die Paul en haar thuis had bezocht, en de door de rechtbank aangewezen psychiater, een grauw uitziende man in wiens kantoor ze een aantal onaangename uren had doorgebracht.

Ze knikte even naar Georgina, die er ongewoon deftig uitzag in een saai beige mantelpak... en ze was blij te zien dat Martha Healey, van de NICU, in staat was geweest haar dienst om te ruilen, zodat ze als karaktergetuige voor Paul kon optreden.

Maar toen ze Tony zag, helemaal achterin, voelde ze een steek van schrik door zich heen gaan. Hij was gekleed in een sportief jasje en stropdas en hij zag er ongemakkelijk en misplaatst uit... maar meer dan dat, hij probeerde doelbewust haar blik te vermijden. Een slecht voorteken? Ellie werd even een beetje draaierig. Als Tony nou maar op de valreep zou besluiten voor háár te getuigen...

Je mag blij zijn als hij er helemaal buiten blijft, zei een verstandige stem in haar hoofd. Want als Tony in plaats daarvan met Skyler samenspande, als hij in dat bankje ging staan om te zweren dat hij een belangrijke rol bij de opvoeding van zijn dochter zou spelen – nou, dan zou de rechter zelfs nog minder reden hebben om de voogdij toe te wijzen aan een vrouw van in de veertig, met een huwelijk dat op en af ging, nietwaar?

Ellie greep zichzelf bij de ellebogen en richtte haar blik op de tafel van de eiser, die werd bezet door Skyler en haar moederlijke advocaat. Met haar blauwe rok en onopgesmukte witte blouse, haar blonde haar met een brede schildpadden haarclip in haar nek bijeengebonden, leek ze precies wat ze was – een beschaafde jonge vrouw van welgestelde komaf.

Ellie voelde een wonderlijke golf van genegenheid. *Wat vreemd*, dacht ze. *Ik zou een geweldige hekel aan haar moeten hebben... maar dat is niet zo*.

Er was iets aan Skyler Sutton... iets dat ze niet onder woorden kon brengen en dat niets met Alisa te maken had...

Skyler ving haar blik op en keek haar even aan. Haar wangen kleurden en ze sloeg haar ogen snel neer, alsof ze zich schaamde. De resolute, bijna uitdagende trek rond haar mond veranderde echter niet. Ellie verstijfde toen Skyler zich naar voren boog om iets tegen haar advocaat te zeggen, die knikte en iets op een gele blocnote schreef die voor haar lag.

Verna Campbell, in haar strenge marineblauwe mantelpak, deed Ellie denken aan die bijdehante dames van middelbare leeftijd die buurtbewoners mobiliseren om bewakingscomités te vormen, geldinzamelingsacties voor feministische doeleinden op touw zetten, en oude verwaarloosde gebouwen van de sloop redden. Ze was gezet zonder dik te zijn en de grijze strepen in haar kroezige zwarte haar zagen eruit alsof ze met een schilderskwast waren aangebracht. Verna's enige concessie aan de vrouwelijkheid was het parelsnoer dat over haar royale boezem heen en weer slingerde. Ze zag er niet alleen uit of ze ervan hield spijkers met koppen te slaan, maar ook of zij, en zij alleen, daar uitstekend toe in staat was.

Op de bank pal achter Verna en Skyler zat een beschaafd uitziende heer van middelbare leeftijd in een maatkostuum met krijtstreep, die Ellie als Skylers vader herkende. Zijn dikke, zilverwitte haar en keurig geknipte snor verleenden hem het uiterlijk van een bejaarde maar opmerkelijk goed geconserveerde filmster en te oordelen aan de manier waarop hij zich bewoog, was duidelijk dat hij gewend was de leiding te hebben. Zelfs terwijl hij zat te praten met de jonge vrouw rechts van hem – Skylers kwajongensachtige vriendin, die haar bij haar zwangerschapsoefeningen had geholpen – bleven zijn ogen door de rechtszaal gaan, als die van een generaal die zijn volgende militaire manoeuvre plant.

Maar waar was zijn vrouw? Ellie kon zich niet voorstellen wat – afgezien van een ernstige ziekte – Kate van de zitting van vandaag kon hebben weggehouden. Tenzij...

... tenzij ze zich geen zorgen maakt, omdat ze weet dat ik geen been heb om op te staan.

Ellie hield haar ellebogen tegen haar ribben gedrukt en zei op

357

zó'n zachte toon dat haar advocaat, die aan de andere kant zat, het niet kon horen: 'O Paul, ik ben zo bang. Ik weet niet of ik dit op kan brengen.'

'Ik heb ooit iemand horen zeggen dat het strijden tegen windmolens was waar zij het beste in was.' Hij wierp haar een bemoedigende glimlach toe. 'Je overweegt toch niet dat nu terug te nemen, hè?'

Ellie gaf geen antwoord. Ze was hem alleen maar heel dankbaar voor zijn aanwezigheid. Dat was op zichzelf al een overwinning, nietwaar?

'Wilt u gaan staan... de edelachtbare rechter Benson,' beval de parketwachter, een pezige man van in de zestig met een leeggelopen bierbuik die als een zak over zijn broeksriem hing.

Ellie kwam moeizaam overeind. Toen ze de in het zwart geklede rechter achter de tafel zag plaatsnemen, voelde ze even een steek van teleurstelling. Wat kon deze gemelijke kleine man, met zijn twee slierten haar over zijn kale schedel geplakt, weten van de liefde van een moeder voor haar kind? Hij zag eruit als een bankbediende aan het eind van een werkdag waarin niets goed was gegaan. Vermoeid las hij de dagvaarding voor, voordat hij in de richting van de tafel van de eiser wees.

Verna Campbell kwam van haar stoel overeind als een schip dat een golf in ploegde. 'Edelachtbare,' begon ze met een heldere stem waarin autoriteit doorklonk. 'Ten behoeve van de eiseres wil ik duidelijk maken dat mijn cliënte, toen ze het besluit nam haar ongeboren kind ter adoptie af te staan, onder grote spanning stond. Ze is jong en ongehuwd, en ze dacht dat ze in het belang van de baby handelde. Ik wens te benadrukken dat ze het op dat moment niet nodig achtte advies in te winnen.' De advocate zweeg om diep adem te halen, zodat haar neusvleugels dramatisch trilden. 'Mijn cliënte, die sindsdien van gedachten is veranderd, is bereid de volledige verantwoordelijkheid voor de baby op zich te nemen. Ze ontvangt een maandelijks inkomen uit een familiekapitaal, dus ze is niet zonder middelen van bestaan. Ik geloof dat ik u eveneens haar absolute oprechtheid kan demonstreren. Edelachtbare, Skyler Sutton is de natuurlijke moeder van dit kind... en ze dient als zodanig te worden erkend.'

Natuurlijke moeder. De woorden, die juist om hun effect waren gekozen, weergalmden in Ellies oren. Ze wilde schreeuwen dat zij ook iemands natuurlijke moeder was... maar dat ze niet minder van Alisa hield dan ze ooit van haar eigen kind had gehouden.

Rechter Benson vertoonde een zure, ongeduldige blik die Ellie niet bijzonder geruststellend vond, ook al was deze op Skylers advocaat gericht.

'Voordat we beginnen, raadsvrouw, wil ik u waarschuwen. Uit de stukken die voor mij liggen, blijkt dat er geen gebrek is aan karaktergetuigen... aan beide zijden,' voegde hij eraan toe met een scherpe blik naar de tafel van de gedaagde, waar Ellie zat. 'Ik ben ervan overtuigd dat u beiden een aantal vrienden en familieleden kunt laten getuigen met betrekking tot het onberispelijke karakter van deze beide dames, maar ik waarschuw u bij voorbaat... ik ben geneigd ongeduldig te worden wanneer het uit de hand loopt.'

'Ik zal eraan denken, edelachtbare,' antwoordde Verna eerbiedig.

De rechter richtte zijn waterige blik op Leon. 'Raadsheer, wenst u op dit moment een openingsverklaring af te leggen?'

Leon stond op, een enorme logge beer van een man, die Ellie inwendig ineen deed krimpen. Maar Leon was een sluwe jurist; ze vermoedde dat hij dit uiterlijk cultiveerde om mensen af te schrikken. Tegen de tijd dat ze beseften hoe slim hij was, was het te laat.

'Edelachtbare, ik ben blij dat u dat punt naar voren hebt gebracht. Ik ben het geheel met u eens.' Leon vouwde zijn handen over zijn royale buik en straalde van goede wil. 'Het karakter van mijn cliënte spreekt geheel voor zichzelf... en we hebben niet de minste behoefte verdenkingen op dat van de eiseres te werpen. Ik twijfel geen moment aan de oprechtheid van juffrouw Sutton, of aan het feit dat haar aanvankelijke acties eerder uit misleide naïviteit dan uit boosaardige opzet zijn voortgesproten. Onze belangrijkste taak is hier om vast te stellen waarmee het belang van het kind het beste is gediend.' Hij zweeg even, en zijn stem daalde tot een gegrom. 'Ik vertel hier niets nieuws wanneer ik u zeg, dat het vrij duidelijk is wat mijn cliënte te bieden heeft. Haar man en zij hebben allebei een baan, met een meer dan adequaat inkomen tot hun beschikking. Ze hebben jarenlang hun uiterste best gedaan een kind te adopteren, en toen deze baby dan eindelijk kwam... tja... was het als een geschenk uit de hemel. En laten we niet vergeten dat het juffrouw Sutton was die in eerste instantie dokter Nightingale heeft benaderd. Ze zocht liefdevolle, gewetensvolle ouders om haar kind groot te brengen, en hoewel dokter Nightingale en haar man op dat moment van tafel en bed gescheiden waren, was juffrouw Sutton bereid dat over het hoofd te zien. Een vergissing?' Hij schudde ernstig zijn hoofd vol manen. 'We geloven dat juffrouw Sutton uitstekend heeft gehandeld en dat het hof haar besluit dient te bekrachtigen.'

Leon nestelde zich, nog steeds stralend, met een zucht van voldoening weer in zijn stoel. Ellie merkte dat iets van de spanning uit haar nek verdween. Maar het zou een vergissing zijn om te zelfverzekerd te worden. Het feest was nog maar net begonnen.

Verna Campbell zette een leesbril op het puntje van haar neus om haar aantekeningen te raadplegen. 'Edelachtbare, ik wil graag Michaela Palladio als getuige oproepen,' zei ze en ze tuurde over de rand van haar bril.

Skylers vriendin stond op en stapte in de rechtszaal naar voren. Haar massa donkere krullen en haar ogen met de zware oogleden, maar ook de felrode sjaal die ze over de kraag van haar blouse had gedrapeerd, deden Ellie denken aan een zigeunerin die op het punt staat door de plaatselijke veldwachter te worden ondervraagd.

'Zegt u maar Mickey... dat doet iedereen,' zei ze met het hese stemgeluid van een veel oudere vrouw toen ze in de met eikenhout betimmerde getuigenbank op de stoel ging zitten.

'Mickey, hoe zou jij je relatie met Skyler Sutton willen beschrijven?' vroeg Verna, terwijl ze uit haar stoel opstond en op de rand van de tafel ging zitten.

'Ze is mijn beste vriendin,' antwoordde Mickey zakelijk.

'Hoe lang kennen jullie elkaar al?'

Mickey glimlachte. 'Vanaf ons derde jaar. We waren de enige twee kinderen in de manege die nog in luiers rondliepen.'

'Zou je willen zeggen dat ze betrouwbaar en verantwoordelijk is?'

'O absoluut. Ik bedoel, je zou moeten zien hoe ze voor haar paard zorgt. Skyler...' Mickey fronste geconcentreerd, alsof ze haar woorden zorgvuldig wilde kiezen. 'Ze is altijd heel goed geweest met dieren. Ze vertróuwen haar, weet u. Dat is een van de redenen dat ze een goede dierenarts zal worden.'

'Goed zijn met dieren is één ding... maar een baby is iets heel anders,' merkte de advocaat op, met één opgetrokken wenkbrauw. 'Wat doet jou denken dat Skyler opgewassen zou zijn tegen de ontberingen van het grootbrengen van een kind?'

'O.' Mickey ging rechtop zitten, alsof het haar verbaasde dat dit een vraag kon zijn. 'Nou, gewoon, dat zou ze écht zijn. Wanneer zij zich iets voorneemt om te doen, dan laat ze zich daar niet meer van afbrengen.' Ze voelde haar fout onmiddellijk aan – was Skyler immers niet op haar grootste belofte teruggekomen? dacht Ellie – en ze wierp een steelse blik op Skyler. Maar Mickey voegde er resoluut aan toe: 'Ze is de beste vriendin die een mens maar kan hebben.'

Ellie voelde zich inwendig verschrompelen. Geen enkele uit het hoofd geleerde toespraak kon meer effect hebben gehad dan het oprechte getuigenis van deze jonge vrouw die duidelijk niet snel tot emotionele uitbarstingen geneigd was. Op dat moment viel Ellie iets in... een duistere gedachte die uit het niets naderbij kwam: *Lieve God, stel dat het waar is... stel dat Alisa wèrkelijk bij haar echte moeder hoort?* Skyler had Alisa ter wereld gebracht. Ondanks alles ging Ellies hart naar haar uit. Ze voelde hoe het klamme zweet haar uitbrak en ze keek angstig naar Leon toen hij opstond om Mickey aan een kruisverhoor te onderwerpen, waarbij hij log naar de getuigenbank waggelde.

Hij bleef een eindje bij haar vandaan staan en schraapte zijn keel. 'Juffrouw Palladio, zou u willen zeggen dat uw vriendin Skyler een bevoorrecht leven heeft geleid?'

'Als u bedoelt dat ze in een mooi huis woonde en naar goede scholen ging, dan wel ja... maar als u bedoelt dat ze verwend is... néé.' Mickey's ogen flitsten van verontwaardiging.

'Verwend?' herhaalde hij glimlachend. 'Ik zou niet zo ver willen gaan om dat te suggereren. Ik vroeg me alleen af of juffrouw Sutton, gezien de comfortabele levensstijl die u beschrijft, enig idee had van de òffers die ze zou moeten brengen. Zoals mevrouw Campbell al zo treffend heeft gezegd, is een baby geen paard. Je kunt een kind niet zomaar bij een stalknecht parkeren wanneer jij aan de rol wilt gaan.'

'Protest, edelachtbare!' blafte Verna. 'Ik maak bezwaar tegen de toespeling dat de oprechte wens van mijn cliënte een soort... gril betreft.'

Rechter Benson leunde naar voren en zei vermanend: 'Meneer Kessler, als u iets te zeggen hebt, moet u daar nu mee komen.'

Leon zwaaide even met zijn hand voor hij opnieuw zijn twinkelende bruine ogen op Mickey richtte. 'Ziezo. Dus we hebben vastgesteld dat juffrouw Sutton beslist niet verwènd is. Maar zou u haar ook willen beschrijven als wereldwijs? Als iemand die zich niet door de eerste de beste gladde verkoper iets aan laat praten?'

'Dat dacht ik wel,' antwoordde Mickey achterdochtig.

'Zou het eerlijk zijn om te zeggen dat ze een verstandige jongedame is, die in staat is een intelligent besluit te nemen?'

'Ja, dat dacht ik wel.'

'Dan gelooft u dat het besluit om dokter Nightingale uit te kiezen om haar baby groot te brengen een intelligent, goed gefundeerd besluit was?'

Mickey aarzelde. 'Ik... nou eh... ja.'

'Dus u vindt niet dat ze misschien een beetje... wat is het woord dat ik zoek? Naïef was?'

'Nee, dat vind ik niet.'

'Dan bent u het ermee eens dat ze een goede keuze heeft gemaakt?'

'Dat leek het wel... in die tijd.'

'En nu?'

'Daar wil ik geen commentaar op geven.'

'O nee? Is er iets waardoor uw mening betreffende dokter Nightingale is veranderd?'

'Dit heeft niets met háár te maken.'

'Uw vriendin is gewoon van gedachten veranderd, is dat het?'

'Ja.'

'En hoe moet het met dokter Nightingale? Wordt zij geacht het hier zomaar mee eens te zijn?'

Ellie kon haar hart in haar borst voelen bonzen toen ze zag hoe Mickey haar ogen neersloeg. Door het gesmoorde geraas van het bloed in haar oren hoorde ze de jonge vrouw aarzelend zeggen: 'Het was allemaal niet zo... zo berekenend. Skyler kan het niet helpen dat ze er zo over denkt.'

'En ik denk dat voor dokter Nightingale hetzelfde geldt,' antwoordde Leon rustig. 'Dank u wel, juffrouw Palladio, dat was alles.'

Ellie zag de kleine frons die tussen Verna Campbells wenkbrauwen was ontstaan. *Eén nul voor Leon*, dacht ze, terwijl er iets van hoop in haar opwelde.

Ze zag Skyler over haar schouder kijken en gespannen de rechtszaal afzoeken tot ze Tony's blik ving. Ze hield die verscheidene tellen vast, alsof ze hem in stilte iets duidelijk wilde maken. Maar Tony staarde haar onbewogen aan en zijn donkere ogen waren even fel en ondoorgrondelijk als de gloed van koplampen op een asfaltweg.

Tot dusver was hij erin geslaagd zich buiten de hele onverkwikkelijke affaire te houden, had hij geweigerd partij te kiezen. Maar stel dat hij besloot zich aan Skylers kant te scharen? Hij hield veel van zijn dochter. Ellie wist dat maar al te goed – ze had de Sint-Michielspenning als bewijs daarvan. Door voor Skyler te getuigen, had hij meer te winnen dan door te zwijgen. En of Tony en zij nu wel of niet bij elkaar woonden, als Skyler de voogdij kreeg toegewezen, zou hij een kans hebben om een actieve rol in Alisa's opvoeding te spelen.

Wat weerhield hem? vroeg Ellie zich af. Was het loyaliteit jegens háár? Of wist hij iets over Skyler dat een ander niet wist?

Er volgden nog drie karaktergetuigen. Skylers paardrij-instructeur, wiens militante houding zijn duidelijke ongemak niet helemaal kon verhullen. Een kamergenoot van Princeton. Een voormalige lerares. Niemand die eigenlijk iets anders over Skyler te vertellen had dan wat een geweldige, capabele, zorgzame persoon ze was.

Maar Skylers moeder was nog steeds nergens te bekennen. Wat weerhield haar? En hoe zat het met Skylers vader? Hij was niet opgeroepen om te getuigen. Was er een andere reden dan de meest voor de hand liggende – dat hij veel te bevooroordeeld was om iets te kunnen bieden dat in de buurt kwam van een onpartijdig oordeel?

Ze trok Leons aandacht en krabbelde één enkel woord op zijn gele blocnote: 'Vader?' Haar advocaat reageerde met het optrekken van een borstelige wenkbrauw en zijn hoofd te schudden.

Deed Leon wat bezorgd of verbeeldde ze zich dit maar? Ellie werd overmand door een sterke opwelling de rechtszaal uit te hollen, naar huis, naar Alisa, die ze bij haar Jamaïcaanse kinderjuffrouw, mevrouw Shaw, had achtergelaten. Misschien kon ze met Alisa wegvluchten naar een vreemd land waar niemand hen kon vinden…

O? En hoe zit 't dan met Paul… ga je hem ook achterlaten? En je praktijk?

Geen paniek, zei ze tegen zichzelf. Straks zou Leon zijn eigen getuigen oproepen. Georgina zou dan worden gehoord en Paul. Daarna zouden de getuige-deskundigen komen – de sociaal werkster en de psychiater. Aan het eind van de middag, morgenochtend op zijn laatst, zou alles voorbij zijn. Maar toch kon het nog dagen, weken duren eer de rechter zijn oordeel gaf.

Ellie had zichzelf er bijna van overtuigd dat het veilig was om adem te halen, toen Verna Campbell overeind sprong. 'Edelachtbare, op dit moment zou ik graag Skyler Sutton op willen roepen.'

Skyler hoorde dat haar naam werd genoemd, maar het duurde een paar seconden voor ze zich in staat voelde antwoord te geven. Het was alsof haar ware ik zat opgesloten in het koele, gepolijste omhulsel dat ze de wereld toonde, als die Russische poppetjes die oma haar als kind had gegeven – ieder poppetje paste weer in het volgende poppetje tot je bij de laatste kwam, die zo klein was als de duim van een kind.

Ze stond op en liep naar de getuigenbank, waarbij ze haar hoofd hoog hield en haar armen slap langs haar zijden liet hangen. De lucht raasde zacht om haar heen. *Alles komt goed*, zei ze tegen zichzelf. Had Verna haar niet steeds weer verteld dat alles in haar voordeel sprak?

Verna had weliswaar toegegeven dat het in de ogen van de jury misschien slecht leek dat Kate er niet bij was. In gevallen waar de biologische moeder jong en alleenstaand was, verklaarde ze, hielp het wanneer de grootouders hun steun demonstreerden. Aan de andere kant was Skyler niet echt een klein kind. Ze had nu al meer dan een jaar alleen gewoond en ze had haar eigen inkomen, plus een begin van een loopbaan.

Waar Verna niet op had gerekend, was hoe Skyler zich zou voelen toen ze de rechtszaal binnenkwam en de leegte naast haar vader zag, waar haar moeder had horen te zitten.

Het overviel Skyler opnieuw toen ze in de getuigenbank ging zitten en de verontschuldigende blik in haar vaders ogen zag. *Waarom, mam, waarom?* Ze begreep er nog steeds niets van. Als je van je kind hield, dan vocht je voor haar.

Mickey stak haar duim op en Skyler voelde een golf van dankbaarheid. God, wat zou ze zonder Mickey moeten beginnen?

Skyler kon ook Tony's ogen op zich gericht voelen, maar ze weigerde hardnekkig om te kijken. Ze was blij dat hij er was... maar in zekere zin maakte zijn aanwezigheid haar nog nerveuzer. Ze was zich ervan bewust hoe snel haar hart sloeg en van het zweet dat zich tussen haar borsten had gevormd.

'Skyler, houd jij van je dochter?' vroeg Verna, recht op de vrouw af.

Skyler richtte zich op. 'Met heel mijn hart.'

'Begrijp me goed, Skyler, maar sommigen van ons hebben moeite om te begrijpen hoe een moeder, die beweert dat ze haar baby liefheeft, haar op kon geven. Zou je ons dat kunnen uitleggen?'

Ze hadden dit uitvoerig in Verna's kantoor geoefend... maar nu het moment in de schijnwerpers was aangebroken, voelde Skyler haar maag in paniek ineenkrimpen. Er fladderde een hand naar haar wang omhoog voordat ze eraan dacht die weer in haar schoot te leggen.

'Op dat moment dacht ik dat ik er goed aan deed,' zei ze zacht.

'Goed aan deed voor wie?'

'Voor mijn baby.'

'Je besluit had niets te maken met wat voor jou het beste zou zijn?'

'In zekere zin wel, ja,' gaf ze toe. 'Ik was van plan terug te gaan naar school en ik wist niet hoe ik mijn studie moest combineren met de zorg voor een baby.' Dit hadden ze ook gerepeteerd. Verna dacht dat het een betere indruk zou maken als ze dit zelf zou erkennen in plaats van door Ellies advocaat als egoïstisch en gevoelloos te worden afgeschilderd.

'En nu?'

'Ik zou nog steeds graag willen studeren, maar dat hoeft niet meteen te zijn. En wanneer ik dat doe, zou ik een lichtere studielast kiezen, om zoveel mogelijk bij Alisa te zijn.' Skyler voelde Ellies ogen op zich gericht en ze had net zomin in haar richting durven kijken als ze voor een tegemoetkomende auto had durven springen.

Vergeef me, smeekte ze in stilte. *Ik heb je nooit verdriet willen doen.*

Verna stelde zich recht voor de getuigenbank op, waarbij ze Ellie strategisch uit Skylers gezichtsveld wiste. Toen ze sprak was haar toon vriendelijk maar resoluut, de stem van een toegeeflijke ouder. 'Laat maar eens zien of ik dit goed heb. Om tal van redenen besluit jij je baby af te staan ter adoptie... daarna maak je een ommezwaai van honderdtachtig graden en besluit je dat je haar terug wilt. Skyler, heb je er bezwaar tegen ons te vertellen wat deze plotselinge verandering van inzicht heeft veroorzaakt?' Verna bleef roerloos staan, wachtend op het antwoord.

Skyler haalde oppervlakkig adem en zei: 'Eerlijk, ik wist niet wat ik op zou geven.' De woorden waren misschien gerepeteerd, maar niet de emotie die erin doorklonk... of de tranen die haar ogen nu vulden. 'Zodra ik haar zag, wist ik het. Diep in mijn hart. Maar ik had een zware bevalling gehad... en ik was moe... en de raderen waren al in werking gezet. Het was pas een paar weken later dat ik het zeker wist.'

'Wàt zeker wist, Skyler?' Verna deed een wonderlijk voorzichtig stapje naar voren.

'Dat ik zou sterven als ik niet bij haar kon zijn.' Er gleed een traan langs Skylers wang omlaag en drupte van haar kin. Hij viel op haar pols als hete was van een omgevallen kaars en de zaal werd mistig voor haar ogen.

'Dank je wel, Skyler,' zei Verna vriendelijk. 'Dat was alles.'

Maar Skyler wist dat het nog niet voorbij was. Nu was het Leon Kesslers beurt om haar aan een kruisverhoor te onderwerpen, en hoewel ze hier ook op voorbereid was – op alle vragen en toespelingen waarmee hij haar waarschijnlijk zou willen bestoken – merkte ze toch dat het koude zweet haar uitbrak.

Verna had haar geadviseerd haar antwoorden eenvoudig en direct te houden, maar er was niets eenvoudigs en directs aan de grote, verkreukelde man die naar haar toe kuierde. Zijn bruine ogen twinkelden van vrolijkheid en zijn rode wangen vormden twee glimmende appels.

'Juffrouw Sutton,' begon hij met zijn goedgehumeurde grom. 'Misschien ben ik de enige, maar ik heb een beetje moeite iets te begrijpen.' Hij wachtte een tel voor hij verder ging. 'U hebt deze opmerkelijke ommezwaai in uw gevoelens gehad... maar gedurende uw zwangerschap hebt u geen enkel blijk gegeven van twijfel. Hoe verklaart u dat?'

'Het grootste deel van de tijd heb ik gewoon mijn gevoelens geblokkeerd,' vertelde ze hem. 'Het was veel gemakkelijker om... verdoofd te zijn.'

'Blokkeert u uw gevoelens vaak?'

'U laat het klinken alsof...' Ze ving een waarschuwende blik van Verna op en zweeg. 'Nee, dat geloof ik niet. Niet als regel.'

'Maar in dit geval voelde u niets. Nee, neem me niet kwalijk, u was verdóófd.' Hij sloeg zijn vingers op zijn buik over elkaar en kneep zijn lippen opeen. 'Juffrouw Sutton, hoeveel echtparen heeft u gesproken voordat u besloot mijn cliënte uw baby te laten adopteren?'

'Zes,' vertelde ze hem.

'En toch hebt u dokter Nightingale gekozen, ook al had ze u toevertrouwd dat ze in die tijd echtelijke problemen had?'

'Ik... ik kon het goed met haar vinden.'

'Ook al was haar situatie niet geheel ideaal?'

'Ja.'

'Wat zijn uw gevoelens voor dokter Nightingale nu?'

Skyler aarzelde en zei toen: 'Ik weet zeker dat ze een heel goede moeder zou zijn – maar dat is het punt niet.'

'Wat is het punt dan wel?'

'Het punt is...' – ze beet op haar lip – 'dat ik Alisa's moeder ben. Haar èchte moeder.'

'Juist ja.' Hij knikte ernstig. 'En haar vader? Speelt die nog een rol in dit alles?'

'Tony en ik... we waren niet... nou ja, op dat moment waren we niet... Onze relatie is niet wat u denkt.' Skylers gezicht voelde strak en opgezet, en ze was zich er sterk van bewust hoe ze moest klinken – onnozel, oppervlakkig, geneigd naar bed te gaan met mannen die ze nauwelijks kende.

'Ik denk helemaal niets, juffrouw Sutton,' antwoordde hij vriendelijk. 'Waarom vertelt ú ons niets over de aard van uw relatie met de vader van uw baby? Tony Salvatore, klopt dat?'

'We zijn gewoon...' Skyler zweeg, haar hoofd tolde. Wat wàs Tony voor haar? Minnaar? Vriend? Beschermer? Geen van allen? 'Vrienden,' besloot ze en ze voelde zich min of meer een verraadster.

'Wat was zijn reactie toen u hem vertelde dat u zwanger was?'

Ze dacht even na. 'Hij was bezorgd... hij wilde helpen.'

'Toen het onderwerp van adoptie ter sprake kwam, was het toen niet de heer Salvatore die aanvankelijk dokter Nightingale aanbeval?'

'Ja.'

'En heeft de heer Salvatore toen een ontmoeting met mijn cliënte voor u geregeld?'

'Ja.'

'Heeft de heer Salvatore er vervolgens mee ingestemd afstand te doen van zijn ouderlijke rechten?'

'Ja.'

De advocaat kwam steeds dichterbij, zo dichtbij dat ze de plukken haar die uit zijn wijde neusgaten staken kon zien. 'De heer

Salvatore schijnt zijn verplichtingen dus ernstig te nemen. Kan dat de reden zijn waarom hij vandaag niet voor u getuigt?'
'Edelachtbare, mijn cliënte kan niet voor de heer Salvatore spreken!' protesteerde Verna.

Skyler wierp een blik op Tony, die met een onbewogen gezicht achter in de rechtszaal zat. Was hij kwaad? Door publiekelijk hun liefde voor elkaar te loochenen, had ze hem nu voorgoed afgeschrikt?

Ze voelde zich onpasselijk bij dit vooruitzicht.

'Goed, goed... Goed, goed,' gaf Leon minzaam toe en hij wiegde op zijn hakken heen en weer en sloeg zijn handen op zijn rug. 'Nog één vraag, juffrouw Sutton. Zijn uw ouders vandaag in de rechtszaal aanwezig?'

'Mijn vader zit daar,' zei ze en ze wees naar de voorste rij.

'En uw moeder?'

'Zij... was niet in staat hier aanwezig te zijn.' Het zweet liep in straaltjes over haar borst en rug.

'O... mag ik u ook vragen waarom niet?'

'Ik...' Skyler wilde schreeuwen dat hem dit niets aanging, maar dat was waarschijnlijk precies wat hij bedoelde. In plaats daarvan besloot ze zwak: 'Ik spreek liever niet voor haar.'

'Ik vind het vreemd,' merkte de advocaat op, alsof hij de mysteries van het heelal overdacht, 'dat twee mensen, die zo'n grote emotionele betrokkenheid bij dit alles hebben, niet bereid zijn voor u te getuigen. Vindt ú dat ook niet vreemd, juffrouw Sutton?'

'Edelachtbare!' riep Verna met een stem vol afschuw.

De rechter begon iets te zeggen dat Skyler niet kon horen; het was of een glazen wand hem van de rest van de rechtszaal scheidde, een wand waardoorheen ze slechts – zelfs als ze zich inspande – enkele woorden kon verstaan.

'Lastigvallen... u gewaarschuwd, meneer Kessler... reces...'

Even later zwaaiden de zware dubbele deuren open en kwam een chique vrouw van middelbare leeftijd met kortgeknipt bruin haar met zilveren strepen erin door het gangpad tussen de rijen banken naar voren.

Skyler voelde hoe iets in haar borst verkruimelde, als zachte grond na hevige regenval.

Haar moeder zag er bleek en gespannen uit in een geruit Chanel-mantelpakje, en ze leek zwaarder op haar stok te leunen dan anders. Maar ondanks de kennelijke pijn die ze voelde, was haar uitdrukking beheerst.

Er ging een golf van opluchting door Skyler heen toen ze binnensmonds fluisterde: 'Mam.'

Kate had alles willen geven om daar niet te zijn.

Maar uiteindelijk had niets haar weg kunnen houden.

Ze had het natuurlijk wel geprobeerd. Ze had tegen zichzelf gezegd dat als ze maar druk bezig kon zijn, ze niet zou hoeven denken aan alles wat er kilometers verder plaatsvond, in een rechtszaal in New York City. Ze was naar de winkel gegaan, waar een vracht uit Kansas City was binnengekomen, een biedermeier boekenkast. Maar ze had de eerste spijker nog niet uit het houten krat getrokken, of ze hoorde een heldere stem in haar hoofd spreken.

Skyler heeft je nodig.

Ze besefte dat het niet uitmaakte of haar dochter haar daar wel of niet wilde hebben. Kate's geest had slechts ruimte voor één gedachte: *Ik ben haar moeder.*

Ze had natuurlijk geweten dat Will niet in staat zou zijn weg te blijven... maar de aanblik van hem bezorgde haar een steek van ontzetting. Voor de buitenwereld zou het lijken (zoals het altijd had geleken) dat Will sterk was, en zij niet. De mensen zouden fluisteren dat ze zich erheen had moeten slepen, dat het alleen maar om de schijn op te houden was geweest dat die arme, broze Kate zichzelf had gedwongen die kwelling te ondergaan. Maar ze hadden het mis. Zíj was degene die sterk was... Sterk genoeg om de waarheid onder ogen te zien.

Ik heb in mijn leven te veel compromissen gesloten, dacht ze toen ze zich naast haar man liet zakken, met nauwelijks een blik in zijn richting.

Nu niet meer. Wat hier ook de uitkomst van mocht wezen, Kate wilde niet langer naast Will blijven zwijgen. Hij kon zich voor de waarheid verbergen... maar betekende dit dat zij dat ook moest doen?

Kate richtte haar ogen op Skyler, die er geschokt uitzag toen ze uit de getuigenbank stapte. Haar dochter staarde haar aan met een enigszins vragende blik, alsof ze wachtte op een teken of gebaar van haar. Met een subtiel hoofdschudden liet Kate haar weten dat ze hier niet was gekomen om te getuigen. Haar enige motief om te komen was steun te tonen aan haar dochter.

De enige persoon in deze rechtszaal waar Kate zich niet toe kon brengen haar aan te kijken, was Ellie. Toen Ellie in de getuigenbank werd geroepen, hield Kate haar ogen neergeslagen, gericht op haar stok, die in een hoek van de bank naast haar stond.

Schaam je, berispte een stem in haar hoofd haar en ze dwong zich haar blik op te slaan.

Toen ze naar de getuigenbank liep, leek Ellie kalm. Ze liep met doelbewuste stap, het hoofd geheven, de schouders naar achteren, gekleed in een rustig geruit mantelpakje met een Paloma Picassospeld op de revers. Er stond voor haar te veel op het spel om iets te laten merken van de volslagen paniek die ze nu moest voelen, dacht Kate.

Van alle emoties die deze vrouw in de afgelopen twintig jaar bij Kate had opgeroepen, was er geen sterker geweest dan de bewondering die ze nu voelde, toen ze zag hoe Ellie de rechtszaal aankeek met de gratie en waardigheid van een koningin.

'Dokter Nightingale, hebt u nog andere kinderen?' dreunde de grote, slordige man die Ellies advocaat was. Hij boog zich naar voren, met zijn vingers op zijn borst.

Ellie verschoof in haar stoel en schraapte haar keel alvorens te spreken. Toch klonk haar stem dik en wat hees toen ze antwoordde: 'Ja... een dochter. Bethanne. Maar ik weet niet of zij zelfs maar in leven is.'

Er daalde een stilte neer over de rechtszaal, een stilte die log en zwaar was.

Kate voelde een felle pijn door haar borst snijden. O lieve Heer, hoe moest ze het verdragen om dit alles aan te horen? Ze wierp vanuit haar ooghoek een blik op Will, en ze verbaasde zich over zijn onbewogen uiterlijk. Het was alsof Ellie een volslagen vreemde was... iemand die zelfs geen vage band met hen had. Voor de eerste keer in hun bijna dertigjarige huwelijk kon Kate hem wel slaan.

'Ik weet dat dit heel pijnlijk voor u moet zijn, dokter Nightingale, maar kunt u ons vertellen wat er met uw dochter is gebeurd?' vroeg Ellies advocaat vriendelijk.

'Ze was net vier maanden oud...' Ellies mond trilde. 'Ik woonde samen met mijn zus. Ik werkte 's avonds terwijl Nadine op Bethanne paste. Toen ik op zekere avond thuiskwam...' – ze kneep haar ogen even stijf dicht – 'was ze verdwenen. Ontvoerd. Door... het vriendje van mijn zus. De politie heeft hem gezocht, maar hij was nergens te vinden...'

Haar advocaat wachtte terwijl ze worstelde om zich te herstellen. Toen: 'En in al die jaren bent u nooit te weten gekomen wat er met haar is gebeurd?'

'Nee.'

'Meneer Kessler,' onderbrak de rechter op chagrijnige toon. 'Ik weet zeker dat ik voor iedereen hier spreek wanneer ik zeg dat dokter Nightingale ons grootste medeleven verdient, maar waar is de relevantie daarvan met déze zaak?'

'Edelachtbare,' begon de gezette advocaat, 'mijn cliënte is een vrouw die weet wat het verlies van een kind betekent. Ze is deze situatie niet lichtzinnig aangegaan. Ze heeft juffrouw Suttons baby niet willen adopteren om reden van de een of andere paniek op de valreep, vanwege het tikken van haar biologische klok. Haar motieven waren zuiver en ze sproten voort uit een levenslang verlangen: het moederschap betekende alles voor haar.'

Kate had de grootste moeite om roerloos te blijven zitten. Haar ogen waren warm en droog, en ze had een zure, asachtige smaak achter op haar tong.

De advocaat richtte zijn blik weer op Ellie. 'Dokter Nightingale, ik heb begrepen dat uw huwelijk enigszins onder spanning heeft gestaan. Kunt u ons meer vertellen over de oorzaak?'

'Ik zal het proberen.' Ellies mond vertoonde een aarzelende glimlach. 'Toen Skyler mij de eerste keer benaderde, waren mijn man en ik van tafel en bed gescheiden. We houden heel veel van elkaar... maar ja, we verkeerden wel onder spanning. We hadden jarenlang geprobeerd een baby van onszelf te krijgen, en toen dat niet lukte, hebben we adoptie overwogen.'

'Ik neem aan dat u meer hebt gedaan dan dit alleen overwegen?'

'O ja. We waren een paar keer bijna zover, maar beide keren veranderde de moeder op de valreep van gedachten.' Ze zweeg even. 'Mijn man is hoofd van de neonatologische intensive care-afdeling van het Langdon Children's Hospital. Hij heeft dagelijks met leven en dood te maken, met baby's voor wie geen enkele garantie kan worden gegeven. Het is hem... gewoon allemaal te veel geworden, denk ik. We hadden allebei even een adempauze nodig.'

Leon Kessler drukte een vlezige vinger tegen zijn bovenlip. 'En hoe zou u uw huwelijk nu willen omschrijven?'

Met een blik op haar man, die zijn handen stijf ineengeslagen op de tafel voor zich had liggen, zei Ellie met heldere stem: 'We zijn het samen weer geheel eens.'

'Dank u wel.' Kessler knikte naar Skylers advocaat.

Kate merkte dat ze gespannen werd toen Verna Campbell, met haar stevige, laaggehakte pumps, uit haar stoel opstond en de tafel van de rechter naderde. De blik die Verna op Ellie richtte, deed Kate denken aan de enige keer in haar leven dat ze uit een baantje was ontslagen. Ze was toen pas zestien geweest en ze had in de kerstvakantie tijdelijk op de fourniturenafdeling van Macy's gewerkt, en haar bazin, een stijfgelakte haaibaai, die Kate in het bijzijn van iedereen had afgeblaft omdat ze verkeerd wisselgeld had teruggegeven, had net zo'n glimlach als Verna vertoond – een glimlach om glas mee te snijden.

'Het doet me genoegen te horen dat uw man en u uw problemen hebben kunnen oplossen,' zei ze zonder enige emotie. 'Wannééér heeft deze verzoening plaatsgevonden?'

'Dat was een paar maanden geleden,' antwoordde Ellie, opzettelijk vaag.

'Was dit voor of nadat mijn cliënte u had meegedeeld dat ze van gedachten was veranderd?'

Ellie aarzelde een tel en zei toen: 'Daarna, denk ik. Ik kan me het exacte moment niet herinneren.'

Een leugen, dacht Kate. Maar wel een begrijpelijke leugen. Verna liet dit punt verrassend genoeg verder met rust. Toen, als een wolvin die rond haar prooi draait voor ze die doodt, vroeg ze zacht: 'Dokter Nightingale... hoe oud was u toen uw baby – Bethanne – zogezegd werd ontvoerd?'

'Achttien.' Ellie klonk boos. 'En er was niets zogenaamds aan haar ontvoering.'

'Hm. U zei dat uw zus in die tijd op haar paste?'

'Edelachtbare...' begon Kessler te protesteren, maar hij werd tot zwijgen gebracht door een handgebaar van de rechter.

'Meneer Kessler, ú bent zelf deze weg van ondervragen ingeslagen,' blafte hij. 'Het is niet meer dan eerlijk dat mevrouw Campbell hierop verder mag gaan.'

Met een gekwelde blik liet de grote man zich weer op zijn stoel zakken.

'U werkte toen,' – Verna blikte even op haar aantekeningen – 'in het Loews State Theatre op de hoek van Broadway en Fortyfifth Street... als kaartjescontroleur?' Kate moest de vrouw nageven dat ze haar huiswerk had gedaan.

'Dat klopt.'

'Was uw zus werkloos in die tijd?'

Ellie aarzelde even voor ze antwoordde: 'Meestal wel... ja.'

'Dokter Nightingale, hoe kon u in 's hemelsnaam met zijn drieën rondkomen van uw salaris alleen?'

'Dat was niet gemakkelijk.' Ze gaf haar een grimmige glimlach.

Verna liet de stilte die daarop volgde zwaarder worden; toen vroeg ze met dodelijk kalme stem: 'Was u ervan op de hoogte dat uw zus – hoe zal ik het zeggen? – haar gunsten verkocht?'

Ellie verbleekte en ze knipperde met haar ogen. Toen ging ze nog meer rechtop zitten en antwoordde: 'Ja, het was mij bekend dat mijn zus... mannen ontving. Maar dat was niet steeds het geval en ze... ze deed het heel discreet.'

'U bedoelt dat zelfs toen u in deze kleine flat woonde, u niet werd gestóórd door vreemde mannen die in en uit liepen?'

'Maar zo was het helemaal niet. Bovendien, zoals ik al heb uitgelegd, had ik niet veel keus. Ik was nog heel jong en mijn ouders hadden duidelijk gemaakt dat ik thuis niet welkom was.'

'Dokter Nightingale, was u niet een beetje verontrust over het effect dat de levensstijl van uw zus op uw baby kon hebben?'

'Natuurlijk wel,' snauwde Ellie. 'Ik spaarde elke cent die ik maar kòn sparen. Ik wilde een eigen onderkomen hebben.'

'Maar intussen ging u elke avond werken en liet u uw baby achter onder de hoede van een prostituee?'

'Ze was mijn zus.' Ellies gezicht was lijkbleek en ze beefde zichtbaar.

'Dokter Nightingale, volgens de politieverslagen was de man die u als de vriend van uw zus beschrijft, in werkelijkheid haar pooier. Was u zich daarvan bewust?'

'Ik… aanvankelijk niet. Maar later wel, ja.'

'U hebt de politie indertijd verteld dat hij uw zus bij diverse gelegenheden had geslagen.'

'Ja.'

'Dus hij was eveneens gewelddadig?'

'Ik… ik heb het nooit zien gebeuren. Maar…'

Ellies stem, die zorgvuldig beschaafd had geklonken, had nu de platte klank van de hoge vlakten gekregen, en voor de eerste keer zag Kate, door Ellies moeizaam verworven beroepsmatige houding heen de doodsbange tiener die ze was geweest.

In gedachten zag Kate hoe deze jongere versie van Ellie bij de Port Authority uit de bus stapte, met een baby in haar armen, doodmoe en met roodomrande ogen na een dag en een nacht reizen. De baby zou hebben gejammerd; Ellie zou hebben geprobeerd haar te kalmeren terwijl ze tegelijkertijd om zich heen keek in een poging zich te oriënteren.

Ellie tuurt op de achterkant van de verkreukelde envelop. Ze weet dat dit haar zusjes adres is, maar ze heeft niet het flauwste idee waar dit is. Het is twee uur in de nacht en ze heeft in geen dagen geslapen. Ze is doodsbang. Alles aan deze uitgestrekte, bedrijvige plaats boezemt haar angst in. Ze zou de ondergrondse kunnen nemen, weet ze, maar ze heeft te veel verhalen gehoord over vrouwen die in elkaar werden geslagen en verkracht. En van een taxi kan geen sprake zijn – dat is veel meer dan ze zich kan veroorloven. Ten slotte ziet ze de kaart op de muur en ze beseft dat het huis van haar zus niet ver is. Het begint winter te worden en ze heeft zowel haar baby als een zware koffer te dragen, maar ze zal zich erdoorheen slaan. Ze is nu al zo ver gekomen, nietwaar? Op de een of andere manier heeft ze zich er altijd doorheen geslagen…

Kate werd uit haar overpeinzingen opgeschrikt door een luide snik. Ze zag vol afschuw hoe Ellie nu openlijk huilde, met haar gezicht in haar handen.

'*Nee!*'

Het duurde een onderdeel van een seconde voor Kate besefte dat de schreeuw van háár afkomstig was. Op de een of andere manier stond ze, hoewel ze zich niet kon herinneren dat ze overeind was gekomen. In haar oren klonk een dof geruis, als van een verre branding. Ze zag hoe Ellie haar met een verbijsterd, bleek gezicht aankeek. Iedereen in de rechtszaal keek haar nu aan. Toen gebeurde er iets verbazingwekkends. Het was alsof Kate eindelijk de deur had losgerukt die ze al die jaren op slot had gehouden – maar in plaats van Blauwbaards kast, had zij iets geweldigs gevonden: een besef van lichtheid en vrijheid zoals ze dat niet meer had meegemaakt sinds haar meisjesjaren, toen ze als de wind op de rug van haar paard had gereden.

Met een vaste, heldere stem, die ze nauwelijks als de hare herkende, riep ze: 'Ellie heeft helemaal niets misdaan. Ik ben hier de schuldige. Mijn man en ik zijn de schuldigen. Want weet u, Skyler is niet echt ons kind. Ze is Ellies kind.'

17

Ellie had ooit tijdens een bezoek aan Californië, jaren geleden, een aardbeving meegemaakt. Het had aanvankelijk niet veel geleken, alleen maar wat zacht gerommel dat een ondergrondse had kunnen zijn – behalve toen ze zich herinnerde dat er in Monterey geen ondergrondse treinen bestonden. Plotseling was de grote erker van het huisje dat Paul en zij hadden gehuurd beginnen te beven met een geluid van klapperende tanden, en toen ze naar buiten had gekeken, had ze iets gezien dat haar hart tot op haar knieën had doen zinken: het trottoir van stoeptegels bewoog... het golfde op en neer als de rug van een enorme slang die half in het gazon lag begraven.

Ze was op de bank voor het raam gevallen alsof er een karateslag tegen de achterkant van haar knieën was gegeven. Het heelal had een time-out genomen, alle regels waren opgeschort, zodat ze niets meer had om zich aan vast te klampen, nergens een veilig heenkomen had.

De aardbeving duurde slechts tien seconden of zo, maar hij had een onuitwisbare indruk op haar gemaakt. In dat korte moment was haar een van de meest angstaanjagende lessen van haar leven bijgebracht: er zijn geen dingen die onomstotelijk vaststaan. Want als zelfs de solide aarde voor je ogen in een spartelende draak kan veranderen, dan kan absoluut niets ooit als vanzelfsprekend worden beschouwd.

Ellie voelde zich nu net zoals toen... met als enige verschil dat de seismische schokgolf die Kate's woorden in beweging hadden gebracht, niet zichtbaar was. Ergens in haar diepste binnenste begon een diep gerommel aan te zwellen. Haar hoofd zweefde kilometers boven haar lichaam.

'Mijn God!' krijste ze.

De publieke tribune met zijn rijen eikenhouten banken die bevolkt waren met geschokte gezichten, werd grijs en wazig langs de randen, als het uitzicht door de achterruit van een auto wanneer die een tunnel inrijdt. Gedurende één moment dacht ze dat ze flauw ging vallen.

Toen was ze door de tunnel heen en werd de zaal ruimer... en schoof het gedeelte van haar geest dat even niet verbonden was, weer terug op zijn plaats. Ellie greep de bovenrand van de getuigenbank vast om zich overeind te hijsen. Ze voelde hoe haar enkel pijnlijk zwikte toen ze omlaag stapte, en ze onderging even iets van verbazing toen ze merkte dat ze toch niet zomaar midden in de lucht hing.

Dit gebeurt niet echt, dacht ze.

Waarom zwaaide de rechter dan met zijn hamer... en waarom zagen alle aanwezigen eruit alsof ze in zoutpilaren waren veranderd? Zelfs Kate leek geschokt, alsof ze de woorden die uit haar mond waren gekomen zelf niet kon geloven. Kate stapte om het hek dat de tribune van de rest van de rechtszaal scheidde heen, en liep stijfjes naar Ellie, met ogen die als twee vurige kolen in haar witte gezicht gloeiden.

Vertelde ze de waarheid?

Nee. Dat was onmogelijk. Dat had ik moeten weten.

Toen trof het haar, met de kracht van een neerkomende hamer: alles klopte. Skylers leeftijd. Het feit dat ze was geadopteerd. En als je goed naar haar keek. Ellie staarde naar de jonge vrouw die aan de tafel van de eisende partij zat, met een gezicht waaraan alle kleur ontbrak, maar toch zo... o ja, o God, het was zo...

Hoe had ze het ooit niet kunnen zien?

Ellie voelde een hand onder haar elleboog, die haar ondersteunde toen ze bij elke stap dieper in de vloer wegzonk. Ze draaide zich in een slaperige slow motion naar Paul, die aan haar zijde bleek te zijn, met zijn grijze ogen achter de besmeurde glazen van zijn bril in verbijsterd ongeloof op haar gericht.

Er gingen monden open en dicht. Leons gezicht was zo rood als een kreeft. Die kattige advocate met haar geëlektrocuteerde haar stond haar maar aan te staren. In haar oren zoemden en mompelden stemmen, alsof ze probeerden door een slechte transatlantische verbinding heen te komen.

'Kan ik je even spreken... alleen?' klonk een heldere stem, als van een windgong, door alles heen.

Ellie knipperde met haar ogen en Kate's gekwelde gezicht kwam in beeld – het volmaakte ovaal van haar gezicht, met de beeldschone, verfijnde gelaatstrekken. Er stonden tranen in haar reebruine ogen, als regendruppels na een lange, wrede droogte.

En op de een of andere manier volgde Ellie haar op de hielen. Kate bleef slechts één keer staan, toen ze de stoel bereikten waar Skyler zat, met haar handen in verbijsterde verwarring aan haar keel geslagen. Ze zette haar stok tegen de eikenhouten tafel en bracht beide handen naar Skylers bleke wangen, en hield ze daar een moment, alsof ze wilde zeggen: *Ik houd van je, en ik zal alles uitleggen zodra jij eraan toe bent het te horen.*

Skyler keerde haar niet-begrijpende gezicht omhoog, naar haar moeders blik, en Kate mompelde iets tegen haar dat voor Ellie te zacht was om te verstaan; daarna pakte ze haar stok weer en liep naar het middenpad, met een minachtende blik naar haar nog steeds zittende echtgenoot.

De gang buiten de rechtszaal stonk naar de sigaretten van alle rokers die als vluchtelingen langs één muur bij elkaar stonden, maar Ellie merkte hen nauwelijks op toen ze zich naast Kate op de bank liet zakken. Er was een moment van pijnlijke stilte en toen raakte Kate Ellies pols aan... met een aanraking die even licht en koel was als een briesje dat door een open raam naar binnen woei. Kate's ogen, die rood en pijnlijk waren, straalden een vreemde gloed uit.

Ten slotte wist Ellie haar stem terug te vinden. 'Hoe lang heb je dit geweten?'

'De hele tijd,' antwoordde Kate. 'In het begin niet... maar ik heb snel genoeg de stukjes in elkaar gepast. Je stond in alle kranten. En ik... ik begreep het gewoon. God sta me bij, ik wist het.' Ze zweeg even om een vinger tegen haar slaap te leggen, zonder dat die felle, gekwelde ogen Ellies gezicht verlieten. 'Ik was aanvankelijk te geschokt om iets te doen. Ik overwoog de politie te bellen. Maar elke keer dat ik haar uit haar wieg oppakte... mijn baby... jóuw baby,' verbeterde ze zichzelf met zichtbare moeite, 'zei ik tegen mezelf: "Nog één dag. Ik kan wachten tot morgen. Laat me haar zó lang nog hebben." En zo ging het... De dagen bleven voorbijgaan... en ik bleef uitvluchten verzinnen. Toen begon ze "mamma" te zeggen. En ze kreeg haar eerste tandje. En toen was ze er opeens, ze trok zich op aan alles wat ze vast kon pakken. Ik... ik weet niet wanneer ik tegenover mezelf begon te bekennen dat ik dat telefoontje nooit zou plegen. Ik denk dat al die tijd een gedeelte van mij gewoon heeft gewacht tot iemand het allemaal zou ontdekken en ze haar zouden komen halen. Maar toen besefte ik op zekere dag dat dat niet ging gebeuren...'

'Je man... wist hij ervan?' vroeg Ellie met verstikte stem.

'Ja.' Er fonkelde iets duisters in Kate's ogen. 'Maar weet je, bij Will was het anders. Hij was... is... niet in staat iets onder ogen te zien waarvan hij zich heeft voorgenomen het niet te accepteren.' Ze schonk haar een pijnlijke glimlach. 'Soms wenste ik dat ik wat meer als hij kon zijn.'

Ellie worstelde om alles te verwerken, maar het was te veel tegelijk – alsof je in het donker probeerde een legpuzzel te maken. Toen viel het stukje waar ze zo blindelings naar had getast op zijn plaats.

Langzaam vroeg ze: 'Die dag in het ziekenhuis, toen we elkaar voor het eerst ontmoetten... wist je toen wie ik was?'

Kate deed haar ogen dicht en knikte.

'Al die jaren!' Ellie bedekte haar gezicht.

'Ik weet dat ik je niet kan vragen mij te vergeven.' Kate's stem, die klein en gekweld klonk, dreef door de duistenis achter Ellies ineengeslagen handen. 'Wat ik heb gedaan. Wat wij hebben gedaan, Will en ik... dat was een misdaad... het was niet alleen maar onvergeeflijk. Het was een vreselijke zonde.'

Ellie lichtte haar hoofd op en zei vol verbazing en ontzag: 'Ik wist dat ze niet dood was. Ik vóelde het op de een of andere manier. O God, Bethanne. Al die tijd...' Toen drong het tot haar door. Als Skyler haar dochter was, dan betekende dit... 'Ik ben Alisa's gróótmoeder!' Ze dreef de woorden met moeite naar buiten, alsof er geen lucht meer in haar longen was.

Kate knikte opnieuw.

'Begrijp je nu waarom ik geen partij kon kiezen?' Kate zakte wat onderuit en bracht haar stijfgebalde vuisten naar haar wangen. 'Aanvankelijk, toen ze me vertelde dat jij degene was die haar baby zou adopteren... tja... je kunt je voorstellen...' Kate's heldere ogen keken Ellie over de witte punten van haar knokkels aan, met iets van ontzag. Met hese stem fluisterde ze: 'Geloof jij in het lot?'

Ellie dacht even na en zei toen: 'Vroeger niet, nu wel.'

'Want dit kan niet zomaar toeval zijn,' ging Kate ademloos verder. 'Toen ik besefte dat... Toen ik begreep dat er iets, noem het een hogere macht als je wilt, achter dit alles zat... tja, toen was het alsof ik een tweede kans had gekregen, begrijp je? Ik had wat ik had genomen nooit terug kunnen geven – maar eindelijk was hier de kans om jou er in elk geval een deel van terug te laten krijgen.'

'Mijn eigen vlees en bloed...' Het begon eindelijk tot haar door te dringen.

'Toen Skyler me vertelde dat ze van gedachten was veranderd...' Kate slikte moeizaam. 'Toen wilde ik haar helpen... ze is mijn dochter en dit was mijn kleindochter over wie we het hadden. Maar ik... ik kon het gewoon niet. Ik kon ook niet tegen haar ingaan. Dus besloot ik er maar buiten te blijven.'

'Wat deed jou van gedachten veranderen?'

'Ik weet het niet zeker.' Kate klonk verbaasd. Toen ging ze rechtop zitten en zei: 'De hele weg hierheen heb ik tegen mezelf gezegd dat ik alleen maar stil zou blijven zitten en mijn mond dicht zou houden. Maar nu besef ik dat ik niet had kunnen zwijgen, wat de consequenties ook mochten zijn geweest. Ik moest de waarheid vertellen, omdat het mijn dood zou worden als ik die niet vertelde.'

Ellie zat de vrouw naast haar aan te staren, terwijl de aardbeving rolde en daverde. Ze herinnerde zich die dag – maanden later, of waren het weken geweest? – dat ze voor het eerst had beseft dat haar baby misschien nooit meer zou worden gevonden, dat ze Bethanne misschien nooit meer zou zien. Nooit meer haar zoete melkachtige geur zou ruiken... of dat kleine mondje aan haar borst zou voelen trekken. Ze had zo hevig gebeefd dat ze in bed had moeten kruipen, met haar knieën onder de dekens tegen haar borst getrokken, en ze zich heen en weer had gewiegd terwijl ze kreunde en huilde.

'Al die tijd... O God.' Ellie sloeg haar armen nu om zich heen in een zinloze poging haar gehuiver te bedwingen. Ze voelde plotseling woede, een grote opwelling van withete woede die op Kate was gericht. Ze riep: 'Weet je wel hoe het is? Nee, natuurlijk weet jij dat niet. Jij had de luxe je alleen maar schuldig te voelen, terwijl ik...' Haar keel werd dichtgeknepen, en toen ze eindelijk iets uit kon brengen, was het met een stem die het accent had van Euphrates – scherp, onverzoenlijk, met een weerklank van verwaarloosde prikkeldraadomheiningen en met onkruid overwoekerde erven vol wrakken van Chevy pickups. 'Ik was een levende dode. Ik at en ik sliep. Ik ging naar mijn werk, en daarna naar school. Maar ik leefde niet. Het deed te veel pijn om iets te voelen. Jezus God, mijn baby. Ze was mijn baby.'

Elly begon te huilen, luidruchtig, zonder te proberen haar ogen te bedekken of haar neus te snuiten, terwijl Kate haar daar maar aan zat te kijken alsof zij ook wilde huilen maar het niet durfde. Ze verdiende het zelfs niet om troost te ontlenen aan tranen.

Met een holle, gebroken stem zei Kate: 'Ik besef dat er niets is dat ik kan zeggen om goed te praten wat er is gebeurd. Maar nu Skyler de waarheid heeft gehoord, denk ik niet dat ze ooit in staat zal zijn mij of haar vader te vergeven. Als dat enige troost mocht zijn...'

Ellie schoot zó snel overeind dat ze bijna haar evenwicht verloor. Ze herstelde zich en dacht: *Bethanne*. Plotseling was het verleden niet meer van belang... of Kate... of wat hierna zou gebeuren. Er sloeg een golf van zuiver begrip door haar heen, om één heldere gedachte als een glanzende schelp in het natte zand van haar bewustzijn achter te laten: haar dochter was in de kamer hiernaast, vlak achter die deuren.

'Ik moet echt gaan,' zei Ellie met de gedrevenheid van iemand die hard holde om een bus of een trein te halen.

'Alsjeblieft...' begon Kate te zeggen.

Ellie negeerde haar, draaide zich om en liep door de dubbele tochtdeuren naar de rechtszaal.

Het eerste dat daar haar oog trok, waren de twee advocaten die samen voor de tafel van de rechter stonden – Leon, die met zijn armen stond te zwaaien, en de forse vrouw met gestreept haar. Boven hen zat de rechter, die er alleen maar verbijsterd uitzag, alsof hij niet goed kon geloven dat dit in zijn rechtszaal gebeurde.

Op een paar passen van de tafel van de gedaagde stond Paul met Georgina te praten. Hij keek naar haar op, een lange, wat slungelige man met een tweedjasje, een keurig gestreken katoenen overhemd, met een warrige bos haar die tot op de plooien van zijn kraag viel… en het was de liefde die uit zijn ogen straalde, als een lichtbundel die door een vuurtoren over stormachtige zeeën scheen, die Ellie in staat stelde te blijven lopen. Ze liep verder, zette de ene voet voor de andere, tot ze van aangezicht tot aangezicht stond met de jonge vrouw die wankelend naar haar toe liep.

Skyler bleef op een meter afstand van Ellie staan. 'Is het waar?' vroeg ze. De afschuw in haar stem was als een mes dat in Ellies hart werd gestoken.

Ze wil me niet kennen. Die gedachte dreunde door Ellies hoofd.

'Bethanne.' Ze begon weer te huilen, en ze veegde haar tranen met haar mouw weg. 'Ik had niet gedacht dat ik jou ooit nog zou zien.'

Skylers gezicht werd wazig, en kwam toen weer scherp in beeld, met boze rode vlekken. 'Ik geloof hier helemaal niets van!' riep ze. 'Je kùnt mijn moeder niet zijn!'

'Geloof me, ik ben net zo geschokt als jij,' zei Ellie zacht. 'Maar het is waar. Het klopt allemaal.'

'Nee… Nee…!' Skyler schudde heftig haar hoofd.

'Skyler, luister naar me.' Ellie sprak zacht, hoewel ze het liefst had geschreeuwd. 'Je echte naam is Bethanne. Je bent ontvoerd toen je vier maanden oud was. Je begon net tandjes te krijgen. En… en o God, wat is dit moeilijk…' Haar stem verstikte en het duurde even voor ze in staat was verder te gaan. 'Ik hield heel veel van je, weet je. Toen ik je niet kon vinden, was het… was het alsof de wereld ophield te bestaan.'

'Dit is krankzinnig,' protesteerde Skyler, met stijgende stem, op het randje van hysterie. 'Je bedenkt dit maar om Alisa van me af te kunnen pakken. Mijn moeder' – ze wierp een verpletterende blik naar Kate – 'vergist zich. Ze heeft je verward met iemand anders. Mijn èchte moeder heeft me zomaar in de steek gelaten.'

Ellie wankelde alsof ze een klap had gekregen. 'Dat zou ik nooit hebben gedaan. O God… je hebt geen idee hoe het al deze jaren

voor mij is geweest,' snikte ze. 'Toen ik me afvroeg waar je was...
of je werd verzorgd door mensen die je liefhadden...'

Skylers bleke gezicht ging naar haar omhoog. Er leek iets van
begrip in haar ogen te verschijnen. 'Alles wat ik weet is wat mij is
verteld.' Haar stem was koud... even koud als de blik die ze wierp
op Kate, die net binnen de dubbele deuren was blijven staan, met
haar armen om zich heen geslagen.

'Wat je ook mag zijn verteld... het was een leugen. Ik zou hebben
geweten waar ik je moest vinden, niets ter wereld had mij ervan
kunnen weerhouden jou terug te halen. Niets.'

Ellie deed een wankele stap voorwaarts. Ze greep Skyler bij de
schouders en trok haar, stijf en ontoegeeflijk, in armen die veel te
lang leegte hadden gekend... armen waardoor nu een schok van
herkenning ging.

Met een gesmoorde kreet liet Skyler haar hoofd op Ellies schouder vallen. Even maar. Gedurende één enkele, kostbare tel.

Toen rukte ze zich los en holde weg, met diep gebogen hoofd.
Ellie wilde achter haar aan hollen... maar ze wist dat ze dat niet
moest doen. Ze bleef als aan de grond genageld staan en keek hulpeloos toe toen Skyler zich langs Kate drong en zich een weg naar
buiten begon te banen.

Het was Tony die haar tegenhield. Uit het niets greep hij Skyler
bij de polsen en draaide haar om, zodat ze hem aan moest kijken.
Hij liet haar worstelen tot ze snikkend tegen hem aan in elkaar
zakte; toen hield hij haar in zijn armen zoals Ellie haar in haar
armen had willen nemen – met een tederheid die troost gaf en niets
terugvroeg. Hij streelde haar hoofd en mompelde iets in haar oor
wat maakte dat Skyler haar hoofd met een knik tegen zijn schouder
legde. Ze leek zich toen een beetje te ontspannen en ze sloeg haar
armen om zijn rug. Waarbij haar handen op zijn schouderbladen
bleven liggen.

Ellie zag dat haar dochter door deze man werd liefgehad. Dat
was een kleine troost te midden van alle chaos, maar wel een waar
ze blij om was. Als ze zelf niet in staat was Skyler te troosten, dan
was er in elk geval iemand anders die dat kon.

Ellie voelde haar knieën knikken en op dat moment verscheen
Paul aan haar zijde, die zijn arm om haar middel sloeg. Haar leven
lang had ze sterk moeten zijn, en nu leek het de meest ongelooflijke
luxe van de wereld om haar hoofd op Pauls schouder te kunnen
laten zinken.

Ik moet me blijven beheersen, zei ze tegen zichzelf. Haar dochter
was een volslagen vreemde voor haar, iemand die ze wanhopig
graag wilde leren kennen. Ze hoefde alleen maar een beetje meer
geduld te hebben. Wanneer het goede moment daar was, zou Beth-

anne naar haar toe komen. Ja, *Bethanne*... niet de jonge vrouw **die** iedereen als Skyler kende.

Toch wilde Ellie op dat moment niets liever dan naar haar kind gaan, naar de dochter naar wie ze zo had verlangd, om wie ze zoveel verdriet had gehad.

18

Skyler klampte zich aan Tony vast en de stevige druk van zijn armen en lichaam was het enige waaraan ze zich kon vastklampen op een plaats waar alles ondersteboven was geraakt.

'Liefje, luister naar me, alles komt goed,' zei hij zacht in haar oor. 'Ik ben hier... ik ben er zolang je me nodig hebt.'

Maar Tony's woorden gingen verloren in het gebulder van haar eigen gedachten. *Ze hebben tegen me gelogen! Mamma en pappa... ze hebben me laten denken dat ik in de steek was gelaten. Hoe hebben ze hun eigen dochter ooit zoiets kunnen aandoen?*

Nee, ze was niet langer hun dochter. En ze was dat kennelijk ook nooit geweest.

Alleen Tony leek echt, bekend. *Ik houd van je*, wilde ze zeggen. Maar wie was zíj? Skyler Sutton, of...

...of die persoon die Bethanne heette. Iemand die ze niet kende. God... O God...

'Skyler, o lieverd, laat me je het alsjeblieft uitleggen...'

De verdoving die zich van haar meester had gemaakt, werd verbrijzeld door haar moeders stem. Skyler rukte zich los uit de beschutting van Tony's armen en draaide zich om.

Kate stond op enige afstand van haar, met haar handen over de knop van haar stok gevouwen en met een blik die Skyler nog nooit bij haar had gezien. Het was de wanhopige blik van een vrouw die aan haar vingertoppen boven de rand van een afgrond hangt. Skyler was niet in staat de brandende intensiteit van die blik te verdragen en ze wendde haar ogen af, langs Kate, naar haar vader, die op de bank zat met zijn gezicht in zijn handen begraven.

Skyler was verpletterd door de enormiteit van het bedrog van haar ouders en ze richtte haar blik weer op haar moeder, die geen spier had vertrokken, zelfs niet om de traan af te vegen die langzaam over een wang biggelde. 'Jullie hebben tegen me gelogen. Al die tijd wisten jullie dat ik niet in de steek was gelaten.' Haar stem was weliswaar zacht, maar toch ijskoud.

'Eerst niet. Toen we jou mee naar huis namen, wisten we alleen wat ons was verteld. Ik las pas in de krant dat jij... dat je moeder...'
Kate zweeg even om diep en verscheurd adem te halen. 'O Sky, ik weet dat er geen enkel excuus voor is dat pappa en ik jou nooit iets hebben verteld toen we het een met het ander hadden gecombineerd... maar we... we konden de gedachte eenvoudigweg niet verdragen dat we jou zouden verliezen. Geloof me, ik...'
'Waarom zou ik je geloven?' explodeerde Skyler. 'Zelfs toen ik je hulp nodig had om Alisa terug te krijgen, heb je tegen me gelogen. Toen je mijn verzoek afwees, zei je dat dit om Ellie was, maar dat was niet alles. Pappa en jij... jullie wilden alleen maar jezelf beschermen!' Ze wendde zich af van Kate's gekwelde blik en ze sloeg haar handen voor haar gezicht om zich tegen die felle gloed te beschermen.
'O lieverd...' Kate's stem trilde. 'Ik wilde alleen maar jóu beschermen.'
Skyler deed haar handen omlaag. 'Noem je dìt mij beschermen – het mij vertellen waar iedereen bij is? Waarom laat je het verhaal niet meteen in de *Times* plaatsen als je toch bezig bent?' Ze lachte bitter.
Het laatste beetje kleur verdween nu uit Kate's gezicht. 'Het spijt me... ik had niet gewild dat je het op deze manier te weten zou komen. Het spijt me meer dan jij ooit zult beseffen. Om alles. Maar wat je ook van me mag denken, je zult één ding moeten geloven: ik houd van je. Ik heb altijd van je gehouden... en ik zal altijd van je blijven houden. Ik ben je moeder.'
Maar Kate wàs niet haar moeder. Dat was Ellie.
Skyler voelde zich opeens in de val zitten, als in een lift die tussen twee verdiepingen vastzat. Niemand hoorde haar kreten. En straks zou ze geen lucht meer hebben.
'Ik moet hier weg,' zei ze hardop tegen niemand in het bijzonder.
Maar voor ze ver was gekomen, kwam Verna bedrijvig naar haar toe. Alsof Skyler een groen paard was dat op het punt stond op hol te slaan, greep Verna haar bij de arm en troonde haar mee.
'De rechter staat ons een reces toe – zelfs hij heeft nog nooit zoiets meegemaakt. We hebben tot overmorgen, dan wil hij ons allen in zijn kamer spreken. Vrijdagmorgen, zorg dat je er bent.' Hoewel ze kalm sprak, was Verna geschokt; ze rukte aan haar parels, blijkbaar zonder zich bewust te zijn van het geïrriteerde stuk huid dat langs haar hals was ontstaan.
'Vrijdag,' antwoordde Skyler dof.
Ze voelde de resolute hand van de advocate op haar bovenarm. 'Ga naar huis, ga even liggen... kom tot bezinning. Misschien moet ik maar hetzelfde doen.' Verna haalde een beverige hand over haar

voorhoofd en slaakte een zucht. 'Ik dacht dat ik zo langzamerhand alle familieverwikkelingen wel een keer had meegemaakt... maar dìt is iets voor de boeken.'

Mickey liep naar Skyler toe toen Verna zich de andere kant uit haastte. 'Als je me nodig mocht hebben... dan ben ik hier,' mompelde ze. Maar Mickey zag er zelf zó verpletterd uit dat Skyler, toen ze haar vriendin omhelsde, niet wist wie wie troostte.

'O Mickey, het slaat allemaal nergens op,' huilde ze met verstikte stem. 'Ik heb het gevoel dat als ik hier niet uitkom, ik zal exploderen. Ik moet even alleen zijn... om na te denken.'

Maar toen Skyler de rechtszaal verliet, merkte ze dat ze niet alleen was. Tony kwam naast haar lopen toen ze door de gang naar de liften liep. Ze zeiden niets en hij probeerde niet haar aan te raken. Hun voetstappen klikten in galmende harmonie toen ze de marmeren hal overstaken en door de spiegelglazen deuren aan het eind van de gewelfde ingang naar buiten liepen.

De herfstlucht buiten voelde aan als een duik in koel, fris water. Skyler huiverde en ze wenste dat ze eraan had gedacht een jasje mee te brengen. Ze wenste op dit moment een hoop meer – vooral dat haar levenslange wens haar moeder te ontmoeten niet was verhoord. Ze dacht opeens aan het oude Chinese gezegde: *Wees voorzichtig met wat je wenst... misschien krijg je het wel*.

'Laten we ergens naartoe gaan waar we kunnen praten,' zei Tony, toen hij haar aankeek boven aan de brede marmeren trap die omlaag voerde naar het trottoir.

Ze begon te protesteren. 'Tony, ik denk echt niet dat ik dat kan...'

Hij greep haar hand en keek haar intens en lang in de ogen. 'Vertrouw me,' zei hij.

Skyler wist een flauw glimlachje op te brengen. 'Heb ik een keus?'

'Niet als het jou wat kan schelen wat er met ons kind gebeurt.'

Ze begreep niet wat hij daarmee bedoelde, maar ze knikte toch maar. Ze voelde zich in elk geval te moe om te kibbelen. Pas toen ze in noordelijke richting over Center Street waren gelopen en de hoek naar Worth omsloegen, vroeg ze: 'Waar gaan we heen?'

'Chinatown,' vertelde hij haar. 'Ik weet een piepklein eethuisje waar we geen bekenden tegen het lijf zullen lopen.'

De enige plek waar Skyler op dit moment wilde zijn was thuis, maar het was meer dan een uur rijden naar haar huis en het vooruitzicht zich in een heel andere wereld te verliezen, leek haar opeens enorm aantrekkelijk. En dat niet alleen; Skyler besefte tot haar verbazing dat ze honger had.

Maar ook al was het nog geen vijf minuten lopen, toch wankelde Skyler, die verzwakt was door de schok, bijna tegen de tijd dat ze

Mott Street bereikten. Ze bevond zich plotseling te midden van voornamelijk Aziatische voetgangers, wier stemmen zich vermengden in iets dat voor haar een onverstaanbaar, hoog gekwebbel was. Tony loodste haar uit de route van een handkar, die werd voortgeduwd door een man met een smerig wit schort voor, en daarna rond een uitstalling van etenswaren die zich als een fantastische hoorn des overvloeds over het trottoir uitspreidde. Hij bleef staan voor zó'n smal en onopvallend geveltje, dat je het zou missen als je één keer met je ogen had geknipperd. Voor de beslagen ruit hing een oud, afgebladderd menu, voornamelijk in het Chinees. Tony duwde de deur open en ze volgde hem naar binnen.

Het eethuisje was afgeladen, en alle banken en nissen waren door een uitsluitend Aziatische lunchmenigte in beslag genomen. Maar de eigenaar, een gerimpelde oude Chinese man, herkende Tony en vanuit het niets verscheen achterin opeens een lege nis. Skyler schoof dankbaar op de versleten bank.

'Ze hebben hier geweldige garnalenballetjes,' zei hij toen er met een klap menu's voor hen op tafel werden gelegd.

Ze knikte.

'Wil je erover praten?' vroeg hij.

Skyler lachte; het was een bittere lach die pijn deed in haar keel. 'Wat valt er te zeggen? Ik heb kennelijk een familie als in een tragische opera. Ik moet alleen nog even uitzoeken wat mijn rol in het geheel is.'

'Je bent wel in een geweldige puinhoop beland,' stemde hij goedmoedig in. Dat was één ding dat ze zo heerlijk vond aan Tony – dingen die de meeste mensen geweldig schokten, nam hij heel rustig op. Misschien had het iets te maken met het feit dat hij politieman was. Wanneer hij door de straten patrouilleerde, zag hij in een dag meer rare dingen dan de meeste mensen in hun hele leven.

'Maar het valt achteraf toch te begrijpen,' zei ze peinzend, terwijl de nevelslierten in haar hoofd een vastere vorm begonnen aan te nemen. 'Dat gevoel dat ik over Ellie had, vanaf het eerste begin – alsof... alsof we elkaar van vroeger kenden. Het was bijna spookachtig.' Ze keek hem met doffe verbazing aan. 'Als ik in zulke dingen geloofde, zou ik zelfs kunnen gaan denken dat dit allemaal geen toeval is geweest.'

'Misschien niet... maar daar schiet je verder niet veel mee op. De echte vraag is, wat gaan we eraan doen?' Tony's blik werd ernstig. 'Zoals ik het bekijk, heb jij twee keuzes,' vertelde hij haar en hij stak de wijs- en de middelvinger van zijn rechterhand op. 'Eén, je laat alles aan de rechter over om te beslissen. Misschien is hij het weekhartige type en vindt hij dat Ellie wel iets heeft verdiend na alle narigheid die ze heeft doorgemaakt. Of misschien besluit

385

hij dat het beter is om te wachten tot alle rook is opgetrokken – en plaatst hij Alisa intussen in een pleeggezin.'

Skyler huiverde. Kon de rechter dàt doen? Het leek onwaarschijnlijk, maar op dit punt leek werkelijk alles mogelijk.

Vanuit haar ooghoek zag ze de kelner hun tafeltje naderen. Tony gebaarde hem weg te gaan.

'Wat is mijn tweede keuze?' vroeg ze en de trilling in haar stem werd heviger.

Tony schoof achteruit en nam haar met halfdichte oogleden op. 'We zouden kunnen proberen dit zelf te regelen.'

Ze staarde hem aan. 'Wè?'

'Jawel... jij en ik. Toen ik daar in die rechtszaal zat, nam ik een besluit. En dat was dit: ik laat me niet langer naar de achtergrond dringen.'

'Wat... wat had je precies in gedachten?' stamelde ze.

'Ik wil dat wij een gezin vormen.' Zijn stem was hard, vlak, onverzoenlijk, paste niet bij zijn woorden, en Skyler dacht even dat ze het niet goed had gehoord.

Toen drong het tot haar door wat hij bedoelde, en ze werd getroffen door een bliksemflits die door haar heen knetterde, haar laadde met warmte die zó verfijnd was dat het bijna pijn deed. Ze werd licht in haar hoofd en ze moest zich vastgrijpen aan de verchroomde rand van de tafel om die niet bij haar weg te laten glijden.

Ten slotte wist ze de woorden langs de dikke prop in haar keel te krijgen. 'Tony, vraag je me ten huwelijk?'

'Daar ziet 't wel zo'n beetje naar uit, nietwaar?' Hij haalde zijn schouders op, maar ze kon zien dat er niets terloops was aan zijn gevoelens.

Skyler wreef over haar slapen. Haar hoofd duizelde. 'Ik weet niet wat ik moet zeggen,' zei ze.

'Zeg dan maar ja.' Er ging een mondhoek omhoog.

'En dan? Denk jij dat de rechter onder de indruk zal zijn omdat we twéé vergissingen hebben begaan in plaats van één?' Het rolde er opeens allemaal tegelijk uit. 'Jij laat het zo gemakkelijk klinken, alsof ik alleen maar achter op jouw paard hoef te springen om met jou de ondergaande zon tegemoet te rijden... Maar Tony, trouwen zou weleens eerder een probleem dan een oplossing kunnen zijn.'

'Probleem? Toe nou, Skyler, voor het geval je het nu nog niet weet, heb ik nieuws voor je – ik houd van je. Vraag me niet waarom. Geloof me, tot nu toe was dit alles net zomin mijn idee als het jouwe.' Hij boog zich dicht naar haar toe, zo dicht dat ze zijn adem tegen haar mond kon voelen, warm als een kus. 'Als jij niet zulke gevoelens voor mij hebt, dan hoef je dat alleen maar te zeggen. Je zult zelfs mijn rug niet meer zien, zo snel ben ik weg. Je hebt 't maar te zeggen. Zeggen dat je er niets in ziet: jij, ik, ons kind.'

Skyler liet haar hoofd hangen, hield het tussen haar beide handen. Wat moest ze zeggen – dat ze hem niet liefhad? Dat zou een leugen zijn. Aan de andere kant: zou het de waarheid zijn als ze zei dat ze zich hen als man en vrouw kon voorstellen? Ze waren zo verschillend, hun levens waren even verschillend als twee satellieten die toevallig elkaars pad hadden gekruist.

'Ik... ik kan gewoon niet... niet goed nadenken,' mompelde ze.

'Je had op één punt gelijk, het gaat niet alleen om ons,' zei Tony op vastberaden toon. 'Als je hiervoor wegloopt, zou je Alisa ook weleens kwijt kunnen raken. Grijp dit vast, Skyler. Zie het onder ogen.'

Skylers hoofd ging met een ruk omhoog en ze voelde iets in haar borst bewegen. 'Hoe kan ik dat doen? Ik weet zelfs niet meer wie ik ben. Ik ben iemand die Bethanne heet. Zelfs mijn ouders zijn niet wie ik dacht dat ze waren. Niets in mijn leven lijkt nu nog te kloppen, maar ik weet één ding zeker: ik kan niet met je trouwen.'

Tony zweeg een poosje, terwijl om hen heen de eetstokjes dof tegen kommen rinkelden en hete rijstborden sisten, vergezeld van een koor van Chinese stemmen, stemmen die in een onophoudelijk ritme op en neer ging.

Ten slotte vroeg hij met een lage, en-nu-ter-zake-stem: 'Zeg je nú niet, of nóóit?'

Ze wilde zich uitstrekken, alles wat tastbaar was vastgrijpen. In alle veranderingen en krankzinnige situaties van de afgelopen anderhalf uur, was het enige dat duidelijk was, wat zij voor Tony voelde. Ze had hem lief. Ze had hem waanzinnig lief. Waarlijk lief. Hartstochtelijk lief. Ze wilde hem in haar bed... aan haar tafel... onder haar douche... op zijn paard naast haar, wanneer ze over de paden achter hun huis galoppeerden.

Maar iets willen, wist ze, was niet hetzelfde als het kunnen krijgen. En soms pakte het, wanneer je het kreeg, heel anders uit dan je had gedacht. Kijk bijvoorbeeld maar naar Ellie en haar. Zolang ze zich kon herinneren had Skyler gefantaseerd over het ontmoeten van haar eigen moeder, maar in geen miljoen jaar had ze zich ooit voorgesteld dat het zó zou gaan.

Ze staarde Tony over de tafel heen aan, vervuld van een verdriet dat zó groot was dat alle andere gedachten er even door werden weggewist. 'Het enige dat ik kan beloven,' zei ze tegen hem, 'is dat jij bij Alisa niet op de achterbank zult hoeven zitten. Ze heeft een vader nodig. Het was fout van mij om dat niet eerder in te zien.'

'Je bedoelt om het weekend, tweede kerstdag – dat soort dingen?' Zijn zwarte ogen werden klein van woede.

'Ik... ik heb het nog niet allemaal goed overdacht.'

'Dat hoeft ook niet,' verklaarde hij kalm. 'Ik zie het iedere dag – de eenzame vaders met hun kinderen bij McDonald's, in de parken, in de dierentuin. Ze vertonen allemaal dezelfde uitdrukking, die kerels – een blik die zegt: "Wat hebben we het toch gezellig, hè jongens?"' Hij schudde vol minachting zijn hoofd. 'Dat is niet wat ik voor ònze dochter wil.'

Skyler verstijfde. 'Tony, laat me je één ding vragen. Als ik niet zwanger was geworden, kun jij dan eerlijk zeggen dat je me ook ten huwelijk zou hebben gevraagd?'

Hij staarde haar peinzend aan voor hij antwoordde: 'Misschien niet, maar zo gaat het nou eenmaal in dit leven, nietwaar? We beginnen niet altijd bij het begin... Het lijkt vaker alsof we het achterstevoren doen. Wat telt is niet altijd hoe alles keurig op zijn plaats past, maar hoe je de scherven weer opruimt.'

Terwijl ze naar hem luisterde, voelde ze de wijsheid van zijn woorden aan. Maar het zou nog heel lang duren voor ze eraan toe kwam alle scherven van haar leven op te rapen. Toch was er één scherf die glanzend en zuiver was, maar ook scherp genoeg om te bezeren, die ze zelfs in haar hand kon houden terwijl de rest verspreid aan haar voeten lag.

Haar ogen vulden zich met tranen. 'Ik houd van je,' zei ze.

'Trouw dan met me.'

'Dat kan ik niet.'

'Omdat ik een smeris ben?'

'Ja en nee,' vertelde ze hem eerlijk. 'Ik wil dat jij niemand anders wordt dan wie je bent. Maar zie jij het ook onder ogen, zelfs jouw familie mag mij niet.'

Hij keek haar verbaasd aan. 'Waar heb je dat idee vandaan? Carla heeft 't nog steeds over jou. Ze wil altijd maar dat ik jou te eten vraag. En de rest?' Hij haalde zijn schouders op. 'Ze hebben wel andere dingen aan hun hoofd. Ze hoeven zich echt niet met mij te bemoeien.'

'Je hebt míjn familie nog niet eens ontmoet,' bracht ze hem in herinnering. En ze voegde er enigszins bitter aan toe: 'Niet dat ik zelfs nog maar weet wie dat zijn.'

'Is dat omdat je je schaamt om mij aan hen voor te stellen?' Hij keek haar aan met zijn koude politieblik... de blik die gegarandeerd zelfs de koppigste getuige deed zwichten. Ze moest net iets te lang hebben geaarzeld, want het volgende moment wendde hij zijn ogen af en zei: 'Laat maar zitten, vergeet dat ik het heb genoemd.'

'Tony...' Ze greep zijn hand over de tafel heen. 'Dit gaat niet over mijn bekakte familie. Dit gaat over míj.'

'Ging het daar al niet vanaf het eerste begin over?' Zijn stem was hard toen hij zijn eigen vraag beantwoordde. 'Over jou.'

Skyler deinsde achteruit alsof ze een klap in haar gezicht had gekregen. 'Ik kan het niet helpen dat ik ben zoals ik ben, net zomin als jij kunt veranderen wie jij bent.'

'Het verschil is dat ik bereid ben ermee te leven.'

'Het spijt me, Tony.'

God sta haar bij, hij zou nooit weten hoezeer het haar speet. Het deed haar alleen al verdriet om naar hem te kijken, te weten dat ze nooit zouden delen wat zij zich zo vaak had voorgesteld, en dat zelfs als hij vanwege Alisa in haar leven bleef, ze altijd het gevoel zou hebben dat er iets kostbaars juist buiten haar bereik bungelde.

'Ik zal het je niet nog eens vragen,' vertelde hij haar.

'Dat zou ik ook niet van je verwachten.'

Skyler staarde omlaag naar het gemarmerde grijze tafelblad – ze werd overmand door een gevoel van uitputting dat heviger was dan alles wat ze ooit eerder had gevoeld. Na een poosje hief ze voorzichtig haar hoofd en vroeg: 'Vind je het erg als ik de lunch oversla? Ik heb geen honger meer.'

Schouderophalend kwam Tony overeind.

Toen ze naar buiten stapten, verlangde Skyler er hevig naar dat hij haar hand zou pakken. Tegen alle logica in had ze het liefst alles teruggenomen, ieder woord dat ze tegen hem had gezegd. In een ander, parallel universum waren ze wèl getrouwd. Een man en een vrouw, met een kind. Een gezin.

Maar Tony hield zich op afstand en hij liep zó ver bij haar vandaan dat zelfs hun ellebogen elkaar niet raakten.

Skyler zweefde langs beslagen ramen waarachter rijen geplukte eenden hingen, als gesneuvelde soldaten. Ze zag nauwelijks iets van de kraampjes op de stoep waar ze voorbijkwamen, met hun goedkope aanbiedingen van sjaals, riemen en honkbalpetjes... of de toeristenwinkels met geluksbollen en gebeeldhouwde boeddha's en geborduurde Chinese jasjes. Als in een droom stapte ze rond een vishandelaar die bezig was het trottoir schoon te spuiten voor een lange metalen tafel waarop een variëteit aan zeedieren, die ze nooit eerder had gezien, op een bed van ijsblokjes lag. Door dit alles heen kwam één gedachte duidelijk naar voren, als de streep zonlicht die tussen de opeengepropte gebouwen aan weerszijden van haar door viel.

Ik moet sterk zijn... voor Alisa. Zij is de enige echte familie die ik heb.

19

Juist toen Ellie bezig was de baby voor de nacht klaar te maken, zoemde de intercom.

Ze wist dat het Paul niet kon zijn – hij had er weer een gewoonte van gemaakt zijn sleutel te gebruiken en bovendien zou hij de eerste een of twee uur nog niet uit het ziekenhuis terug kunnen zijn – en daarom trok ze een dekentje over Alisa heen en haastte zich om te antwoorden.

Ze kon geen enkele reden bedenken waarom haar hart zo snel klopte en ze zo'n zure smaak in haar mond proefde. Deze afgelopen dagen hadden hun tol geëist. Sinds de surrealistische rechtszaalscène van gistermorgen, had ze niet langer dan één uur achter elkaar kunnen slapen. De maaltijden bestonden slechts uit wat ze naar binnen kon krijgen wanneer duidelijk werd dat ze zou flauwvallen als ze niets at.

Het enige dat constant was, iedere minuut van elke dag, was het gebed dat zich in haar hoofd bleef herhalen: *Alstublieft God, breng haar bij me terug… Laat haar mij willen leren kennen…*

Want het was nu aan Skyler (wat vreemd om bij die naam aan haar te denken!). Ellie besefte instinctief dat ze moest wachten tot haar dochter naar haar toe kwam, op haar eigen manier en op haar eigen tijd… en dat iedere druk haar alleen maar verder weg zou drijven. Maar ze had drieëntwintig jaar geduld gehad, en het leek oneerlijk, onmenselijk, om zelfs maar één dag langer te moeten wachten. En stel dat Skyler niet kwam? Vanwege Alisa zou ze misschien besluiten dat het te pijnlijk was… of domweg te laat… O…

Je zou me een groot plezier doen als je bedenkt dat God niet doof is. Mamma's woorden, die haar in haar jeugd zó vaak waren toegeworpen dat ze voor eeuwig in haar geest gegrift stonden, kwamen opeens bij haar boven. Maar Ellie kon er nu de wijsheid van inzien.

Had Hij haar gebeden met betrekking tot Paul ook niet verhoord?

En leek het er niet op dat God van plan was haar gebeden een tweede keer te verhoren? Want de stem die uit de intercom klonk was die van Skyler.

'Ellie? Kan ik binnenkomen? We moeten eens praten...'

Toen Ellie op de knop van de buitendeur drukte, sloeg er een golf van wilde vreugde door haar heen. Haar baby, haar verloren kind, was eindelijk bij haar terug.

Maar nog geen minuut later, toen Skyler met een vlakke, bijna norse uitdrukking bij de voordeur van haar flat verscheen, voelde Ellie haar hoop vervliegen.

'Mag ik binnenkomen?' vroeg Skyler met een beleefde, koele stem.

'Natuurlijk.' Ellie hield de deur wat verder open. 'Je bent eigenlijk op een heel goed tijdstip gekomen. Ik heb Alisa net klaargemaakt voor de nacht.'

Skylers ogen lichtten even op, maar ze gaf geen commentaar. 'Ik hoopte dat je misschien een minuut had om even te praten.'

Een minuut! Na al die jaren?

Ellie wilde krijsen, gillen, haar dochter zó stevig vasthouden dat haar ribben kraakten, maar in plaats daarvan dwong ze zich Skyler voor te gaan naar de woonkamer om haar daar een plaats op de bank aan te bieden. Daarna liep ze, zonder verder iets te zeggen, naar de keuken om voor elk een glas koele Chablis uit de koelkast in te schenken. *Wat wilde Skyler?* Ellie was heel nerveus toen ze met de glazen naar de woonkamer liep en ze op de salontafel zette.

Toch verbaasde ze zich er onwillekeurig over hoe mooi haar dochter was. Hoe slank en sterk en fijn van gelaatstrekken. Ze wilde op dit moment niets liever dan Skyler stevig omhelzen en haar zeggen hoe vreselijk ze haar al deze jaren had gemist.

Ze zag hoe haar dochter te snel naar haar wijnglas greep en dit bijna omgooide. Maar Skyler ving het nog net bijtijds op en bracht het naar haar lippen, met een gespannen blik in Ellies richting.

'Sorry... ik ben een beetje nerveus, geloof ik,' zei ze en zweeg toen weer even. 'Eigenlijk is dat veel te zwak uitgedrukt. De waarheid is dat ik op weg hierheen bijna ben omgekeerd. Daarom heb ik niet eerst opgebeld – ik wilde mezelf een uitweg bieden voor het geval ik van gedachten veranderde. En ook,' voegde ze er schaapachtig aan toe, 'omdat ik denk dat ik gedeeltelijk hoopte dat jij er niet zou zijn.'

'Ik ben blij dat je bent gekomen,' antwoordde Ellie rustig en ze meende het van ganser harte.

Wat klonk ze toch kalm! En zo beleefd! Maar Ellie trilde toen ze zich in de fauteuil tegenover haar dochter liet zakken.

'Dit is zo vreemd.' Skyler zette haar glas neer en keek Ellie aan. 'Dat we hier gewoon met elkaar zitten te praten als toevallige vrienden die elkaar een tijdje niet hebben gezien. Het punt is dat ik niet weet hoe ik me anders moet gedragen. Het is een situatie die ik zelfs in een boek nog nooit heb meegemaakt.'

Ze gaf een zuur, halfbakken glimlachje dat Ellie een steek in haar hart bezorgde – het was precies het glimlachje van Jesse! In de loop der jaren had ze maar een paar keer aan Skylers vader gedacht, en die keren dat ze aan hem had gedacht, was het meestal met minachting geweest. Nu bedacht ze onwillekeurig, met iets van nostalgie, hoe lief en hoe grappig hij soms was geweest.

'Ik vraag me af wat de moraal van zo'n boek zou zijn geweest,' zei Ellie luchtig.

'O, waarschijnlijk iets in de trant van "Vergeven en Vergeten".'

Ellie wist dat ze Kate bedoelde, maar toch voelde ze zich schuldbewust. Ze wilde uitleggen: *Het is waar dat ik je nooit bij Nadine had moeten achterlaten... maar toen dacht ik dat ik geen keus had. Hoe erg je mij ook moet hebben gehaat toen je opgroeide, toch ben ik altijd van jou blijven houden en heb je altijd terug gewild... al die jaren...*

Ze zaten te luisteren naar het gekraak van voetstappen in de flat boven hen en naar het ritmische getik van een duif die tegen het raam naar de binnenplaats tikte. Buiten maakte de wind, die door de stervende bladeren van de hemelboom blies, een geluid als stromend water.

Ten slotte haalde Skyler diep adem en zei: 'Ik denk dat het geen zin heeft eromheen te draaien. De reden dat ik hier vanavond ben gekomen, was dat ik Alisa wilde zien.' Er blonken tranen in haar ogen. 'En om uit te zoeken of jij en ik... of wij misschien samen een oplossing konden bedenken.'

'Wat had je in gedachten?' vroeg Ellie langzaam.

Sinds ze had ontdekt dat Skyler haar dochter was, had Ellies hele wezen gewenst dat ze op de een of andere manier zouden worden herenigd – op een manier waar Alisa ook bij betrokken was. Ze wist nog niet wat daarbij zou komen kijken; ze had opzettelijk niet zo ver vooruit gedacht. En nu ze het gespannen gezicht van Skyler zag, wist ze waarom: het gevaar school als altijd in ergens te veel op te hopen.

Maar zelfs terwijl ze dacht aan alles wat hier op het spel stond, aan alle manieren waarop Skyler haar hart kon breken, voelde Ellie iets naar haar dochter uitgaan dat alleen een moeder kan geven: volmaakte, onvoorwaardelijke liefde.

'Ik hoopte eigenlijk...' Skyler zweeg, en haar gezicht werd rood. 'O, ik weet het niet. Ik denk dat ik hoopte dat jij op de een of andere manier alle antwoorden zou hebben. God weet dat ik geen flauw idee heb. Ik moet nog steeds wennen aan de gedachte dat jij mijn moeder bent.'

Moeder. Dat ene woord, van Skylers lippen, bracht een reactie teweeg die heviger was dan welk getuigenis ook. Ellie kwam opeens adem te kort; ze drukte haar hand tegen haar borst alsof ze een eed aflegde. En met zachte stem vertelde ze Skyler het verhaal... en ze hield niet op voordat ze bij het eind was, en het tikken van de duif tegen het raam plaats had gemaakt voor een zachte, fluisterende regen.

'Ik was er zo zeker van dat ik je zou vinden. Zelfs toen iedereen de hoop had opgegeven,' besloot ze. 'Het werd een obsessie. Iedere keer dat ik een meisje van jouw leeftijd zag, met blond haar en blauwe ogen, vroeg ik me af of ze van mij zou zijn.' Ellie veegde met een beverige hand over haar ogen. 'Ik weet niet wanneer ik ophield met zoeken... rond de tijd dat ik jou voor het eerst heb gezien, denk ik. Het had toen kunnen zijn, die dag in het ziekenhuis... maar je moeder... Kate... ze weerhield me ervan het te zien... Weet je, ik kon me gewoon niet voorstellen dat er iemand was die net zoveel van jou hield als ik.'

Skylers gezicht verhardde. 'Ze heeft het al die tijd geweten. Dat kan ik haar maar niet vergeven. Mamma en pappa... ze wisten het allebei!'

Het was niet aan Ellie om Kate te verdedigen. Zelfs een heilige kon niet van haar verwachten dat ze hun de andere wang zou toekeren. Het enige dat ze kon bedenken om te zeggen was: 'Ja, ze wisten het.'

'Ik begrijp nu... hoe jij je moet hebben gevoeld. Zo heb ik me iedere minuut van de dag om Alisa gevoeld,' vertelde Skyler. 'Ik weet alleen niet of ik... nou ja... of al die jaren die jij en ik hebben verloren, nog in te halen zijn.'

'We hoeven niets in te halen. We kunnen gewoon hier beginnen.' Ellie glimlachte, lief en droevig.

Skyler liet zich onderuitzakken in de kussens van de bank en ze hield haar wijnglas in beide handen. Er schitterden rode vlekken op haar bleke wangen, en Ellie kon het kippenvel op haar armen zien onder haar sweater met korte mouwen.

'Vertel me eens wat over mijn vader,' zei Skyler. 'Hoe was hij?'

Ellie haalde even haar schouders op. 'Het laatste dat ik van hem heb gehoord, is dat hij ontslag had genomen uit het leger en dat hij in Minneapolis woonde. Maar zoals je inmiddels wellicht hebt begrepen, hebben we weinig contact met elkaar.' Ze voegde er terloops aan toe: 'Geen kinderen, voorzover ik weet.'

'En hoe is het met jóuw ouders... leven die nog?'

Ellie knikte, en ze probeerde een zo neutraal mogelijke uitdrukking te bewaren.

'Ze wonen nog altijd in hetzelfde stadje als waar ik ben opgegroeid, ongeveer een uur van Minneapolis,' zei ze. 'Maar als je overweegt te schrijven of op te bellen, verwacht dan niet te veel. Ze hebben heel weinig belangstelling voor me, dus ik denk niet dat ze erg opgewonden zullen doen over een kind van me. Toen ik hun vertelde dat ik zwanger was, heeft mijn moeder me het huis uit gezet.'

Skylers blik werd zorgelijk en afwezig, alsof ze terugdacht aan Kate's volslagen andere reactie op haar eigen zwangerschap. 'Ik denk dat jij het niet zo gemakkelijk hebt gehad,' merkte ze zacht op.

'Nee,' stemde Ellie in. 'Maar er is één ding waar ik nooit spijt van heb gehad... en dat is dat ik jou heb gehad.' Er kwamen tranen in haar ogen en een prop in haar keel. 'Zelfs toen je was ontvoerd, toen het veel gemakkelijker zou zijn geweest om gewoon te vergeten, heb ik nooit gewenst dat jij niet was geboren.'

Skyler staarde haar aan en Ellie voelde opnieuw die onmiskenbare aantrekkingskracht die ze voor het eerst had bespeurd op die dag in de koffiebar van de boekwinkel. Toch was ze doodsbang dat als ze te sterk overkwam, ze haar dochter zou afschrikken. Ze bleef een minuut lang hulpeloos zitten.

Toen wist ze wat haar te doen stond. Ze kwam zwijgend uit haar stoel overeind en liep door de gang naar de kinderkamer, waar ze Alisa diep in slaap op haar buik aantrof, terwijl ze mauwende geluidjes maakte alsof ze droomde van gevaren die in de toekomst verscholen konden liggen. Zonder te blijven staan om na te denken, tilde Ellie haar voorzichtig op en liep met haar naar de zitkamer. De geur van babypoeder die aan Alisa's huid hing, en de aanraking van het zachte hoofdje onder Ellies kin, brachten een verblindende golf van liefde met zich mee.

En ook van angst. Wat haalde ze zich op de hals? Stel dat Skyler één blik op haar dochter wierp en besloot dat ze het toch niet kon verdragen om haar te delen?

Maar Skyler, die was gaan staan om beter te kijken, snelde niet naar voren om de baby uit haar armen te grissen. Ze bleef heel stil staan, met een ademloze blik vol betovering op haar mooie, gekwelde gezicht.

Ellie zei zacht: 'Alsjeblieft. Wil je haar niet even vasthouden?'

Zodra Skyler haar armen om haar heen sloeg, werd Alisa met een schok wakker en haar ogen vlogen open. Ellie wachtte gespannen tot het gezichtje van de baby helemaal rood zou worden en zou betrekken. Maar Alisa huilde niet; ze bleef gewoon liggen, terwijl haar blauwe ogen Skylers gezicht afzochten.

'Ze is heel mooi,' fluisterde Skyler vol ontzag.

'Net als haar moeder.'

Op dat moment keek Skyler óp en de twee vrouwen wisselden een blik die geen verdere uitleg behoefde.

'Dank je wel,' zei Skyler met stralende ogen.

'Lang geleden heb ik tegenover mezelf een belofte afgelegd,' vertrouwde Ellie haar toe. 'Ik heb mezelf beloofd dat als ik jou ooit zou vinden, ik ervoor zou zorgen dat jij nooit weer het gevoel zou kennen van je familie te worden losgerukt.'

Skyler bleef heel lang zwijgen, maar toen ze ten slotte sprak, was haar stem sterk en helder. 'Toen ik vanavond hierheen op weg was, wist ik niet zeker wat ik hoopte te bereiken... maar ik heb nu een vrij goed idee.' Ze zweeg even, fronste wat, en haalde toen diep adem. 'Ik wil dat we Alisa delen. Ik wil dat ze opgroeit op een manier dat ze ons allebei kent.'

Ellie worstelde om Skylers woorden tot zich door te laten dringen. Het leek of haar hart was opgehouden met slaan. Ze scheen het wonderbaarlijke geschenk dat haar werd aangeboden, niet te kunnen bevatten.

Toen sprong haar hart op en ze dacht: *Ik zal Kate nooit kunnen vergeven... maar ik kan haar dankbaar zijn omdat ze me een dochter heeft teruggegeven die zowel verstandig als mooi is, zowel vriendelijk als sterk.*

Heel even stond ze zichzelf de luxe toe openlijk de bewonderenswaardige jonge vrouw die haar dochter was geworden, te bestuderen voor ze haar ogen richtte op de baby die in Skylers armen genesteld lag – een aanblik die een zó onverwachte vreugde teweegbracht dat ze een prop in haar keel kreeg.

'Koning Salomon,' herinnerde Ellie zich met een strakke glimlach, 'die gokte erop dat de echte moeder opzij zou stappen voordat ze haar baby doormidden liet snijden.' Ze zweeg even om haar ogen af te vegen. 'Ik zou ook opzijstappen als ik dacht dat dat zou gebeuren. Wat ik echter wil is niet de helft... ik wil jullie allebéi!'

Juist op dat moment begon Alisa te huilen en Skyler legde de baby even bedreven tegen haar schouder alsof ze dat al die tijd al had gedaan. Maar toen ze over Alisa's hoofd heen keek, met de zijdeachtige plukken die als de vacht van een jong poesje overeind stonden, was de glimlach die ze Ellie toewierp heel beverig.

'Er is zoveel dat ik niet weet,' zei ze met iets van nervositeit in haar stem. 'Ik heb nog nooit voor een baby gezorgd.'

'Maak je maar niet ongerust... je zult het vast heel goed doen,' verzekerde Ellie haar.

En heel natuurlijk, terwijl het ene moment in het andere over-ging, stond ze op en liep naar haar dochter, waarbij ze voelde hoe zich een stralende kring om hen heen vormde – moeder, dochter, kleindochter. Een geheel dat nog groter en sterker was dan de som der delen.

En Ellie, die in haar donkerste momenten nooit had geloofd dat ooit de zon op een dag als deze kon opgaan, voelde in haar hart iets bewegen dat ze reeds lang dood had gewaand – een gevoel dat zo onbekend was, dat ze er eerst geen naam voor kon vinden. Toen kwam het begrip... en ze glimlachte even, dat zo'n eenvoudig be-grip haar zo volslagen onbekend kon voorkomen.

Ze dacht: *Ik ben gezegend*.

Vrijdagmorgen kwamen ze om negen uur in het kantoor van de rechter bijeen – Skyler en haar advocaat; Leon Kessler en Ellie, vergezeld van Paul, in wiens armen een schoongewassen en gepoederde Alisa lag, gekleed in een gebloemd smokjurkje en een piepkleine witte maillot.

De bijeenkomst was grotendeels een formaliteit, aangezien de basisregeling reeds van tevoren door Ellie en Skyler was overeengekomen. Alleen de details moesten nog worden geregeld. Ellie en Paul zouden Alisa van maandag tot en met donderdag hebben, en Skyler zou haar de rest van de week hebben. Wat de vakanties betrof waren Ellie en Skyler van plan in elk geval met Kerstmis en Pasen zoveel mogelijk bij elkaar te zijn, zodat Alisa hen dan allebei had.

Skyler zou haar studie nog een jaar uitstellen. Intussen was ze van plan het huis op te geven en iets in de stad te zoeken. Haar vader had zijn pied-à-terre op de markt gebracht, maar Skyler kon daar logeren tot het was verkocht. Ze was niet zo gelukkig met dat deel van de regeling – de relatie met haar ouders was op zijn minst gezegd gespannen; in feite was de enige met wie ze had gesproken haar vader geweest, die had opgebeld om erop aan te dringen dat ze de flat zou gebruiken. Skyler had aarzelend ingestemd, maar alleen maar tot ze zelf iets op de West Side had gevonden, dicht bij Ellie en Paul in de buurt.

Ellie en Skyler waren het erover eens dat alle belangrijke beslissingen met betrekking tot Alisa tussen hen beiden konden worden uitgewerkt. En wanneer ze het niet eens konden worden, zou een derde, door hen aangewezen partij, worden verzocht te bemiddelen.

Het enige vraagteken bleef Tony.

Maar toen de rechter informeerde naar zijn rol in de opvoeding van Alisa, keek Skyler gekweld en zei slechts: 'Hij wil er het liefst zo min mogelijk bij worden betrokken.'

Ellie hield niet aan, maar ze maakte zich wel zorgen. Wat haar nog minder beviel, was de manier waarop Skyler dicht leek te klappen wanneer Tony's naam ter sprake werd gebracht, alsof ze in haar schulp kroop. Op een gegeven moment zag ze er zelfs uit alsof ze zou gaan huilen.

Wat was er met die twee aan de hand? vroeg Ellie zich af.

Ze veronderstelde dat ze het uiteindelijk wel te weten zou komen. Intussen was er één ding dat ze zeker wist... iets dat haar het kantoor van de rechter uit deed zwéven... en dat was dat ze eindelijk, al was het dan op heel uitzonderlijke wijze, het gezin had waarvan ze altijd had gedroomd.

20

Van vier tot middernacht, peinsde Tony, was zo ongeveer de langste dienst die je kon hebben als je wacht had in het ziekenhuis. Hij zat naast het bed in Doherty's kamer in het St.-Vincentziekenhuis en probeerde zich te concentreren op het tijdschrift waarin hij zat te bladeren, een oud nummer van *Field & Stream*, dat hij uit de hal had meegenomen. Hoewel het nog geen elf uur was, had hij de grootste moeite zijn ogen open te houden. Hij keek naar de rossige Doherty, die met zijn arm in het gips lag te slapen; de forse kerel was eerder die dag van zijn paard getuimeld en hij was op de operatietafel beland met een verbrijzelde elleboog en enkele gebroken ribben. Tony zag de wijsheid in van het voorschrift dat een politieman die tijdens de dienst gewond was geraakt, onder een vierentwintiguurs ziekenhuisbewaking moest worden gesteld... maar in dit geval was de kans dat een wraakzuchtige crimineel Doherty naar het leven zou staan, even groot als dat Elvis uit de dood zou herrijzen. Het enige gevaar dat die grote, sproetige kerel hier liep, was dat hij met zijn gesnurk de muren zou laten instorten.

Goed, Tony had er een van zijn agenten mee kunnen belasten, maar nu hij zes mannen met griep had liggen, hadden ze de rest nodig voor de klus van vanavond – een fakkelwake die door aidsactivisten bij City Hall zou worden gehouden. Dus zat hij hier ongeduldig te draaien terwijl hij steeds aan Skyler moest denken.

De hele week had hij gepopeld om haar op te bellen. Hij verlangde ernaar de baby te zien, haar vast te kunnen houden zonder het gevoel te hebben dat hem een gunst werd verleend. Hij verheugde zich al op de niet te verre toekomst – de dag dat zijn dochtertje hem naar binnen zag stappen en naar hem toe kwam hollen met een stralende lach op haar gezicht.

Aan de andere kant wist hij niet of hij er al aan toe was Skyler onder ogen te komen. Hij kon zelfs niet aan haar denken zonder het gevoel te hebben dat zijn ingewanden door een mixer overhoop werden gehaald. Hij kon haar niet aankijken zonder haar te bege-

398

ren – in zijn bed, of waar dan ook. Hij stelde zich haar foto in zijn portefeuille voor, naast de foto die hij nu van zijn dochter bij zich had. Haar weerkaatsing in de spiegel van het medicijnkastje, terwijl ze over zijn schouder gluurde als hij zich 's ochtends stond te scheren. Haar modderige rijlaarzen die naast de zijne in de kast stonden opgesteld.

Nee, hij kon beter nog een paar weken wachten, tot het stof was opgetrokken. Waarom zou hij zichzelf al dat verdriet aandoen? Zou hij uiteindelijk een maagzweer krijgen, net als Lou Crawley beweerde te hebben? Tony moest bijna glimlachen toen hij zich herinnerde hoe hij Crawley eindelijk een klap voor zijn kont had kunnen geven door hem die grote, zwarte bruut, Rocky, toe te wijzen. Na er wekenlang om de haverklap af te zijn gegooid – en bijna zijn nek te hebben gebroken – had Crawley officieel verzocht terug te worden geplaatst naar zijn vroegere functie.

Tony wenste slechts dat hij zijn gevoelens met betrekking tot Skyler even gemakkelijk kon oplossen. Het deed hem verdriet dat hij geen leven samen met haar kon hebben, en met hun kleine meisje. Het deed hem zoveel verdriet, dat hij er 's nachts soms niet van kon slapen... zelfs niet na acht uur in de stromende regen in het zadel te hebben doorgebracht.

'Brigadier? Er is telefoon voor u... een vrouw die zegt dat het dringend is.'

Tony keek om naar de slanke zwarte verpleegster die in de streep fel kunstlicht stond die schuin door de gedeeltelijk open deur naar binnen viel.

Hij knikte haar toe en wilde de telefoon naast het bed pakken, toen hij zich herinnerde dat 's avonds en 's nachts alle gesprekken via de centrale liepen. Hij zou hiervoor naar het kantoortje van de zuster, verderop in de hal, moeten. Tony hees zich moeizaam uit zijn stoel overeind. Hij voelde zich slaperig en gaar van het te lang stilzitten.

Toen drong het tot hem door. Skyler. Zij moest het zijn. Tony's hart begon razendsnel te kloppen toen hij de kamer uitholde, de gang door. Maar toen hij de knipperende knop van de telefoon indrukte, was de stem die hem begroette niet die van Skyler.

'Tony... o, de hemel zij dank dat ik je te pakken krijg.' Het was Ellie, en ze klonk alsof ze had gehuild. 'Jimmy's huishoudster heeft al eerder geprobeerd je te bereiken, maar ze kreeg geen gehoor en toen heeft ze mij maar gebeld. Ik ben hier zo gauw mogelijk naartoe gegaan, maar...' Ze zweeg en haalde diep adem. 'Tony, ik vind het heel verdrietig... hij is overleden.'

Tony voelde hoe haar woorden met geweld op hem in sloegen. Dolan dood? God weet dat hij het had verwacht... er in zekere zin zelfs voor had gebeden. Maar om het te horen, en te beseffen dat hij morgenochtend op weg naar zijn werk niet even bij zijn beste vriend langs kon gaan voor een vers broodje en een kop van die designerkoffie die Dolan zo lekker vond... Jezus, dat leek gewoon niet...'

'Tony?' klonk Ellies stem door het gebulder in zijn hoofd heen. 'Ik kom meteen,' zei hij.

Een snel telefoontje naar het bureau, om Grabinsky, de dienstdoende agent die de leiding had, opdracht te geven iemand te zoeken om zijn wacht over te nemen, en Tony rende al naar de lift. Zijn hart bonsde in zijn borst toen hij herhaaldelijk op de knop voor omlaag drukte. Er was geen reden tot haast, geen enkele reden, maar het leek opeens heel belangrijk dat hij snel bij Dolan was, dat hij... eer bewees.

Eer bewijzen? Waar haalde hij die kreet vandaan? Uit een boek waarschijnlijk... niemand met wie hij omging praatte op die manier, behalve misschien Skyler. Maar het klopte wel. Dolan was voor hem verdomme van belàng geweest.

Tony's adem ging rauw en hijgend en hij was al halverwege de parkeerplaats toen het opnieuw tot hem doordrong. *Ik zal hem nooit meer zien*. Hij dook naar voren en viel bijna, waarbij hij steun zocht tegen de motorkap van een geparkeerde Cadillac DeVille, waarvan het koele metaal tegen zijn blote handen klapte. Er brandde iets achter de brug van zijn neus – tranen waarop hij helemaal niet was voorbereid, tranen die hij verdomme niet kon gebruiken.

'Shit.' Tony sloeg met zoveel kracht op de motorkap van de auto dat er een scheut van pijn door zijn pols ging.

Hij slaakte een beverige snik. Geen gezellige verhalen meer over hun oude buurt... geen vrijdagavonden meer biertjes drinken en biljarten bij O'Reilly's Tavern. Geen Jimmy meer die hem plaagde dat de enige reden dat hij smeris was geworden was omdat hij dan werd betaald om anderen een trap onder hun achterste te kunnen verkopen.

En niet meer toe moeten zien hoe zijn beste vriend stukje bij beetje doodging, tot er voor hem niets meer over was geweest om zich aan vast te houden.

In de loop van de volgende twee dagen slaagde Tony erin alle namen in Dolans adresboek te bellen, voornamelijk dansers, en een paar mensen uit de oude buurt met wie Dolan contact had onderhouden. Na drie of vier pogingen kreeg hij ten slotte Dolans jongere broer Chuckie te pakken, de enige in die hele stinkende familie die Dolan niet had afgeschreven. Toen was alleen Dolans therapiegroep nog over, maar Ellie had gezegd dat zij hen op de hoogte zou stellen.

Toen hij hen allen bij de deur van de met bloemen overladen dansstudio op West Nineteenth begroette, kreeg Tony onwillekeurig het gevoel dat zijn vriend er toch in was geslaagd zijn zin te krijgen, en een feest te organiseren in plaats van een begrafenisdienst. Het was allemaal bij voorbaat georganiseerd door Dolan, wiens laatste wens was dat hij niet met tranen en een lijkkist werd herdacht, maar met champagne en vrolijkheid en goede herinneringen. De vrienden van zijn makker kwamen een voor een binnen en keken om zich heen in de ruimte met spiegelwanden die vol stond met cocktailtafels met op elk een bloemstuk van fresia's en leeuwenbekken. De bediende van het cateringbedrijf liep rond met zilveren dienbladen vol hapjes en glazen champagne. En wat Tony het meeste opviel, was hoe snel sombere blikken werden vervangen door uitdrukkingen van opluchting en ja, zelfs dankbaarheid.

Dolans onfeilbare instinct voor weten hoe je een menigte moest plezieren, was niet met hem gestorven, dacht Tony vol bewondering. Hij bekeek de vergrotingen die aan de muren waren opgehangen – zijn eigen idee – van Dolan op het hoogtepunt van zijn danscarrière, waarop hij eruitzag alsof hij erin was geslaagd de zwaartekracht zelf te tarten.

Hela makker, ik zal je missen. Tony hief in gedachten een biertje naar zijn vriend en glimlachte naar zijn eigen spiegelbeeld op de muur aan de overkant.

Verscheidene mannen van Dolans therapiegroep kwamen naar hem toe om zich voor te stellen. Een lange droogstoppel met een tweedjasje, die Erik Sandstrom heette en geschiedenis doceerde in Fordham. Een jonge Portoricaan met de bijnaam Mondo, met een rode bandana om zijn voorhoofd geknoopt. Een Wall Street-type, met krijtstreep en Italiaanse schoenen, die in solidariteit zijn vuist omhoogstak naar de vergroting van Dolan op het toneel, die met een buiging een staand applaus in ontvangst nam in het State Theater.

Een aantal dansers van Dolans oude troep – soepele, gespierde mannen en ragdunne vrouwen, die op onzichtbare zwenkwieltjes leken rond te glijden – verzamelden zich rond de piano in de hoek, waar Dolans broer een levendige versie van 'Make Someone Happy' speelde. Chuckie, die even groot en fors was als Dolan klein en tenger was geweest, droeg een blauwgeblokt overhemd waarvan hij de mouwen had opgerold, en een honkbalpetje dat Tony herkende als dat van Dolan. Chuckie grijnsde en er stonden tranen in zijn ogen terwijl hij op de toetsen hamerde.

Tony's zussen Carla en Gina kwamen opdagen toen Chuckie

het voorspel speelde van 'Send in the clowns'. Carla kuste Tony's wang. Ze zag er totaal niet rouwend uit, in een legging met een lange trui met een pandabeer erop. In hun jeugdjaren had ze als een hondje achter Dolan en hem aan gelopen... maar Dolan, bracht ze Tony nu in herinnering, had haar nooit verteld dat ze moest ophoepelen. Toen kwam Ellie binnen, gekleed in een felrode jurk. Ze omhelsde Tony kort maar krachtig.

'Af en toe trek ik me een van hen erg aan,' vertelde ze hem. 'Jimmy was heel bijzonder. Ik zal hem missen.'

Tony voelde hoe hij een prop in zijn keel begon te krijgen en hij griste twee glazen champagne van een voorbijkomend dienblad. Hij hief zijn glas in een toost en zei: 'Op Dolan – makker, als jij in de hemel geen plaatsje op de eerste rij krijgt, dan moet de katholieke kerk jou je lidmaatschap terugbetalen.'

'Geloof jij in God?' vroeg Ellie.

'Zeker... met Kerstmis en met Pasen en op sommige zondagen, al naar gelang mijn stemming. En jij?'

Ellie rolde met haar ogen. 'In mijn jeugd is me zoveel godsdienst door de strot geduwd, dat ik zo lang als ik leefde geen binnenkant van een kerk meer wilde zien. Maar de laatste tijd ben ik gaan denken dat God misschien alleen maar het slachtoffer van slechte p.r. is.' Haar mondhoeken krulden omhoog.

Tony begreep dat ze op Skyler doelde – en op hoe gelukkig ze was – en hij werd zich opeens bewust van een onzichtbare band die zich om zijn borst spande. Hij staarde uit het naar het noorden gekeerde zolderraam naar de verre spits van het Empire State Building, die boven de kantoorgebouwen langs Fifth Avenue blikkerde.

'Tony, is alles goed met je?' Hij voelde hoe Ellie zijn arm aanraakte.

Tony glimlachte en schudde zijn hoofd. 'Het is zeker de champagne,' zei hij. 'Ik ben daar niet aan gewend. Ik ben meer iemand voor Budweiser... vraag maar aan je dochter.'

Ellie keek hem onderzoekend aan. 'Zijn Skyler en jij...?' Ze zweeg en voegde er even later zacht aan toe: 'Het gaat mij natuurlijk niets aan, dat weet ik, maar ik maak me toch zorgen.'

'Zijn wij een stel, bedoel je?' Hij snoof smalend. 'Ja, net als Martini en Rossi – onafscheidelijk.' Hij gebaarde naar haar lege glas. 'Wil je er nog een?'

Ze schudde haar hoofd. 'Nee, dank je. Ik kan niet blijven. Mevrouw Shaw past op de baby en ze heeft een afspraak bij de tandarts.' Ellie keek hem even ernstig aan voor ze zei: 'Tony, er is één ding. Gewoonlijk geef ik geen goede raad, zelfs niet aan mijn patiënten. Het is mijn werk om mensen te helpen hun eigen oplossingen te vinden. Maar bij jou ga ik een uitzondering maken.' Haar ogen deden hem aan die van Dolan denken, met hun bijna verblindende schittering, alsof je regelrecht in de zon keek. 'Tony, als je van haar houdt, dan laat je haar niet zomaar gaan. Ga haar achterna. Ik heb de uitdrukking van haar gezicht gezien wanneer ze het over jou heeft. Maar ze is nog jong. Ze weet niet dat het leven geen landkaart is die je zelf tekent. Soms moet je gaan naar waar het je heen voert.'

Tony haalde zijn schouders op. 'Misschien heeft ze gelijk. Misschien zijn we inderdaad te verschillend.'

'Geloof je dat echt?'

'Dat we verschillend zijn? Zeker.' Hij dacht even na. 'Niet dat het ons tot dusver heeft weerhouden.'

'Laat het je dan nu ook niet tegenhouden.' Ellie bleef hem nog even aankijken voor ze zich omdraaide.

Tony hing nog een uurtje rond, tot de gasten begonnen te vertrekken. Slechts enkelen zagen eruit alsof ze hadden gehuild, en Tony had hen het liefst door elkaar gerammeld, ook al had hij zelf ook zin om te huilen. In gedachten kon hij Dolans stem horen, die quasi-minachtende toon van hem wanneer hij mopperde: 'Hé man, ga eens leven!'

Jimmy Dolan zou zeker niet afwachten tot de persoon die hij liefhad bij hem aan de deur verscheen, dacht Tony.

Dus waar zit jij nog op te wachten? Sinds wanneer blijf jij op je krent zitten terwijl je eropuit zou moeten gaan om iets nuttigs te doen?

Sinds ik ben opgehouden met denken dat ik alles wat fout ging kon verhelpen, antwoordde Tony zichzelf.

Vannacht had hij dienst van twaalf tot zeven... en opeens popelde hij om op zijn paard te klimmen en de nacht in te rijden, door de straten die hij blindelings kon volgen en waar de enige narigheid waarmee hij te kampen kreeg, niets met hem te maken had. Hij zou daar niet over Skyler hoeven na te denken. Hij zou over niets anders dan over zijn werk hoeven na te denken.

Maar die nacht om één uur was het niet de roep van zijn plicht die maakte dat Tony zijn paard halt liet houden voor een geschulpte blauwe overkapping op Central Park West, het gebouw waarin Skyler en hij die eerste keer de liefde hadden bedreven.

Hij stapte bij de stoeprand af en leidde Scotty het trottoir op. De portier, een melkmuilachtige knul met een adamsappel ter grootte van een deurknop, gaapte hem aan toen hij de teugels van zijn paard aan een van de aluminium palen van de luifel knoopte. Maar toen Tony tegen hem zei dat hij Skylers appartement moest bellen, kwam het joch in actie alsof hij een schop onder zijn achterste had gekregen.

'Als ze er is, vraag haar dan alsjeblieft in de hal naar me toe te komen,' zei Tony tegen hem. Skyler lag waarschijnlijk te slapen, dacht hij. Hij zou haar wakker maken... en ze zou het nog minder leuk vinden dat ze naar beneden moest komen. Maar Tony kon Scotty niet alleen op het trottoir achterlaten.

Toen Skyler echter een paar minuten later uit de lift stapte, met dikke ogen van de slaap en een bruine regenjas over haar nachthemd, had hij zichzelf wel een trap kunnen geven. Ze zag er ongerust uit. En dat was geen wonder. Ze moest wel denken dat er iets heel dringends was, dat hij haar in het holst van de nacht naar beneden liet slepen.

'Tony, wat is er... is er iets gebeurd?' Ze pakte hem bij de arm en trok hem mee naar een paar frêle antieke stoeltjes die aan weerskanten van een marmeren console stonden.

'Ik moest je gewoon even zien,' zei hij tegen haar.

'Om half twee in de nacht? Ben je nou gèk geworden?' Ze deed een stap achteruit en keek hem aan met een blik die het midden hield tussen ongeloof en woede.

Haar haar zat in de war en haar oogleden waren dik. De geur van babypoeder dreef naar hem toe. Hoewel hij wist dat hun dochter vannacht bij Ellie was, vormde Tony zich in gedachten een beeld van Skyler in bed, met Alisa slapend in de holte van haar arm. Zijn hart stokte in zijn borst.

'Ja, dat zou je wel kunnen zeggen,' gromde hij met een stem die laag genoeg was om bijna een fluistering te zijn. 'Ik ben zo stapelgek dat ik alleen maar aan jou kan denken.'

'Tony, allemachtig, ik lag te slapen...'

Hij greep haar losjes bij de pols. 'O ja? Nou, het spijt me als ik je wakker heb gemaakt. Maar nu we er toch over bezig zijn, laat me je dit vragen. Hoeveel nachten heb jij wakker naar het plafond liggen staren, ook al was je te moe om nog recht uit je ogen te kunnen kijken? Word jij 's ochtends om vier uur wakker met het gevoel dat iemand een Landrover in je borst heeft geparkeerd met een nog steeds op volle toeren draaiende motor? Nou, dan heb ik nieuws voor je: als het ergste dat jou kan gebeuren is dat je om half twee in de nacht uit je bed wordt gehaald door een kerel die geen moment langer kan leven zonder jou eerst te hebben gezien, dan mag je je gelukkig prijzen.'

Skyler was nu klaarwakker. 'Moeten we het daar nu weer over hebben?' vroeg ze met zachte, verslagen stem. 'Wat wil je van me?' Het was de smeekbede van iemand die zich aan de genade van een overvaller uitlevert.

Heel even krabbelde Tony bijna terug. *Vergeet het maar*, zei hij tegen zichzelf. *Vergeet het hele gedoe, verdomme.*

404

Maar er was iets in hem dat niet los wilde laten.

'Ik wil dat je heel eerlijk tegenover me bent,' zei hij tegen haar. 'Als je niet van me houdt, moet je dat zeggen, en dan is dit de laatste keer dat we hier nog ooit over zullen praten.'

'Ik heb toch al gezegd dat ik...'

'Ja, je hebt al gezegd dat je van me hield. Maar wat betékent dat, verdomme? Er bestaan allerlei soorten liefde, Skyler. Er is het soort liefde dat je voelt na een paar biertjes, wanneer je geil bent en d'r is toevallig op het juiste moment iemand in de buurt. Maar dat is niet hetzelfde als het oude echtpaar dat hand in hand op het bankje in het park zit. Of de kerel die 's nachts om twaalf uur door Central Park rijdt en aan niets anders kan denken dan aan de vrouw die in het gebouw aan de overkant ligt te slapen.'

'O Tony...' Er kwamen tranen in Skylers ogen.

'Je zíet het gewoon niet, hè? Hoe mooi het zou kunnen zijn. Je bent veel te druk met zoeken naar negatieve punten.'

'Nou, er is toch íemand die dat zal moeten doen,' zei ze met iets van ongeduld in haar stem. 'Neem nou mijn ouders; die hebben echt àlles gemeen, en ze spreken nauwelijks tegen elkaar. En Paul en Ellie... ze houden heel veel van elkaar, maar toch waren ze bijna gescheiden.'

'Wij zijn hen niet. Wij zijn wíj.'

'Ja,' antwoordde ze zacht. Ze deed een paar schuifelende stapjes achteruit, waarbij haar schoenen fluisterende geluiden maakten op de tegelvloer. 'Hoor eens, ik geloof dat we elkaar een poosje niet moeten zien. Ik zal er met Ellie over praten... ik zal het regelen dat je Alisa bij haar thuis kunt ontmoeten. Alleen maar voorlopig. Het lijkt me beter op die manier. Welterusten, Tony.' Met een verstikte kreet draaide ze zich om en snelde weg.

Toen Tony de liftdeuren achter haar dicht zag gaan, voelde hij zich als de laatste man aan boord van een zinkend schip dat elk moment kon kapseizen.

In een flits besefte hij wat hem te doen stond. Hij liep naar de balie van de portier en greep de jongeman bij de kraag. 'Weet jij iets van paarden?' vroeg hij.

De portier, die hoogstens zeventien leek, schudde heftig zijn hoofd. 'Het enige dat ik weet, is dat ik bij ze uit de buurt moet blijven,' zei hij, kennelijk doodsbenauwd voor de mogelijkheid dat Tony hem zou vragen een oogje op Scotty te houden.

Laat dat idee maar varen, dacht Tony. Hij zou een ander plan moeten bedenken. Hij kon het niet gebruiken als Scotty er bij die knul vandoor ging – die aluminium paal zou nog geen Duitse herder vast kunnen houden als die het in zijn hoofd kreeg om aan de haal te gaan, laat staan een schichtig paard van bijna vijfhonderd kilo.

'Heeft dit gebouw een goederenlift?' vroeg hij, terwijl hij naar buiten liep om Scotty's teugels los te maken.

De portier knikte. 'Verderop in de hal, en dan rechtsaf. Maar je hebt wel een sleutel nodig,' zei hij, zonder aanstalten te maken hem te helpen.

Tony glimlachte in zichzelf – die knul had te veel politieseries gezien. Hij zou de sleutel niet pakken voor hij de magische woorden had gehoord. Met alle genoegen zwaaide Tony met zijn insigne, en blafte met zijn beste imitatie van inspecteur Siponicz van *NYPD Blue*: 'Politie.' Het was niet helemaal in de haak, maar waarom zou hij die knul geen waar voor zijn geld geven?

Het had meteen succes.

Even later loodste Tony zijn paard naar de goederenlift, die groot genoeg was om de inhoud van een heel studio-appartement te herbergen. Toch voelde hij hoe Scotty schichtig werd toen de deuren dichtschoven. Hij verstrakte zijn greep op het hoofdstel en stelde zijn bevende paard met zachte stem op zijn gemak.

De lift, die langzaam naar boven kraakte en piepte, leek er eeuwen over te doen. Tony voelde hoe het klamme zweet hem uitbrak. Allejezus, je kon een geneesmiddel tegen difterie uitvinden in de tijd die ervoor nodig was om dit oude krat twaalf verdiepingen omhoog te laten gaan.

Na een eeuwigheid schoven de deuren open. Een oude vrouw, die met een grote vuilniszak op weg was naar de stortkoker – zeker een van die nachtuilen die een opruimwoede krijgen als ze 's nachts niet kunnen slapen – wierp een blik op Scotty en slaakte een luide gil.

Terwijl Tony het paard uit de lift naar de dienstgang voerde, die over de hele verdieping liep, hief hij zijn hand in een tweevingerige groet naar haar en glimlachte toen hij zich voorstelde wat voor verhaal ze hiervan voor haar kleinkinderen zou maken.

'Politiezaken,' verklaarde hij.

Scotty's hoeven klepperden op de betonnen vloer. Maar de deuren die op de gang uitkwamen – ze gaven toegang tot de keukens, die naar Tony vermoedde op dit uur grotendeels verlaten zouden zijn – bleven dicht.

Toen hij op de deur van Skylers flat klopte, duurde het een volle minuut voor ze opendeed.

Toen ze in de deuropening stond, gingen haar verbaasde ogen van Tony naar zijn paard, en daarna weer naar Tony. Ten slotte wist ze met hese stem uit te brengen: 'Ben je nou helemaal gek geworden?'

Ze had haar regenjas uitgetrokken en in het licht dat van achter haar scheen, kon hij door de dunne katoen van haar nachthemd

406

heen kijken... Hij zag alleen maar de contouren van haar lichaam, maar dat was voldoende om hem slap in de knieën te laten worden.

'Laten we het zo stellen, ik ben hier niet wegens een verzoek tot bijstand,' blafte hij terug.

'Ik bel de commissaris,' dreigde ze en ze werd rood in haar gezicht. 'Ik weet zeker dat dit onwettig is.'

'Je vergeet dat ik een smeris ben.'

'Jij... jij...' sputterde ze.

Maar voor ze de woorden eruit kon krijgen, sloeg Tony doodleuk de teugels over de deurknop en nam Skyler in zijn armen. Ze stribbelde tegen, heel even maar; toen zwichtte ze en de verleidelijke contouren waarvan hij een moment geleden een glimp had opgevangen, werden een solide vorm die zich warm tegen hem aan drukte, zodat de hitte in zijn onderlijf opvlamde.

Toen Tony haar kuste, en hij Skylers mond zacht en vochtig voelde worden, was Tony zich slechts vaag bewust van de oude vrouw aan het eind van de gang, die hen stond aan te staren.

Plotseling maakte Skyler zich met een ruk van hem los en barstte in tranen uit.

'Stil maar,' mompelde hij en hij drukte haar weer tegen zich aan; hij hoorde het zachte gekraak van het leer toen ze haar gezicht in de plooien van zijn jasje begroef. 'Het zal allemaal goed komen.'

'Waarom ben je daar zo zeker van?' snikte ze.

'We zullen het goed láten komen.' Hij streelde haar natte wang, in een poging haar wat op te monteren. 'Hé zeg, vraag je niet of ik even binnenkom?'

Ze keek hem met een ernstig gezicht aan. 'Ben je vergeten wat er de vorige keer is gebeurd, toen ik je binnenvroeg?'

Tony aarzelde niet voor hij vriendelijk antwoordde: 'Wat er is gebeurd, is dat we een baby hebben gemaakt – een beeldschoon dochtertje.'

Skyler dacht hier even over na, terwijl ze een sliert haar achter een oor schoof. Toen kwam het, de glimlach waarop hij had gewacht... hij brak door alle tranen heen, met de schittering van een regenboog na een wolkbreuk.

'We schijnen de gewoonte te hebben het paard achter de wagen te spannen, hè?' lachte ze.

Tony keek even naar Scotty en grijnsde. 'Ik zie geen wagen.'

Ze kneep haar ogen halfdicht. 'Wat bedoel je daarmee?'

'Dat het tijd wordt dat jij en ik gaan trouwen.'

Ze zuchtte. 'O Tony... krijg je er dan nooit genoeg van mij te vragen?'

'Ik hoopte min of meer dat het andersom zou zijn – dat ik zou maken dat jij er zo genoeg van kreeg, dat je ja zei.'

'Bedoelde je het zo?'
'Wat dacht je dan? Ik ben niet het soort dat snel opgeeft.'
'Ik ook niet,' zei ze.

Ze stonden elkaar zwijgend over de drempel aan te kijken terwijl Scotty ongeduldig snoof. Skylers armen waren over haar borst gevouwen en ergens in de nette, modern uitziende keuken tikte zachtjes een klok.

Tony haalde snel en scherp adem. 'Dus... mag ik erin, of hoe zit het?'

Skyler aarzelde lang genoeg om zijn toch al razendsnel kloppende hart op het hoogste toerental te jagen. Toen deed ze, nog steeds glimlachend, de deur wijd genoeg open om een paard binnen te laten... en misschien zelfs een drammerige smeris, die wist hoe hij zijn zin moest krijgen.

21

Kate wreef met de achterkant van haar pols langs haar neus. Ze had altijd last van de walm wanneer ze meubels blank schuurde – in dit geval een klein juweel van een Pembroke-tafel die ze op een veiling in Maine had opgepikt. Het afbijtmiddel deed haar ogen tranen en haar neusholten prikken en had al diverse gaten in haar rubberhandschoenen gebeten. Wat haar ook dwarszat, was de gedachte dat Leonard dit met alle liefde voor haar had willen doen, en dat ze stapelgek moest zijn om het niet aan hem over te laten. *Is dit soms jouw idee van boete doen?* berispte ze zichzelf. *Denk jij nou echt dat jezelf kwellen Skyler terug zal brengen?*

Onzin. Ze deed alleen maar wat er moest gebeuren. Leonard had de laatste tijd over artritis geklaagd en ze wilde hem niet te zwaar belasten. Ze had natuurlijk ook iemand anders kunnen zoeken om dit werk te doen. Dat zou Miranda hebben gedaan. In gedachten kon Kate haar vriendin al zien, met de hoorn van de telefoon in de hand, om met een elegant gevijlde en gelakte vingernagel nummers te tikken. Maar als iemand anders dit zou doen, dacht Kate, had zij geen excuus gehad om aan een avond met Will alleen te ontsnappen...

Ze ging op haar hielen zitten om het resultaat te bekijken. Ze had het grootste deel van het scharnierende bovenblad af, dat nu het van zijn doffe laklagen was ontdaan, een zachte glans verspreidde. De tafel was echt een vondst geweest en ze had hem voor een habbekrats weten te bemachtigen. Dus waarom kon ze er nu niet blij mee zijn? In het verleden zou ze erover hebben gejubeld.

Omdat, dacht ze, *het zo moeilijk is te stralen van blijdschap wanneer je het gevoel hebt dat je bent beroofd van alles dat je het liefste is.*

Verdwenen waren de doffe lagen van leugens en ontkenningen. Verdwenen haar angst dat haar pad eens dat van Ellie zou kruisen – haar ergste nachtmerrie was uitgekomen en ze had het overleefd. Verdwenen was zelfs de wrok die ze deze maanden jegens Will had gekoesterd. Hij was, net als alle andere mannen die ze had gekend, sterk en doortastend in zijn werk, maar slap en besluiteloos waar het familiecrises betrof.

Ze stelde zich Will voor zoals ze hem een uur geleden had verlaten, zittend in zijn gemakkelijke stoel in de kleine zitkamer die aan de grote salon grensde, met zijn aktentas voor zich, studerend op de officiële papieren van zijn nieuwste project, een miljoenenproject van zes hectaren groot, aan de kade van Hoboken, die een einde aan de financiële crisis van het bedrijf beloofde te maken. Will had opgetogen moeten zijn, maar hij had er lusteloos en mat uitgezien, met ogen die in de verte staarden.

'Ik ga naar de winkel om wat werk af te maken,' had ze tegen hem gezegd. 'Als je honger krijgt, dan staat er een ovenschaal klaar. Je kunt hem opwarmen in de magnetron.'

Hij had met zijn ogen geknipperd en naar haar opgekeken alsof ze een vreemde was die hem op een station om inlichtingen vroeg. 'O ja. Dat is goed.' Daarna, alsof hij zich herinnerde dat ze getrouwd waren en dat getrouwde mensen werden geacht samen te eten, had hij gevraagd: 'Je komt niet thuis voor het avondeten?'

'Waarschijnlijk niet.' Kate voelde een steek die ergernis had kunnen zijn, maar die vooral, besefte ze, treurigheid was.

Ze hield nog altijd van Will – of dat dacht ze in elk geval. Hun geschiedenis was gecompliceerd en diep, geworteld in hun gedeelde liefde voor hun dochter en in het leven zoals zij het hadden ingericht. Maar waar haar liefde eens vragend was geweest, zelfs hulpzoekend, was die nu teder, bijna moederlijk. Ze zag Will tegenwoordig vaak als een ziek kind dat haar zorg behoefde.

'Nou, dan... ga ik maar,' zei ze met valse opgewektheid. 'Bel me als...' Ze bedwong zich om niet te zeggen wat niet nodig was om te zeggen.

Bel me als je iets van Skyler hoort. Laat me geen moment langer in spanning zitten met mijn gepieker of ze ons ooit zal vergeven.

'...je me ergens voor nodig hebt,' besloot ze.

Will, moest ze hem nageven, begreep dat ze niet doelde op dat hij misschien moest weten hoeveel minuten de ovenschotel in de magnetron moest, of op de mogelijkheid dat een van haar vriendinnen belde. Hij knikte en de huid rond zijn kaak – die de laatste tijd wat slap was gaan hangen, als de uitgezakte zoom van een jas die al lang uit de mode was – verstrakte even. Ze wist dat hij ook verdriet had.

En zo lag ze hier op haar knieën op een afdekkleed vol verfvlekken in de kleine werkplaats achter haar verduisterde winkel, en ademde ze dampen in die haar waarschijnlijk kanker zouden bezorgen of op zijn minst gaten in de ozonlaag zouden prikken.

410

Het leven gaat verder, zei Kate tegen zichzelf. *Het gaat alleen niet zo verder als eerst*. Ze zou er gewoon aan moeten wennen. Ze zou zich er op de een of andere manier aan moeten wennen dat ze niet iedere keer de telefoon weggriste wanneer die ging, met de gedachte dat het haar dochter was. Ze zou moeten ophouden met bladeren in fotoalbums die propvol zaten met foto's van Skyler. Skyler op vijfjarige leeftijd, op haar nieuwe pony. Skyler op de Hampton Classic, met haar eerste blauwe lint. Skyler met baret en toga bij de diploma-uitreiking in Princeton...

'O Heer, hoe zou ze dit ooit leren verdragen? Wetend dat ze daar ergens een dochter en een kleindochter had... maar niet in staat te zijn hen te zien. Geen van haar telefoontjes naar Skyler was beantwoord, en de enige keer dat ze er echt doorheen was gekomen, had haar dochter afstandelijk en koud gedaan.

Ellie heeft het doorstaan, bracht ze zichzelf sarcastisch in herinnering. *En nu onderga je aan den lijve hoe zoiets voelt. Je krijgt een koekje van eigen deeg, het wordt je betaald gezet*.

Maar waarom moest dit zoveel verdriet doen? Moest ze het overal waar ze ging met zich meenemen, als een scherp steentje in haar schoen? Werd er dan helemaal geen rekening gehouden met al het goede dat ze had gedaan, met de oprechte liefde waardoor ze was geleid?

In een vlaag van wanhoop trok Kate haar handschoenen uit en wierp ze op een haak aan de muur. Maar toen ze probeerde overeind te komen, schoot er zó'n felle pijn door haar heup dat ze even wankelde op haar benen en dacht dat ze misschien flauw ging vallen. Er dansten gekleurde vlekken voor haar ogen en de hele kamer leek zich samen te trekken, alsof ze door een kijkgaatje tuurde. Ze struikelde en wist steun te vinden bij een Victoriaans theetafeltje.

De kamer kreeg langzaam zijn normale proporties weer terug, maar haar blik bleef wazig. Kate bracht haar handen naar haar gezicht en merkte dat dit nat was. Verdorie. Ze had zichzelf beloofd, ze had gezwóren – geen tranen meer. Huilen was zo... onwaardig. En zo zinloos. Het zou Skyler niet terugbrengen. Het zou helemaal niets veranderen.

Kate strompelde behoedzaam naar de grenenhouten werktafel waartegen haar wandelstok stond. Ze zou een poosje uitrusten en daarna naar huis gaan.

Het rinkelen van de deurbel deed Kate schrikken en ze schoot overeind en stootte per ongeluk haar stok om. Wie kon het op dit uur nog zijn? Het was te laat voor een bestelling.

De voordeur leek opeens een onmogelijk eind weg, de winkel een labyrint van dreigende halfverlichte vormen vol scherpe hoe-

411

ken en geklauwde poten om haar te laten struikelen. Door het ovaal van geslepen glas in de deur ontwaardde ze een tengere figuur in een regenjas met ceintuur, die half in de schaduw verborgen stond.

Kate's hart sprong op. Ze zou Skyler overal hebben herkend, alleen al aan haar houding – haar gewicht op één heup, de ene schouder wat lager dan de andere.

Kate negeerde haar stekende pijn, ze snelde de laatste meters naar de deur en timmerde met de muis van haar hand de stroeve oude grendel opzij.

'Skyler!' Ze moest zich bedwingen om haar vreugde niet te hevig te laten blijken.

Skyler stapte voorzichtig naar binnen en bukte zich naar Kate om haar luchtig op de wang te kussen. Het was een beleefde kus, niet meer. Kate bleef voor haar dochter staan, ze popelde om haar te omhelzen, maar ze beheerste zich bewust.

Het was twee maanden geleden dat ze elkaar voor het laatst hadden gesproken, en het voorjaar was niet meer dan een vage herinnering. De forsythia was gekomen en gegaan, evenals de narcissen. Haar rozen waren beginnen te bloeien; in de boomgaard begonnen zich harde, groene knobbels van vruchten te vormen. Duncans favoriete merrie Tilly kon elke dag haar veulen werpen.

Kate herinnerde zich de tijd dat de ophanden zijnde geboorte van een veulen Skyler iedere dag vol verwachting van de schoolbus naar huis had doen hollen, met slingerende schooltas en haren die om haar hoofd wapperden als linten aan een meiboom. O, wat zou ze er niet voor geven om die jaren over te kunnen doen... haar dochter weer onder haar dak te hebben, blij door haar te worden aanbeden!

Kate keek op haar horloge, verbaasd te zien dat het bijna negen uur was. Ze had niet beseft dat het al zo laat was. Tijd was iets waar ze tegenwoordig zelden op lette.

'Lust je een kopje thee?' vroeg ze aan Skyler.

Skyler knikte en zei: 'Thee lijkt me lekker.'

Kate ging haar voor naar het achterste gedeelte van de winkel, naar de hoek achter haar bureau waar ze een elektrische theeketel had staan boven op een dossierkast van twee laden, vol met doosjes thee en pakjes suiker. Toen Kate de ketel vulde uit de waterkoeler die ernaast stond, was ze blij dat ze iets had om haar bezig te houden. Ze was ervan overtuigd dat als ze werd gedwongen stil te staan, ze regelrecht naar het plafond zou stijgen, als een van die ballonnen die mensen bij bosjes op hun verjaardag kregen.

Skyler was, als wilde ze het zich niet te gemakkelijk maken, op de beklede arm van een fauteuil gaan zitten en keek haar moeder aan met de geduldige uitdrukking van iemand die afwacht tot alle opwinding is gaan liggen.

Ten slotte kon Kate zich niet langer bedwingen en ze barstte los: 'Wat ben ik blij dat je er bent! Je hebt geen idee hoe ik je heb gemist.' Skyler zweeg, haar gezicht bleef ernstig.

Kate zei, met tranen in haar ogen, het enige dat nog te zeggen viel: 'Ik kan alleen maar een begin maken met me voor te stellen wat jij van mij moet denken. Maar geloof me, er is niets van wat jij me kwalijk neemt dat ik mezelf al niet verweten heb. En het afschuwelijke is dat ik geen excuus heb. Er is geen enkele manier waarop ik dit ooit goed bij jou kan maken... of bij Ellie. Het enige dat ik kan doen, is zeggen dat het me spijt. Ik had het je jaren geleden al moeten vertellen.'

Skyler bleef haar koud aankijken. 'Waarom heb je het me eigenlijk nog verteld? Je had het ook geheim kunnen blíjven houden.'

Kate had zich hetzelfde afgevraagd, keer op keer. En het antwoord ontging haar nog steeds. Het beste dat ze kon bedenken was: 'Het is waar dat ik jarenlang bang ben geweest voor wat er zou gebeuren als ik bekende... maar ik denk dat het er uiteindelijk op neerkwam dat ik zelfs nog banger was voor wat er zou gebeuren als ik het niet vertelde.'

'Wat er met Ellie zou gebeuren?'

Kate's pijnlijke heup dwong haar op de stoel achter haar bureau te gaan zitten. 'Met mij,' zei ze. 'Ik had geen seconde langer met mezelf kunnen leven als ik Ellie die rechtszaal uit had laten lopen zonder dat ze het wist.'

'En pappa? Dacht hij er net zo over?'

Kate zweeg. Ze kon geen excuses maken voor Will. Maar ze kon aan Skylers blik zien dat dit niet nodig was. Skyler hield heel veel van haar vader, maar ze had dit duidelijk door.

Misschien kan ik nog iets van haar leren, dacht Kate. *Ik kan leren Will met open ogen te zien en hem lief te hebben ondanks zijn tekortkomingen.*

De theeketel begon te fluiten en ze hees zich overeind om kokend water in twee bekers te gieten. Nu ze veilig met haar rug naar Skyler stond, durfde ze met geforceerde opgewektheid te vragen: 'Hoe gaat het met Alisa? Ze zal inmiddels wel heel groot zijn.' En toen ze Skyler een dampende mok gaf, besloot ze mild met: 'Baby's groeien zo snel.'

Skylers gezicht klaarde op. 'Ze begint net op handen en knieën overeind te komen. Het is zo leuk om haar te zien – ze wordt helemaal rood in haar gezicht, alsof ze push-ups doet.'

'Ze gaat kruipen voor je het weet.'

'Daar is ze al mee begonnen. Maar meestal schuift ze gewoon

op haar buik heen en weer. Tony heeft haar de bijnaam Lizzie gegeven, als afkorting van Lizard. Je zou haar eens moeten zien!'
Dat zou ik heel graag willen, dacht Kate.
'Zijn Tony en jij...?' begon ze te vragen, maar zweeg toen. Ze had van Will gehoord dat Skyler en Tony verloofd waren, maar ze durfde dit niet goed ter sprake te brengen. Dat haar dochter ging trouwen zonder dat Kate hier op enigerlei wijze in werd gekend, leek ondenkbaar.
'We hebben nog geen datum vastgesteld,' deed Skyler ontwijkend.
Of zeg je dat alleen maar zodat je me niet voor de bruiloft hoeft uit te nodigen? vroeg Kate zich in martelende wanhoop af.
'O, nou,' zei ze. 'Dat lijkt me geweldig.'
'Dacht je?' Skyler klonk alsof ze nog steeds twijfels had met betrekking tot trouwen.
'Natuurlijk.'
'Je keurt het niet af?'
'Waarom zou ik?'
'Nou, weet je...'
'Omdat hij niet "van ons soort" is?' Kate schudde langzaam haar hoofd. 'O Skyler, het spijt me als ik je zó heb opgevoed. Geloof me, dat was niet de bedoeling. Wat vooral van belang is, is liefde en respect. Het is natuurlijk altijd gemakkelijker als man en vrouw dezelfde achtergrond hebben, maar het is geen formule voor geluk. Als jij van deze man houdt, en hij houdt van jou, dan kun je het laten werken.'
Skyler zuchtte. 'Het zal niet gemakkelijk zijn.'
'Dat is geen enkel huwelijk ooit.' Kate zweeg en voegde er toen zacht en droevig aan toe: 'Je vader en ik hebben bijna nooit ruzie gehad – dat was niet nodig. We waren het in bijna alles met elkaar eens. Maar ik denk dat het beter was geweest als we wèl ruzie hadden gemaakt. Dan hadden de dingen niet zo voortgesudderd. Dan hadden we misschien geleerd eerlijker tegenover elkaar te zijn.'
'Je bedoelt over Ellie?'
'Over Ellie... en over andere dingen.'
Kate probeerde een slokje van haar thee te nemen, maar haar hand beefde en er klotste een beetje van de gloeiendhete vloeistof over haar knokkels. Ze zette haar beker neer en legde haar hand tegen haar wang, waarbij ze worstelde om niet toe te geven aan de tranen die als een voortdurende waterval achter haar ogen lagen en steeds op het punt stonden door te lekken.
'Mam...'
Skylers stem deed Kate rechtop zitten en haar schouders rechten.

414

Ze hief haar kin, op dezelfde manier als waarop ze een vol glas stilhield om niets te morsen. Kate wachtte, zonder iets te zeggen.

Ten slotte haalde Skyler diep adem en ging verder: 'Ik weet niet of ik ooit echt in staat zal zijn je te vergeven, maar het rare is... ik begríjp het wel. Als ik in jouw schoenen had gestaan, als het Alisa was geweest... is er bij mij geen twijfel over dat ik precies hetzelfde zou hebben gedaan als jij.'

'We doen vreselijke dingen in naam van de liefde.' Kate knipperde met haar ogen en er rolde een traan over haar wang.

'Ik kan me ergere voorstellen,' zei Skyler zacht, en ze hield Kate in de kalme gloed van haar blik. 'Nooit te zijn liefgehad, niet te zijn opgegroeid in de wetenschap dat ik een moeder had op wie ik altijd kon rekenen... dàt zou het ergste zijn geweest dat me had kunnen overkomen.'

Kate durfde geen adem te halen; zelfs maar een centimeter bewegen had de betovering kunnen verbreken. In plaats daarvan zat ze vol ontzag te kijken naar het geleende kind dat ze had gekoesterd en liefgehad alsof het haar eigen kind was geweest. *Je bent van Ellie*, dacht ze, *maar je hebt ook iets van mij in je. Omdat ik je heb liefgehad met heel mijn hart*.

Kate haalde voorzichtig adem. 'Tony en jij moeten volgende week bij ons komen eten,' zei ze en ze voegde er even voorzichtig aan toe: 'Ik zou hem en Alisa graag willen leren kennen.'

'Donderdag zou mooi zijn... ik heb haar die avond,' zei Skyler en ze sloeg ongewoon verlegen haar ogen neer. Toen sprak ze de woorden die Kate zelf niet zou durven uiten. 'Ze is ook jóuw kleindochter, weet je.'

Kate nam een slokje van haar thee, die nog steeds gloeiend was. Ze zette de beker op het bureau voor zich neer en zei met een stem die zó zacht en verstikt was dat het bijna een fluistering was: 'Ik heb nooit op een andere manier aan haar kunnen denken.'

'Dat weet ik, mam.'

Kate klaarde op. 'Kan ze echt al kruipen? O, ik popel om haar te zien. Ik zal ervoor zorgen dat ik een heleboel film in de camera heb.'

'Ik wenste alleen dat ik met haar net zo ontspannen zou kunnen zijn als jij dat met mij bent geweest,' zei Skyler met een nerveus lachje. 'Maar zelfs als ik me de haren uit het hoofd trek wat ik nu weer moet doen, blijf ik haar vreselijk lief vinden. Het is gek hoe dat werkt, hè? Hoe gemakkelijk het is om van je kind te houden... zelfs als het de helft van de tijd lijkt alsof je niet weet wat je doet.'

'Liefde is het enige in de wereld waar je niet voor hoeft te oefenen.' Kate wist een beverig lachje op te brengen.

Er verscheen een angstige blik in Skylers levendige blauwe ogen.

415

'Maar stel dat je met heel je hart van je kind houdt... en het is nog niet genoeg?'

Kate pakte haar beker van het vloeiblad dat bezaaid lag met papierwerk waar ze niet aan toe was gekomen en waarvan Miranda een beroerte zou krijgen als het niet was opgeruimd tegen de tijd dat ze terugkwam. Ze proefde voorzichtig haar thee, die eindelijk de juiste temperatuur had. Niet te warm en niet te koud – als de traan die over haar wang biggelde en even op de welving van haar kaak bleef hangen voor hij in haar schoot viel.

'Het is nooit genoeg,' zei Kate, met een wijsheid die maar al te moeizaam was verworven. 'Hoeveel je ook zou willen doen, je kunt niet al het kwaad goedmaken, of alles verhelpen dat je kind pijn doet. Je kunt haar niet geven waarvan je hoopt dat ze het eens zal hebben.' Ze glimlachte... een glimlach van oneindige tederheid die was gehard – als een kostbaar metaal dat was samengesmolten met staal – door het soort hartzeer dat alleen een moeder kan kennen. 'Het geheim, weet je, schuilt in het proberen.'